Виолетта Гудкова

ЮРИЙ ОЛЕША
И
ВСЕВОЛОД МЕЙЕРХОЛЬД

в работе над спектаклем «Список благодеяний».

ОПЫТ ТЕАТРАЛЬНОЙ АРХЕОЛОГИИ

Новое литературное обозрение
Москва
2002

ББК 83.3(2Рос=Рус)6-8Олеша Ю.
УДК 821.161.1Олеша Ю.
Г93

НОВОЕ ЛИТЕРАТУРНОЕ ОБОЗРЕНИЕ
Научное приложение. Вып. XXXIV

Художник серии
Н. Пескова

Федеральная программа книгоиздания России

Г93 **Гудкова В.**
Юрий Олеша и Всеволод Мейерхольд в работе над спектаклем «Список благодеяний». — М: Новое литературное обозрение, 2002. — 608 с., ил.

Работа над пьесой и спектаклем «Список благодеяний» Ю. Олеши и Вс. Мейерхольда пришлась на годы «великого перелома» (1929—1931). В книге рассказана история замысла Олеши и многочисленные цензурные приключения вещи, в результате которых смысл пьесы существенно изменился. Важнейшую часть книги составляют обнаруженные в архиве Олеши черновые варианты и ранняя редакция «Списка» (первоначально «Исповедь»), а также уникальные материалы архива Мейерхольда, дающие возможность оценить новаторство его режиссерской технологии. Публикуются также стенограммы общественных диспутов вокруг «Списка благодеяний», накал которых сравним со спорами в связи с «Днями Турбиных» М.А. Булгакова во МХАТе. Совместная работа двух замечательных художников позволяет автору коснуться ряда центральных мировоззренческих вопросов российской интеллигенции на рубеже эпох.

ББК 83.3(2Рос=Рус)6-8Олеша Ю.
УДК 821.161.1Олеша Ю.

ISBN 5-86793-166-8

ОГЛАВЛЕНИЕ

Введение

Спектакли Мейерхольда на основе современной ему драматургии — наименее изученный пласт творчества режиссера (кроме, может быть, спектаклей по пьесам В. Маяковского, на чем были сосредоточены особые усилия исследователей). Если хорошо известны мейерхольдовские работы по классике — «Маскарад», «Лес», «Ревизор», «Пиковая дама», то принципиально важные его спектакли, связанные с произведениями Н. Эрдмана и Ю. Олеши, И. Сельвинского и Ю. Германа, Л. Сейфуллиной и Н. Островского, пока что изучены совершенно недостаточно. Между тем не нуждается в специальных доказательствах тезис о том, что для любого режиссера современная драматургия — это возможность выступить с «прямым» словом и быть услышанным зрителем.

С другой стороны, еще менее того исследовались особенности возникновения и смысловые деформации, неизбежно совершающиеся с литературной основой любого, каждого спектакля в условиях подцензурного государства. Драматургическое наследие таких крупных художников советского времени, как Мих. Зощенко, Ю. Олеша, А. Платонов, Н. Эрдман, по сю пору анализировалось поверхностно (несмотря на целый ряд интересных и полезных работ последнего времени, таких, как статьи Д. Фридмана о творчестве Н. Эрдмана, Ю. Томашевского и А. Филипповой — о М. Зощенко, Н. Корниенко — об А. Платонове и др.). В частности, не уделялось внимания реальной истории того или иного текста, литературо- и театроведческий анализ производился на материале печатных вариантов произведений.

Парадоксальным образом первым драматургом 1920—1930-х годов, кому повезло в исторической перспективе более других, стал

Михаил Булгаков. Потрясение, вызванное в обществе опубликованием его романа «Мастер и Маргарита», имело следствием не только хлынувший поток статей и книг о прозе писателя, но и подтолкнуло к пристальному изучению остальной части его наследия, в первую очередь его пьес. Ныне текстология произведений Булгакова, в том числе движение замыслов драм, их черновики и варианты, наброски и «конечный» текст — история всего корпуса текстов писателя, усилиями десятков и сотен исследователей обрела некую внятность[1].

Опираясь на опыт, накопленный при изучении и публикации булгаковского наследия, с одной стороны, и на методологию, разработанную учеными, принадлежащими к французской школе генетической критики, — с другой, я бы хотела попытаться точнее представить реальное культурно-историческое место и роль в театральном процессе рубежа 1920—1930-х годов пьесы Ю. Олеши и спектакля Вс. Мейерхольда «Список благодеяний», имевших важное значение в дальнейших судьбах двух художников.

В последнее десятилетие XX века творчество Мейерхольда все больше привлекает внимание исследователей. После реабилитации режиссера и возвращения его в число наиболее притягательных для изучения художественных имен, после книг 1960-х годов, среди которых особая роль по праву принадлежит капитальной монографии К.Л. Рудницкого «Режиссер Мейерхольд», в 90-е годы появились важные издания, один перечень которых занял бы немалое место[2]. Знакомство с обширным массивом неизвестного ранее фактического материала требует и новых методологических подходов к его рассмотрению.

Ранее общая история страны писалась определенными людьми (точнее, организациями) с еще более определенными задачами, а частная история любого искусства должна была каким-то образом с ней корреспондировать, сотрудничать, подстраиваясь под «генеральную линию». С этим было связано продолжающееся десятилетиями искажение реальной истории русского театра советского периода, связанное, в частности, с настойчивым выдвижением на первый план творчества таких драматургов, как А. Афиногенов, В. Билль-Белоцерковский, Вс. Вишневский, В. Киршон, Н. Погодин, Б. Ромашов, — и забвением, оттеснением имен других, таких, как М. Булгаков, Евг. Замятин, Ю. Олеша, А. Платонов. Компромиссным вариантом становилась переинтерпретация (перекодировка, как говорят сегодня) творчества художников (яркими примерами здесь могут служить театроведческие и критические статьи и книги о пьесах М. Булгакова, В. Маяковского, К. Тренева и многих других), которой за десятилетия отечественной истории 1930—1980-х годов не избежал никто. Достаточно вспомнить, что социальные утопии В. Маяковского и гротескные эрдмановские вещи интерпретировались как «направленные против мещанства», а драмы М. Булгакова «Дни Турбиных» и «Бег» вписывались в тематический рубрикатор в качестве «пьес о революции и Гражданской войне».

Следует подчеркнуть, что подобное искажение авторского замысла происходило в истории текста любой пьесы, пусть даже «революционного» драматурга. В высшей степени характерным проявлением такого произвола была история с авторской редакцией и театральным вариантом пьесы, ставшей основой хрестоматийного в истории советского театра спектакля, — «Любовь Яровая» К. Тренева в Малом театре (1926). Спустя годы Тренев писал: «Впервые я увидел "Любовь Яровую" в Малом театре и вообще на сцене через месяц после премьеры.<...> Очень не похоже оказалось все на то, что я представлял себе, когда писал.<...>Ряд образов противоречил моему <...> воображению. Основное же, что было для меня просто нестерпимо, — это мой текст»[3].

Еще совсем недавно театроведческие работы выполнялись на дефектном фундаменте, чему, бесспорно, были объективные причины. Помимо тех, о которых говорилось выше, по сю пору сказывается еще и привычная оторванность театроведения от филологии как методологического инструментария для изучения движения текста: его генетического досье, авантекста (т. е. совокупности черновиков и вариантов, планов и сценариев)[4] и т. д. Тогда как понятно, что, прежде чем исследовать собственно технологию режиссера, поэтику его приемов, особенности работы с актерами, структуру спектакля и т. п., необходимо выяснить, что же представляла собой драматургическая основа спектакля. Особенное значение анализ первоначальных вариантов и редакций литературного произведения, по которому ставится спектакль, приобретает именно в период отечественной истории рубежа 1920—1930-х годов, во время резкого ужесточения цензурного вмешательства, связанного с общим изменением общественно-политического климата в стране.

В театральной литературе пьеса Ю. Олеши «Список благодеяний» традиционно рассматривалась как произведение неудачное, не принесшее успеха ни автору, ни режиссеру, поставившему пьесу[5]. «Пьеса Олеши была слабенькая, — публицистическая в традиционном смысле. Написанная для Райх, она не принесла ей удачи, и актриса не поднялась над романтической риторикой автора. Очень хорошо играл С. Мартинсон эмигранта, "потерянного человека", чья жизнь сложилась катастрофически неудачно: он "ни разу не видел звездного неба, и у него не было невесты". (Очень характерная для Олеши метафора. Истошность у Мартинсона была захватывающе искренней)»[6], — писал А. Мацкин (объединяя двух персонажей «Списка благодеяний» — юношу Кизеветтера, которому принадлежала фраза о звездном небе, и Татарова, которого играл С. Мартинсон).

Оказался обманутым и такой внимательный, тонкий автор, как А.К. Гладков, писавший о «Списке», что «пьеса декларативна, риторична и попросту надуманна. Мало кто ее помнит...»[7]. Гладков же утверждал, что «пьеса больше никогда не шла ни в одном театре и не включалась автором в сборник избранных сочинений»[8].

Отчего «Список» почти не ставился — это предмет особого разговора, а вот то, что годы спустя Олеша хотел увидеть пьесу изданной, известно. Когда в конце 1956 года писателю предложили издать однотомник «Избранного», Виктор Перцов вспоминал о подготовке книги: «Многое великолепное сразу отпало, догматические предрассудки еще держались. Олеша предлагал "Список благодеяний" с "оправдательной" датой написания — 1933 год[9] — во всю страницу. Теперь пьеса спокойно заняла свое место в специальном сборнике олешинской драматургии[10]. Но в то время "Список благодеяний", что называется, не лез ни в какие ворота, а для Олеши с неожиданно открывшимся перед ним "Избранным" они могли и захлопнуться»[11].

В «Объяснительной записке», поданной в Гослитиздат, Олеша писал о «Списке благодеяний»: «В этой пьесе резко ставится вопрос о моем отношении к современности. Все размышления сводятся к мучительному узлу, который я развязываю монологом Елены Гончаровой, полным признания правоты и правды советского мира»[12]. И в 1956 году по-прежнему единственно возможной для Олеши оставалась оправдывающаяся интонация. Это означало, что пьеса, написанная четверть века назад, все еще была чересчур остра.

Одной из веских причин, заставивших меня заняться драматургическим творчеством Олеши, был тот факт, что именно олешинская пьеса «Список благодеяний» появилась в ГосТИМе на переломе исторического времени, и, стало быть, работа над ней Мейерхольда не могла не продемонстрировать некие существенные и принципиальные черты этого рубежа.

Задача данного исследования — показать, что в 1929—1930 годах не только замысливалась вещь, невероятно важная Олеше и глубоко поразившая (и увлекшая) Мейерхольда, но и то, что ядро замысла в немалой степени было реализовано в спектакле. Об этом (вопреки длинной череде текстовых трансформаций в результате неоднократного прохождения пьесы через цензуру, равно как и колебаний самих авторов пьесы и спектакля в оценках современных событий из-за непроясненности собственных мировоззренческих оснований) убедительно свидетельствуют многие сохранившиеся документы: и отчеты о бурных диспутах по поводу «Списка благодеяний» в ГосТИМе; и печатные отзывы критиков о спектакле; и выразительные свидетельства участников и очевидцев работы драматурга и режиссера, дошедшие до нас в частных письмах либо в дневниках.

На редкость содержательными оказались публичные диспуты по поводу «Списка благодеяний», на которых обсуждались узловые, важнейшие проблемы не только рубежа 1920—1930-х годов, но и, как это с отчетливостью видно сегодня, всех последующих десятилетий отечественной истории. Быстро ставшие невозможными для открытого обсуждения, они так и остались нерешенными, отчего и сегодня с неизбежностью порождают множество больных вопросов. Речь идет о советской интеллигенции, особенностях ее образа мышления и связанном с этим образе действия, функциях в обществе; новом осмыслении роли и назначения личности в соотношении с коллективом, о сущности свободы творчества и множестве других. Остроактуальной в последние полтора десятилетия стала и тема «двух списков», благо- и злодеяний нынешней российской власти: что она дала — и чего безвозвратно лишила.

Здание ГосТИМа на Садово-Триумфальной

Итак, в работе предпринята попытка содержательной реконструкции условий рождения пьесы и спектакля, последовательный анализ их трансформации, рецепции, а также наблюдение за семантическими напластованиями и изменениями смыслового ядра.

Премьера «Списка благодеяний» состоялась в ГосТИМе 4 июня 1931 года. Забегая вперед, скажу, что, как и следовало ожидать, представления и оценки, принятые в отечественной литературе о театре в связи с данной мейерхольдовской работой, обнаружили свою приблизительность, неточность, а порой и просто ошибочность. Но что много важнее — они к тому же оказались растиражированными оценками этого культурного факта, инициированными властями, рупором и проводником чьих мнений был Главрепертком (которому помогали художественно-политические советы в театрах). Общественные обсуждения и публичные дискуссии о спектакле вышли за рамки сугубо театральных споров и были продолжены на страницах центральных изданий и в партийной верхушке. Достаточно сказать, что в числе рецензентов «Списка благодеяний» оказались такие влиятельные деятели партии того времени, как А. Сольц и К. Радек. Так как реализация замысла происходила в переломный момент российской истории, спектакль вышел к зрителю угасшим, обломанным, искаженным. Но даже и в этом виде имел шумный успех, сопровождавшийся значительным общественным резонансом, который, по-видимому, был не меньшим, чем в случае с легендарным спектаклем МХАТ «Дни Турбиных». Другое дело, что с «Турбиными» публика встретилась в 1926 году, в сравнительно либеральные времена, и, кроме того, им было суждено снискать необычную привязанность вождя. «Список» же рождался в месяцы, когда власти вовсе не были расположены к восприятию общественной критики.

Дело заключается не в том лишь, чтобы восстановить историю рождения и убийства еще одной пьесы (хотя и сам по себе это весьма полезный результат). Значительно более важной представляется иная задача: попытаться как можно более полно и точно ощутить, как жили и думали, чувствовали и погибали несоветские люди, уговаривавшие себя стать советскими и так и не сумевшие этого сделать. Мейерхольд. Пастернак. Мандельштам. И Юрий Олеша.

Я вижу в истории совместной работы Ю. Олеши и Вс. Мейерхольда над спектаклем «Список благодеяний» не их «сдачу и гибель» (А. Белинков), а упорную и небезуспешную борьбу в неравной ситуации, борьбу частного человека с крепнущим тоталитарным режимом. Понятно, что обвинять людей в том, что они оказались слабее государства, по меньшей мере неплодотворно. Но, к сожалению, очевидно и то скольжение авторской позиции, трансформирующееся позднее в двоемыслие, которое сыграло губительную роль в творческих судьбах не одних только Олеши и Мейерхольда. На детально рассмотренном материале одной-единственной работы двух замечательных художников вполне ощутимы центральные мировоззренческие вопросы российского общества рубежа 1920—1930-х годов.

Задача и пафос театроведения и истории театра постсоветского времени, как они представляются автору, — изучение и публикация архивных материалов на предмет выяснения не столько судьбы отдельной пьесы или спектакля, какими бы яркими и значительными они ни были, сколько образа мышления и миропонимания российского интеллигента. Потому что сверхзадача театроведения, если оно видит себя как одну из гуманитарных наук, то есть наук о человеке, это исследование — с помощью собственного инструментария и специфического материала — смены типов человеческого сознания, мышления, поведения, реализуемого в художественных формах.

Работа строится на соединении нескольких областей специального знания, прежде всего текстологии (где моими учителями были Я.С. Лурье и М.О. Чудакова). Далее — собственно театроведческого анализа документов, связанных с работой Вс. Мейерхольда над спектаклем. Историко-реального, литературного и театроведческого комментирования, опирающегося на сегодняшнее знание реалий отечественной истории 1920—1930-х годов. И, наконец, изучения рецепции современников.

Итак, предмет рассмотрения — пьеса Юрия Олеши «Список благодеяний» и поставленный по ней спектакль Вс. Мейерхольда, особенности их существования в ситуации сталинского «великого перелома».

Материал работы — архивные источники и документы: рукописи и дневники писателя, стенограммы репетиций Мейерхольда и обсуждений спектакля, сохранившиеся в фондах РГАЛИ и ГЦТМ им. А.А. Бахрушина.

Структура книги, ее важнейшие смысловые узлы:

рассмотрение ранних набросков «Списка благодеяний», по которым возможно судить о первоначальном замысле вещи;

воссоздание истории текста пьесы;

публикация двух редакций «Списка благодеяний»: ранней, авторской, и окончательной, театральной;

анализ стенограмм репетиций Мейерхольда;

попытка реконструкции спектакля: его содержательный пафос и конкретные технологические особенности режиссуры; воссоздание основных звеньев спектакля: его сценографического решения, актерской игры, световой партитуры, музыкального пласта, а также костюмов и бутафории. Для этой части работы использованы режиссерский и суфлерский экземпляры с пометками авторов спектакля; чертежи, наброски и фотографии репетиций и спектакля, сохранившийся музыкальный материал и т.д., а также — свидетельства мемуаристов, очевидцев работы над «Списком благодеяний», описания театральных рецензентов и пр.

Важная часть работы отведена рецепции современников. Здесь вниманию читателя предлагаются такие выразительные документы, как стенограмма обсуждения «Списка» в ФОСП им. М. Горького и газетные отчеты о диспуте в Клубе театральных работников (стенограммы которого, к сожалению, отыскать не удалось), а также — неизвестные прежде письма и дневники современников режиссера и драматурга (ценнейший материал по интересующей нас теме был обнаружен в письмах Э.П. Гарина к жене, Х.А. Локшиной[13]).

В заключении работы подводятся некоторые итоги исследования, кратко прослеживаются дальнейшие пути двух художников, а также делается попытка расширить горизонт данной темы, указав на определенную схожесть, даже параллелизм процессов, идущих не только в театре, но и в литературе и живописи России тех десятилетий.

Эдиционные принципы

В книге используются материалы и документы различных архивохранилищ (ГАРФ, ИМЛИ, РГБ и др.), но основная их часть находится в РГАЛИ и ГЦТМ им. А.А. Бахрушина. В РГАЛИ хранятся личные фонды Ю. Олеши (Ф. 358), В.Э. Мейерхольда (Ф. 998), ГосТИМа (Ф. 963), а также — фонд Э.П. Гарина (Ф. 2979). В дальнейшем, если в ссылке на фонд название архива отсутствует, это означает его принадлежность к РГАЛИ.

Фотографии репетиций и спектакля «Список благодеяний» сделаны А.А. Темериным. Они хранятся в ГЦТМ им. А.А. Бахрушина.

Публикуются различные типы документов, чьей единственной общей принципиальной особенностью является свобода от какого бы то ни было цензурного вмешательства (кроме театральной редакции «Списка»). Во-первых, творческие черновики Олеши и ранняя редакция пьесы; во-вторых, стенограммы репетиций Мейерхольда и публичных обсуждений пьесы и спектакля; в-третьих, различного рода заметки, дневники, письма отдельных лиц.

По отношению к источникам разного типа использованы и различные подходы к их публикации.

Самой сложной задачей стала текстологическая подготовка творческих черновиков Ю. Олеши. Здесь публикатор видел свою цель в том, чтобы избежать неаргументированной и унифицирующей редактуры (контаминации набросков различного времени, «выпрямления» нелогичностей и пр.), максимально сохраняя авторскую рабочую манеру фиксации текста. Лишь в набросках сцен выделены курсивом имена персонажей и упорядочено обозначение ремарок. Написание некоторых слов оставлено таким, каким оно было в документе (например, «маниак», «сериозный»): понимание слова не затрудняется, зато передается аромат времени, выражаясь строже — повышается информативность текста.

Приняты следующие обозначения: в квадратные скобки заключены вычеркнутые Олешей и восстановленные публикатором фрагменты текста; ломаными (угловыми) скобками отмечены купюры, осуществленные публикатором (в главе 2 они связаны с многочисленными повторами, уже приводившимися выше сценами и репликами); в косые скобки помещены слова, дописанные публикатором.

Текст ранней редакции «Списка благодеяний» — это рабочая перепечатка пьесы, предназначенная для прочтения цензором. Знаки препинания, по-видимому, ставились машинисткой: недостает вопросительных знаков и запятых, порой появляются неоправданные тире и двоеточия, похожие на случайные опечатки. Тем не менее пунктуация откорректирована по принципу минимального вмешательства в текст: исправлены явные опечатки; устранена путаница в кавычках (например, при различении Гамлета — имени собственного и «Гамлета» — пьесы Шекспира); три реплики Улялюма и Лели, отсутствующие в данном экземпляре, даны по близкому экземпляру пьесы из архива ГосТИМа (Ф. 963. Оп. 1. Ед. хр. 709), они помещены в квадратные скобки; дописаны (и заключены в косые скобки) пропущенные машинисткой названия сцен и отдельные слова; выделены курсивом ремарки.

При публикации театральной редакции «Списка благодеяний» основной задачей было отчетливо передать три различные слоя пометок: Ю. Олеши, сочиняющего некоторые фрагменты пьесы «в рабочем порядке»; сравнительно немногочисленные пометы Вс. Мейерхольда; наконец, записи М.М. Коренева, режиссера-ассистента, работавшего на репетициях «Списка». Фрагменты текста, вписанные рукой Олеши, подчеркнуты; пометы Мейерхольда переданы курсивом; наконец, ремарки Коренева выделены жирным шрифтом. Авторские же ремарки машинописного текста, фиксирующие предыдущий этап работы над пьесой, даны обычным шрифтом. Купированные (вычеркнутые в машинописи) фразы и сцены помещены в квадратные скобки; слова, дописанные публикатором, обозначены косыми скобками.

При публикации стенограмм репетиций в подзаголовках вначале даются имена персонажей, затем — актеров; написание дат унифицировано. В косые скобки помещены: пропущенные стенографисткой реплики персонажей, необходимые для понимания указаний режиссера; названия репетирующихся сцен (в тех случаях, если они отсутствуют в стенограмме); пропущенные фамилии занятых на репетиции актеров; а также — слова, дописанные публикатором.

При публикации документов служебного характера (стенограмм диспутов и обсуждений) сокращаемые стенографисткой слова (например, «товарищ») дописаны без каких-либо специальных обозначений. Кроме того, в ряде случаев корректировкой знаков препинания осуществлена более четкая интонационно-смысловая разбивка текста.

Выражаю искреннюю благодарность за участие в рождении книги, полезные соображения и замечания моим коллегам по Государственному институту искусствознания: В.В. Иванову, В.Ф. Колязину и О.М. Фельдману, а также — историку литературы А.Е. Парнису. Без доброжелательной помощи и неизменной терпеливости сотрудников РГАЛИ Е.Е. Гафнер и И.Ю. Зелениной, а также заинтересованного внимания сотрудницы ГЦТМ им. А.А. Бахрушина Н.М. Зайцевой выполнить эту работу было бы много сложнее. Н.М. Зайцевой же были выполнены выразительные выкадровки из фотодокументов, использованные при оформлении обложки книги.

ПРИМЕЧАНИЯ

1. См.: *Булгаков М.А.* Пьесы 1920-х годов. Л., 1989; *Булгаков М.А.* Пьесы 1930-х годов. СПб., 1994. Третья книга «Театрального наследия» М.А. Булгакова (инсценировки, либретто, сценарии) находится в печати.
2. См. нашу статью: Инвентаризация опытов: Мейерхольд в исследованиях и публикациях последних лет // Новое литературное обозрение. 2000. № 45. С. 360—379.
   К перечню следует добавить ценные издания, вышедшие в свет в самое последнее время: Мейерхольд в русской театральной критике. 1920 — 1938 / Сост. Т.В. Ланина. СПб., 2000; Мейерхольд и другие: Документы и материалы / Сост. О.М. Фельдман. М., 2000; а также Уварова И. «Смеется в каждой кукле чародей». М., 2001.
3. *Тренев К.* Пьесы. Статьи. Речи. М., 1980. С. 603.
4. См.: Генетическая критика во Франции: Антология / Отв. ред. А.Д. Михайлов. М., 1999.
5. При общей оценке пьесы как схематичной и слабой мнения исследователей об отношении режиссера к драме Ю. Олеши были тем не менее различны. Так, К. Рудницкий полагал, что в «Списке благодеяний» «выражены были

острые проблемы тех лет. К сожалению, однако, только в схеме, ибо пьеса была начата с изяществом чисто геометрическим, с явным желанием свести мучительную сложность жизни к простоте ясных противопоставлений. <...> Мейерхольда же схема, предложенная Олешей, не очень интересовала, он все время от этой схемы отвлекался» (*Рудницкий К.* Режиссер Мейерхольд. М., 1969. С. 438, 441). А. Гладков писал, что «Мейерхольд неожиданно спасовал перед пьесой Юрия Олеши "Список благодеяний", произведением литературно-щеголеватым, полным броскими афоризмами и контрастными эффектами, но внутренне противоречивым, лишенным драматического зерна», и относил спектакль «Список благодеяний» к числу «явных творческих неудач» Мейерхольда и театра (*Гладков А.* Мейерхольд. М., 1990. Т. 2. С. 224, 222).

С.В. Житомирская, специалист по русской истории XX в., видевшая «Список благодеяний» семнадцатилетней девочкой, говорит, что впечатление от него было «оглушительным». «Не так много было театральных впечатлений такой силы за всю жизнь. Я и сегодня помню лицо актрисы, играющей главную роль, и сцену на лестнице». (В беседе с автором 5 ноября 2001 г.)

6. *Мацкин А.* Время ухода // Театр. 1990. № 1. С. 33—34.

7. *Гладков А.* Поздние вечера. М., 1986. С.176.
Правда, А.К. Гладков пришел в ГосТИМ лишь спустя два года после премьеры «Списка». А страницы его дневников, хранящихся в РГАЛИ, в месяцы мейерхольдовских репетиций, свидетелем которых был молодой критик, всецело посвящены его тогдашнему любовному роману.

8. *Гладков А.* Мейерхольд. Т. 2. С. 224.

9. Олеша сообщает неверную дату написания пьесы. Но неясно, отчего он избирает дату 1933, а не, скажем, 1928, в самом деле могущую «извинить» автора. Возможно, это неточность В. Перцова. К сожалению, отыскать сам документ не удалось.

10. Имеется в виду текст, напечатанный в сборнике пьес, который вышел в свет после смерти писателя: *Олеша Ю.* Пьесы. Статьи о театре и драматургии. М., 1968.

11. Цит. по: Воспоминания о Юрии Олеше. М., 1975. С. 249.

12. Указ. соч. С. 252.

13. Пока осуществлены две публикации писем Э.П. Гарина («Надоели советские феодалы»: Из писем Эраста Гарина к Хесе Локшиной / Публ. и примеч. А. Хржановского // Независимая газета. 1992. 5 февраля. С.5; и «Дорогой, единственный Всеволод Эмильевич...»: письма Э.П. Гарина к Х.А. Локшиной / Публ., вступ. заметка и коммент. С. Демьянчик // Московский наблюдатель. 1994. № 1/2. С. 81—89), сделавшие известной лишь малую часть писем артиста.

Революция сделала меня абсолютно самостоятельным. Я отказался от прошлого, мне ничего не жаль, ~~у мен~~ мои родители живут в Польше, я не виделся с

Верхний снимок — Ю.К. Олеша. Нижний — Вс.Э. Мейерхольд.

Глава 1

«...Допустим ли я или недопустим?» Олеша и Мейерхольд в 1929 - 1931 годах

Личное знакомство Всеволода Мейерхольда и Юрия Олеши состоялось не позднее весны 1929 года, по-видимому, в прямой связи с режиссерским поиском пьес. Мейерхольд видел спектакль вахтанговцев «Заговор чувств» и, конечно, заказывая драматургу пьесу для ГосТИМа, отчетливо представлял направленность мышления Олеши и темы, которые его занимали.

Можно высказать предположение, что два художника сошлись, совпали в своем отношении к узловым проблемам современности. И высказывания Олеши того времени можно — с некоторой гипотетичностью — рассматривать как близкие тому, что думал о сегодняшнем дне Мейерхольд.

«Я начинаю книгу о моей собственной жизни. Вот я вернулся домой — вечером, 10 декабря 1930 года — и начинаю писать книгу о моей собственной жизни. <...> Я был в гостях у Мейерхольда. <...>

Я мерю личность по отношению к Мейерхольду. Раз фыркает — дурак. Надо слепо поклоняться гениальным людям, тем, которые выдумывают, фантастам — тонкости их, внезапности понимания. Это много, колоссально! <...>

Он странный, прекрасный человек, артист, которого я страшно люблю. И мне страшно хочется, чтобы он любил меня тоже.<...>

Мы были еще маленькими, когда он ставил в Париже "Пизанеллу" Д'Аннунцио с Идой Рубинштейн. Он старый, всклокоченный, прекрасный волк. Будем верить ему — он поставил "Ревизора" и "Горе уму". Я, помню, смотрел сцену Городничихи и офицеров сверху, потому что опоздал к началу, — смотрел и чувствовал, что мне необычайно нравится это.<...> А тогда за постановку эту все ругали Мейерхольда.<...> Скучно, видите ли. А тогда я думал: какой гениальный человек Мейерхольд! Я думал: если познакомлюсь с ним когда-нибудь, какое это будет для меня счастье!

Теперь — познакомился. И мало того: он будет ставить мою пьесу!»[1].

Дневниковые записи Олеши 1929—1931 годов дают замечательный материал для понимания самоощущения писателя с наступлением «мажорного времени реконструктивных перемен» в стране, где люди начинают чувствовать себя «лишними». Он видит в России отвращающую несвободу и регламент, невежество и стеснение личности (разительный контраст которой представляет любимая вольнодышащая Одесса, город «европейский», «отплывающий»), помнит время юности, когда дальние путешествия казались нормальным, легким и привычным занятием людей. Размышляет о том, что необходимым условием «взрослости» должно быть владение собственностью и принятие ответственности за нее. Ощущает собственную ненужность стране. Мимоходом дает и поразительное определение чисто российского понимания, что такое интеллигент: небывалая дотоле «специальность»[2].

К концу 20-х Олеша — модный писатель, известный и за границей (хотя в Европе так никогда и не побывает). О нем высоко отзываются и западные интеллектуалы, и русские эмигранты — Вл. Ходасевич, Н. Берберова, Ж.П. Сартр. Но слава его связана с «Завистью», вышедшей в 1927 году, а теперь Олеша занят драматургией. 1929—1931 годы — время его премьер во МХАТе («Три толстяка»), у вахтанговцев и в ленинградском БДТ («Заговор чувств»), в ГосТИМе («Список благодеяний»).

Хотя писателю к этому времени всего тридцать, он отчего-то ощущает себя преждевременно постаревшим. Олеша переживает мировоззренческий кризис. После переворота 1917 года прошло более десяти лет. Теперь невозможно не видеть, в каком направлении идут перемены. Вместо европеизации Октябрь принес людям нечто совершенно иное. Олеша ощущает раздвоенность по отношению к проблеме интеллигенции и ее (сомнительной) ценности для народа.

«В день двенадцатилетия Октябрьской революции я, советский писатель, задаю себе вопрос: что ты сделал, советский писатель, для пролетариата?

Для пролетариата я не сделал ничего. Я считаю себя умным, умудренным, вековым. Я носитель культуры и тому подобное. Все это — я, таким я считаю себя, таким меня считает общественность. Я пишу повести, очерки, рассказы, стихи и пьесы. Я ставлю вопросы, разрабатываю проблемы, освещаю стороны жизни и тому подобное. Меня издают, распространяют, ставят на библиотечные полки и читают. [И все это есть ложь.] Все в порядке. Это внешне.

На самом деле... Не подлежит никакому сомнению, что все, напи-

В день двенадцатилетия Октябрьской Революции, я, советский писатель, задаю себе вопрос: что ~~сделал~~ ты, сделал, советский писатель, для пролетариата?

Для пролетариата я не сделал ничего.

Я считаю себя умным, умудренным вековым; ~~я носит~~ я носитель культуры и тому подобное! Все это – я, таким я считаю себя, таким меня считает общественность. Я пишу повести, очерки, рассказы, стихи и пьесы. Я ставлю вопросы, разрабатываю проблемы, освещаю стороны жизни и тому подобное. Меня издают, распространяют, ставят на библиотечные полки и читают. ~~И все это есть ложь.~~ Все в порядке. Это внешне.

~~На~~ На самом деле

В день двенадцатилетия Октябрьской Революции я, советский писатель, задаю себе вопрос: что ты сделал для пролетариата?

Для пролетариата я не сделал ничего.

~~Б Надо раз навсе раз и навсегда отказаться~~

Вот очередная годовщина существования Советской ~~Власти. Двенадцатая! День юбилея, – подводятся итоги,~~

~~В день двен~~

~~Я написал повесть „Зависть“~~

В день двенадцатилетия Октябрьской Революции я, советский писатель, спрашиваю себя: что ты сделал для пролетариата?

Мною написана повесть, несколько рассказов, очерков и пьеса. ~~В~~ Не подлежит никакому сомнению, что все, написанное мною, пролетариату совершенно неинтересно и ненужно. Это интеллигентские тонкости, изыски, все то, что я мог бы написать, ~~если бы пролетарской революции я не случилось.~~

~~Сущ~~ Возникает мысль такого содержания:

Масса растет, она еще очень не развита, отстала. То, что массе непонятно сейчас, станет понятно ей завтра.

~~Я не знаю кто высказал эту мысль первый. Быть может, это таково это одно из положений марксизма это~~

Я писатель-интеллигент, пишу вещи, не понятные и ненужные пролетариату. Но говорят так: ~~что~~ то, что массе не понятно сегодня, будет понятно завтра, масса ~~подрастет~~ подрастет, она поймет и скажет мне спасибо. Разрешите мне думать, что такое отношение к массе есть отношение господское. Не трудно себя успокоить: я умный, умудренный, вековой, – а масса дура. Я ~~всего~~ носитель культуры, а масса долгое время не имела к культуре доступа, и поэтому мы не понимаем друг друга, между нами пропасть и масса должна лезть через чертова моста, чтобы достигнуть моих высот. Так очень легко успокоить себя. Мы успокаиваем себя и продолжаем ~~лезть по своим верхам~~ свои

358 1 513

Ю.К. Олеша. Воспоминания о детстве и автобиографические записи. Ф. 358. Оп. 2. Ед. хр. 513. Л. 86.

санное мною, пролетариату совершенно неинтересно и не нужно. Это интеллигентские тонкости, изыски, все то, что я мог бы написать, если бы пролетарской революции и не случилось.

Я, писатель-интеллигент, пишу вещи непонятные и не нужные пролетариату. Но говорят так: то, что массе непонятно сегодня, будет понятно завтра, масса подрастет, она поймет и скажет мне спасибо. Разрешите мне думать, что такое отношение к массе есть отношение господское. Нетрудно себя успокоить: я умный, умудренный, вековой, — а масса дура. Я носитель культуры, а масса долгое время не имела к культуре доступа, и поэтому мы не понимаем друг друга, между нами пропасть, и масса должна лезть через чертовы мосты, чтобы достигнуть моих высот. Так очень легко успокоить себя. Мы успокаиваем себя и продолжаем лезть на свои изыски дальше, дальше, еще дальше лезем на высоты, и пропасть становится все более зияющей и страшной.

Разрешите мне думать, что альпинизм, которым занимаемся мы, унизителен, жалок. Высоты наши картонны. Не нужно звать массу на эти высоты.

В день двенадцатилетия Октябрьской революции я, думая о себе и своем движении в революции, прихожу к заключению, что мною, советским писателем, для пролетариата не сделано ничего. Ах, мне станут говорить — и друзья, и критики, и руководители, — что это не так, что я ошибаюсь, что есть различная работа писателя: один пишет для рабочих, другой для учащейся молодежи, третий для рабочей интеллигенции; что нельзя равняться на низшего, что нужно поднять массу до себя, и так далее.

А мне кажется, что гораздо правильней было бы равняться на низшего. Это не значит, что надо снижать себя, — напротив, это значит, что надо возвысить свое мастерство до максимальной степени. Я утверждаю следующее: любую тонкую мысль, новую и своеобразную, любой образ, положение, кажущееся на первый взгляд доступным только тому, кто изощрен, — можно выразить так, что оно ударит по самому примитивному сознанию. Для этого раз и навсегда надо отказаться от господского отношения к массе. Надо слезть с картонных вершин. Они очень шатки, они продырявлены, они еле держатся, и стыдно, развеваясь в разные стороны, стоять на них.

[Ни один роман не написан у нас для пролетариата.] Очень легко запутать сознание тех, кто пришел теперь к дверям культуры, и очень легко может случиться, что новый человек станет обезьяной старого. Его делают обезьяной. Ему говорят: читай наши романы, смотри наши пьесы, слушай наши стихи. Вот так надо чувствовать, жить и переживать. Ты груб, мы тонкие. Учись быть тонким. [У нас был Шекспир. Знаешь? Ах, не знаешь. Ну, вот знай.]

Да, — мне скажут: — Как же! А великая культура прошлого. А Шекспир? А Рембрандт? А Бетховен?

[Так вот, я отвечу, что ничего общего между нами, интеллигентами, с нашими тонкостями, с Шекспиром и Бетховеном нет.]

Так говорит эстет, сноб, изысканный какой-нибудь композитор, когда ему заявляют, что произведение его не дойдет до массы. Он улыбается при этом с презрением, и видно, что ему хочется сказать: "Ну что ж, мне жалко массу, если она не понимает того, что так ясно и понятно мне, вековому и умудренному".

Это ложь, обман. Это нищета, влезающая в гигантскую одежду мастеров прошлого. Не верьте им.

Я сам такой! Я заявляю это со стыдом и отвращением. Мне тоже хочется улыбнуться с презрением, когда мне сообщают, что мое произведение непонятно. Я недавно прочел в одном журнале отчет о литературной беседе, которую вели крестьяне-коммунары в коммуне "Майское утро" на тему о моей повести "Зависть". Я смеялся, читая их суждения. Ужасно как смешно! Ничего не понимают! Ну, разве это сериозная критика? Вот чудаки! Дети! Ах, ну как они смеют судить? Ведь меня хвалила критика! В толстых журналах меня хвалили! Я умудренный, вековой...

Я очень веселился. И многие веселились вместе со мной. Но вдруг для меня стало ясно: коммунары совершенно правы...»[3]

Неуверенность в собственной правоте. Стремление слиться с массой, уверенными людьми, исповедующими «передовые идеи» эпохи, — и смутное, не столько рационально осмысленное, сколько, быть может, интуитивное отталкивание от них. Двойственное чувство изгойства — и избранности. Проницательный критик ухватывал эту характерную черту субъективного самоощущения интеллигента: он находится «между саморазоблачением — и самовозвеличиванием»[4].

Та же мучительная раздвоенность миросозерцания и у Мейерхольда: по замечательно точной формуле исследователя, Мейерхольд находится «между призванием пророка, обольщающим государственным предназначением агитатора революционных масс, и положением жертвы»[5].

В 1930 году Мейерхольду 56 лет. Он умеет слишком много. Много понимает, помнит, — что, скорее, мешает, чем облегчает и жизнь вообще, и работу в профессии в частности. Иллюзии сияющего коммунистического будущего не изжиты — но все нарастают сомнения в верности трансформаций, идущих в стране.

Публика, недавно заполнявшая зал ГосТИМа, будто «отплывает» от него, расстояние между режиссером и зрителем все ширится, вырастая в пропасть. Мейерхольд пытается выстроить отношения с новым зрителем нового времени, но, по-видимому, это ему не удается.

Еще осенью 1928 года А.И. Свидерский, выступая с докладом на Пленуме ЦК Всерабис, говорил: «Положение в театре Мейерхольда следующее: театр, как это опубликовано в правительственном постановлении, является убыточным, и это все должны знать. Кассовая его посещаемость упала до 40%, а в перспективе будет 35% и ниже, посещаемость вообще по отношению к емкости театра 73%. <...> Из этих цифр можно сделать ясный вывод, отвечает ли этот театр настроению рабочего населения? Не отвечает. Это не только кризис хозяйства театра, <...> но это кризис идеологический. Никто не пытался встать на путь анализа этих цифр, которые имеют громадное идеологическое значение. В то время, как в старых театрах 100% посещаемости, в театре им. Мейерхольда посещаемость падает»[6].

Согласен с ним А. Луначарский, сообщающий, что из академических театров «огромное большинство обходится вообще без всяких субсидий». Между тем «факты говорят, что театр им. Мейерхольда умел распродавать лишь одну треть имеющихся у него мест, другая треть распространялась бесплатно. Но даже и при этом театр пустовал на одну треть. <...> Сборы во всех остальных театрах неизмеримо выше, чем в театре им. Мейерхольда, посещаемость также несравнимо выше»[7].

Прежняя театральная публика теперь почти незаметна и вовсе не влиятельна. В ГосТИМ ходит «организованный» зритель, отклики печатают еще надежнее организованные рецензенты. Мейерхольдовский же театр, упорно декларирующий свою приверженность публике пролетарской, в вершинных своих спектаклях для нее чересчур сложен, реально ориентирован на интеллигенцию, апеллирует к художественной элите. По-видимому, единственной отдушиной и возможностью услышать голос понимающего тебя человека остаются диспуты и вечера, «прямой эфир» того времени. Но его становится все меньше.

Планы Мейерхольда актерам неинтересны настолько, что они отказываются от ролей (не только «премьеры», И. Ильинский либо С. Мартинсон, но и третьестепенные члены труппы). О состоянии умов в труппе ГосТИМа свидетельствуют отзывы Э. Гарина, одного из сравнительно немногих, кто, казалось, был способен оценить работу режиссера. Актер разочарован (у Мейерхольда «нечему учиться»), растущий «академизм» театра для него синонимичен «буржуазности»; Гарин пишет о равнодушии и даже враждебности труппы к лидеру, о его одиночестве. «Всеволод, конечно, удавил всю оппозицию, и теперь началось бегство в кусты. <...> Нового в театре ничего. Некоторые ненавидят Всеволода прямо по-звериному и страшно...»[8] Интеллигентность Мейерхольда воспринимается труппой с усмешкой (Гарин: «меньшевизм, идеализм и интеллигентщина»).

Режиссер не может не видеть состояния труппы — профессионального, интеллектуального, человеческого, наконец[9]. Напряжению в театре способствует ситуация с женой, Зинаидой Райх. Определенные «тонкости» этого в общем-то стереотипного театрального сюжета восхищения примадонной и ненавидящей ревности к ней откликнутся и в первоначальных набросках «Списка благодеяний». Олеша знал, о чем писал.

В театре ремонт, помещения нет, играть негде. ГосТИМ мечется по гастролям и чужим, временным площадкам. Когда Радек в статье-отповеди о «Списке» летом 1931 года писал о «бродячих комедиантах», он не знал, что в бродячего комедианта вскоре придется превратиться самому Мейерхольду.

На рубеже 1920—1930-х годов меняется положение дел «наверху», отношения с властями. Идет формирование новой партийно-государственной элиты. Сравнительно недавно Мейерхольд обладал немалым весом и авторитетом, с некоторыми из влиятельных лиц партийной и государственной верхушки был дружен. Но к власти приходят другие люди, многие из близких Мейерхольду лиц утрачивают кто должность и влияние, кто — свободу, а кто-то и жизнь. Кто-то уходит в эмиграцию. Кто-то просто отдаляется, меняя ориентиры. Одним из следствий «перемены дирекции» становятся новые партийные решения, в частности по отношению к художественной интеллигенции. Конечно, совсем не обязательно документ адресуется именно театру. Резолюция, постановление могут быть направлены, например, деятелям литературы — но его должны «верно понять» (и понимают) и все прочие.

Хотя он, безусловно, все еще признанный и авторитетный «мастер революционного театра», но вовсе не «неприкасаемый» (что со всей наглядностью продемонстрировала кампания газетной травли 1928 года, когда Мейерхольда клеймили как «невозвращенца», а театр пытались закрыть).

Гастроли театра за рубежом весной — летом 1930 года прошли неровно, тем не менее имя Мейерхольда-режиссера на Западе вызывает интерес и рецензентов, и серьезной («квалифицированной», как говорил Мейерхольд) публики.

Каково в это время положение дел в его театре? И что со спектаклями современных (и лучших) авторов?

«Мандат» поставлен — но «Самоубийцу» запрещают (хотя надежда пока остается).

«Командарм 2» поставлен[10], но с Сельвинским ссора.

«Клоп» вошел в репертуар — но «Баня» провалилась.

Попытка завязать рабочий контакт с М. Зощенко окончилась ссорой.

Пьеса «Хочу ребенка» С. Третьякова запрещена до начала репетиций.

За целый год, с марта 1930-го по февраль 1931-го, выпущен единственный спектакль, «Последний решительный» (и более пьес Вишневского на сцене ГосТИМа тоже не будет).

Из близких Мейерхольду драматургов (друзей) к началу 1931 года Маяковский мертв, Эрдман и Третьяков запрещены. Попытка привлечь в театр бывшего «идеологического противника», Михаила Булгакова, не удается.

«Дело в том, что Мейерхольд устал бороться в безвоздушном пространстве, — пишет в очень важном, секретном письме З. Райх М. Горькому еще летом 1928 года, видя состояние духа мужа. — Чтоб делать эти годы, что делал Мейерхольд, надо было иметь запас громадной, нечеловеческой энергии. Но хорошо, если эта борьба чем-то кончается или есть хоть передышки. А их у него нет»[11].

Нужны новые союзники.

На рубеже 1920-х, писал К. Рудницкий, Мейерхольда «не оставляет стремление к современной трагедии»[12].

Разность личностей режиссера и драматурга бросается в глаза. Прежде всего поколенческая.

Если Олеша восхищался Блоком и Маяковским издалека, Мейерхольд дружил с ними, и не только с ними, а еще и со множеством крупных фигур, определивших собой художественные искания конца XIX — начала XX века. То, что Олеша писал о Маяковском, может стать и характеристикой Вс. Мейерхольда: масштаб личности. Культура. Европеизм[13].

В год, когда совершается революция, Олеше всего восемнадцать. Выработка собственного, осознанного отношения к центральным политическим событиям в стране, к важнейшим «поступкам власти», по-видимому, происходит у него лишь к середине 1920-х годов. Крайне важный для понимания мировоззренческого кризиса Олеши дневник начат в 1929 году. Именно тогда писатель задает себе «главные» вопросы и пытается на них ответить.

Но есть и важные сближения, наложившие печать и на отношения Мейерхольда и Олеши, и на определенную схожесть судеб режиссера и драматурга. Обращают на себя внимание узлы общего характера: одинокое и книжное детство, провинциальная юность, революционные настроения при незнании «народной жизни» (в отличие от земских врачей Короленко, Чехова, Булгакова). Позже у обоих за плечами останется начатый и брошенный юридический факультет.

Ранние влияния: у Олеши — одесские литературные кружки, интерес к символизму и символистам, увлечение Блоком и Маяковским, позже — формалистами (опоязовцами). У Мейерхольда — Пенза с Ремизовым-социалистом, затем — МХТ, Блок, символисты, те же формалисты (он чуть ли не участвовал с ними вместе в оформлении ОПОЯЗа, в салоне у Бриков в 1918 году). В 1919 году оба на юге России: Олеша — красноармеец на батарее Черноморской обороны, Мейерхольд — в тюрьме у белых в Новороссийске. И дело тут не в нахождении обоих в географически близком пространстве, а в том, что́ им пришлось увидеть, что́ пережить в разгар Гражданской войны в России. Сколь различны были опыты обывателей Петербурга и Москвы, Киева и Новороссийска в 1918—1920 годах, сегодня хорошо известно.

У обоих — широкий кругозор, образованность (начитанность). Недостаточные прежде, на фоне «старых» людей искусства, теперь, в конце 1920-х, они становятся чрезмерными, превращаются в обузу, помеху, горб, уродство. Не забудем и о мощном честолюбии и Мейерхольда, и Олеши. Таланте, наконец.

Оба из буржуазных, хотя и обедневших семей, разорившиеся провинциалы, помнящие при этом, что такое налаженная жизнь. Но что, собственно, это такое — «буржуа»? Известный народник и крупный писатель Владимир Короленко, которого трудно заподозрить в недемократизме, писал Луначарскому: «Вы внушили восставшему и возбужденному народу, что так называемая буржуазия (“буржуа”) представляет только класс тунеядцев, грабителей, стригущих купоны, — и ничего больше. Правда ли это? Иностранное слово “буржуа” — целое огромное сложное понятие — с нашей легкой руки превратилось в глазах нашего темного народа, до тех пор его не знавшего, в упрощенное представление...»[14] Эти два, по самоопределению Олеши, «мелких буржуа» работают ничуть не меньше любого пролетария, зарабатывая на жизнь профессией.

Ложная идея равенства людей не перед законом, а во всем вообще, упрощенно понятая демократичность, как можно догадаться, мучила и Мейерхольда и Олешу. Тут и общие, по-видимому, обоим комплексы и представления о народе. И тот и другой народа не знают и оттого склонны к его идеализирующей романтизации: пролетариат «добродушен», полагал Олеша. Ср. беспощадное булгаковское: серые толпы, громящие людей[15]: диагностически точное воспроизведение ситуации и хирургически точное словесное разделение на агрессивность безликих и бесцветных «серых толп» — и их жертв, «людей». Не всякий мог, как Булгаков, вложить в уста своего героя вызывающую фразу: «Да, я не люблю пролетариат».

Примерно о том же недавно говорил Иосиф Бродский: «В России произошло явление, которого никто не понимает. Когда мы говорим о преступлениях режима, мы не говорим всей правды. Речь не только о том, что истреблены тысячи людей, но также и о том, что жизнь миллионов на протяжении нескольких поколений шла по-иному, чем должна была бы идти». Бродский вспоминает ахматовские строчки:

Меня как реку
суровая эпоха повернула.
Мне подменили жизнь. В другое русло,
мимо другого потекла она... —

и продолжает ее мысль: «Человеческая жизнь потекла другим руслом. И это не прошло бесследно. Родились иные инстинкты». И заканчивает жесткой формулой: «Россия сегодня — антропологический зоосад»[16].

Что добровольная «игра на понижение» преступна и оборачивается кровью для всей страны и, кстати, для того же псевдодобродушного пролетария, многими не понято и сегодня. (Ср. булгаковского Филиппа Филипповича, вовсе не намеренного уступать чувства собственного достоинства, связанного с достигнутым знанием, образованностью, да и организованным комфортом, необходимым для умственного труда, плодотворности профессиональных занятий, — людям, не равным ему именно в сфере интеллекта, т.е. в конечном счете во вкладе в общественное достояние, развитие страны.)

Как и Мейерхольд, Олеша никогда не ощущал себя «народным человеком», он ни на кого не похож и в этом смысле аристократичен, уникальность свою ощущает всегда. Другое дело, что чаще видит ее как уродство и изгойство и лишь изредка — как дар и талант. Сказка о гадком утенке, возникающая в диалоге героев «Списка», Татарова и Елены Гончаровой, — ключ к самоощущению писателя.

Схожие вещи видит проницательная критика в театральном искусстве Мейерхольда: «Это героическое творческое достижение, можно сказать, аристократическое. В сущности, оно лишено связи с массой. В этом его трагизм, в особенности его трагизм в России»[17].

У обоих — отделенность, отдельность от окружения, влекущая за собой одиночество, не в смысле «пустоты» вокруг себя (и Мейерхольд и Олеша любили друзей, разговоры, дружеские застолья), а в смысле душевном, глубоко спрятанном, рождающемся в детстве.

Олешу (вполне вероятно и Мейерхольда) мучают навязчивые мысли о том, что его личные проблемы — не проблемы, его тоска и тяга к совершенству не есть нечто заслуживающее внимания. Подобное самоощущение, не исчезающее, по-видимому, у «бывших» людей, провоцировалось, поддерживалось властями. Вот что думал писатель Олеша о положении интеллигенции, т.е. о своем собственном положении, в 1930 году, представляя читателям отрывок из «Списка благодеяний»:

«Мы, писатели-интеллигенты, должны писать о самих себе, должны разоблачать самих себя, свою “интеллигентность”. Нам, тридцатилетним, порою трудно посмотреть в лицо новому миру, и мы должны выработать в себе уменье расставаться с “высокой” постановкой вопроса о своей личности. Вот главная тема для писателя-интеллигента.

Я не принадлежу к категории интеллигентов-бодрячков. Я не могу в прекрасный летний день отправиться с друзьями на Москву-реку,

Вс. Мейерхольд и Ю. Олеша. 1931 г.

нанять лодку и поплыть с песней о Стеньке Разине “среди бойко шныряющих во всех направлениях лодок, переполненных молодежью”. Если я начну грести, я стану задыхаться.

У меня желтое, завернутое в желтый лист жира, сердце. Когда во сне я вижу подъем в гору, у меня начинается сердцебиение. Я был когда-то футболистом, худым, чересчур худым, и все говорили, что мне надо поправляться. Толстеть, вернее, набрякать я начал лет с двадцати четырех. Не знаю почему.

Ныне ярче всего представляю я свое будущее в том виде, что вот я стою нищий, на ступеньках в аптеке между двумя дверьми, — набрякший, с навалившимися плечами, с подбородком, который лежит на груди, как вал, — жирный, грязный человек приплясывает босыми ногами на деревянных ступеньках, среди заноз и раздавленных трамвайных билетов, руки его сложены под животом, картуз постыдно надвинут на середину ушей.

Это все относится к области беллетристики. Беллетристику я ненавижу всеми фибрами своей души. Умышленно я прибегаю к выражению насчет фибр, чтобы опошлить все, что может относиться к беллетристике.

Она мстит за себя. Она выбегает из-за тени пера, обгоняет последнее “тэ” в слове “обгоняет”, уже хочет крикнуть кому-то, что “тэ” — это похоже и на кастет, и на глаз кошки с высоко поднятой бровью, и мчится дальше, уже наперед расписываясь за меня, уже виясь вокруг обыкновенного нищего в обыкновенной аптеке, с ехидным намерением, которое для нее вполне выполнимо, — с ехидным намерением уже за несколько лет расставить вехи моего будущего романа: о том, как я стал нищим и что из этого вышло»[18].

Ощутим желанный (и недостижимый) восторг слияния с массой у Олеши, средством достижения которого становится спасительное двоемыслие, готовность качнуться от одной точки зрения к противоположной, приняв позицию большинства (которое с редкой точностью эпитета называют «подавляющим»). И мейерхольдовские метания между жаждой успеха у массы и у власти — и ответственностью художника перед самим собой, неуничтожимое стремление к утверждению собственных ценностей.

Американский исследователь Леопольд Хеймсон так определял истоки подобного типа социального поведения: «В представлениях об истоках и роли российской интеллигенции, которые укоренились в радикальных кругах к концу XIX в., чувство служилости, а также предназначение вести за собой воспринимались как перемещенные от государственной власти к погруженным во мрак массам народа. Историческая миссия интеллигенции также автоматически идентифициро-

6. *Свидерский А.И.* Заключительное слово // Задачи Главискусства ЦК Всерабис. Доклад начальника Главискусства тов. Свидерского на Пленуме ЦК Всерабис (октябрь 1928 г.). Прения по докладу и постановление Пленума ЦК Всерабис / Под ред. А.А. Алексеева, А.А. Гольдмана. М., 1929. С. 111—112.
7. *Луначарский А.* Вынужденное объяснение // Комсомольская правда. 1928. 1 ноября.
8. *Гарин Э.П.* Письмо к Х.А. Локшиной от 5 ноября 1930 г. // Ф. 2979. Оп. 1. Ед. хр. 285. Л. 31.
9. Приведу более позднее дневниковое свидетельство одного из сотрудников ГосТИМа, записавшего слова Мейерхольда о труппе после разговора с ним:

   «Ну что же мне делать? Я стою перед ними как перед стеной. Я не могу толкнуться, они все как каменные. Или М/ейерхольд/ отстал, а они выросли все, или М/ейерхольд/ их перегнал. Я же хочу перестраиваться, как только могу, я работаю <...> — но я ничего не могу сделать, я сталкиваюсь с бесчувственной стеной — я чувствую, как растет пропасть между мной и коллективом...» (*Басилов Н.А.* Тетради с записями репетиций спектаклей, выступлений и бесед В.Э. Мейерхольда. Автограф. // РГАЛИ. Ф. 2385. Оп. 1. Ед. хр. 38. Тетрадь 2. Запись 28 июня 1935 года. Л. 26).
10. Ср. уничтожающий отзыв о спектакле Л.Я. Гинзбург, в целом высоко ценившей творчество Мейерхольда. Она писала из Одессы 4 сентября 1929 года: «Здесь гастролирует Мейерхольд, я была на “Командарме 2”. <...> Что собственно сделал Сельвинский — осталось неясным (за недостатком дикции); Мейерхольд же сделал второсортный любительский спектакль с аттракционами (напр., киномультипликация), оперной сутолокой, конструктивными трюками восьмилетней давности и актерской бездарностью, от которой невозможно устоять на ногах» (*Гинзбург Л.Я.* Письма Б.Я. Бухштабу / Подгот. текста, примеч. и вступ. заметка Д.В. Устинова // Новое литературное обозрение. 2001. № 49 (3). С. 371—372).
11. Письмо З.Н. Райх А.М. Горькому от 20 июня 1928 г. // РО ИМЛИ. КГ — ДИ. 8 — 22 — 1. № 36147. Л. 1. Автограф. На левом поле листа просьба: «Письмо уничтожьте».
12. *Рудницкий К.* Режиссер Мейерхольд. С. 436.
13. Ср.: «Пленительно было в нем то, что он знал Европу, что он был своим человеком в той среде, где имена французских художников, где имя Пикассо, — пленительно было знать, что этот человек близок к замечательной культуре французской живописи и поэзии. <...> Он был среди нас представителем искусства высокого класса. Финляндия, Репин, Петербург, Блок, символисты. <...> Он был членом великой семьи мастеров мирового искусства. Мы были гораздо беднее его» (*Олеша Ю.* Книга прощания. С. 135).
14. *Короленко Вл.* Письма к Луначарскому. Письмо третье // Новый мир. 1988. № 10. С.205. Эти письма, не называя, впрочем, имени «известного народника» и «маститого художника слова», вспоминал М. Морозов в статье о спектакле «Список благодеяний» (*Морозов М.* Обреченные // Прожектор. 1937. № 17. С. 20—21). По формулировке М. Морозова, Короленко писал Луначарскому о «списке заблуждений» советского правительства.
15. 31 декабря 1917 года М.А. Булгаков пишет сестре: «Я видел, как серые толпы с гиканьем и гнусной руганью бьют стекла в поездах, видел, как бьют людей. Видел разрушенные и обгоревшие дома в Москве... тупые и зверские лица... Видел толпы, которые осаждали подъезды захваченных и запертых банков,

валась с миссией быть вождем народа или же, по меньшей мере, возглавлять составлявшие его группы, стремясь к освобождению от государства и социальной структуры привилегий, а также от несправедливостей, с которыми они неразрывно были связаны. Через много времени после окончания в начале 80-х годов XIX в. классической эры российского народничества эта героизированная версия генезиса интеллигенции продолжала вдохновлять молодежь, которая мало-помалу присоединялась к различного рода радикальным кругам, с их чувствами, связанными с неудовлетворенностью существующим строем, с представлениями о правом и неправом, а также о героических типах поведения, призванных восстановить добро и покарать зло. Наследие российского народничества давало также некие “священные тексты”, из которых молодежь, в высшей степени сознательно формулируя свои взгляды на мир, черпала концепции естественных и исторических законов, которыми она собиралась руководствоваться в своих усилиях по созданию нового мира свободы и сотрудничества»[19].

Представляется, что фундамент мировоззрения Мейерхольда — вот эти самые настроения провинциальной (и оттого несколько «запаздывающей») молодежи, приобщившейся в юном возрасте к социалистическим идеям (Ремизов, Кавелин) и вышедшей в мир профессии с настроениями «несогласия» и страстного желания служения массам.

Вс.Э. Мейерхольд. 1929 г.

«Карл во многом походил на своего типичного современника — русского интеллигентного, начитанного молодого человека конца прошлого века со всем его свободомыслием, народолюбием и отталкиванием от абсолютизма, наследника "критически мыслящей личности" шестидесятых и семидесятых годов, проделавшей эволюцию от разрушительного, активного нигилизма Бакунина, Писарева и Чернышевского к скептическому либерализму, с налетом пессимизма, поколения Гаршина, Чехова, Левитана <...>»[20].

Здесь фокусируются разнообразные черты, присущие творчеству Мейерхольда: недовольство окружающим миром и стремление к «обличению» его, глубокий скептицизм, неизбежно появляющийся из-за этого не могущего быть реализованным желания переустроить мир. Не менее сильное желание «вести массы» (ср. гумилевское «пасти народы»), где в равной степени важны оба слова. Этим может быть объяснено характерное для Мейерхольда стремление вывести театр на площадь, настойчивое тяготение к разлому традиционного (замкнутого) театрального пространства (павильона), к отмене линии рампы и введению просцениума; к массовым действам, взаимодействию со зрительным залом будто бы уже помимо собственно профессии театрального режиссера. Осваивание, проигрывание, примеривание на себя роли вождя, трибуна, водителя масс — не театрального только, а просто вождя. Отсюда и колонны красноармейцев в зале, театр-митинг; строчки сообщений телеграфных агентств, прочитанные со сцены «внутри» спектакля; настоящие мотоциклы и грузовики «с телом погибшего героя» и прочие вещественные, грубые, подчеркнуто материальные знаки «всамделишной» действительности на подмостках[21].

Мейерхольд вступает в партию — идея «великой утопии» ведет его; он начальствует, с тем чтобы переустроить мир. (Ср. : «То, что произошло в 1917 году, вызвало у многих головокружение. <...> Возникновение нового порядка они приняли за новое сотворение мира. Система стала реализацией Евангелия»[22].) Но вскоре власть становится необходима режиссеру лишь для «свободы рук» в театральном деле. И современным исследователем предложена убедительная интерпретация многих сомнительных поступков нашего героя как специфических последствий его профессии режиссера, понимаемой Мейерхольдом с чрезмерной широтой и перетекающей в небезобидную химеру «власти над жизнью», диктующей мечту и соблазн «стать автором стиля — стиля эпохи»[23].

Но характерно, что о героине пьесы и спектакля «Список благодеяний» критика будет писать не только как о двойнике Гамлета, Рудина, Печорина, но и как о «четвертой сестре» чеховской драмы: «Гончарова не что иное, как "четвертая сестра" чеховских "Трех се-

стер"», либо: «Это — забывший умереть чеховский "ли
век"»[24]. В роли «лишнего человека» актриса Гончарова,
здателей спектакля «Список благодеяний», оказалась в хо
пании. Одним из первых ощутил себя за бортом новой Р
Пастернак. Еще в 1925 году он писал: «Вместо обобщен
которые предоставлялось бы делать потомству, мы само
нили в обязанность жить в виде воплощенного обобще
мысли становятся второстепенными перед одной, перв
допустим ли я или недопустим?»[25]

Итак, на рубеже 1920—1930-х годов у обоих, Мейерхол
есть известность и признание, бесспорна художественна
России и за рубежом. Но их общественная позиция начи
резкое неприятие среди влиятельных слоев внутри стран
жиссером и писателем встает мучительная проблема само

Олеша записывает в дневнике в 1930 году:

«К тридцати годам, в пору цветения молодости, я, к
со всеми, окончательно установил для себя те взгляд
жизнь, которые считал наиболее верными и естествен
ды, сделанные мною, могли равно принадлежать как п
и философу. О человеческой подлости, эгоизме, мел
похоти, тщеславия и страха.

Я увидел, что революция совершенно не изменила
воображаемый и мир реальный. <...> Мир коммунист
ражения и человек, гибнущий за этот мир»[26].

ПРИМЕЧАНИЯ

1. *Олеша Ю.* Книга прощания. /Сост. и предисл. В. Гудковой
105.
2. «Я русский интеллигент. В России изобретена эта кличка
чи, инженеры, писатели, политические деятели. У нас ест
интеллигент. Это тот, кто сомневается, страдает, раздв
себя вину, раскаивается и знает в точности, что такое под
(*Олеша Ю.* Книга прощания. С. 55).
3. *Олеша Ю.К.* Воспоминания о детстве и автобиогра
(1930—1950). Автограф. // Ф. 358. Оп. 2. Ед. хр. 513. Л. 8
4. *Эльсберг Ж.* Настроения современной интеллигенции в
ственной литературы // На литературном посту. 1929. N
5. *Колязин В.* Таиров, Мейерхольд и Германия. Пискатор,
1998. С. 72.

голодные хвосты у лавок... Все воочию видел и понял окончательно, что произошло» (*Булгаков М.А.* Собр. соч.: В 5 т. М., 1990. Т. 5. С. 390).

16. *Бродский И.* По обе стороны океана: Беседы с Адамом Михником // Всемирное слово. 1998. № 10/11. С. 12.
17. Эти точные слова принадлежат немецкому критику Герберту Йерингу, писавшему об особенностях творческого метода Мейерхольда (во время берлинских гастролей ГосТИМа 1930 года). Цит. по: *Колязин В.* Указ. соч. С. 133.
18. *Олеша Ю.* Тема интеллигента // Стройка. Л. 1930. 31 марта.
19. *Хеймсон Л.* Меньшевизм и эволюция российской интеллигенции // Россия — XXI. 1995. № 5/6. С. 116—117.
20. *Елагин Ю.* Темный гений. М., 1998. С. 37.
21. Ср.: «<...> очевидно, наступила для меня пора распоряжаться массами», — писал Мейерхольд жене О.М. Мейерхольд в связи с работой над пьесой Д' Аннунцио «Пизанелла» в Париже в 1913 году, когда на сцене действовало почти двести человек (*Мейерхольд В.Э.* Переписка. 1896—1939. М., 1976. С. 156.).
22. *Бродский И.* Указ. соч. С. 12.
23. *Москвина Т.* Жизнь после смерти: Всеволод Мейерхольд и судьба русской культуры в XX веке // Мейерхольдовский сборник. М., 1992. Вып. 1. Т. 2. С. 58.
24. *Бескин Эм.* В. Воровский в театре // Советское искусство. 1931. 3 августа. № 39.
25. Что говорят писатели о постановлении ЦК РКП // В тисках идеологии / Сост. Карл Аймермахер. М., 1992. С. 432.
26. *Олеша Ю.* Книга прощания. С. 57—58.

Исповедь.

Исповедь

ИСПОВЕДЬ.

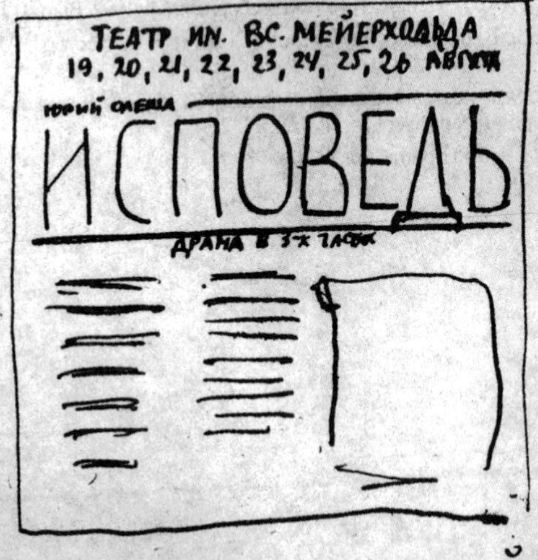

ТЕАТР ИМ. ВС. МЕЙЕРХОЛЬДА
19, 20, 21, 22, 23, 24, 25, 26
ЮРИЙ ОЛЕША
ИСПОВЕДЬ

СПИСОК БЛАГОДЕЯНИЙ.

Ф. 358. Оп. 2. Ед. хр. 69. Л. 1.

Глава 2

«Если вы интеллигент, пишите исповедь...» Творческие черновики «Списка благодеяний».

Девятого февраля 1930 года Олеша записывает в «Чукоккале»: «<...> утверждаю: беллетристика обречена на гибель. Стыдно сочинять. Мы, тридцатилетние интеллигенты, должны писать только о себе. Нужно писать исповеди, а не романы»[1].

А в черновых набросках к сочиняемой драматургом пьесе появляется диалог центральной героини со зрителем:

«—“Я пишу пьесу. Посоветуйте, что сейчас писать нужно: повести, рассказы, стихи, пьесы?”

Не знаю, что ответить автору этой записки. Если вы интеллигент, не сочиняйте ничего, ни пьес, ни повестей, ни рассказов. Не надо сочинять. Пишите исповедь»[2].

Интерпретация записи может быть примерно такой: «романы» придумывают власти, стремясь, хотя бы на страницах газет и журналов, конъюнктурных книг «пересочинить» реальность, придать ей вымышленные очертания. Долг писателя в этих условиях — говорить правду. Отсюда это убеждение Олеши в том, что именно дневники («исповеди») должны стать делом жизни литератора.

Запись имеет прямое отношение к пьесе, которой в эти недели занят Олеша. В одной из сохранившихся рукописей[3] она так и называлась: «Исповедь». Олеша повторяет заголовок четыре раза, далее рисует афишу будущей премьеры в Театре им. Вс. Мейерхольда. И лишь потом появляется окончательное название пьесы: «Список благодеяний».

В архиве писателя хранится россыпь черновых эпизодов «Списка благодеяний». Это отдельные листки, на которых живут как ранние наброски сцен пьесы, так и их варианты, близкие к окончательному тексту. Неотшлифованные и стилистически шероховатые, нередко они много ярче, острее тех, которые вошли в известный текст «Списка». Общий их объем — свыше 30 печатных листов, со множеством повторов, разночтений, вмешивающихся «посторонних» записей и пр.[4] Из-за многочисленных повторов публикуются далеко не все варианты и разночтения черновиков и набросков сцен.

«Я обдумываю в письменной форме, отсюда — марание, множество черновиков»[5], — писал об особенностях своей работы Олеша. Это важная характеристика творческого метода писателя. Если М. Булгаков нередко диктовал свои вещи и его фразы при этом практически не нуждались в стилистической редактуре (более того, известен поразительный факт создания целого романа, «Записок покойника», вообще без черновиков), то Олеша способен возвращаться десятки раз к одному и тому же небольшому фрагменту текста, диалогу, ремарке. Впечатление, что у одного писателя мысль, образ четко оформлены в сознании и легко фиксируются письменно, у другого же в буквальном смысле текст «рождается на кончике пера». Причем в случае Олеши это не «муки слова», т. е. — оформления мысли. Скорее сложность связана с ее додумыванием — и мужеством, необходимым автору для выговаривания, пусть и листу бумаги.

При отборе черновых набросков внимание публикатора было сосредоточено не столько на стилевых жемчужинах писателя — метафорах, образах, красках, — сколько на важных, но обрубленных, не получивших развития содержательных мыслительных ходах.

С некоторой уверенностью можно сказать, что при кочевой жизни писателя сохранились далеко не все черновики пьесы (В. В. Шкловская рассказывала: «Юрий Карлович бросал свои листки с текстами за диван, а Ольга Густавовна их доставала и прятала»[6]). Но тем не менее пунктирно проследить поэтапную фиксацию вариантов, воссоздать общие очертания замысла вещи и его изменений на уровне сюжета — вполне возможно.

Вероятно, черновики и рукописи перед передачей в архив сортировались вдовой писателя О.Г. Суок, то есть нам предлагается не авторская систематизация. Хотя формально листки сохранившихся набросков разложены вдовой либо архивистом по отдельным сценам пьесы, на деле в одной и той же единице хранения встречаются варианты эпизодов разного времени. На первых листах может быть зафиксирован близкий к окончательному вариант сцены, а далее вперемешку следуют черновики, относящиеся к разным месяцам работы над пьесой. Напротив, некоторые сцены, разведенные по различным единицам хранения, тем не менее должны быть объединены — по смыслу эпизода, диалога, участникам и пр. Кроме того, на многих листках сохранена авторская пагинация, предоставляющая определенные возможности восстановления верного порядка записей. Но хронологию появления этих набросков еще предстоит установить (и нет уверенности в том, что эта задача будет убедительно решена), так как авторские датировки в большинстве случаев, к сожалению, отсутствуют.

Не отыскана (возможно, утрачена навсегда) самая ранняя связная редакция пьесы.

Приведу перечень корпуса текстов.

В фонде писателя в РГАЛИ — россыпь эпизодов, из которых выстраивается будущий «Список благодеяний». Все перечисленные ниже архивные источники — рукописные, это автографы писателя с редкими вкраплениями небольших машинописных фрагментов.

358.2.68 Темы пьесы, сюжетная канва, наброски.
358.2.69 Списки действующих лиц, планы, варианты сюжета.
358.2.70 «В театре».
358.2.71 «В театре».
358.2.72 «В комнате Гончаровой».
358.2.73 «В пансионе».
358.2.74 «В полпредстве».
358.2.75 «У портнихи Трегубовой».
358.2.76 «У Татарова».
358.2.77 «В Мюзик-холле».
358.2.78 «В кафе».
358.2.79 «У канавы».
358.2.80 «Митинг. На баррикадах».
358.2.81 Наброски отдельных сцен: театральный разъезд со сценой приставания и два варианта сцены «Общежитие».
358.2.82 Пьеса. Неполный текст.
358.2.83 Пьеса. Неполный текст.

И еще одна единица хранения, из личного фонда А. Крученых, друга Ю. Олеши: Ф. 1334. Оп. 2. Ед. хр. 415 — авторский (рукописный) набросок отдельных сцен «Списка благодеяний».

Для понимания последовательности работы драматурга над пьесой необходимо рассмотреть данный корпус текстов как единый массив, не принимая во внимание тот порядок, в котором они ныне хранятся в архиве. И затем, по мере отыскания убедительных аргументов в пользу той или иной гипотезы, можно попытаться выстроить реально имевшую место временную развертку рождения (и трансформации) эпизодов пьесы, то есть составить авантекст произведения[7].

Каковы важные черты первоначальных, черновых набросков Олеши?

Делая самые первые, заведомо неокончательные записи к вещи, автор начинает с выяснения жанра будущей пьесы, т. е. интонации, ракурса художественного пересоздания материала. Определение жанра пьесы еще неустойчиво: сначала она видится ему как «трагедия», позже это обозначение уступит место иному: «патетическая мелодрама».

Об этом естественном и обязательном элементе профессиональной работы литератора не стоило бы и говорить, если бы к концу 1920-х — началу 1930-х годов он из правила не превратился в исключение. Так, разбирая положение дел с драматургией на обсуждении итогов театрального сезона 1930/1931 года в Теаклубе, докладчик сетует на то, что в театрах «совершенно стираются всякие грани между отдельными драматургическими жанрами. Сейчас уже на афишах не видно названий: "драма", "трагедия", "комедия". Вместо этого мы читаем "пьеса в 3 действиях", "пьеса в 4 действиях"»[8].

Но, несмотря на то что жанр изменен и на свет должна появиться «мелодрама», реально Олеша пишет трагедию (по классическому определению жанра: пьесу, оканчивающуюся гибелью героя). И тень шекспировской трагедии о Гамлете, принце датском, осеняет сюжет о российском интеллигенте, ощутившем распад исторических времен.

Уже говорилось, что в одной из сохранившихся рукописей пьеса называлась «Исповедь». В черновиках находим и множество других вариантов названия:

1. «Список благодеяний». 2. «Исповедь». 3. «Дорога славы». 4. «Артистка». 5. «Совесть». 6. «Последняя пьеса». 7. «Последняя роль». 8. «Камень». 9. «Камень Европы». 10. «Европа». 11. «Я еще вернусь». 12. «Двойная жизнь». 13. «Душа». 14. «Елена Гончарова». 15. «Европа духа». 16. «Взятие Парижа». 17. «Две». 18. «Спор». 19. «Пополам». 20. «Половина». 21. «Беатриче». 2. «Гамлет». 23. «Камера пыток». 24. «Побирушка». 25. «Родина». 26. «Пытка». 27. «Возвращение». 28. «Одиночество». 29. «Диалектика»[9].

Эти варианты датируются февралем — мартом 1930 года (см. далее, в главе 3, письмо Ю. Олеши О.Г. Суок от 16 марта 1930 года). Уточняют промежуток времени, в течение которого установилось окончательное название пьесы (и сообщают еще одно название, отсутствующее в перечне Олеши), газетные заметки. «Вечерняя Москва» 8 февраля 1930 года (№ 32) в рубрике «Среди писателей» сообщает: «Юрий Олеша работает над пьесой "Путешествие" — для театра им. Мейерхольда». Через полтора месяца, 24 марта, «Литературная газета» (№ 12) информирует: «Ю. Олеша закончил на днях новую пьесу, предполагаемое название которой "Список благодеяний"».

Уже из перечня заголовков, предлагаемых самим Олешей до каких-либо прямых внешних вмешательств, видна неуверенность авторской позиции, колебания в отношении оценки героини. Список пробовавшихся заглавий похож на своеобразный тест, свидетельствующий даже не о раздвоенном, а о «растроенном» способе интерпретации темы пьесы. Первый, говорящий о внутреннем состоянии героя: одиночество, камера пыток, камень, исповедь, душа. Второй, сообщающий о высоте и нравственном величии персонажа: Гамлет, Беатриче, артистка, совесть. И третий, оценивающий характер героя, скорее, негативно-уничижительно: двойная жизнь, побирушка.

В дневниковых записях Олеша говорит, что никогда ничего не писал по плану[10] (и на эту фразу часто ссылаются исследователи его творчества[11]). Но материалы архива свидетельствуют об обратном: в черновиках «Списка» планов пьесы множество, ими, то более подробными, то сжатыми, исписано немало страниц (иное дело, что планы эти корректировались, трансформировались). Отыскиваются здесь и сценарии развития сюжета, важные пометки в связи с пьесой, характеристики персонажей и т.д. По счастливо сохранившимся планам пьесы выстраивается определенная последовательность смены вариантов пьесы, обозначаемых Олешей как «первый вариант», «чистовой вариант», «твердый план второго варианта», «окончательный вариант» (т. е. представляющийся автору таковым в момент фиксации).

Кроме крайне важных для понимания замысла будущей пьесы черновых развернутых планов, сценариев развития сюжета архив писателя сохранил цепочку отдельных эпизодов, впоследствии вошедших в пьесу лишь частично. Их особенностью является то, что вся цепочка рассыпается, не образуя единого текста. Эти эпизоды составили дотеатральный, собственно авторский этап работы над пьесой.

Избран следующий методический ход знакомства читателя с корпусом ранних черновых набросков: сначала печатаются конспективные изложения сюжета в целом, основные идеи и темы будущей вещи, лейтмотивы персонажей, планы, сценарии — т. е. материалы обобщающего характера, которые предлагают определенную «оптику взгляда» на осколочные фрагменты текста.

Затем дается свод вариантов сцен, пробовавшихся, но не вошедших в известные нам связные редакции пьесы.

Далее следуют наброски эпизодов, хотя и схожие с теми, которые впоследствии образуют ту или иную законченную редакцию пьесы, но где действуют исчезнувшие позже персонажи.

Понятно, что особый интерес представляют сценарии и планы, а также сцены, которые ни в каком виде не вошли в связный текст произведения, так как именно по ним можно судить о первоначальном замысле пьесы «Исповедь». Перечислю их.

1. Сцена театрального разъезда с дракой, приставаниями, оскорблениями и проч.

2. Сцена с расклейщицей афиш «в духе раннего символизма».

3. Сцены за кулисами: приезд вождя, «друга театра», разговор героини с мужем Костей и режиссером Росмером, ее отрывочные диалоги с актерами-коллегами, сжигание Катей, подругой героини, тетрадки со списком благодеяний (причем с помощью тех самых факелов, которыми только что завершился шекспировский спектакль).

4. Сцены обсуждения спектакля: появление некоего Ибрагимова, обвиняющего Лелю, и «глиняного истукана» (либо — работницы), образ невежественного зрителя.

5. Сцена в общежитии (два варианта).

Обращает на себя внимание, что все это «московские» эпизоды пьесы, закрепляющие на первоначальном этапе работы определенный образ советской страны.

С исчезновением (или существенной переработкой) ряда сцен уходили и становящиеся ненужными персонажи. Перечислю героев, действовавших в ранних набросках и исчезнувших еще до рождения первой редакции пьесы:

Актриса, завидующая главной героине, Лиза Семенова.

Вождь Филиппов, появляющийся в театре член правительства, «друг театра».

Федор Львов (Филипп Росмер), «великий режиссер».

Муж актрисы, Константин Гончаров, музыкант в кино.

Ораторы в эпизоде обсуждения спектакля — Недельский, Андросов (вариант: Андрущенко).

«Глиняный истукан» либо «работница с фабрики».

Четверо живущих в общежитии: Федор Львов, Славутский, Ибрагим, Сапожков.

Помощник Маржерета, глухой по фамилии Вагнер.

Врач советского посольства в Париже.

Севостьян (вариант: Максимилиан) Барка.

Профессор Владимир Афанасьевич Португалов, лояльный советский человек.

Парижские буржуа, г-н и г-жа Фиала.

Парень (Стефан), их работник.

Двое полицейских.

Пастор.

Пианист Леон Бори, появляющийся в парижском пансионе.

«Я начал с поэзии. <...> Однако перешел на прозу. Но остался поэтом в литературном существе: то есть лириком — обрабатывателем и высказывателем самого себя. Фабула о чужих мне не дается»[12], — записывает Олеша в дневнике 15 марта 1931 года, в дни, когда в ГосТИМе начата работа над «Списком».

Самооценка писателя точна. Лиризм и автобиографические штрихи, воспоминания о юности и любимые сегодняшние мысли розданы персонажам недавно написанной пьесы.

Много больше узнаваемых, принадлежащих Олеше либо его близким друзьям черт, особенностей, исчезнувших позднее, — причем почти у всех персонажей, от Лели и Татарова до Маржерета, Кизеветтера и Трегубовой, — жило в ранних набросках «Списка». Пьеса рождалась как «домашняя», «для своих»: в раннем образе Маржерета сквозили черты самого Мейерхольда (увлеченность делом, предельная сосредоточенность, оборачивающаяся рассеянностью по отношению ко всему, что находится не в фокусе внимания, нервность и пр., причем в набросках к сцене «В Мюзик-холле» два образа: режиссера Маржерета и его помощника, грубого, бесцеремонного глухого по фамилии Вагнер, — были разведены); в образе Гончаровой чувствовались черты З. Райх — так, героиня произносила излюбленную фразу Райх: «Я паршивая эстетка»[13]. Просвечивали в набросках и ее непростые взаимоотношения с труппой. В олешинских черновиках среди реплик персонажей пьесы осталась запись, вероятно, фиксирующая фразу З. Райх: «По пьесе я должна играть знаменитую советскую артистку. Получается ужасно нехорошо... И так возле моего имени сплетня, и так говорят обо мне, что я зазналась, — а теперь будут издеваться: Зинаида Райх играет великую артистку... а хватит у нее пороха... Могу себе представить, какие поднимутся разговоры»[14].

В сценах с членом правительства, приезжающим в театр и появляющимся за кулисами, прочитывались актуальные проблемы ГосТИМа (борьба за дотации, распри с другими театрами, скверное состояние театрального помещения и пр.). В имени и фамилии персонажа пианиста Леона Бори легко угадывался прототип — Лев Оборин, чьим исполнительским творчеством в те годы был увлечен Мейерхольд, с кем был дружен.

В набросках осталась реплика Лели о том, что она «не контрреволюционерка», а в ее тетрадке заключены «две половины одной совести». Далее, на предложение Семеновой продать тетрадь за границей, героиня отвечала: «Это семейные счеты. <...> это документ о том, как русская интеллигентка спорила сама с собой»[15]. Но в Советской России нельзя и вести дневник, т. е. думать то, что думается, это расценивается как «мыслепреступление». Ср.: «С необходимостью держать язык за зубами Вс. Эм. смирился давным-давно, очень в этом смысле боялся за Костю и за своего внука Игоря, предостерегал иногда очень раздраженно — как можно ломать судьбу из-за ерунды»[16]. Обращает на себя внимание и то, что в лаконичных строчках планов пьесы, конспективных набросках сюжета то и дело звучал навязчивый мотив убийства, смерти («известие об убийстве Росмера», «по телефону говорят, что Костю убили хулиганы»), не раз упоминались покушения, террористические акты и пр.

В черновых набросках сцен героиню зовут Мария Татаринова. Она уезжает не в Париж, а в Германию. «Гениальную» актрису Марию Татаринову, в жилах которой течет польская кровь (как в Олеше), создал «великий режиссер» Росмер (в фамилии которого явственен отзвук фамилии Мейерхольда). Маша Татаринова собирается выйти замуж за Росмера, то есть использованы биографические штрихи Зинаиды Райх и Мейерхольда.

Лирично и ностальгически были выписаны образы эмигрантов, Татарова и Кизеветтера, обнаруживающие с Лелей больше сходства, нежели различий. Некоторые реплики, мысли в черновиках перетекали от героини к Татарову и наоборот. Это близкие по мировидению и ощущениям герои. Не случайно и то, что их фамилии будто вторили одна другой: Татаринова и Татаров. Невозможно не учитывать особого отношения к созвучиям, свойственного поэтам. К тому же в дневниковых записях Олеши существует прямое свидетельство его понимания важности фамилий персонажей[17].

Необычная фамилия юноши-эмигранта — Кизеветтер — неминуемо отсылала к реальной личности известного историка, несколько лет назад высланного из страны[18]. С меньшей уверенностью можно предположить, что и фамилия «Татаров» имеет отношение к одному из участников так называемого «академического дела»[19], обвиненному в троцкизме[20]. Напомню, что «дело академиков» разворачивалось в Ленинграде в 1929—1931 годах, и о нем много писали.

Необычное, ликующее имя Улялюм будило воспоминание о поэме Эдгара По. Напротив, в имени директора театра (Александр Орловский), возможно, должно было угадываться имя известного критика А. Орлинского. А для властного рабочего, сурово разговаривавшего с Гончаровой, была избрана обманчивая фамилия «Тихомиров».

Имена персонажей «Списка» не раз изменялись: Дося Татаринова — Маша Татаринова — Елена Гончарова; Николай Федорович Долгопятов — Николай Иванович Татаров; директор театра Семенов (либо Хохлов) — Александр Орловский. Подругу Гончаровой звали сначала Катей Матросовой (в окончательном варианте — Катерина Ивановна Семенова), фамилия курьера была не Дьяконов, а Игнатьев; наконец, полпред Филипповский (в звучании фамилии которого угадывалась фамилия советского полпреда в Париже и доброго знакомого Мейерхольда Довгалевского) был заменен «товарищем Лахтиным».

Об отзвуке фамилии «Мейерхольд» в имени «Росмер» уже говорилось. Долго выбирал Олеша имя и фамилию центральному персонажу пьесы. В первых набросках актрису звали Дося, что было в детстве домашним именем самого Олеши (и не раз встречалось на страницах его прозы). В окончательном варианте в имени героини удвоен мотив красоты: «Елена» как персонаж русского народного творчества («Елена Прекрасная») и как героиня гомеровского эпоса. Но этого мало: к имени Елены добавлена еще и фамилия «Гончарова», кажется, неизбежно влекущая за собой у русского читателя (зрителя) ассоциацию с пушкинской Натальей Гончаровой, образом бессмертной (бесспорной) красоты и поэзии («Леля — легкая, как Лель», — появится позже на полях режиссерского экземпляра пьесы).

Смысловых перекличек характеристик героев пьесы с биографическими штрихами самого писателя, его друзей и близких в черновых набросках «Списка» множество: перебежчику Долгопятову (будущему Татарову), как и Олеше в 1930 году, тридцать лет, он «южанин из Харькова» и у него больное сердце; Улялюм начинает говорить стихами, вспоминая свое детство и теплые, нагретые солнцем перила, — они описаны в дневниках Олеши; Маржерет, напряженно ждущий Улялюма, жалуется, что у него «порок сердца» (похоже, что с репетиций Мейерхольда в пьесу пришел и стакан молока, стоящий перед Маржеретом); Кизеветтер — «нищий», как и герой уже задуманного олешинского романа, он тоскует о телескопе, «звездном небе» вслед за автором, всю жизнь мечтавшим побывать в обсерватории. Даже такому третьестепенному, казалось бы, персонажу, как портниха Трегубова, в сцене с Татаровым даны пронзительные слова подлинного чувства[21].

В черновиках остались попытки ввести в ткань пьесы стихи Олеши о театре, реплики о «духе раннего символизма» и др.

Вот краткое описание эпизодов, не вошедших в известные варианты текста пьесы и рассмотренных в той последовательности, которая могла бы дать представление о вещи в целом.

Первая сцена — театральный разъезд. Здесь существовала сцена драки зрителей, расходящихся после спектакля. Интеллигентный герой потрясен тем, что можно оскорблять кого-то из-за потерявшейся в гардеробе калоши — после «Гамлета» (Ф. 358. Оп. 2. Ед. хр. 81).

Еще вариант первой сцены, в котором действие протекало за кулисами театра. Появлялся народный комиссар Филиппов, который спрашивал, отчего это автор пьесы не пришел на прощальный спектакль. Имя Гамлета он слышал впервые и объяснял это Леле тем, что он бывший сапожник и долго пробыл на каторге. После представления Леля вместе с агитгруппой должна была ехать в колхоз — а она решила бежать за границу. Подруга приносила ей чемодан с двумя тетрадками и одну из них сжигала в театре, желая избавить от нее Лелю. Но по ошибке погибала тетрадка с перечнем благодеяний советской власти — вторую Леля увозила с собой (Ф. 358. Оп. 2. Ед. хр. 71).

После спектакля Леля отправлялась к автору одной из записок, присланных ей на диспуте. Следовала страшная сцена «В общежитии», где двое коммунистов обсуждали вопрос о необходимости контроля над сновидениями, а автор записки, студент МГУ Федор Львов, произносил фразу о том, что «общежитие похоже на барак для прокаженных» (Ф. 358. Оп. 2. Ед. хр. 81).

Действие новой сцены происходило в парижском пансионе. Леля спорила с Федотовым, советским механиком. К Леле приходил Долгопятов, бывший сотрудник полпредства, бежавший с пятнадцатью тысячами долларов. Леля признавалась Федотову: «Да, это мой гость». Просила у Федотова денег, хотела остаться пусть нищей, проституткой — но в Европе. Звучала тема «бодрости», которой обладал Федотов, а Леля — нет (Ф. 358. Оп. 2. Ед. хр. 73).

Как обычно, в черновых набросках сцен было больше прямых отсылов к реально имевшим место событиям. Так, в эпизоде с «невозвращенцем» Долгопятовым (будущим Татаровым) безошибочно прочитывался конкретный — и нашумевший — случай с советником посольства во Франции Г. З. Беседовским, бежавшим через забор посольского сада в Париже[22]. Информация могла дойти до Олеши через советского посла в Париже В. С. Довгалевского[23], с которым не раз встречался Мейерхольд уже после побега Беседовского. (Обращает на себя внимание реплика Федотова, обращенная к Долгопятову: «А может быть, я специально приехал убить тебя?»[24])

Эпизод в парижском мюзик-холле «Глобус» менялся не единожды, причем полярным образом. Был вариант, где Улялюм одухотворен и поэтичен, а в его речах явственны автобиографические ноты. Был и прямо противоположный, предельно физиологичный, пряный, даже грубый, в котором андрогин воплощал тему «разложения капиталистического мира». Сцена Улялюма и Лели, «женственного мальчика» и маскулинной женщины, была прописана с шокирующими деталями, физиологично (не просто сексуальность, но и «эрогенная зона», «извержение семени» и пр.). Все эти рудименты эротических откровенностей начала века, осколки анормальных любовных отношений, почти узаконенные в 10-х годах, к концу 1920-х невозможны, отталкивают, даже пугают (Ф. 358. Оп. 2. Ед. хр. 77). Но напомню, что тема андрогина, связанная ассоциациями с платоновским учением, на рубеже веков звучала совершенно по-иному: андрогин как самое гармоничное существо. И пьеса Олеши с, казалось бы, «советским» сюжетом содержала символистский мотив (что позднее, в начале 1930-х, когда вышел спектакль Мейерхольда, зрителем, по-видимому, уже не прочитывалось). В набросках остался и чуть намеченный драматургом мотив луны, столь важный в поэтике символистов: лунный свет, отблески луны ложатся на калошу (в сцене театрального разъезда).

Лелю оскорбляли, представляя певцу как женщину на ночь, не спрашивая на то ее согласия. Были перепробованы, кажется, все мыслимые метаморфозы любовных союзов, перемены пола и проч. Обыгрывалось то, что Леля в костюме Гамлета, и в одном из вариантов сцены Улялюм принимал ее за мальчика, продающего свою любовь за ужин. Но при этом подчеркивалось (и это было сохранено в окончательном варианте сцены), что она необыкновенно притягательна, так что сам Улялюм не может устоять перед ней. Неожиданно пробивались здесь и нотки хармсовского абсурдизма — в диалогах-стычках Маржерета и глухого Вагнера с Гончаровой.

В ранних набросках фигурировали реальные личности: в сцене «У Татарова» появлялся Ромен Роллан, Татаров говорил о Махно[25], живущем тут же, в равнодушном Париже, Леля намеревалась обратиться к Эйнштейну, упоминались фамилии знаменитых художников, эмигрировавших из России, — Бунина, Шаляпина, Мережковского; советский полпред вспоминал о генерале Лукомском, «предателе» Рябушинском и др.

Дима Кизеветтер черновых записей, некогда закончивший кадетский корпус и защищавший Киев от красных, узнавал в Леле ту, которая «обещала любить его всю жизнь». Следовала пронзительная лирическая сцена Кизеветтера и Лели (Ф. 358. Оп. 2. Ед. хр. 76).

В предпоследней сцене голодная Леля поднималась из придорожной канавы парижского предместья и крала через открытое окно яблоки. Ее ловили. «Пастор говорил, что частная собственность священна», — удивлялся хозяин дома, оставивший окна раскрытыми, несмотря на то что знал о походе безработных. Лелю избивали. «Маленький человечек, похожий на Чаплина» выслушивал Лелину исповедь и говорил: «Я тоже нищий». Они присоединялись к маршу безработных (Ф. 358. Оп. 2. Ед. хр. 79).

Наконец, в заключительной сцене пьесы баррикады еще отсутствовали и героиня оставалась жива. В финальной ремарке голодная, всклокоченная, седая «Леля всходит на холм. Шествие движется. Занавес» (Ф. 358. Оп. 2. Ед. хр. 79).

В черновых вариантах некоторых эпизодов, оставшихся в пьесе, жили значительно более острые, дразнящие реплики и вполне реальные сюжеты, таящиеся за ними. Так, в сознании героини ремонт собственной комнаты (т. е. наведение порядка в ней) обретал смысл только при условии восстановления лишенцев в правах, т. е. восстановления «общего» порядка вещей. В одном из набросков появлялась и рискованная реплика героини, Маши Татариновой: «Моя родина сошла с ума».

В эпизоде «У портнихи» Татаров обещал: «Я докажу, что в России рабство <...>. И если лесорубов превращают в скотов[26], то и славу выдают под расписку — за отказ быть самим собой, за согласие быть рабом одной лишь единственной мысли, единственного закона — так называемого диалектического материализма...» (Ф. 358. Оп. 2. Ед. хр. 75).

В сцене «В полпредстве» существовал мрачно юмористический эпизод с Федотовым, которому нужно было выстрелить в кого-нибудь, чтобы избежать приступа болезни. Полпред советовал бедолаге запереться где-нибудь и выстрелить, «а то так вы мне всех сотрудников перестреляете». Звучал диагноз не слишком удивленного врача: это синдром стреляния, «случай редкий, но встречается часто» (Ф. 358. Оп. 2. Ед. хр. 74).

Но, пожалуй, еще важнее, что в набросках к эпизоду «бывший следователь», а ныне сотрудник полпредства Федотов обвинял Гончарову в том, что она позволила себе вести дневник. В те же месяцы, когда идет работа над пьесой, вечерами Олеша записывает (порой теми же самыми словами) тревожащие его мысли в собственном дневнике, проигрывая возможные повороты судьбы.

В черновых набросках к сцене «В кафе» существовал выразительный диалог Лели и Федотова. Леля говорила: «Не могу решить, какая система лучше — капиталистическая или социалистическая». Федотов приходил в ужас от этих слов. Появлялся еще один персонаж, лояльный советской власти профессор Португалов, который пытался выяснить, когда же Леля «стала колебаться». Гончарова дерзко заявляла, что «в Европе никогда не будет революции» (Ф. 358. Оп. 2. Ед. хр. 78).

Олеша описывал новый быт — невежество, не сомневающееся в «своем праве», насилие одних и несвободу других, склоки, с легкостью переходящие в драки. Рисовал суть человеческих отношений и положения дел в театре: зависть, сплетни, недружелюбие, пьянство. Показывал «вождя» и «друга театра» как предельно неграмотного человека, не знающего, кто такой Шекспир. Наблюдал наступательную агрессию одного из зрителей — Ибрагимова, выводящего на сцену «глиняного истукана» и заявляющего героине, что между ней и людьми в зале нет ничего общего. Наконец, видел страшную «Сцену в общежитии», где персонажи обосновывали необходимость тотального контроля над личностью, вплоть до ее сновидений.

Из черновых набросков к пьесе вставал выразительный и отталкивающий образ меняющейся страны. Олеша запечатлевал антропологию послереволюционной России: формирующегося «нового человека» и повседневный быт; сквернословие, разлитую в воздухе угрозу; забвение принципа частной собственности, с неизбежностью приводящее к утрате владения каким-либо личным пространством; наконец, стремление ко всеобщему насилию всех и каждого над каждым и всеми. Подобный образ новой России, выталкивающий героиню за границу, не мог сохраниться в окончательном, цензурном варианте вещи.

Напротив, в черновых вариантах «парижских» сцен пьесы присутствовала большая мягкость, порой поэтичность, передающая образ воплотившейся мечты. Так, в набросках к сцене «В пансионе» остался следующий диалог актрисы с хозяйкой:

«— У вас очень хороший вид сегодня.

— Я счастлива.

— [Если вы так же счастливы, как и хороши собой, то, значит, в природе воистину существует гармония.]

— Погода прелестна. В саду цветет жасмин.

— Я давно не видела, как цветет жасмин»[27].

Наброски к пьесе аккумулировали, выплескивали все важнейшие темы, мучившие Олешу в те годы, как это явствует из его дневниковых записей 1929—1931 годов. В «Списке благодеяний» писатель говорил о себе — своих мыслях, своей исповеди, своей вине. Не оценив этого, нельзя понять пьесы.

Ю. Олеша. Творческие черновики «Списка благодеяний»

Раздел А
Планы, конспекты, сценарии, сюжетная канва пьесы «Список благодеяний»

Она имеет переписку и дружбу со студентом Фадеевым. У него сестра, мечтающая стать лебедем. Мечта о Европе.

Или нищий, который разбогател и опять стал нищим.

Бонапартизм духа. Бонапарт, Бальзак, Чаплин.

Мечта о нищем, который побеждает.

358.2.81. Л. 62

Сцена первая.
В уборной Лели Татариновой.

Федор Львов. Быта! Быта! Больше быта!

Известие об убийстве Росмера.

Сцена вторая.

Смерть Росмера. Народный комиссар. Клятва. Музыка.

Сцена третья.

Общежитие.

358.2.81. Л. 47

Театр.
Смерть Росмера. Россия.
Общежитие. СССР.

358.2.72. Л. 25

Елена Гончарова — известная артистка.

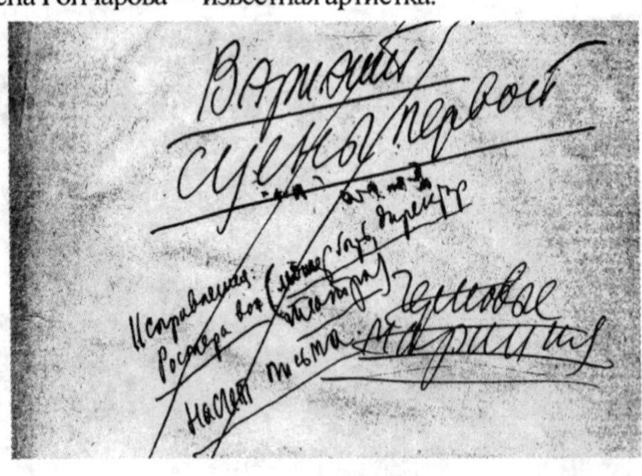
Варианты
сцены первой

Лиза, ее подруга, артистка.
Маша.
Александров, директор театра.
Константин Гончаров — муж Лели, музыкант из кино.
Филиппов, член правительства.
Артисты, артистки, оркестранты, разные закулисные работники.

358.2.69. Л. 15

Константин Гончаров, он моложе ее на два года. Они разговаривают о Филиппове, о театре, примерно то, что в первом варианте[28]. Приходит муж. Она выгоняет всех. Разговор с мужем. Он музыкант, играющий в кино, славы нет, не нужна слава.

358.2.71. Л. 35

Исправления: Росмера вон (может быть, директор театра). Насчет письма.

358.2.81. Л. 6 об.

Ссора с директором театра, его унижение. Разговор с мужем. Он бежит за пальто. Приход вождя. Приносят пальто. По телефону говорят, что Костю убили хулиганы.

358.2.69. Л. 15

Насчет раздвоения личности [она ему] он ей говорит у постели.
1. Ответы на записки. Разговор о завтрашнем пире.
2. Театральный разъезд.
3. Выход их, убийство.

358.2.70. Л. 32

План второй сцены.

Разговор с Лизой на первом плане.
Не расходиться.
Разговор о театре и о вождях.
Список ей суют (нрзб).
Приезд вождя.
Разговор с вождем.
Отъезд вождя. Я сегодня ночным поездом уеду в Минск.
Он чемодан дает, она хочет посмотреть, положила ли тетрадки.
В это время входят со списком труппы.
Она торопится уйти.
Она разрывает... она сжигает...
1. На сцене. Раскланиваются.
2. Возвращаются с факелами.

3. На первом плане Катя с чемоданом. Достает тетрадку, сжигает несколько листков.

4. Не расходиться.

5. Приезд вождя.

6. Разговор с вождем.

7. Отъезд вождя.

8. Катя дает ей чемодан. Я сегодня в час сорок уеду в Минск.

9. Оттуда за границу. Хочет посмотреть, положила ли тетрадки.

10. В это время входят со списком труппы. Надо ехать.

11. Ей дурно. Она падает в обморок. Я догоню вас. Катя остается хлопотать.

12. Бежит за водой. Подбирает листки. Видит, что написано: Список благодеяний.

13. Те уходят. Сожгла список благодеяний.

Леля, я сожгла твою черную тетрадку. То, что ты читала мне, список...

Тихомиров: Это что — роль сжигали?

А что?

А вот название написано.

Какое название?

Пьесы.

Какой? Что написано?

Список благодеяний.

358.2.69. Л. 27 об.

План второй сцены.

<...>

За кулисами.

Кончается спектакль «Гамлета».

На сцене Орловский.

Разговор о том, что сегодня едут.

Труппа уже на вокзале. Только Гончарова сейчас кончает и переоденется.

Аплодисменты.

Артисты спускаются. Возвращаются. Люди с факелами.

Катя на лестнице.

А ну, подожди. Наклони факел. Сжигает.

Телефон. Разговор с вождем. Через пять минут он будет.

Не расходиться. Сейчас приедет вождь. Вот вам список труппы.

Все готовы. Хорошо, сейчас.

Идет в уборную. Хочет посмотреть, есть ли тетрадка.

Приехал вождь.

Разговор с вождем.

Надо ехать.

Я довезу вас до вокзала.

Сейчас, сейчас, я только переоденусь.

Вождь, осматривая кулисы, находит листок. Насчет пожарной безопасности. Читает: «Список благодеяний». Уходят.

Что делать? Я упаду в обморок.

Скажи, чтоб не ждали, что мне дурно, скорей.

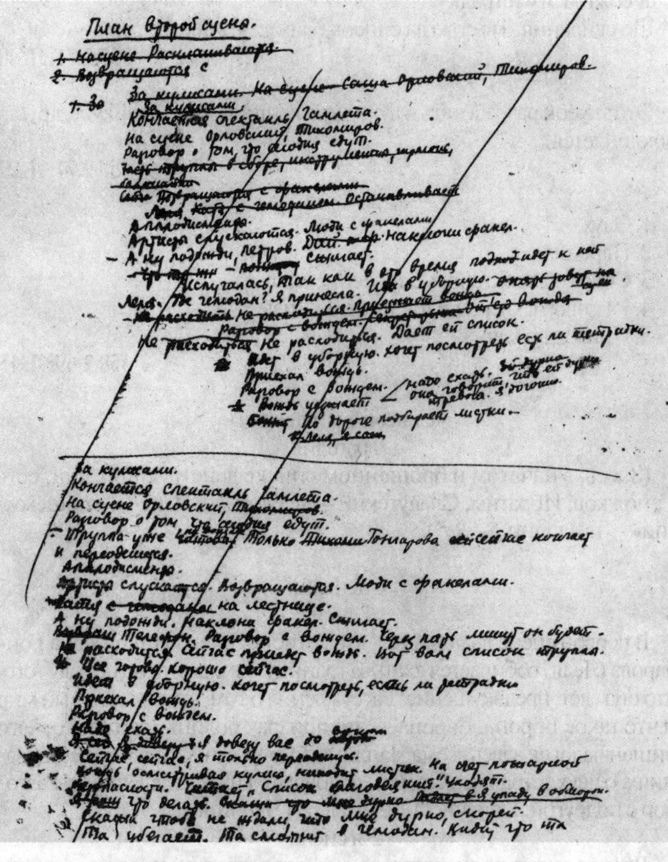

Ю.К. Олеша. Список благодеяний. Наброски сцены «В театре».
Ф. 358. Оп. 2. Ед. хр. 71. Л. 40

Та убегает. Та смотрит в чемодан. Видит, что та тетрадка целая.

Те возвращаются с Орловским.

Что случилось?

Ничего, уже прошло. Езжайте. Это неудобно, ехать с наркомом, перед рабочими и труппой. Скажите, что это неудобно.

Нельзя заставлять его ждать.

Убегает.

Ну, я так поеду, в поезде переоденусь, стаскивает ботфорты, надевает пальто.

Я сожгла эту тетрадку.

До свидания. Ты сожгла список благодеяний.

358.2.71. Л. 40

Этот кусок разработать в духе двух женщин, одна завидует, другая поклоняется[29].

358.2.71. Л. 22

1. Слух.
2. Пародия.
3. Ссора с директором. Унижение Маши.
4. Разговор с мужем. Поклонение Лизы.
5. Приход вождя.

358.2.69. Л. 15

«Список благодеяний»

Трагедия

(Здесь, в начатом и брошенном списке действующих лиц, есть Сапожков, Ибрагим, Славутский — персонажи «Сцены в общежитии» — и Чаплин. — *В.Г.*)

Сценарий

1 сцена

В первой сцене выясняется, что артистка Елена Николаевна Гончарова (Леля) собирается ехать за границу. Ее радость по поводу того, что она едет, предвкушение. Рассуждения о том, что такое новый мир и что такое Европа. Европа — это призрак родины, это все то, чего лишен человек здесь. Тема Чаплина. О двух душах, двух существованиях, о двух тетрадках. Сцена с яблоками. Приход делегации. Разговор с подругой. Конечно, не еду. Перед Чаплином.

2-я сцена

Вторая сцена происходит во сне, где тетрадку находят и читают Баронский, Дуня, Тихомиров. К стенке. Она говорит, что есть еще другой список.

358.2.69. Л. 7

Сцена первая — яблоки.

Сцена вторая — обнаружение тайны.

Сцена третья — финальная — театр.

За границей.

Чаплин. Она начинает путь сначала. Платье. Продает дневник. А может быть, Чаплин и хочет ее видеть, купить дневник, и когда она дневник продала, Чаплин стал нищим. Или другое. Крах лучшего человека —

Тут есть актриса, которая и т.д.

Собственно говоря, две фигуры: покупатель дневника и Чаплин.

Все время разрабатывать идею блуждающих понятий.

Между каждой вещью, которую я вижу, стоит стекло будущего. /От/того так холоден и не осязаем мир.

[О частях речи.] Нет глаголов настоящего времени. Все либо было, либо будет.

Я еду искать глаголы настоящего времени.

358.2.69. Л. 13

«У меня есть потребность выстрелить!»

У нее только список благодеяний.

У Чаплина только список преступлений.

358.2.73. Л. 19

Чарли Чаплин. Он чувствует гибель мира.

358.2.72. Л. 30

Мещанин, собственность, волшебство, радость от Европы.

358.2.74. Л. 30

Я выйду замуж за Махно[30].

Что-нибудь о Махно.

Как страшно, что живет Махно.

Точный план работы[31].

К 9 иметь законченную сцену второго действия (Долгопятов[32]).

к 10 2 сцену — Мюзик-холл, Гермафродит;

к 11 1 сцену 3 действия — Долгопятов, Чаплин;

к 12 2 сцену 3 действия — съезд безработных;

к 13 финал — оркестр безработных;
к 14 сцену с выстрелом;
к 15 Пролог, поправки.

Приехавши за границу, она послала письмо Альберту Эйнштейну, в кафе, где он бывает. Письмо попало в руки повара, эмигранта, бывшего адвоката, который пописывает в белогвардейской газетке. Он приходит к ней и выдает себя за переводчика. Назначает ей свидание в этом же кафе. В кафе происходит разговор, из которого выясняется, что она попала в руки репортера газетки.

В полпредстве готовятся к вечеру. Репетиция. Она приходит. Появляется посол с газетами, уже напечатаны ее сведения. Она бьется у дверей.

Она в театре. Падает в обморок.

Она хочет убить Татарова.

Седая.

Чаплин из ящика.

Финал.

358.2.69. Л. 12

<...>

1. Театр. Гамлет. Записки.

2. Сцена с яблоками.

3. За границей. Приходит сотрудник полпредства. Приглашает ее сделать вечер. Она кается, мирится. Но оказывается, что она уже закинула удочку. Приходит Долгопятов. Федотов, возмущенный, уходит. Она в обмороке. Он ушел? Ушел тот? Почему же вы его не задержали? Мадам Македон читает письмо. Мне не надо писем. Однако берет. Я буду завтра богата. Я поеду в Ниццу.

4. Приходит к Долгопятову с обоими списками. Сперва продает. Много денег требует. Он говорит, что вы с ума сошли. Тогда она: Как? Ни за какие! Ни за сто тысяч! Я шучу. Разрывает. Потом хочет вспомнить. Вспоминайте! — Я не могу вспомнить ни одного преступления. Нам не о чем говорить.

Уходите. Уходит. Домой!

5. Она в полпредстве. Сегодня в утренних газетах появилось интервью с вами. Вы предательница. Показывают. Она в ужасе. Разве я могла бы так написать. Разве это моя душа. Я смою пятно, я убью Долгопятова.

6. Она идет убивать Долгопятова. Он уехал в Ниццу. Значит, мне надо немного денег на дорогу. Ага, я заработаю в Мюзик-холле.

7. Театр. Ее выбрасывают. И нет прощения. Я никому не нужна. Я пойду пешком в Ниццу.

8. Дорога. Украла яблоки. Ее хотят бить. Ажаны. Чаплин из ящика. Безработные. Финал.

358.2.69. Л. 18

1 действие

1 сцена — Гамлет, записки.

2 сцена — яблоки.

2 действие

Разговор с Федотовым.

У Долгопятова.

В полпредстве.

В театре.

Дорога.

Безработные.

358.2.69. Л. 19

Список благодеяний

Твердый план

1 действие

1. Театр. Гамлет. Записки.

2. Сцена с яблоками.

У нее оба списка. Она увозит оба списка.

2 действие

3. За границей. Приходит сотрудник полпредства приглашать ее сделать вечер. Она кается, мирится. Но оказывается, что она уже закинула удочку. Приходит Долгопятов. Тетрадка на столе. Долгопятов берет тетрадку, не видя, что она разорвана пополам. И уносит одну половину. Вторая валяется на полу. Она поднимает, все в порядке. Письмо.

4. Она идет в полпредство. Сегодня в утренних газетах появилось интервью с вами. Вы предательница. Так нет же. Вот здесь список. Покажите. Как же я могу показать вам его? Разве я могла бы так написать? Разве это моя душа? Разрывает. Уходит. Я смою пятно. Я убью Долгопятова. Домой.

3 действие

5. В театре. Издевательство. Мне бы дали молока.

6. Она идет убивать Долгопятова. Она говорит, что вы соврали. Он дает ей десять франков. Она в ужасе. Он говорит: тогда вспомните. Она не может вспомнить. Он говорит — пожалуйста. Седая. Я пойду по дорогам.

4 действие

7. Она нищая и седая, она предательница и проститутка. Она кра-

дет яблоки. Ее хотят бить. Чаплин из ящика. Безработные.

8. Финал.

358.2.69. Л. 20

(Еще вариант, где Леля пытается забрать тетрадку, украденную Долгопятовым. — *В.Г.*)

2. Она у Долгопятова. Ждет на лестнице, приходит Долгопятов. Требует список под видом внесения корректив. Убегает. Рвет его на лестнице, сжигает на газовой трубке. Теперь в полпредство.

3. Она в полпредстве на другой день. Но уже появились в утренних газетах ее показания. Она просит простить, говорит, что это не так. Но ее не прощают. Она говорит, что убьет Долгопятова, чтобы реабилитироваться.

4. Она в театре. Издевательство.

5. Она идет к Долгопятову, чтобы убить его. Она бежит к нему. Отдайте тетрадку. Он говорит, что пожалуйста. Это список благодеяний.

358.2.69. Л. 22

Список благодеяний

Вариант второй

Елена Гончарова уезжает за границу.

Действие первое

1. Ответы на записки.

2. Кулисы.

3. Дома. Тетрадки. Гости.

/4/. В пансионе Татаров. Повар.

Татаров, конторщик.

Татаров. Полное нежелание жить.

Во всяком случае, не «великая» актриса.

Она хочет обратить на себя внимание — чем? Она могла бы, скажем, пойти в драматич/еский/ театр — но вот она пошла в мюзик-холл. Для чего обратить внимание? Чтобы на нее обратили внимание на съезде. От гордости. Тщеславие.

/5/. Сцена в мюзик-холле.

Платье?

358.2.69. Л. 23

Твердый план второго варианта

I д/ействие/. Пролог.

Первая сцена. Она коротка. В ней разговор о родине. О вещах и понятиях. О дневнике. О том, что собирается приехать в Европу Чаплин. Сцена с яблоками.

II действие. Здесь Леля в пансионе. К ней приходит портниха. Разговор о предполагающемся бале Чаплина. Меня не пригласили. Приход Федотова. Из разговора выясняется о шуме, который сделали статьи писателя Марселя Тибо[33], направленные против Европы за дружбу с СССР. Выясняется также, что Марсель Тибо, живущий обычно в Тулузе, приехал в Париж. Он демонстрирует свою дружбу с СССР и будет в посольстве на вечере как раз тогда, когда будет бал Чаплина, долженствующий показать, дескать, спокойствие и мощь Европы. Выясняется также, что неспокойно с безработными. Федотов приглашает Лелю на вечер, где будет Марсель Тибо, и предупреждает ее отвергнуть приглашение на бал. Приходит Татаров разнюхать. Федотов выгоняет его. Приходит приглашение на бал. Леля идет за платьем.

III действие.

Леля пришла к портнихе, взяла платье, давши расписку. Татаров подсунул ей для расписки бланк эмигрантской газеты «Россия». Выясняется здесь, что есть Кизеветтер, потенциальный убийца. Татаров крадет список преступлений. Леля уходит. Тогда приходит Севостьян Барка, сын капиталиста, символ фашизма, и выясняется, что против Марселя Тибо есть заговор, организовавшийся с ведома полиции. Его должны убить. Убить его должен Кизеветтер. Татаров говорит, что нужно сделать так, чтобы свалить убийство на Гончарову. Это морально и политически эффектно, если актриса, приехавшая из СССР, убивает защитника СССР. Возвращается Леля и говорит, что отказывается от платья, и просит вернуть расписку. Узнает Татарова. Ужас ее. Татаров показывает ей украденный список. Ужас ее. Верните. Это будет стоить 2000 франков. Где их достать. Она говорит хорошо. Я достану. Я сейчас же заработаю в мюзик-холле. Она уходит, встречаясь с Кизеветтером у входа. Кизеветтер: Кто это был? Кто это был? Невеста! Невеста! Бросается на Татарова. Сваливает его Татаров ударом кулака. Появляется Барка, передает Кизеветтеру кинжал.

IV /действие/.

I. В мюзик-холле. Сцена с Улялюмом. Улялюм говорит, что 2000 франков она получит в номере таком-то отеля такого (где живет Марсель Тибо).

II. В отеле. Приходит Леля. Обвинение Лели в убийстве. Ее отпускают на волю.

V /действие/. Дорога.

VI /действие/. Финал.

358.2.69. Л. 24

Она встречается с командированным из Москвы товарищем — Федотовым Николаем Ивановичем. Тот читает в газете заметку, что она бежала.

— Вы читаете русские газеты?

— Нет.

— А вот прочтите.

— А вы знаете, что вы ничего не можете мне сделать.

[Его арестовывают. Она танцует.]

— Убирайтесь отсюда вон!

[Заступаются за нее. Человек с баками. Полиция.

— Он большевик! Он агитатор. Он агент ГПУ.]

Она поселилась в большом доме, в отдельной комнате.

[Здесь живет ясновидящий.]

358.2.73. Л. 19

Кате она говорит о лжи, этому о Чаплине.

План может быть такой:

Она за границей встречается в пансионе с советским сотрудником, Федотовым. Они вместе идут в кабачок артистов и мюзик-холл. Там группа артистов. Она видит платье. Она играла Гамлета.

358.2.73. Л. 20 об.

Гамлет. Записки. Приход делегации. Патефон. Чаплин. Дуня.

358.2.69. Л. 11

Сцена с Улялюмом.

Передвинуть, это должно быть там, где она уже пострадала.

Смягчить Улялюма.

И, конечно, другой финал.

Смягчить после «дурного запаха».

358.2.77. Л. 1

/1/. Пролог. Как было.

2. Дома. Как было + чтение газеты о Чаплине.

3. Пансион.

1. Пантомима, определяющая в ней убежд/енную/ ремесленницу.

Приходит дама с платьями.

Татаров сидит за стеклом в ресторане.

У этих двух контакт, потому что, во-первых, они любовники — и, скажем, Татаров прочел накануне в газетах о приезде в N артистки Гончаровой и — ведь приезжая из Москвы — злодейско-эмигрантский лит/ератор/, а во-вторых: пойди продай ей платья.

Выбор платьев. Нравятся. Дорого. Уходит злодейка. Оставляет рекламную карточку с адресом. Приходят приглашать на раут.

358.2.69. Л. 17

В первой сцене (дома) она рассуждает о цветах (жасмин) и ей приносят жасмин в конце сцены.

Маленькая сцена на дороге.
На баррикадах.
Столкнов/ение/ с полицией.
Кизеветтер.
Смерть Лели.

358.2.69. Л. 16

Насчет интеллиг/енции/, насчет высшего ума.

358.2.74. Л. 21

В Москве происходит суд над вредителями. Вечером... (Обрыв фразы. — *В.Г.*)

358.2.76. Л. 44

1. Один болен чахоткой (курорты, Ницца, Крым)
2. Женщина с ребенком (ясли).
3. Женщина (раскрепощение).
4. Неграмотность (наука) — свободная мысль, изобретатель.
5. Негр (нацменьшинство).
6. Неблагоустроенность (пепелища и дворцы культуры).
7. Слепой рабочий (охрана труда). «Газеты мне читает внук».
8. Отсутствие безработицы.

На Западе:
двенадцатичасовой рабочий день.

358.2.69. Л. 16

Пролог.
Утро — Пансион.
Маржер/ет/.
Тат/аров/.
Полпр/ед/.
Татаров.
Дорога.
Баррик/ады/.

Леля приходит с безработными в город.
Полиция. Баррикады.
Леля на баррикаде.

Безумная память ее просветляется.

Она вспоминает список благодеяний.

Она знает их, и помнит, и кричит о них капиталистическому миру.

Она стоит между двумя лагерями в ночь классового боя, и теперь ей ясно, что высший ум, высшая интеллигентность...

358.2.69. Л. 26

Патетическая мелодрама[34].

16 — сцена у Татарова.

17 — сцена с Чаплином. Улица.

19 — финал.

Умирая, она говорит: (Кому? Всем?) Чаплину.

Не отвечайте ему. Он убил меня из ревности.

Меня бранили за то, что я не могу слиться с массой, переродиться. Я была индивидуалистка, ставила себя выше всех... Теперь я слилась с массой и переродилась. Простите меня. Когда они придут сюда — с лохм/отьями/ кр/асных/ знамен, скажите им, что, умирая, я просила у вас прощения.

Ее разоблачает коммунист, инвалид войны, он читал список преступлений, жалобу!

Леля: Закройте меня красным флагом.

Нельзя.

358.2.69. Л. 16

Раздел Б

Варианты, наброски сцен, ни в каком виде не вошедших в связный текст пьесы.

Вариант

Театральный разъезд со сценой приставания.

Театральный разъезд.

<...>

Подумай, женщина исполняет мужскую роль...

— Чудная, чудная, чудная.

Какая великая актриса!

Театральный разъезд.

Фонари. Афиши. На афишах: «Гамлет»,
«Гамлет», «Гамлет».
Сбегает по лестнице Лара.

Театральный разъезд. 7

Фонари. Афиши.
На афишах: „Гамлет", „Гамлет", „Гамлет".
— Подожди, а ну подожди, Любочка. Чья это вещь? (читает) Гамлет, принц датский, трагедия в пяти действиях, Вильяма Шекспира. Вильям Шекспир. Это переводная.
Читает список действ. лиц.
Король Клавдий — Бекетов
Королева Гертруда — Сакс
Гамлет, ее сын от первого брака — Елена Гончарова.
Подумай, женщина исполнит мужскую роль...
— Чудная, чудная, чудная. Какая великая актриса!

Театральный разъезд

Фонари. Афиши.
На афишах: „Гамлет", „Гамлет", „Гамлет".
Сбегает по лестнице Лара.
— Скорей, скорей, вот хорошо успели...
— А ну подожди... а ну подожди... галоши — галоши, галоша... ой, это не моя галоша, а ну подожди... ну да, ну да... смотри: чужую галошу дали...
— А Да что ты выдумываешь.
А ну покажи... Это твоя галоша...
— В моей галоше луна отражалась а в этой не отражается...
— А ну повернись
— Ну что, ты видишь?
— Сюда

Ю.К. Олеша. Список благодеяний.
Набросок сцены «Театральный разъезд». Ф. 358. Оп. 2. Ед. хр. 71. Л. 40

— Скорей, скорей, вот хорошо успели...

— А ну подожди... а ну подожди... галоши, галоши, галоши... ой, это не моя галоша, а ну подожди... Ну да, ну да... смотри: чужую галошу дали...

—Да что ты выдумываешь... А ну покажи... Это твоя галоша...

— В моей галоше луна отражалась, а в этой не отражается...

— А ну повернись.

— Ну что, ты видишь?

— Сюда.

— Ну, что?

— Не отражается.

— А где луна?

— И луны нет.

[Так как же теперь доказать? Нельзя же до завтра ждать. Что ж, я буду здесь, значит, сидеть на ступеньках и ждать, пока завтра взойдет луна. Пьеса дурацкая, галоши нет.]

— Вот видишь. Вот дура. Из-за тебя. Даю слово: никогда с тобой никуда. Убирайся вон...

— Коля! Коля! Коля! Завтра проверим.

Наверху идет представление.

Финал «Гамлета».

Гамлет убивает короля.

Аплодисменты.

Поток людей бежит по лестнице.

— А ну, чья пьеса? Подожди, я хочу посмотреть, чья пьеса. «Гамлет, принц датский». Трагедия в пяти действиях Виллиама Шекспира. Переводная. А ну, подожди.

Читает список действующих лиц.

Король Клавдий — Бекетов, королева Гертруда — Надежда Сакс, Гамлет, ее сын от первого брака — Елена Гончарова. Женщина играет мужчину. Ты заметила, Шурочка? Гамлета играла женщина. Совсем не заметно. Абсолютно не похоже.

— А ноги? Сразу видно, что женские ноги.

— А я не заметил. Вот жаль. Красивая, да? Красивые ноги? А я не заметил.

[Ноги как ноги.]

Уходят.

Аплодисменты. Раскланиваются актеры.

— Хорошая пьеса. Только смысла много.

— Где вы сидели?

— В шестом ряду.

— А мы в третьем.

— Разве не в четвертом?
— Нет, в третьем.
— А нам показалось, что в четвертом.

— Оставьте, пожалуйста, бросьте! В чем дело?
— Миша, не надо, слышишь, не надо!
[Я еще в буфете заметил.]
— Оставь, подожди. Я говорю: оставь. Я ему морду набью.
— Вы? ... мне?... морду?

(Замахивается.)

/Бьет его по лицу./

— Позвольте! Позвольте!
— В чем дело?
— Не лезьте! Позвольте!
— [Была очередь.] Он вне очереди влез. Я тащу сак, он отбрасывает, прямо в лицо моей даме.
— В какое лицо? Какой там сак? Я ничего не отбрасывал.
— [Вы прямо в лицо отбросили.]
— Хулиганов в театр пускают.
— Театр. Тоже театр.
— Вам Гамлета смотреть?
— А вам?
— Это не ваше дело.
— Вы смотрели в книгу и видели фигу.
— Такие дурацкие пьесы дуракам и смотреть.
— «Гамлет» дурацкая пьеса. [Боже!]
— Не доросли. В цирк идите! В цирк! В мюзик-холл! «Огненный мост»[35] идите смотреть!

Вам понравился спектакль? Ну, будем знакомы. Ведь мы же почти знакомы. Еще немного. Одно движение век. Ну, вспомните. Как в стихах бывает, насчет незнакомок. После Шекспира, подумайте, после Офелии, после... Ну, будьте волшебней...

Уходит.

Вот стерва.

358.2.81. Л.1—3

— Не оставляйте гражданку в одиночестве.
— А то убежит.
— Возвращайтесь к барышне.
(Вдогонку.)
— Подержитесь за нее!
— Хам!
— Как вы сказали?
— Не желаю отвечать вам.

— Набей ему морду, Саша!
— Набейте мне морду, Саша.
— Набей ему морду, слышишь?
— Ваш кавалер дерьмо собачье.
— Слушайте... Неужели вы были в театре на «Гамлете»?
— А вы разве не видели?
— Хорошо, я дерьмо собачье... всадите финский нож мне в печень, изнасилуйте мою жену... но только ответьте сначала...
— Саша, Саша... Что с тобой?
— Ничего со мной... Я просто хочу сериозно поговорить, вот так, как будто все происходит...

358.2.81. Л. 4

Старая женщина расклеивает афиши.
На афишах «Гамлет», «Гамлет», «Гамлет».
[Зажигаются фонари. Увертюра.]
Проходят двое.

Первый. Смотри, какая старуха.
Второй. А ну, подожди... (Читает.) «Гамлет». Интересно, знает ли расклейщица, что это за «Гамлет»? Бабушка!

Расклейщица оглядывается.

Что это такое?
Раскл/ейщица/. Что?
Второй. Вот.
Раскл/ейщица/. Афиша.
Вт/орой/. А что написано?
Раскл/ейщица/. «Гамлет».
Вт/орой/. Что это значит?
Перв/ый/. Брось, пожалуйста. Оставь в покое женщину. Мы ей мешаем работать.
Раскл/ейщица/. Пойдите в театр, тогда и узнаете.
Перв/ый/. Андрюша, ты всегда пристаешь к людям. Ненавижу эту манеру в духе раннего символизма. Глупая философия.
Раскл/ейщица/. Глупая философия. (Уходит.)
Втор/ой/ (читает.) В пятидесятый раз «Гамлет». Уже пятьдесят раз. Здорово. Ты смотрел «Гамлета»?
Пер/вый/. Мы же вместе и были. Что ты, забыл? Ты, я, Манюня был/а/ и Сонечка. Помнишь?
Втор/ой/. Да, да. / «Гамлет». Я познакомился в одном до/ме/...

358.2.81. Л. 5

Росмер. Идите сю/да/.

— Я принес вам цветов, Леля. Три розы. Смотрите: три розовых розы. Будем упражнять внимание, Леля. Талант состоит из трех основных качеств: внимания, воображения и памяти.

— Жорж Занд сказала, что лучшая часть таланта состоит из воспоминаний. [Поставьте меч в угол.] Интересно, знает ли наша молодежь, что это такое — Жорж Занд?

— Не знает.

— Ужасно.

— Отлично.

— Все вы врете. Притворяетесь и кривляетесь. Зачем вы врете? Росмер, вы великий дирижер [барин, вы барин, Росмер] — как вы смеете изменять тому, что дало вам вашу культуру... все... вкус... гений...

— Я ничему не изменяю.

— Разве не ужасно, что молодежи нашей неизвестны имена Сервантеса, Свифта...

— Это очень хорошо, что ей неизвестны эти имена.

358.2.72. Л. 25

За кулисами.

Окончился спектакль.

Давали «Гамлета».

Афиши «Гамлет, «Гамлет», «Гамлет».

Еще не переоделись актеры.

Оркестранты несут инструменты.

<...>

[О, волшебная минута
Это сказка, это сон
Музыкант трубой опутан,
Флейтой черною пронзен[36].

— Из какого дерева скрипка делается?

— Скрипка? Какая? Простая скрипка?

— Да.

— Из ели.

— Просто ель. А я думал... и такой звук! И знаменитые скрипки из ели сделаны?

— Какие знаменитые?

— Ну, Страдивариус.

— Из ели.]

Передается слух.

-- Сейчас он приедет.

— Разве он был на спектакле?

— Кто?

— Товарищ Филиппов, член правительства.

— А какой он? Я видела в ложе...

— Ничего подобного! Его не было в театре. Он не мог приехать.

— Он извинился по телефону. Он приедет сейчас.

— Филиппов приедет.

— Леля, ты слышишь, сейчас приедет вождь прощаться с тобой.

— Леля! Готовься! Правительство хочет благословить тебя перед твоим отъездом за границу.

Леля. Подумаешь, какая честь.

<...>

— Ты уезжаешь за границу, он хочет попрощаться с тобой. Не прикидывайся равнодушной. Сама лопаешься от тщеславия.

— Убирайтесь вон!

— Елена Николаевна!

— В чем дело?

— Филиппов не только вождь, он, кроме того, друг нашего театра.

— Позорно.

— Начинается...

— Позорно, если театр нуждается в покровителях. Не вожди должны поддерживать театр, а театр должен поддерживать вождей.

— Товарищи, прошу не расходиться. Через десять минут приедет товарищ Филиппов.

Пауза.

Леля. Сейчас я покажу вам, как все произойдет.

— Тише... Гончарова показывает...

Собирается труппа.

Леля. Пожалуйста. В лицах. Входит Филиппов.

Играет себя и воображаемого Филиппова.

— Я с большим удовольствием смотрел спектакль.

— Спасибо.

— «Это вас надо благодарить. Так».

Тут он смущается. Артисты. Неловко. Плащи. Шпаги. Короли. Зверские морды.

Говорит: «Ну, вот. Вы вся в цветах, как могила».

Пауза.

— «Трудно играть мужскую роль?»

— Теперь время мужское.

— «Как вы сказали?»

(Далее Леля угадывает, что Филиппов скажет, что не знает, кто такой Гамлет. Актеры протестуют. — *В.Г.*)

— Почему не похоже?

— Во-первых, насчет Шекспира и Гамлета.

— Что насчет Шекспира?

— Не может быть, чтобы Филиппов не знал, кто такой Шекспир.

— А по-моему, не знает.

— Да брось, пожалуйста. Филиппов народный комиссар.

— Ну, так что ж. Он ведь бывший сапожник. На каторге он читал Шекспира, что ли?

— А теперь так: если он никогда не слыхал имени Шекспира, то разве он может так литературно выражаться... Ты выражалась почти афористически...

— Значит, по-твоему, я бездарный актер?

— Бездарный.

<...>

Входит Филиппов.

Филиппов. Я с большим удовольствием смотрел спектакль.

— Спасибо.

— Это вас надо благодарить. Так. Ну вот. Вы вся в цветах, как могила.

Труппа смеется.

Трудно играть мужскую роль?

— Теперь время мужское.

— Как вы сказали?

— Я говорю, что теперь время мужское. Женщина должна думать по-мужски.

— Ну, это неверно. А где автор пьесы?

Пауза.

— Почему же автор не пришел на прощальный спектакль?

— Вы шутите.

— Ведь это последний спектакль перед вашим отъездом за границу?

— Товарищ Филиппов, это пьеса переводная.

— А кто автор?

— Виллиам Шекспир.

— Вы простите, я не в курсе дела.

— Он умер четыреста лет тому назад.

— Кто?

— Вы разыгрываете нас. Шекспир.

— Мне совестно. Действительно, обратить все в шутку было бы лучшим выходом из положения. Но, к сожалению, здесь просто невежество. Я ведь бывший сапожник.

358.2.71. Л. 21—25

(Еще вариант той же сцены. — *В.Г.*)

<...>

/Директор./ Вы знаете, Елена Николаевна, вы простите меня, но то, что вы сейчас показываете, это глупая пародия. И это делает вас хуже, чем вы есть на самом деле.

Леля. Оставьте меня все в покое. Я иду переодеваться. Объявите члену правительства, что сегодня я не могу его принять. Я устала. Нет, я шучу... Идите сюда, Сашенька. Не сердитесь на меня. Во мне происходит буря. Ведь я уезжаю за границу... Из нового мира, как вы называете нашу полуграмотную страну, я уезжаю в мир старый... Вы допускаете, что мое состояние не может быть вполне спокойным... Надо подвести кое-какие итоги, надо задать себе кое-какие вопросы и ответить на них... Ведь это возврат молодости.

Воздушный мостик... идиоты. Вы идиоты, вы — ничто... Я думаю за вас, исповедуюсь и распинаюсь.

— Ты ж наша совесть.

— Да, я ваша совесть. Если явлению гения предшествует долгая экономическая подготовка, то вот... я... мое появление и есть результат [того, что вы, идеалисты, обреченные неврастеники] той тревоги, той раздвоенности, смятения, которые испытываете вы, интеллигенты, с первого дня революции... Я ваш гений, дорогие мои, это вы подготовили мое появление... я гений раздвоенности.

— Она, кажется, говорит правду, эта детка.

— Какой раздвоенности? Между чем и чем раздвоенность?

— Между разумом и чувством. Ах, совершенно ясно! Нет, это слишком я вульгаризирую. Да! Чувство плетется сзади, по тому пути, который остался сзади, а разум шагает в страшных сапогах, в испанских сапогах пытки вперед, вперед, а я сама... а я стою... Куда я смотрю? В прошлое? Нет. В будущее? Нет. Я смотрю внутрь себя. И потому я исповедуюсь, кричу и распинаюсь... Воздушный мостик, о котором я говорю, это рампа. Нет. Честное слово. Я сегодня такая умная, что даже страшно. Нет, слушайте. Вот он, мостик, рампа, узкий, воздушный, призрачный мост. И на нем толкусь я. Лицом я обращена к новому миру. И на этом лице грим, это лицо прекрасно, потому что это лицо искусства, на нем лучший свет старого мира — свет искусства... В последний раз я показываю это лицо новому миру.

— А он?

Леля. Холуи!

Голос. Ты хочешь, чтобы тебе все поклонялись!

Леля. Убирайтесь к черту! Смеетесь! Вы идиоты, вы — ничто... Я за вас думаю, исповедуюсь и распинаюсь...

Голос. Никто тебя не уполномачивал...

Появляется Костя.

Леля. Костя! Костя!

Костя. [Поздно. Страшно поздно.] Чего ты орешь?

Леля. Во-первых, они все издеваются над тобой. Я знаю. Я слышу. Я слышу: хохочет Лизка. Они думают так: ты живешь у меня на содержании... бездельник. [Жалкий] Кот. Я знаю все. Он муж мой! Муж! Дорогой муж!

Костя. Кто это был у вас? Автомобиль у подъезда.

Леля. Черт с ним! Дай твою руку. (Целует его руку с обеих сторон.) Я так думаю: я никогда не вернусь сюда, в страну нищих, подхалимов и дураков. И тебя мне не жаль покинуть, ничего не жаль. Смотришь, да? Жалкими глазами смотришь? Собака ты. Собака. Не тронь цветов. Это не тебе цветы.

Костя. Сейчас без четверти час. Очень поздно. Трамвай пропустим.

Леля. Костя, как мне трудно. Вот смотри: грим. Ужас. (Толкает себя пальцами в лицо.) Гамлет. Принц Гамлет. Это лицо искусства, Костя. Потом я буду играть Федру. А хороший грим, правда? Потом Юлию[37]. Масса лиц. Я буду меняться в лице. В переносном смысле... или нет, в буквальном... накладывать грим, надевать парики... Я буду показывать новому миру меняющееся лицо искусства. (Идет к двери.) Какие они все сволочи, эти дорогие мои товарищи по театру. Подслушивают. Они думают, что мы целуемся.

Костя. Никто тебя не подслушивает.

Леля. [Не знаю, где мой путь. Я вишу в воздухе. После революции целое поколение повисло в воздухе[38]. <...> Где мой путь? Сзади? Спереди? <...> Ты должен повеситься. И ты, и я, мы все должны повеситься.] <...> Костенька. <...> Помоги, дорогой, мне. Как с цветами сделать? Возьмем домой или здесь оставить? Шура! Шура! Принесите воды.

358.2.71. Л. 36—39

(Набросок воображаемого диалога Лели с Филипповым, который слушает Костя. — *В.Г.*)

— Вы удивительно говорите.

— Вы сказали: Чаплин. Кто он?

— Трагик.

— Как вы говорите? А кто был первый трагик?

— Как — первый?

— Когда возникал театр.

— Не знаю. Никто не помнит этих имен.

— А значит, Чаплин последний? Я хочу сказать, последний трагик в прошлой культуре?

— Если подходить так...

— Если культура эта обречена на гибель, то последний.

— Ну, вот. Вы говорите, что никто не помнит имен первых артистов старого мира. Так? Кто же вы такая? Вы и есть первая актриса.

— Где я первая актриса?

— Первая актриса нового человечества.

— Дурак, Костя. Слишком высокопарно. Не похоже на Филиппова. Не похоже.

/Леля./ Я знаю, кто я.

— Кто?

— Я память.

— Чья ты память?

— Ничья. Нет. Как ты сказал? Новое человечество?

<...>

Это слишком. Нет, иначе... новая молодежь, поколение... Я память нового поколения.

— Нельзя так сказать: память поколения... Это значит память о поколении.

— Неважно. Я говорю память в том смысле, что значит — поколение помнит.

— Что оно помнит? Гамлета?

— Да.

— Как можно помнить то, чего не знаешь?

— Вот именно. Для них я память о том, чего они не знают... О Шекспире... Вот мое призвание... Понимаешь? Стоять между двумя культурами... Вот так... На подмостках... И меняться в лице... Пожалуйста... Я говорю меняться в лице в переносном смысле... или нет, в буквальном... накладывать грим, надевать парики... Гамлета... Федры... Юлии... Мне трудно быть гражданином нового мира. Всем нам трудно... Не скрывайте, не притворяйтесь... Все ложь! Не верю ни одному вашему слову. Все мы живем двойной жизнью.

— Не расписывайся за всех.

— Молчите! Я ваша совесть.

— Никто не уполномачивал тебя.

— Неважно. Вот я и говорю. Не знаю, где мой путь. Сзади? Спереди? Ни там, ни там... У меня третий путь.

— Где? В воздухе?

— В воздухе... [В холодном во...] Пути нет. Я стою неподвижно.

— Где ты стоишь?

[Вы стоите во фраке.] А вашего Бетховена? Знают?

— Нет.

— И моего Шекспира не знают.

— Дура вы, дура, Леля. Мы с вами самые счастливые артисты мира.

Вы играли сегодня Гамлета.

— Здорово сыграла.

— [Я завтра буду дирижировать Девятой симфонией.] Сегодня кой-кому уже стало известно, что был такой Шекспир, драматург... что где-то в культуре есть Гамлет, принц датский. Леля, вы новому человечеству показали Гамлета. Гордитесь...Я не лгу... Слушаете меня?

— Лжете! Вам нужно другое.

— Что?

— [Артист должен быть сво] Вы хотите, чтобы поняты были тонкости. Искусство — это деталировка.

— Это тоже Жорж Санд сказала?

— Я хочу, чтобы ценили меня равные... Вы понимаете... Путь артиста — это одинокий путь нищего, который разбогател... Слушайте меня... Когда наступает юность того, кто станет артистом...

358.2.71. Л. 33—35

Семенов. Это вас, Гончарова. Идите... идите... Вот как принимают...

Гончарова, Лаэрт, король
и королева возвращаются на сцену.

Актер. Она притворяется равнодушной, а сама лопается от гордости.

Семенов. Тише!

Актеры возвращаются.

Вот видите... Овацию вам устраивают, а вы жалуетесь.

Гончарова, Леля. Всю эту бурю я отдам за один хлопок знатока.

Актер. Довольно играть, мадам. Спектакль окончился.

Леля. Пошел вон, дурак. Какая у тебя морда страшная! Ты что — пил в уборной?

Актер. Не говори со мной тоном деспота. Я такой же актер, как и ты. Когда уедешь за границу, там будешь строить из себя гения.

Леля. [Отчего вы все ненавидите меня?] До свидания, деточки. До свидания. До свидания, Сашенька, до свидания, Степан Михайлович, я уезжаю, Леля Гончарова уезжает за границу... Всем подарки привезу, твоей невесте. Саша, привезу кофту...

Актер. Теперь нет невест...

Леля. Вот!

358.2.70. Л. 18

Звонок телефона.

— 2-ой государственный театр. Слушаю. Здравствуйте, товарищ Филиппов. Да, да, только что окончился. Мы вас ждали. Через десять минут.

<...>

— Сапоги жмут — а тут жди. Подлец Егоров, сапоги какие сшил.

Слушай, я не толстая, нет? А ну, я пройду. Противно быть женщиной. Сережка пьяный. У тебя страшная морда. Водку пил? Я тебе привезу из-за границы жилет. Вам гримировальные краски. Всем привезу подарки. Фу, как я устала. Но я сегодня здорово играла. Правда, здорово? Алло! 22—16. Кино «Уран»? Окончился сеанс? Ага, спасибо. Сейчас придет Костя. Почему все замолчали, когда /я/ произнесла имя Кости?

358.2.71. Л. 27

Никогда в жизни не завидовала, не униж/алась/

<...>

Леля. Кто мой учитель? Где? Нет у меня учителя, который мог бы похвалить меня. [Зачем мне быть артисткой?] Я здорово играла? Буря? Это овация, правда? Идем раскланиваться.

Уходит с группой.

Лиза. [Я умираю от зависти. Неужели я никогда не буду великой артисткой?] Я тоже могу сыграть Гамлета. Слушайте, Александр Степанович, когда Гончарова уедет за границу, [дайте мне] я буду дублировать Гамлета.

358.2.70. Л. 9

[*Лиза.* Гончарова умничает. Ненавижу Гончарову.]

<...>

Хохлов. Цветы кому?

Лиза. Гончаровой.

Хохлов. Так оставьте здесь.

Лиза. Но без меня не передавайте. Это от меня цветы. Я сама хочу передать.

[*Артист* (сверху). Она влюблена в Гончарову. У нас нездоровые /отношения./]

358.2.70. Л. 2

/*Леля.*/ Наша жизнь окончилась, Сашенька. Ах, что стало с моей жизнью! Подумай: всю жизнь я мечтала стать актрисой... Я думала: нет у меня таланта, я дура, ничтожество. Я мечтала, заносилась, падала, отчаивалась. Оказалось, что талант у меня есть, я стала актрисой; оказалось, что я умею мыслить, что я не дура, что я умнее многих, — и что же происходит теперь?

358.2.70. Л. 32

Кончается спектакль «Гамлета».

Главную роль играет Гончарова.

Рокот аплодисментов.

Семенов, директор театра (на лесенке.) Браво! Браво! Браво.

Звонит телефон.

Семенов — к телефону.

Алло! Второй государственный театр. Здравствуйте. Товарищ Филиппов, мы ждали вас на спектакль. Конечно. Конечно. Через десять минут? Только что окончился. Слушаю. Мы ждем. Через десять минут. До свидания, товарищ Филиппов.

Актеры идут со сцены. Рокот аплодисментов.

Актеры возвращаются на сцену.

Семенов (сотруднику.) Бегите вниз. Сейчас приедет товарищ Филиппов. Скажите Ткачеву, чтоб дежурил у артистического подъезда.

Актер (появляясь наверху.) Кто приедет?

Семенов. Филиппов. Вот хорошо: не забыл все-таки...

Актер. Какой Филиппов? Их два. Главный Филиппов или из ВСНХ?

Семенов. Главный!

Актер. А... хозяин. Который кредиты нам дал?

Актеры идут со сцены.

Гончарова — Гамлет.

Семенов. Товарищи, не расходиться. Филиппов приедет сейчас. Только что звонил, извиняется, что не был на спектакле.

Рокот аплодисментов.

358.2.70. Л. 6

[*Семенов*. Вот видите, как принимают вас. А вы жалуетесь. Простые металлисты. Буря!

Леля. Всю эту бурю я отдала б за один хлопок знатока. Нет знатоков, учителей, нет никого, кто похвалил бы меня за то, что...

Семенов. Елена Николаевна, только что звонил товарищ Филиппов. Извиняется, что не мог быть на спектакле.

Гончарова. Это кому цветы?

Хохлов. Вам.

Гончарова. От кого?

Хохлов. От Лизы Семеновой.

Гончарова. Дура Лиза Семенова. Давайте.

Лиза. Я сама! Леличка, это вам.

Гончарова. Спасибо.

Хохлов. Товарищи! Не расходиться! Сейчас приедет в театр товарищ Филиппов. Он звонил по телефону, извинялся, что не был в театре.

Гончарова. Это невежливо — задерживать труппу.

Хохлов. Елена Николаевна, вы уезжаете за границу, он это знает, он хочет попрощаться с вами.

Гончарова. Подумаешь, какая честь.]

358.2.70. Л. 3

Гончарова, Леля. Как? Задерживать всю труппу из-за того, что член правительства хочет поболтать с актерами?

Ю.К. Олеша. Список благодеяний. Наброски сцены «В театре». Ф. 358. Оп. 2. Ед. хр. 70. Л. 4.

Семенов. Объясните ей... Чудовищно! Ведь он ради вас приедет.

Леля. [А мне не надо.] Завтра. У меня на дому...

Семенов. Начинается... [Глупо, глупо.] Я не знаю, как хотите. Вы уезжаете, он же знает, вы уезжаете за границу. Он хочет попрощаться с вами.

Леля. Подумаешь, какая честь.

358.2.70. Л. 11

После спектакля. Давали «Гамлета».
Афиши «Гамлет/а/». За кулисами.
Коридоры. Лестницы. Уборные артистов.
Передается слух.

— Сейчас он [приедет!.

— Разве он был на спектакле?

— Кто?

— Товарищ Филиппов...

— ...Филиппов...

— ...Филиппов...

— Он сидел в ложе, я видела...

— Ничего подобного.]

<...>

/Маша./ Леля! Ты слышишь? Сейчас приедет вождь прощаться с тобой.

/Лиза./ Леля, готовься! Правительство хочет благословить тебя перед твоим отъездом за границу.

Леля (появляясь). Подумаешь, какая честь!

Лиза. А сама счастлива.

Леля. Что ты говоришь?

Лиза. Сейчас приедет Филиппов.

Леля. Ну и радуйся.

Маша. Вот тебе цветы, Леля.

Лиза. Никогда не поверю.

Леля. Чему не поверишь?

Лиза. Твоему равнодушию.

Маша. Леля, она завидует, просто завидует.

Лиза. Не прикидывайся равнодушной. Ради тебя, ради твоего отъезда за границу приезжает в театр вождь...

358.2.70. Л. 13

[— Почему же завидовать?

— Я скажу правду. Вы друг нашего театра. Они счастливы, потому что их искусство служит классу, к которому принадлежат они. Я буду завидовать их славе.

— А разве у вас нет славы?

— Слава бывает только в капиталистическом мире.

— Я не понимаю вас.]

— Что вы там будете делать?

— Поклоняться.

— Кому?

— Великим артистам.

— Каким?

— Чаплину... Лилиан Гиш[39]... Вассерману[40]... Павловой[41]... Стравинскому[42]...

— Они должны поклониться вам.

— Я нищая перед ними.

— Вы артистка нового человечества.

— Я пылинка прошлого.

358.2.71. Л. 26

<...>

Замешательство. Приближается Филиппов.

Входит Филиппов.

Филиппов. Здравствуйте. Я опоздал.

Пауза.

А где товарищ Гончарова? Ах, вот вы... Я не узнал вас. Смотрите. Вы что в штанах... Мужчину играли?

Леля. Я играла принца Гамлета.

Филиппов. Как вы сказали?

Леля. Я играла принца Гамлета.

Филиппов. А... вот как. Жаль, что я не видел. Но я опоздал. Я прямо с корабля на бал. А чья это пьеса?

Леля. Виллиама Шекспира.

Филиппов. Переводная? Вы меня простите, я не в курсе дела.

Леля (вдруг). Но это позор!

Филиппов. Ужасно. Совершенно верно. Как вы сказали? Видите: конечно, стыдно, но это простительно.

Леля. Неужели вы не знаете, что есть такая пьеса, «Гамлет» Шекспира?

Филиппов. Как вы сказали? Ну, да. Это простительно. Я ведь бывший сапожник.

Пауза.

Вот видите, теперь вы уезжаете, и я не увижу этой пьесы. А ведь это ваше прекрасное дело показывать — как вы сказали? Ну да, «Гамлета», — бывшим сапожникам.

Леля. Мне кажется, что вы шутите... Правда? Не может же быть... Ну, в ссылке... ведь вы, наверно, читали.

Филиппов. Ну знаете, с книгами там было трудно. Большие расстояния, на оленях. Потом в ссылке я ведь был мало. Я ведь на каторге был, на колесной дороге. Дует у вас? Вот какой театр у вас теперь. Сколько на постройку? Семьсот тысяч? Ого, смотрите. Все вам завидуют. А мы к черту всех... Как вы сказали? Ну, это не важно. Надолго вы уезжаете?

Леля. На полгода.

Филипп/ов/. Что там делать будете?

Леля. Поклоняться.

Филипп/ов/. Кому поклоняться?

Леля. Великим артистам.

Филипп/ов/. Каким?

Леля. Чаплину... Вассерману... Павловой... Стравинскому...

Филипп/ов/. Ну, это что. Как вы сказали? Вы сами великая артистка!

Леля. Я нищая в сравнении с ними.

Филипп/ов/. Вот как! Ну, чего там. Театр какой у вас. Денежек сколько. А вы неверно говорите, великая артистка вы. Завидовать — это неверно. Что такое! Они завидовать вам будут. Новый зритель вас смотрит. Молодежь. Как вы сказали? Гамлет? Вот видите: новым людям Гамлета показываете.

Леля. Вы удивительно говорите.

Филиппов. Не дует тут? Или я простудился в дороге. Мы чай пили на совещаниях. А как же вы с кредитами рассчитаетесь? Ой-ой-ой, смотрите.

Леля. А может быть, я действительно счастливейшая артистка в мире?

Филиппов. Ну, счастие — это дело ваше. Сапоги. Ого, сапоги какие. Вот видите. Какой союз сегодня спектакль смотрел?

/*Леля.*/ Металлисты.

Филипп/ов/. Вот видите. Металлисты сегодня от вас впервые множество удивительных вещей узнали. Прелесть. А кто он, ваш принц, был? Сюжет какой?

Леля. Он мучился. Убивать, жить, не жить. Паршивый интеллигент был. Трагедия раздвоенности.

Филипп/ов/. Вот. Культуру прошлого объяснять новому человечеству. Из-за чего принц мучился. А трудно [мужскую] роль играть?

Леля. Мне легко.

Филипп/ов/. Как вы сказали? Ну да...

Леля. Ведь мы тоже раздвоены.

Филипп/ов/. Как вы сказали? Ну да...

Леля. Нам очень трудно быть гражданами нового мира.

Филипп/ов/. Как вы сказали? Ну да... Ого... Я еду. Ну, до свидания. Вы возвращайтесь поскорей... Ну да, ведь это дело. Ну, товарищи, извините, что опоздал и задержал. Возвращайтесь.

Леля. Я не вернусь.

Филипп/ов/. Ну да. Почему?

Леля. Мне надоело висеть в воздухе.

Директ/ор/. Мы не будем задерживать товарища Филиппова.

Филипп/ов/. Вот видите. И за меч взялись. Вот какой меч у вас.

Леля. Мы все живем двойной жизнью. Все... я! Они! Они боятся говорить правду.

Дир/ектор/. Елена Николаевна, вы устали. Мы задерживаем рабочих.

Голос. Не расписывайся за всех.

Филипп/ов/. Время трудное. Ну, прощайте. До свидания. Так. Так.

Прощается. Уходит.

358.2.71. Л. 18—20

«В театре»

Сцена первая

Вариант окончательный

Первое действие 19 страниц.

Вариант с закулисами, где сжигает Катя список.

За кулисами. Коридор, артистические уборные, ходы-переходы, закоулки. Афиши «Гамлета».

<...>

Орловский. Да, я слушаю. Товарищ Тихомиров? Да, это Орловский говорит. Спектакль кончается. Да, да, «Гамлет». Гончарова сейчас освободится. Что? Вы на вокзале ждете? В двенадцать? Я знаю. Так. Товарищ Тихомиров, всем актерам агитгруппы дано распоряжение собраться к половине двенадцатого на вокзале. Они уже собираются. Что? А товарищ Гончарова сейчас кончает спектакль и едет. Ага. Хорошо. До свидания. Я тоже с ней поеду.

Рокот аплодисментов.

Появляется на лестнице Катя с чемоданом. Слушает, заглядывает — туда, на сцену.

<...>

Артисты возвращаются. Со сцены идут статисты в костюмах, с факелами.

Катя (одному из них). Петров, подожди.

Один из несущих факелы останавливается.

Катя (раскрывает чемодан). А ну, наклони факел.

Факелоносец. Что ты жечь хочешь?

Катя достает из чемодана тетрадку. Разрывает.
Бросает в гнездо факела. Горят листки.
Один листок падает на пол. Артисты идут со сцены. Катя, увидев Лелю, испугалась.
Принимает вид спокойный.

<...>

Орловский. Елена Николаевна. В двенадцать часов вы уезжаете с агитгруппой.

Леля. Хорошо. Я знаю.

Орловский. Они уже на вокзале. Тихомиров и все. Вот список.

Леля. Какой список?

Орловский. Участников агитгруппы.

Леля. Ага... (читает). Мятлева, Михайлов, Нахумова... Значит, на вокзале в двенадцать?

Но Орловского уже нет.

<...>

Леля. Катя!

Они поднимаются в уборную Гончаровой.

Чемодан. Так. (Указывает на чемодан, брошенный в кресло.) Этот здесь останется. Слушай меня, Катя. Поезд в Минск идет в час десять. Я уезжаю с этим поездом. Я с ним доеду до границы. Слышишь? Где Орловский? (Зовет.) Саша! Саша! Он побежал народного комиссара встречать. Надо вывернуться, чтоб одной уехать. Я сегодня здорово играла? Правда? Ты не смотрела? Подожди! А тетрадки ты спрятала? Дай чемодан. Если ты забыла тетрадки на квартире — это ужасно. Они прочтут. Дуня, Баронский. Все прочтут...

Катя. Я спрятала. Все в порядке.

Леля. Обе тетрадки спрятала?

Катя. Обе. Иди сюда, девочка... До свидания, Леля. До свидания, я остаюсь здесь...

Леля. А ну подожди... Может быть, ты забыла... Я сейчас посмотрю... Я буду сидеть в маленьком кинотеатрике, в Париже, в весенний вечер — буду смотреть Чаплина! Катя, едем со мной...

Катя. Как же я могу поехать...

Леля. Я чудно сегодня играла сцену с флейтой... Но, маленький дружок мой, как трудно жить без учителя, без наставника, без человека, который похвалил бы меня или выругал, которому я поверила бы... Как трудно, Катенька, играть не перед равными... мне не перед кем красоваться, Катя... Я уезжаю... слава богу... Нет, нет, я вернусь... Ты не веришь, что я вернусь?

Катя. Дай твои руки. Я поцелую их с обеих сторон. У тебя руки круглые, как перила...

Леля. Вот видишь: ты тоже артистка... Это правда: бывают такие перила, нагретые солнцем. И все это ложь, никому это не нужно. Не нужны мы, искусство, наши барские ассоциации, мы паразиты, Катя... Гнуснейшие паразиты и вредители... Но как же я могу вернуться? Я уже предательница. Меня на вокзале ждут. Агитгруппа. Товарищ Миронов. Мне нужно в колхоз ехать. Тут список был. Где список?

Катя. Какой список?

Леля. Агитгруппы. А вот, подожди... (Читает.) Арсентьева, Белова, Барнет. Значит, я просто бегу. Они будут меня ждать на вокзале. Подожди: ты обе тетрадки спрятала?

Катя. Обе.

Леля. А ну, я раскрою чемодан. (Хочет раскрыть чемодан.) Потому что если черная тетрадь останется здесь и ее прочтут, то, значит, я никогда не смогу вернуться сюда... Значит, мне навсегда в Европе...

Орловский (внизу). Товарищ Филиппов приехал!

Голоса:

— Филиппов!

— Приехал Филиппов!

— Филиппов! Филиппов!

Орловский. Елена Николаевна! (Убегает навстречу Филиппову.)

Леля. Да, я иду. Но так я опоздаю на вокзал.

Выходят в коридор актеры. Спускается Леля.
Входит, сопровождаемый Орловским,
народный комиссар Филиппов.

Филиппов. Здравствуйте.

Орловский. Мы вас ждали на спектакль, Сергей Михайлович.

Филиппов. Обещанного три года ждут. Я прямо с корабля на бал. <...> Удивить все хочется. Верно? А Шекспир в гробу переворачивается. Ведь «Гамлет»-то бессмертное произведение, а вы, матушка, из бессмертного произведения водевиль с переодеваниями делаете...

Леля. Это гораздо сложнее.

Филиппов. Что-с? Я, может быть, не понимаю, жизнь моя в стороне шла от новейших течений в искусстве, — конечно, — но здравый смысл, матушка? Здравый смысл на моей стороне. Театр есть театр, мужчина есть мужчина, женщина есть женщина...

Леля. Но вы, может быть, ошибаетесь.

Орловский. Елена Николаевна, не будем задерживать товарища Филиппова.

Филиппов. Не переубедите старика.

Леля. Ответьте мне... Почему вы... вы, большевик, революционер... Почему вы, передовые люди в области политической мысли, — почему вы так консервативны в области искусства?

Филиппов. Потому, матушка, что «потому» оканчивается на «у».

Орловский. Товарищ Гончарова сегодня уезжает с агитгруппой в колхоз.

Леля. Да, я сегодня уезжаю.

Филиппов. Ну вот, отлично. Там ваш футуризм быстро улетучится. Там в штанах появитесь — мужики на дреколья поднимут. Ну, что же. Буду прощаться. Жалею, что не был на спектакле.

Прощается. Леля уходит с Катей к себе в уборную.
Филиппов с Орловским — к выходу.

Пойдемте. Ого, какой театр построили. А к нам все с претензиями. Второму государственному шестьсот тысяч, мол, дали. А мы всех подальше посылаем. Не дует у вас? Это что? Бумага горелая. Вот и до пожара недалеко. Сожжете казенное имущество.

Наклоняется, поднимает листок.

Вот. Это что? Роль?

Орловский. Где роль?

Филиппов. А вот листок. Заглавие.

Орловский. Я не знаю. Какое заглавие?

Филиппов. А вот написано. Извольте. Название пьесы. «Список благодеяний».

Орловский. Не знаю. Такой пьесы нет.

Филиппов. В доброе старое время...

Уходят.

Леля. Я еду... сейчас...

Катя. Переоденься...

Леля. Подожди... Только ботфорты... Помоги, Катенька... Мы не нужны никому. Ты слышала, что он говорил? Пусть себе без нас создают искусство. Зачем мне это? Куда я лезу? Меня отталкивают, а я лезу. Спасибо, Катенька. До свидания. Через полчаса я буду ехать к границе. Скорей, скорей, сейчас вернется Орловский. Так. Пальто. (Целует Катю, обнимает.) Я в вагоне переоденусь. Подожди, я все-таки боюсь, что ты тетрадки забыла положить...

Катя. Леля...

Леля. Что?!

Катя. Я сожгла...

Леля. Что ты сожгла...

Катя. Ту тетрадку, из которой ты мне читала... Где ненависть...

Леля. Ка-ак?..

Открывает чемодан.

Так вот же она!

Катя. Где?

Леля. Ты не то сожгла...

Катя. Значит, ты увезешь...

Леля. Ты сожгла список благодеяний... Ты сама подписала мне приговор. До свидания...

Катя. Подожди! Подожди!

Леля сбегает по лестнице.

Леля! Вернись! Вернись! Не надо! Леля! Леля!

Занавес.

Конец первого действия.

358.2.71. Л. 1, 8—11, 13—15

Вариант общежития[43]

Федор Львов спит.
Славутский читает газету.
Ибрагим пьет чай.
Поздний вечер. Лампа. Тишина.
Входит Сапожков, безрукий.

Ибрагим. Сапожков пришел.

Сапожков (смотрит на спящего). Федька спит?

Слав/утский/. Спит.

Сапожков. Я уходил, он читал. Теперь спит.

Ибраг/им/. Уже два часа спит.

Сапожков. Разбуди его!

Славутский. Пусть спит.

Сапожков. Разбуди!

Славутский. Пожалуйста, не кричи. Выработал привычку орать.

Ибрагим. Сергей инвалид.

Слав/утский/. Это не дает ему права быть деспотом.

Ибрагим. Умничаешь чересчур.

Слав/утский/. Я не умничаю. Это буржуазный стиль: калекам прощать деспотизм. Если ты болен, иди в диспансер.

Сап/ожков/. Не твое собачье дело. Что он читает? Ибрагим, а ну посмотрим книжку...

Слав/утский/. Какое тебе дело.

Ибр/агим/. В общежитии не может быть тайн.

Берет книжку спящего, раскрывает, читает.

Виллиам Шекспир. Собрание сочинений. Том второй. Гамлет, принц датский, трагедия в пяти действиях.

Сап/ожков/ хохочет.

Славутский. Чего ты смеешься?

Сап/ожков/. Коммунист читает сказки.

Славутский. Это не сказка. Это бессмертная книга.

Ибр/агим/. Бессмертны только законы механики.

Славутский. Вульгаризаторы.

Сап/ожков/ берет книжку, читает из середины.

Славутский. Ты еще читать не научился.

Сап/ожков/. Не твое собачье дело.

Слав/утский/. Животное.

Ибр/агим/. Что?

Слав/утский/. Я говорю: животное.

Ибр/агим/. Кто животное?

Слав/утский/. Он животное.

Ибр/агим/. А ты.

Слав/утский/. Брось, пожалуйста, тон дурацкий.

Сап/ожков/. Хорошо. Я животное. А ты?

Слав/утский/. Я солнце в сравнении с тобой.

Ибр/агим/. Как ты смеешь так разговаривать с человеком?

Слав/утский/. Он не человек, он обезьяна.

Сап/ожков/. А ты?

Слав/утский/. Не смотри на меня, выпучив глаза. Я тебя не боюсь.

Ибр/агим/. Зачем ты раздражаешь Сергея?

Слав/утский/. Если он болен, пусть лечится. Нельзя прощать такого хамства. Что тебя смешит? Шекспир — тебе смешно? Тебя смешат чужие, непривычно звучащие для уха слова: Шекспир, Гамлет. Типичный хам.

Сап/ожков/. А ты.

Ибр/агим/. Ты оскорбляешь того, кто дрался за коммунизм.

Слав/утский/. Пусть он, дравшийся за коммунизм, расскажет, как он представляет себе коммунизм. Что это — царство обезьян?

Сап/ожков/ молчит.

Слав/утский/. Нет, что ты молчишь. Твое молчание не страшно. Ты скажи, как ты представляешь коммунизм? Царство невеж?

Сап/ожков/. Я руку отдал за коммунизм.

Славут/ский/. Ну и достаточно.

Сап/ожков/. Чего достаточно?

Слав/утский/. Отдал руку и успокойся.

Сап/ожков/. Как?

Слав/утский/. Так. Валялась твоя рука и сгнила. Удобрение. Ты навоз коммунизма, вот твое назначение.

Сап/ожков/. Сволочь! (Выхватывает револьвер из-под подушки.) Пулю всажу!

Ибрагим. Бросьте, товарищи. Славутский, это безобразие.

Слав/утский/. Всади.

Ибрагим. Я прошу прекратить. Отдай револьвер, Сергей.

Отнимает у него револьвер.

Слав/утский/. С некоторых пор стало невозможно жить здесь. Мы кидаемся друг на друга, как собаки.

Сап/ожков/. А почему он спит? Ангел, что ли? Вставай, Федька! (Подходит к спящему.) Спит. Какие ему сны снятся?

Слав/утский/. Начинается.

Сап/ожков/. Лежит и сны видит.

Слав/утский/. А по-твоему, снов нельзя видеть?

Сап/ожков/. С какой стати он сны видит? Почему я снов не вижу?

Ибрагим. Сергей совершенно прав. В эпоху, когда формируется психика нового человека, нужно особенно осторожно подходить к вопросу о сновидениях. Я предложил бы наказывать сновидцев.

Сапожсков. А ну, дай лампу. Осветим физиономию. (Освещает лицо спящего.) Подумаешь, ангел. Слушай, а можно такой прибор изобрести...

Славутс/кий/. Какой прибор?

Сап/ожков/. Определять сон.

Ибраг/им/. Я понимаю. Контроль над сновидением. Определять, какой сон в данную минуту снится человеку. Верно?

Слав/утский/. Сумасшедшие!

Ибраг/им/. Коммунист должен нести ответственность за свои сны. Если коммунисту снится, что он совершил поступок, который наяву совершить он не имеет права, коммунист должен быть наказан.

Слав/утский/. Цензура сновидений?

Ибр/агим/. Да! Контроль подсознательного. Посмотрите на его лицо. Посмотри, Славутский. Мы прощаем ему такое выражение лица только потому, что он спит. Если бы такое выражение лица у него появилось во время бодрствования, днем, мы пришли б в ужас... Нет, вы посмотрите. Никакого сомнения нет в том, что он видит эротический сон.

Сап/ожков/. С-с-укин сын. Проснись, Федька!

Замахивается книжкой. Из книжки выпадает листок.

Ибр/агим/. Письмо выпало.

Сап/ожков/. Где письмо?

Ибр/агим/ (поднимает). Черновик письма.

Сап/ожков/. А ну прочтем.

Слав/утский/. Чужие письма читать?

Сап/ожков/. Какое твое собачье дело?

Слав/утский/. Я запрещаю.

Ибрагим. Что вам не нравится, Славутский?

Слав/утский/. Я запрещаю читать чужое письмо.

Ибрагим. Почему?

Слав/утский/. Это тайна — чужое письмо.

Ибр/агим/. У коммуниста не может быть тайн.

Сап/ожков/. Только военная может быть тайна. Читай.

Слав/утский/. Я не желаю в этой подлости участвовать.

Сап/ожков/. Можете уйти в уборную. Читай.

Ибр/агим/. Черновик. (Читает.) «Какая счастливая у вас судьба: быть великой артисткой на заре человечества».

Сап/ожков/. Как?

Ибр/агим/. «Какая счастливая у вас судьба: быть великой артисткой на заре человечества. Вы играете Гамлета пролетариату. Подумайте: эти люди впервые слышат имя Гамлета, вам выпала честь объяснять своим талантом пролетариату великую культуру прошлого».

Сап/ожков/. Тсс... Проснулся.

Спящий (зашевелился). Ч... черт. Спать не дают. Свет забери...

Пауза. Встали.

Сап/ожков/. Спит. Читай.

Ибр/агим/. Начиркано. Подожди... Вот какая штучка оказывается. Он актрисе письмо написал. А ну, подожди...

Сап/ожков/. Какой артистке?

Ибр/агим/. Кое-что для меня становится ясным. Гамлет. Он влюбился в артистку. Таким образом, он живет в мечтах: Гамлет, сны, письма. Какая чепуха. От нас скрыто. Мы недостойны быть информированными.

Сап/ожков/. Подожди... какой артистке?

Ибр/агим/. Ты действительно страшный человек. Славутский прав. Газета. «Гамлет». Ты что, газет не читаешь? Мария Татаринова играет Гамлета.

Сап/ожков/. Мужчину?

Ибр/агим/. Мужчину.

Стук.

Сап/ожков/. Да, можно.

Входит Маша Татаринова.

Маша. Здравствуйте. Я хочу видеть того студента, который прислал мне письмо. Я Мария Татаринова.

Сап/ожков/. Это я вам письмо написал.

Маша. Познакомимся. Ах... у вас руки нет...

Сап/ожков/. Извините. Левую.

Маша. Значит, это не вы писали...

Ибр/агим/. Он.

Маша. Я понимаю. Нет. Я говорю глупости. Видите, я смущена больше, чем вы. Я имею в виду... почерк... на письме... это вы левой рукой писали?

Ибр/агим/. Под диктовку я писал.

Маша. Я пришла с благодарностью.

Сап/ожков/. За что?

Маша. Искусству очень трудно в нашей стране. Я думаю... что молодежь... молодежь может спасти артистичность... Вы понимаете. Я пришла вам сказать спасибо за то, что вы написали. Я не знала, что вы инвалид... В гражданскую войну, да?

Сап/ожков/. В гражданскую.

Маша. Вы знаете, так трудно нам. Я чувствую, что происходит какая-то неправильность... Артист должен быть свободен. Мне кажется, что надо бороться против снижения культуры. И вот потому, что вы написали мне такое письмо, вы, герой, боец за революцию, которой и я хочу служить, получив письмо от вас... я чувствую себя правой... и я вижу союзника в борьбе против чиновников, снижателей, вульгаризаторов... (Пауза.) Наша молодежь не знает, кто такой Сервантес. Сервантес, Шекспир, Свифт — уже не знают этих имен! Надо, чтобы раз навсегда сказано было: уничтожить память эту или нужно ее укрепить. Я хочу быть памятью нового человечества! Я хочу войти в сознание нового человека, в воспоминание о том, чего он никогда не видел: я хочу показать ему свое лицо.

358.2.81. Л. 50—60

2-ой вариант общежития

Федор Львов спит. Ибрагим и Сапожков.

Ибрагим бородат, молод, смугл, в бязевой сорочке, расстегнутой на груди.

Ибрагим. Поведение отдельных членов общежития должно находиться под контролем. Я считаю себя совестью нашего общежития. Неоднократно благодаря моему вмешательству устранялись в самом зародыше причины, развитие которых дало бы катастрофические последствия. На этот раз, мне кажется, совершенно обоснованным будет мое вмешательство в ...(Далее обрыв текста. — *В.Г.*)

Слав/утский/. Этого мало. Как ты себе представляешь — коммунизм... Царство обезьян, да?

Сап/ожков/. Как представляю, так представляю.

Слав/утский/. Ты кто по происхождению? Крестьянин?

Сап/ожков/. Мужик.

Слав/утский/. Вот потому ты и ржешь, когда произносят чужое, непривычное для слуха имя Шекспир. Тебе понятно слово «гений»?

Ибрагим. Только тот гений истинный гений, который служит пролетариату.

Слав/утский/. Один гений нужней пролетариату, чем сотни таких, как ты.

Сап/ожков/. Я отдал руку пролетариату.

Слав/утский/. Где?

Сап/ожков/. В книгах прочти где. Написано.

Слав/утский/. Ну и что ж. Твоя рука сгнила. Удобрение. Ты навоз коммунизма.

Ибрагим (лезет за револьвером под подушку). Бросьте. Славутский, зачем ты раздражаешь Сергея?

Сап/ожков/. Всажу пулю в лоб.

Слав/утский/. Всади, малахольный. (Отнимает револьвер у Ибрагима.) Если ты болен, иди в диспансер.

Сап/ожков/. Разбуди его.

Слав/утский/. Пусть спит.

Сап/ожков/. Разбуди его! Читает ерунду, потом спит. Что он во сне видит?

Слав/утский/. Какое тебе дело?

Ибрагим. Я совершенно согласен с Сергеем. Нужно знать, какие сны снятся коммунисту. Коммунист обязан отвечать за свои сны. Если коммунист во сне совершает такой поступок, которого он не имеет права совершить наяву, он должен быть наказан. Я уверен, что будет изобретен прибор, с помощью которого мы получим возможность определять, какой сон снится человеку в данную минуту... Чтобы вести контроль над подсознательными импульсами человека...

Сап/ожков/. Проснись, Федька!

Славутский. Не кричи, Сергей. Глупо. Что ты бесишься?

Ибрагим. Я бы просто запретил видеть сны. В переходную эпоху, когда нужно охранять формирующуюся психику нового человека, следует наказывать сновидцев.

Славутский. Ты понимаешь, что ты говоришь?

Ибрагим. Отлично понимаю. Есть обстоятельства, которые непостижимым образом разрушают психику: сновидения... отражения в зеркалах... [Нужно запретить отражаться в зеркалах.] Это очень опасная вещь для неорганизованной психики — отражение в зеркале.

Слав/утский/. Ты сам сумасшедший. Ты сам сумасшедший больше, чем кто бы то ни было...

Ибрагим. Я уничтожил бы скрипки. Честное слово. Оставил бы только трубы. Активизирующие голоса. Уничтожил бы кукол... маски... кое-какие меры принял бы в отношении тени. Человек и его тень... Это оч-ч-чень скользко...

Сап/ожков/ (бросает книгой в спящего). Довольно дрыхнуть!

Из книги вываливается листок.

Сап/ожков/. А ну, посмотри.

Ибрагим (поднимает листок). Письмо. Начиркано.

Сапожков. Покажи.

Славутский. Письмо. Чужое письмо читать?

Ибрагим. Вот видишь: это из той же области. Какие могут быть тайны у коммуниста перед коммунистами же?

Слав/утский/. Я запрещаю!

Ибрагим. Не должно быть тайн. Ерунда.

Слав/утский/. Отказываюсь участвовать. (Уходит.)

Сапожков. Читай!

Ибрагим. Черновик письма.

Сапожков. Читай, черт с ним.

Ибрагим (читает). «Вы великая артистка. Подумайте, какая счастливая у вас судьба: быть великой артисткой на заре человечества».

Сапожков. Как?

Ибрагим. «...счастливая у вас судьба: быть великой артисткой на заре человечества. Вы играете Гамлета перед людьми, которые...»

Просыпается спящий.

Сапожков. Которые что?

Ибрагим. Не разбираю.

Федор. Дальше я зачеркнул. Не смог выразить. Не бойся, не бойся. Не прячь. Черт с тобой. У коммуниста не должно быть личных тайн. А ну, дай сюда. Я хотел написать так: вы играете Гамлета тем, которые впервые хотят узнать, кто это — Гамлет, — не один человек это хочет узнать, не юноша, который слышал имя Гамлета от папы или дяди, а все новое человечество, новый, пришедший к культуре класс, не слышавший этого имени...

Ибрагим. Кому ты письмо писал, Федя?

Входит Славутский.

Славутский. Федя, к тебе дама идет.

Входит Леля Гончарова.

Леля. Здравствуйте. Это вы Федор Львов?

Федя. Я Федор Львов. Здравствуйте. Познакомьтесь. Это мои товарищи. Это артистка Леля Гончарова.

Леля. Я пришла поздно, потому что спектакль окончился в четверть двенадцатого. А завтра я уезжаю. (Пауза.) Вы знаете, я уезжаю за границу на целый год. (Пауза.) Так. Это очень хорошо, что вы написали мне такое письмо. Вы не ожидали, что я приду?

Федя. У нас угощать нечем. Хотите чаю? Зеркала нет. Ибрагим против отражений в зеркалах.

Леля. Как против?

Ибрагим.

(На этом текст обрывается. — *В.Г.*)

358.2.81. Л. 62—66

(Еще один набросок той же сцены. — *В.Г.*)

Слав/утский/. Ты неграмотное животное... Ты ни одной книги не прочел, ты ничего не читаешь, кроме чужих писем...

Ибр/агим/. Не раздражай Сергея. Сергей болен. Он инвалид!

Сап/ожков/. Подожди. Пусть он объяснит...

Слав/утский/. Нет, ты объясни... Ты... Что это, по-твоему, — коммунизм? Это черный кабинет, где потрошат человеческую душу?

Сап/ожков/. Не твое собачье дело.

Ибр/агим/. Славутский, не раздражай Сергея.

Слав/утский/. Если ты болен, иди в диспансер.

Ибр/агим/. Сергей — инвалид гражданской войны.

Слав/утский/. Что ж из того?

Ибр/агим/. Надо с ним считаться.

Слав/утский/. Оставь, пожалуйста. Как раз вот это — буржуазный предрассудок: прощать калекам деспотизм.

Сап/ожков/. Я не калека, сволочь! Я инвалид.

Слав/утский/. Инвалид — это иностранное слово. Ты калека — физический и моральный.

Ибр/агим/. Ты не имеешь права говорить так о человеке, который потерял руку в бою за коммунизм.

Слав/утский/. Вот его роль и кончилась.

Сап/ожков/. Что?

Слав/утский/. Твоя роль кончилась, говорю. Рука сгнила, и довольно.

Сап/ожков/. Что довольно?

Слав/утский/. Удобрение.

Сап/ожков/. Где удобрение?

Слав/утский/. Ты удобрение. Навоз коммунизма!

Сапожков схватывает револьвер.
Ибрагим удерживает его руку, борьба.

Сап/ожков/. Пусти! Пулю всажу, к чертовой матери!

Ибр/агим/. Я прошу... Сергей... кончено, довольно.

Сап/ожков/. Деспотом стал!

Спящий, Федор Львов, просыпается на секунду.

Львов. Ч-черт... В чем дело... Спать не дают... (Засыпает.)

Слав/утский/. Федя, твое письмо здесь читают! [Проснись! Черный кабинет твое письмо читает!] (Бежит к спящему.)

Сапожков одной могучей рукой перехватывает его,
парализует сопротивление, выталкивает за дверь,
задвигает щеколду. Тот стучит. Кричит за дверью:

[Жандармы! Жандармы! Жандармы!]

Спящий проснулся.

Львов. Что случилось? Кто там? Ибрагим, открой двери. В чем дело?

Крик. Федька, они письмо у тебя украли.

Пауза. Федор Львов идет медленно к постели,
берет книгу из-под подушки, перелистывает,
встряхивает, оглядывается.

Ибр/агим/. Ты гнусно себя ведешь, Федор.

Федор открывает двери.
Одновременно входят Славутский
и Леля Гончарова.

Слав/утский/. К тебе дама пришла, Федя.

Львов. Здравствуйте.

Гонч/арова/. Я пришла попрощаться с вами. Я уезжаю послезавтра.

Львов. Знакомьтесь. Это артистка Елена Гончарова. Это мои товарищи. Сапожков. Ибрагим. Славутский.

Гонч/арова/. Я пришла поздно, потому что спектакль окончился в половине двенадцатого.

Львов. Наше общежитие напоминает барак прокаженных. Можно подумать, что все обречены на смерть. [Ссоры вспыхивают каждую минуту.] Почему-то нервы у всех напряжены. Скоро начнутся галлюцинации, бред.

358.2.81. Л. 68—70

Леля сидит на камне. Все более светает.

В домике открыто окно. На окне суповая посудина, ложка торчит из-под крышки.

Леля видит дом, окно, посудину.

Идет, поднимается по лестнице, подходит к окну.

Открывает посудину, снимает крышку, ест.

Из нижнего этажа выходит парень в жилетке.

Человек в жил/етке/. Бродяги мешают спать.

Леля замирает наверху.

[Парень] выходит вперед, оборачивается, кричит в ту сторону, где Леля.

Господин Фиала! Пора вставать!.. (Увидел Лелю.) Ты что?..

Леля испугана.

В окне появляется женщина, госпожа Фиала.

Госпожа Фиала. Что случилось?

Парень. Воры!

Леля хочет бежать.

Госпожа Фиала схватывает ее из окна.

Леля как бы пригвождена к подоконнику.

Госпожа Фиала. Воры! Воры! Воры!

Парень (бежит к этой верхней группе). Держите ее! Держите!

Госпожа Фиала. Она меня укусит!

Парень (подбежал). Это, знаете кто? Первая ласточка. Бродяги приближаются.

Госпожа Фиала. Руки болят ее так держать. У меня ревматизм.

Парень. Пускайте. Она не убежит.

Госпожа Фиала (кричит внутрь комнаты). Проснись, Яков! У меня украли яблоки! (Исчезает в комнате.)

Парень. Ты с бродягами идешь на город?

Леля молчит.

Парень (кричит в окно). Господин Фиала, мы разведчицу безработных поймали.

Госпожа Фиала (выходит из дому). Ты зачем яблоки воруешь?

Парень. Окно открыто было. Через закрытое украсть нельзя.

Леля. Как вы смеете обвинять меня в краже яблок?

Госпожа Фиала. Ты слышишь, Яков? Воровка говорит мне, что я свои яблоки узнать не могу.

Парень. В такое утро ваш муж спит как убитый.

Леля. Вы их на части порезали.

Госпожа Фиала. Я компот хотела варить.

Парень. Можно и по частям узнать!

Выходит из дверей еще не освободившийся ото сна господин Фиала.

Господин Фиала. Я видел во сне свое детство.

Парень. У вас воры под окнами ходят.

Госпожа Фиала. Он еще спит.

Господин Фиала. Я еще сплю. Мне снится, что воры под окнами ходят. (Кричит.) Держи вора! Держи! Ух, попадись только, отобью почки.

Парень. Под воскресенье он всегда спит как убитый.

Госпожа Фиала. Позовите полицейских, Стефан.

Парень. Мы сами с ней справимся.

Госпожа Фиала. Проснись, Яков. Слышишь, Яков? Нельзя спать, когда стоишь. Ты себе портишь здоровье, Яков.

Парень. Это чудо. Человек на ходу спит.

Госпожа Фиала. Проснись, маленький.

Яков. Солнце восходит. Зеленеет трава. [Мне снится, что мама кормит ме/ня/... ябло...]

Парень. Это всегда он спит, когда просыпается?

Госпожа Фиала. Нет, только тогда, когда хочет кушать.

Яков. Я компот хочу кушать.

Парень. Яблоки крадут у вас, господин Фиала!

Яков (проснулся). Кто крадет яблоки?

Парень. Вот воровка стоит.

Яков. Чьи яблоки?

Молчание.

Твои яблоки?

Госпожа Фиала. Наши яблоки, не сердись, Яков. У тебя порок сердца.

Яков. Пусть она ответит: чьи яблоки. Чьи яблоки, я тебя спрашиваю?

Леля молчит.

Госпожа Фиала. Она не хочет с нами разговаривать. Ты что, барыня? Аристократка?

Яков. Чьи яблоки?

Леля. Ваши.

Яков. Ты что — профессионалка?

Леля. Нет.

Яков. В первый раз воруешь?

Леля. Да.

Яков. Голодная?

Леля. Да.

Яков. Если голодная, проси, а не бери. Ты, может быть, большевичка?

Леля. Да!

Парень. Все голодные — большевики!

Яков. Идем!

Леля. Куда?!

Яков (в сторону сцены). Туда! Помогай, мы тебе отобьем почки.

Леля вырывается. Платье ее приходит в беспорядок.
Яков берет за одну руку, парень за другую.

Госпожа Фиала. Яков, маленький Яков, не надувайся так. У тебя лопнет сердце!

Лелю тащат к стене. Она вырывается.
Платье ее разодрано. Она бьется.
Ее поворачивают к стене, держат за руки, берут разгон.
Леля кричит.
Появляются наверху два полицейских
в [кепи и] черных пелеринках.

1 полицейский. Фиала, заколачивай двери! Идут!

Отпускают Лелины руки. Она бежит.

Двери! Окна! Безработные идут по восточной дороге.

Яков. Держи ее! Держи! Держи!

Госпожа Фиала. Яков! Яков! Не кричи так! У тебя лопнет сердце!

1 полицейский (к парню). Стефан, все калитки запри! Заряди ружье. Слышишь, идут?

<...>

Яков. Чьи яблоки?

Леля. Ваши. [Я ваши яблоки украла.]

Парень. Окно закрывать надо.

Яков. Во всем виноват пастор. Он сказал: по восточной дороге идут безработные. Десять тысяч бродяг идет на столицу. Я сказал: надо заколачивать окна и двери. А пастор сказал: в нашей стране не может быть революции. Они голодные, но они христиане. Оставьте окна открытыми. В нашей стране собственность священна. Они пройдут с музыкой, спокойным маршем, чтобы скорбным своим видом ударить в закоренелые сердца богатых братьев. Так сказал пастор. И мы побились об заклад. Я спортсмен больше, чем собственник. Я встал ночью и открыл окно. Я выиграл заклад.

Появляется пастор.

Парень. Господин пастор, вы проиграли.

Пастор. Кто эта женщина?

Госпожа Фиала. Воровка!

Пастор. Ты профессиональная воровка?

Леля. Нет.

Пастор. Ты в первый раз украла?

Леля. Да.

Пастор. Ты голодная?

Леля. Да.

Пастор. Почему же ты взяла себе чужую собственность? Ты, может быть, большевичка?

Леля. Да!

Пауза.

Яков. А-а-а... Господин пастор, по условию пари вы должны вместе со мной участвовать в наказании вора...

Парень. А я?..

Пастор. Честь прежде всего. Я проиграл и должен заплатить долг чести.

358.2.79. Л. 11—16

Раздел В

Наброски и черновые варианты сцен,
в переработанном виде вошедших
в окончательный текст пьесы

Сцена в уборной

/Евдокия (Дося) Татаринова, Маша, Филипп Росмер./

/Дося./ Тебе, Маша, я привезу гримировальные краски. Хорошая краска — кармин! — пахнет земляникой. Кто еще меня любит? Я знаю! Терентьева! Терентьева! Катя! Иди сюда. Когда я вернусь, ты уже будешь замужем. Она невеста Чернецова, правда?

— Теперь нет невест.

— Я еду в страну невест. В Европу. Слушайте: у нас и воскресений нет! Ни воскресений, ни невест... Катя, я тебе привезу подарок из-за границы. Что тебе привезти?

— Зачем тратить валюту. Это ты здесь такая добрая, а там над каждым долларом будешь дрожать.

— Я заработаю. Я прославлюсь на весь мир.

Стук.

— Кто?

— Росмер.

— Росмер! Можно. Входите. Росмер, разве я, Евдокия Татаринова, не прославлюсь на весь мир? Разве в Европе таких актрис, как я, много?

— Нет, нет, нет таких актрис.

— Нет, сериозно. Я сериозно спрашиваю, Росмер. Только вы мне можете сказать правду. Скажите, Росмер. Только так... научно... не эмоционально... Может быть, я ошибаюсь?

— Все дело в том, насколько вы знаете язык.

— Язык?

— Главное: совершенное знание языка.

— Я немка.

— Ты говорила, что ты полька.

— Моя бабушка была полька. Ее звали Вероника.

— А ну, скажи, Маша, медленно и раздельно: Ве-ро-ни-ка.

— Ве-ро-ни-ка.

— Правда, чудное имя? Как изгородь. Знаете, есть такие цветущие ограды...

— Ты уже болтаешь от счастия сама не знаешь что. Нельзя так радоваться перед отъездом за границу. Это предосудительно. Можно подумать, что тебе здесь плохо.

— Когда вернетесь?

Пауза.

— Мне дано разрешение на год. Через год я вернусь. Почему вы так смотрите? Что? Идите к черту! Я вернусь наверно. Я прославлю советское искусство за границей. Я скажу: меня сделал актрисой гениальный Филипп Росмер. Спасибо. Дайте Маше.

/*Росмер.*/ Замуж выйдет за границей. Наверно выйдет.

/*Дося*/ (улыбнувшись ему). Не выйду, Росмер. Ей-богу, не выйду. За кого? Я их ненавижу. Я почти уверена, что там нет ничего... Там ужасно, наверное. Там дуры и дураки. Мелкие чувства, Росмер. У нас нет мелких чувств, правда? Революция освободила нас от мелких чувств[44]. Мы умные. Чем нас можно прельстить? Ничем. Мне ничего не надо.

[А слава?

Вот только славы нет.

Возвращайтесь скорее, Дося. Спешите. Я умру скоро. Да, да. Я уже...]

— Все ты брешешь, Дося.

— Я ничего не брешу.

— Как ты смеешь говорить о мелких чувствах... Сама за пустяк можешь глаза выцарапать. Ты не тщеславная разве? Тщеславная, завистливая.

— Кому ж я завидую? Тебе?

— Да бросьте.

— Дура. Известно, как я живу. Я живу в дыре. У меня ничего нет. У тебя комната такая, что противно войти. Будуар. А я живу так, что в любой момент могу уйти из дому навсегда и ни о чем не пожалею.

358.2.81. Л.48, 48 об.—49

Росмер, Катя, актриса.

(После слов: «... когда поезд подъезжает к Парижу...» — *В.Г.*)

/Росмер./ Париж на Одессу похож... Дайте, я помогу вам. Кутайтесь, кутайтесь. Хорошо!

Они остаются одни, он провожает ее, лестница, полумрак.

— Я куплю себе за границей пальто.

— Воротник поднимите. Холодно. Дайте, я подниму. Смотрите: тень. Вот тень какая! Это волшебный момент. Тень. С давних пор тень тревожит воображение человека.

358.2.81. Л. 50

Катя. Росмер говорит, что главное — язык. Совершенное знание языка.

Маша. Я немка. Моя мама настоящая немка. Мой родной язык немецкий.

Катя. Вчера ты была полька.

Маша. Во мне польская кровь. Вот видишь: Росмер не знал этого и вдруг вчера спросил: вы не полька? Росмер сказал мне, что я вдруг порозовела нежно, как полька. У меня бабушка была полька. Ее звали Вероника. Чудное имя, правда? Ве-ро-ни-ка. Как изгородь. Знаешь, есть такие цветущие ограды...

Катя. Ты просто разболталась. Нельзя быть через меру оживленной перед отъездом за границу. Это предосудительно. Можно подумать, что ты не вернешься.

Маша. Я вернусь через год. Убирайся вон! Мне дано разрешение на год. Я наверно вернусь. Я еду представлять советское искусство. Я вернусь и выйду замуж за Росмера. За великого режиссера Росмера, который сделал из меня актрису.

Катя. А вдруг ты замуж выйдешь за границей?

Маша. Не выйду. За кого? Я их ненавижу. Там дуры и дураки. Мелкие чувства. У нас нет мелких чувств, правда? Революция освободила нас от мелких чувств. Чем нас можно прельстить? Ничем. Мне ничего не надо. Если я выйду замуж, то только за Росмера.

1334.2.415. Л. 10

Леля. Завтра я уезжаю за границу. В среду я буду в Париже. Сон! Сбывается мечта жизни. Я еду за границу!

Катя. Когда ты вернешься, ты не узнаешь этой комнаты. Я сделаю полный ремонт. В такой дыре — извини меня — я жить не могу. Это трущоба. Я, конечно, очень благодарна тебе за то, что ты разрешила мне, бездомной, поселиться здесь, но в таком виде принять твой дар я не могу. Нужно переменить обои, выбелить потолок, окрасить окна и двери.

Леля. Пожалуйста. И постарайся также, чтобы всем безработным дали работу, чтобы все лишенцы были восстановлены в правах, чтобы все гиганты социалистической промышленности выстроились как можно скорее и чтобы как можно скорее произошла мировая революция.

Катя. Какая связь? При чем здесь ремонт?

Леля. Запомни: личная...

1334.2.415. Л. 7

/*Леля.*/ [Ни один угольщик так небрежно не обращается со своим мешком, как я со своей жизнью. Мне совершенно все равно, как жить.]

<...>

[Почему же вы так жили? — спросят меня удивленные репортеры. Потому что я разучилась себя любить.]

358.2.72. Л. 23, 24

Сцена первая

Уборная артистки Елены Гончаровой.
Зеркала. Яркие лампы.
На сцене афиша: «Гамлет».
Гончарова в костюме Гамлета.

Леля (стучит в деревянную стену). Катя! Катя! Ты придешь сюда? Сейчас придет Катя Матросова, моя подруга.

Львов. Она играет Офелию.

Леля. Как вы произносите: Офелия... Вам не странно?

/*Львов.*/ Почему странно?

/*Леля.*/ Ведь вы же класс-победитель?

358.2.81. Л. 46

/*Леля.*/ В моей душе ад. Честное слово, ад. Я нищая. На мне рубище. Посмотри внимательно: я нищенка, я стою на коленях, прямая, как истукан, и лицо у меня шершаво, как песок[45]. <...> Я несчастна, у меня нет сына. У меня не рождался ребенок. Я могу рожать чудных сыновей и дочек. <...> Что-то случилось с моей жизнью.

/*Катя.*/ Не декламируй. Скажи ясно и коротко: что случилось с твоей жизнью.

/Леля./ Я почувствовала несериозно/сть/...

358.2.72. Л.23 об.

Действие первое

Сцена первая

Кража яблок

(Сцена прощальной вечеринки. Маша Татаринова и Катя Матросова: актрисы готовят праздничный стол по случаю Машиного отъезда. Росмер должен принести шампанское. Катя забрызгала блузку, открывая консервы. — *В.Г.*)

<...>

Маша. Я привезу тебе из-за границы блузку. Когда я вернусь, ты уже будешь замужем. Все говорят, что ты невеста Чернецова.

Катя. Теперь нет невест.

Маша. Я еду в страну невест. В Европу. Слушай: у нас и воскресений нет. Ни воскресений, ни невест. Как интересно побывать в стране, где сериозно произносят слова: невеста, жених, воскресенье, гость, дружба, награда, девственность. Чудные слова! (Берет сахарницу.) Они испускают лучи, их можно нести в руках, как хрустальные сахарницы...[46] (Сыплет сахар в крюшон.) Я весь сахар всыплю...

<...>

Я всем привезу подарки: пудру, пуховки, зеркальца, чулки, галстуки, фокусы, разные смешные штучки.

Катя. Это ты здесь такая щедрая, а там над каждым долларом будешь дрожать.

Маша. Да брось! Я заработаю. Мне будут платить большие деньги. Я прославлюсь на весь мир! Как ты думаешь, Катя? А может быть, нет? Может быть, я ошибаюсь?

Катя. Росмер говорит, что главное — язык. Совершенное знание языка.

Маша. Я немка. Моя мама настоящая немка. Мой родной язык — немецкий.

Катя. Вчера ты была полька.

Маша. [Талант возникает из скрещения разных кровей.]

<...>

Слышна гармоника за сценой.

Маша. Слышишь? <...> Это гость пришел к моей соседке. У меня новая соседка. Безработная. Просто сволочь какая-то. Она утром уходит и говорит, что идет побираться. Нищенка, к ней гости ходят. Понимаешь? Находятся мужчины, которые идут в гости к нищей побирушке. Я живу рядом с нищенкой (показывает на стену).

Катя. Тише. С ума сошла.

<...>

Стук в дверь.

Маша. Кто там? Войдите. Здравствуйте, Дуня. Ты еще не видела ее? Дуня Денисова. Моя новая соседка. Она нищенка.

Катя. Ты с ума сошла.

Маша. Она этого не стесняется. (К Дуне.) Что вам угодно?

Дуня. Яблоки у меня украли.

Маша. Какие яблоки?

Дуня. Пяток.

Пауза. Дуня смотрит на яблоки, лежащие на столе.

Такие самые яблоки.

<...>

Катя. Вы ненормальный. Это актриса. Мы актрисы. Это Татаринова, Мария Татаринова. Известная артистка...

Петр Ив/анович/. Шаляпин был известный артист.

Катя. Ну не станет же Шаляпин красть яблоки у соседей.

Петр Ив/анович/. Неизвестно.

Катя. Как неизвестно? Это совершенно точно известно.

358.2.81. Л. 9—12 об.

Комната актрисы Татариновой.

Дося Татаринова и подруга ее Маша Матросова, тоже актриса, заняты приготовлением крюшона.

Бутылки с вином, большая стеклянная банка, апельсины, яблоки.

<...>

Входит Дуня Денисова.

<...>

Дося. Дай ей кусок колбасы. Она нищенка. Чего ты смотришь? Ей-богу, нищенка. Она не скрывает этого. Она ходит побираться. Под костел. За угол.

Дуня. Я безработная.

<...>

Баронский. Бросьте! Бросьте эти штучки! Меня не возьмете на это... Кто вам дал право издеваться над ними? Темные люди? Да? А вы? Актриса? Да? Что вы молчите? Если они забитые, полузвери — верно, да? вы так думаете? — полузвери... а вы? Артистка? Плевать! Артисты — это подлейшая форма паразитизма! Нам не нужны гении, слышите? Нам не нужны гении!

Маша. Если революция хочет сравнять все головы, я проклинаю революцию!

<...>

[Я уезжаю из вашей страны, Баронский. Из страны чиновников, хулиганов <...> и уже не различаю ваших черт и не слышу вашего голоса.

Баронский. Никуда вы не уедете. Мы можем и не выпустить вас.]

<...>

Ах, не слышите? А то, что я сейчас скажу, вы услышите? Я донесу на вас. Я передам, куда следует, ваши слова... Вот свидетели...

Петр Ив/анович/. Я свидетель.

358.2.81. Л. 13 об. — 16 об.

<...>

— Лучше всего сделать блины.

— А мука?

— Да, верно. Муки нельзя достать.

<...>

— Сколько стоит индейка? — Восемь рублей. — Только у меня духовой нет. На примусе? Ужас. Я бесконечно счастлива, что уезжаю. Я уезжаю на целый год! Ты знаешь: мы быстро стареем здесь. От суеты. Ей-богу. У нас страшно суетливая страна. Я не хочу суетиться.

— Можно сделать так: рябчиков купить у Елисеева.

<...>

— Нет, ей-богу. Ты знаешь: к нам в квартиру по ордеру Руни вселилась нищенка. Она безработная. Числится безработной. Утром она берет ребенка на руки и говорит: «Пойдем побираться». Не говорит, а напевает. Припев у нее такой: «Пойдем побираться... Пойдем побираться...» И уходит под костел на паперть. Честное слово. Почему я, артистка, должна жить рядом с нищенкой? [Знаменитая артистка Евдокия Татаринова живет вместе с побирушкой.]

<...>

[*Катя*. Росмер сказал, что сегодня, возможно, к нам приедет Филиппов.

Маша. Вряд ли. Они всегда заняты. Они всегда обещают и не приезжают. И вообще мне это не нравится.

Катя. Филиппов друг нашего театра.

Маша. Он шишка, вождь, народный комиссар. Театр должен быть независим. Не вожди должны поддерживать театр, а театр должен поддерживать вождей.

Катя. Очень возможно, что он приедет.

Маша. В такую ужасную трущобу!] (Пауза.) Свинство и подлость. Происходит революция... Людям тяжело, людям трудно. Разве мы негодяи, Катя? В газетах пишут: великий подъем масс... социалистическое строительство... Надо быть негодяями, чтобы считать все эти слова — ложью.

Катя (над жестянкой). Сейчас брызнет. Все открылись благополучно, а эта брызнет. Что ты говоришь?

Маша. Да, мы негодяи. Мы воспринимаем происходящее в нашей стране — эстетически. Мы создаем эстетику классовой борьбы. Пожар, живой огонь — а мы смотрим и говорим: это огонь бенгальский. Видишь, как я красиво говорю. Я эстетка! Негодяйка. (Вдруг.) Я никому не нужна! Кулаки убили коммуниста. Мы раскрашиваем труп. Это мы, интеллигенты, вносим в словарь классовой борьбы идеалистические слова: жертва, награда, герой... Или это: народный комиссар Филиппов, трижды простреленный в боях за революцию человек, собирается приехать к нам в гости... И что мне первое приходит в голову? Радость? Благодарность? Мысль о дружбе? Нет! В голову мне приходит следующее: «Ах, — я думаю, — мы живем в фантастической стране... Знаменитая артистка ютится в доме, населенном чудовищами, рылами, в грязном кармане дома... И в этот дом приезжает вождь... Куда? В гости к артистам...» Вот все, что мозг мой извлекает из сущности революции... одно понятие. Фан-тас-ти-ка.

<...>

Это было тогда, когда мы жили на родине. А теперь нет родины, Катя[47]. Есть новый мир! [И потому так страшно, так холодно.] И слова эти развеялись, как листья, и мы прошли по ним без всякого сожаления. [Сохнет мой мозг, Катя.] А, плевать! Я артистка нового мира. Шапки долой, к чертовой матери. Я Гамлета показываю новому миру!

Катя. Я купила восемь рябчиков готовых. <...> Я беспокоюсь, волнуюсь, бегаю... С какой стати. А ты принимаешь, как должное.

Маша. [Спасибо. Я плохая хозяйка. Ты ведь сказала, что возьмешь все заботы на себя.] Смотри, Чаплин! Чудный Чаплин... Седой. Знаешь, Чаплин выпустил новую фильму. Любовь Чаплина к слепой девушке. Жалкий маленький Чаплин, все смеются над ним, он любит слепую девушку... И вот он решил повезти ее в Сан-Франциско к знаменитому доктору. Копил деньги, унижался, терпел лишения, повез, там великий доктор вылечил девушку, она прозрела, увидела Чаплина и разлюбила. Все.

Катя. Вот тебе яблоки. Режь! Установилось дурацкое обыкновение восторгаться всем, что ты говоришь. Слушать тебя с открытыми ртами.

Маша. Я же не прошу вас восторгаться мной. Сами восторгаетесь.

Катя. Да никто и не восторгается, успокойся.

Маша. Вот я и зазналась. А между тем я самая несчастная среди вас. Я совесть. Я за всех расплачиваюсь. Я, Мария Татаринова, — совесть русского искусства.

Катя. Бред. Режь яблоки.

Маша. В конце концов, это свинство. Я уезжаю за границу на целый год. Вы могли бы устроить мне банкет всей труппой. Торжественно.

Катя. Нож для консервов есть?

<...>

Баронский. Вы никуда не уедете... Я все расскажу, и вас не выпустят...

Маша. Бросьте, Баронский, трепаться. Вы меня сами довели.

Баронский. Нет, нет. Ничего подобного. Нужно наказывать таких, как вы. Иди, Дуня, и кричи на весь дом: актриса Татаринова бежит за границу!

Маша. С чего вы сбесились, Баронский?

Баронский. Что, страшно, да? Испугались?

Маша (раздельно). Плюю на вас.

Баронский. Отлично. Устанавливаются официальные отношения.

Маша. Вот что, довольно. Инцидент исчерпан. Сейчас к нам придут гости. Нам некогда. Все это ерунда. Никто у тебя яблок не брал, Дуня.

Петр Ив/анович/. Зубы заговаривает.

Баронский. Нет-с, инцидент не исчерпан. Я сейчас позвоню. Бросьте, довольно, надоело. Мы смотрим сквозь пальцы.

Катя. Как вы смеете! Это самоуправство! Пустите!

Звонок телефона.

Баронский (берет телефонную трубку). Алло! Кто-о-о? Не слышу. Татаринову? Я Гепеу спрашиваю, да, а вы лезете с любовными звонками. Дело о-чень серьезное. Кто?

Входит Росмер.

Маша. Росмер! Росмер! Росмер! (Бросается к нему.) Спасите меня. [Я не хочу жить в стране нищих! Обезьяны! Обезьяны!] Выгоните их всех к черту! (Плачет.) Он доносит на меня...

Баронский (у телефона). Я говорю, что я Гепеу вызываю, а вы развязным голосом спрашиваете примадонну... Что? Кто это говорит? А... (Кладет трубку.)

Пауза. Никто не подходит к телефону.

Росмер. Кто спрашивает Марию Татаринову?

Баронский. Это розыгрыш. (Опять бросается к телефону.) Кто? Филиппов? Народный комиссар? Вот я вам сейчас покажу народного комиссара. У вас снимут телефон за хулиганство...

Росмер. Пустите... (Вырывает у него трубку.) Здравствуйте, товарищ Филиппов. Говорит Федор Росмер. Здравствуйте. Да. У нас репетиция. Репетиция, да... А... это говорил с вами актер, который чересчур вошел в роль. Да, да, чудная роль... Он играет обезьяну, да, да... понимаете, шимпанзе дрессированный, вообразил себя человеком...[48] Да...

Маша. Дайте мне... (Говорит в трубку.) Да, Татаринова говорит. Уезжаю, да, послезавтра. Спасибо... На прощальный спектакль... Мы будем очень рады. Приходите... Что? Я плохо слышу... Сквозь туман путешествия слушаю вас и плохо слышу ваши слова...

Конец сцены.

358.2.81. Л. 28—38

Катя. А я возьму и расскажу все. Вот тогда посмотрим, как тебя выпустят за границу.

Леля. Что ж ты расскажешь?

Катя. Я расскажу директору театра, Саше Орловскому, о том, как ты радуешься... уезжаешь и радуешься.

Леля. Он не поверит. Ты знаешь, мы всегда обманываем нашу власть... Есть постоянная ложь в наших отношениях к власти. Мы смотрим ей в глаза и лжем. Я лгу Саше Орловскому, лгу молодежи, лгу народному комиссару, когда он приезжает к нам в Театр. То есть я скрываю от него главное... наше сознание, интеллигентское — а именно: что мы себя считаем на голову выше их... Я ощущаю постоянную ложь! Когда я говорю с рабочим, я либо боюсь его, либо жалею. Я не могу перемигнуться с рабочим, как с тобой! Я воспринимаю рабочего эстетически. Это холод и ложь... Подлость! Происходит революция... Людям тяжело, людям трудно. Разве мы негодяи, Катя? В газетах пишут: великий подъем масс... Социалистическое строительство... Надо быть негодяями, чтобы считать все эти слова — ложью! Мы негодяи — интеллигенты. Мы воспринимаем происходящее в нашей стране — эстетически. Мы создаем эстетику классовой борьбы. Видишь, как я красиво говорю! Я эстетка, негодяйка. (Вдруг.) Я никому не нужна! Кулаки убили коммуниста, мы раскрашиваем труп. Это мы, интеллигенты, вносим в словарь классовой борьбы идеалистические слова: жертва, награда, герой... А пролетариату совершенно все равно...

358.2.72. Л. 4—5

(Сцена диспута после спектакля «Гамлет». Леля отвечает на претензии оратора Недельского. — *В.Г.*)

<...>

Леля. Я ведь /не/ старалась скрыть то, что я женщина. Ведь и на афишах написано. И потом все меня знают...

Нед/ельский/. Тем более, тем более... [Зачем же тогда маскарад?] Да если б и хотели, это скрыть нельзя. Природа. Мать-природа...

Леля. Я считаю, что Гамлет величайшее из того, что дало нам искусство старого мира. Вероятно, уже никогда русскому зрителю не будут показывать «Гамлета». Я решила показать его нашей стране в последний раз[49].

Нед/ельский/. Похвально. Чрезвычайно похвально. Но вы профанируете это на ярмарке. Женщина может одеться мужчиной...

Л/еля/. Я решила сыграть мужчину, потому что время теперь мужское. Женщина должна думать по-мужски.

Нед/ельский/. Ну что вы мелете. Простите меня. Ерундистика. Окончим. Прощайте.

Уходит.

Семенов. Дальше. Товарищ Андросов.

Андросов (говорит подряд). Ничего созвучного в этой пьесе нет не говоря о текущей задаче дня как-то внедрение в сознание зрителя идеи коллективизации сельского хозяйства которая есть важная в первую очередь для театра и нечего требовать потому что пьеса переводная...

358.2.70. Л. 22

Дело происходит в театре.

Не знаю, как возможно выстроить на сцене то, что представляется мне, — это дело режиссера и художника. Мне представляется конструкция, на которой можно было /бы/ разыграть как то, что происходит над рампой, так и происходящее в дальнейшем за кулисами.

Над рампой. Заканчивается диспут, устроенный после спектакля «Гамлет». Гамлета играла Елена Гончарова, Леля.

Леля Гончарова с рапирой, в сапогах.

Вокруг действовавшие в трагедии лица: Горацио, король, королева, Лаэрт.

Кроме них директор театра Семенов.

Леля Гончарова отвечает на записки.

<...>

Вторая записка:

«Как вам не стыдно. В то время, когда страна занята вопросами индустриализации, колхозного строительства, вы показываете принцев и королей, где ничего нельзя понять, как ни думай. В эпоху темпов трудно слушать, как вы декламируете монологи...

358.2.70. Л. 2

<...>

—«Почему вы решили ставить “Гамлета”? Разве сейчас нет хороших современных пьес?»

Современные пьесы отвратительны, малограмотны, лживы, лишены фантазии. Играть в них противно. Так. Я, кажется, выражаюсь слишком резко. Но как смеет зритель, смотревший «Гамлета», помнить о современных пьесах. Это, конечно, дело вкуса.

Дальше читаем. Вот записка. «Как сделаться артистом?» Нужно развивать внимание, воображение и память. И нужно зарубить себе на носу, что в порядке выдвижения слесарь не может стать артистом[50]; что для того, чтобы научиться быть артистом, кроме всего, необходим талант и здоровье.

358.2.70. Л. 1

[«Вместо того, чтобы декламировать и размахивать шпагой, лучше поехали бы в колхоз».]

358.2.70. Л. 9

<...>

[*Леля.* «Оскорбительно для великого искусства играть Гамлета перед малограмотными дураками».

— Дурак.

«Мы малограмотны. А вы пролетарский театр. Нельзя ли представлять пьесы без иностранных слов, без иностранщины?»

— Разве здесь много иностранных слов? Какие ж это слова непонятны? Гамлет? Флейта? Рапира? Товарищи, революция тоже иностранное слово.

Семенов звонит.

Что? Демагогия?

Семенов. Продолжайте, продолжайте.]

358.2.70. Л. 10

/*Леля.*/ «Вы анахронизм». Семенов, объясните, что значит «анахронизм», иностранное слово.

Семенов. Анахронизм — это значит пережиток, бывшее что-то, то, что было, никому не нужное.

Леля. Спасибо. Дальше читаю. «Вы анахронизм. [Вы никому не нужны. Театр индивидуальностей обречен на гибель. На смену идет коллек/тив/]. Кому вы нужны в эпоху реконструкции? Дико слышать вас, "гениальная актриса", — в кавычках — с вашими монологами, никого не волнующей декламацией. Снимите ваши ботфорты, бархат ваш, бросьте вашу рапиру в пыльный угол прошлого. [Пролетариат не нуждается в вас. Актер должен быть общественником». Я ничего не могу ответить на это. Отвечайте вы.

<...>

Семенов (пробежав записку). Товарищи, вот здесь спрашивается, нужен ли классический репертуар... Товарищи! В порядке культурной революции...

Леля. Нет, нет, это скучно. Не так надо объяснить. Мне в лоб направлен вопрос... Что мне делать с ботфортами и кубками, куда деваться мне с моим париком?]

358.2.70. Л. 17

«Не верю вам. Вы ненавидите нового зрителя, презираете массу, перед которой играете. Ваш путь ясен: бегство за границу...»

— У меня нет пути, я вишу в воздухе.

«Вы знамениты, хорошо зарабатываете, чего еще вам не хватает? Почему на фотографиях у вас такие злые глаза?»

— [Мне не хватает равных.] Мне не хватает учителя.

«Какие ваши убеждения? За новый мир или за буржуазию?»

— У меня свой мир.

«Кем бы вы были при старом режиме? Артисткой?»

— Я была бы анархисткой. Все, кажется. Все вопросы касались меня лично. О «Гамлете» ни слова.

358.2.70. Л. 20

«Я пишу пьесу. Посоветуйте, что сейчас писать нужно: повести, рассказы, стихи, пьесы?»

— Если вы интеллигент, то новому человеку интересней всего и полезней будет прочесть вашу исповедь. Пишите исповедь. «Зачем вы едете за границу?»

— Я еду за границу проверять себя.

Семенов (звонит). Это неясно. Товарищ Гончарова едет за границу отдыхать.

Леля. «Ваша утонченность, рафинированная интеллигентность, все то, что вас самое умиляет, что дает вам повод для восторгов перед самой собой, — все это уже мертвечина, тление, запах трупа. Молодежь, которая уже распахивает двери искусства, сметет вас, от вас и вашей культуры не останется ни следа...»

358.2.70. Л. 21

/Леля./ Что я могу ответить на это? Этот человек прав. Что же мне делать? Я знаю, что принятие коммунизма это есть отрицание самой себя[51]. [И чем больше я укрепляю в себе идею коммунизма, тем пустее ст/ановится/.] У меня нет пути — ни вперед, ни назад. [Дорогой товарищ, мое лицо обращено все-таки к вам.] <...> Я вишу в воздухе с лицом, обращенным к новому миру. Простите, что я говорю так высокопарно... это зарядка монологов, которые я только что декламировала... И потом, я устала.

358.2.70. Л. 25

Леля (читает). [«Вся ваша деятельность, ваши слова, способ поведения рассчитаны на то, чтобы вызывать в плебее зависть, тоску, которой он не сознает».]

«Высшая подлость — смакование своего интеллектуального превосходства. Ваше поведение насквозь пронизано ощущением своего аристократизма. Это тончайший метод вредительства: угнетение психики пролетария. Пролетарий смотрит на вас, и глухая тоска, которую он не может понять, начинает [томить его.] Вы превращаете пролетария в урода и тупицу. Вон с подмостков, из нашей жизни! [Чрезвычайная комиссия по защите психики пролетария объявляет вам борьбу».]

— Я не совсем понимаю... Я бы хотела, чтобы автор записки поднялся сюда...

Семенов. Кто писал записку?

Пауза. Все ждут.

Леля. Кто меня обвиняет во вредительстве?

Входит Ибрагимов, индуса наружность,
в бязевой рубашке, раскрытой на груди, смуглый,
с черной бородой. С ним человек,
глядящий исподлобья.

Ибрагим/ов/. Посмотрите ему в глаза.

[*Леля.* Я не совсем понимаю.

Семенов (звонит). Кто вы такой, товарищ?

Ибрагим/ов/. Обрубок пришел на сцену. Глиняный истукан.

Человек. Да что ты, Ибрагимов.

Семенов (звонит). Товарищи! Если вы...

Человек. Чего ж вы испугались? Я зритель.

Леля. Никто не испугался. А в чем дело?

Человек. Да я просто зритель. Он меня поднял из кресла и привел. Вы все лжете.]

Ибрагим/ов/. Я хочу сказать: вы все лжете.

Семенов звонит.

Леля. Не мешайте ему, пусть говорит.

Ибрагим/ов/. Все ваши отношения к нам есть ложь.

Леля. К кому — к вам?

Ибрагим/ов/. К [пролетариям], правящему классу. [Я утверждаю, что все интеллигенты — вредители.] Когда вы говорите с рабочим, вы либо боитесь его, либо жалеете.

Леля. Это правда.

Ибрагим/ов/. Сейчас вы пускаете очередной луч ослепления. Эксцентрического внезапного признания. На меня эти лучи не действуют.

Леля. Вы больны.

Ибрагим/ов/. Я учредил бы специальную комиссию по борьбе с умственным превосходством.

Семенов. Товарищи, я думаю, что мы сбились с темы диспута...

358.2.70. Л. 24, 26

Семенов. Читайте эту, раз начали.

Леля. [«Какая счастливая ваша судьба: быть великой артисткой на заре человечества. Вы играете Гамлета пролетариату. Подумайте: эти люди впервые слышат имя Гамлета. Вам выпала честь объяснять своим талантом пролетариату великую культуру прошлого». — Товарищ с автоматическим пером, вам отвечают [за меня] на вашу записку, слушайте. Это целое письмо. Кто это пишет? (Поворачивает /листок/.) Студент МГУ, Федор Львов, член партии, Сретенка, Алексеевский переулок. Вот видите: даже адрес. Слушайте: «Я бы выразился так: вы — последняя исповедь старого мира...»]

358.2.70. Л. 23

Так. «Вы знаменитая артистка, хорошо зарабатываете. Чего еще вам не хватает? У вас красивый молодой муж, да и вам лет тридцать, не больше. Почему же на фотографиях у вас такое беспокойное выражение глаз?»[52]

<...>

/*Оратор*/. И, конечно, ничего созвучного нашей эпохе в этой пьесе нет! Кто Гамлет? Я спрашиваю вас, товарищи, кто такой Гамлет? Гамлет нытик. Разве нытикам есть место теперь среди нас? Нытик — это пережиток, это анахронизм. И понятие это не вяжется с бодростью нашей зарядки. Кто строит Турксиб? Нытики? Я спрашиваю вас, товарищи! Нет. Интеллигенция переродилась? Я сам интеллигент, товарищи, но мне смешна трагедия Гамлета. Быть или не быть? Он спрашивает нас, товарищи: быть или не быть? Нам ясно: быть! быть!

<...>

Гамлет нытик. Разве нытикам есть среди нас место? Среди кого? Среди тех, кто строит Турксиб, Днепрострой, кто строит гигантов техники. Я предлагаю: послать Гамлета в колхоз! [Назначить в ударную бригаду.] Что есть наша эпоха? Наша эпоха есть колхозное строительство, ударные бригады, перевыполнение плана, соцсоревнование, Турксиб, Днепрострой, гиганты техники — вот что есть наша эпоха... Я сам интеллигент, но мне смешна трагедия Гамлета. Покажите мне нытика! Покажите мне интеллигента-нытика! Их нет! Я их не вижу... Вот все, что я хотел сказать.

— Так. Слово предоставляется Андрееву.

— Я, конечно, рабочий. Я смотрел «Огненный мост». Вот.

358.2.70. Л. 36

Леля. В маленьком кинотеатрике в фашистской Европе я, уже побывавшая в новом мире, буду смотреть фильму Чаплина и плакать.

Семенов (встал). Товарищ Гончарова выражается в духе монологов Гамлета, которые она только что произносила. Вам нечего плакать, товарищ Гончарова, над фильмами Чаплина. Я не думаю, что вы верите в надклассовость искусства и что вы способны поддаваться общечеловеческой умиленности.

Леля. Я буду плакать от чувства утраты.

Семенов. Вместо того, чтобы дать зрителю ясные ответы, вы вносите в его голову путаницу. Какой утраты? Что вы потеряли?

Леля. Это не я одна... Мы все... Все, сидящие в этом зале. В особенности молодежь. Мы утратили путь возвышения. Путь маленького человечка в штанах с бахромой, над которым все смеются и который в конце концов оказывается победителем.

Семенов. И это вы говорите теперь, когда вся страна, весь рабочий класс находится на пути к небывалой победе? Мы прекращаем этот диспут. Товарищ Гончарова устала. Сколько еще записок?

Леля. Одна. Целое письмо.

Падает к ее ногам брошенная кем-то записка.

Леля поднимает, разворачивает, читает.

«О, как вы правы! Быть гадким утенком и стать лебедем. Вот обольстительнейшее мечтание молодости. Это самая могущественная идея капиталистического мира, и здесь коммунизм бессилен перед Европой». Я нашла отклик в аудитории.

Крик. Товарищ председатель! Прекратите это издевательство!

Семенов (звонит, вскакивает). Товарищи...

Леля. Кто это кричит там?

Крик. Я прошу слова!

Семенов. Товарищи, мы уже кончаем...

Леля. Почему же? Дайте ему слово. (Кричит в зал.) Идите на сцену! Где вы там?

Тишина. Ждут появления оратора.

Поднимается на сцену Ибрагимов. Индус по наружности.

Черная борода, смугл. Он молод. В бязевой рубашке, грудь открыта треугольником от живота.

Ибрагимов. Ничего нет общего между вами и теми, кто сидит здесь. (Указывает на аудиторию.) Ни происхождения, ни воспитания, ни вкусов, ни взглядов, ни мозгов, ни сердец. Смешно и стыдно вас видеть и слышать. Вы кокетничаете здесь и резвитесь, как кошечка, перед людьми, чья жизнь трудна поистине, а не той трудностью, на которую жалуетесь вы, паразитирующее существо. Я обвиняю вас в самом подлом вредительстве, которое возможно допустить. Все ваше поведение, слова, недомолвки — все рассчитано на угнетение психики пролетария. Утверждаю это. Пролетарий малограмотен и добродушен. Он не оценивает той тоски, которая давит его, когда он слышит интонации вашего голоса, он не понимает главного — желания вашего превратить его в урода и тупицу.

358.2.70. Л. 40—41

Семенов. Товарищ Гончарова, вы находитесь перед широкой аудиторией, и давайте выражаться попроще, без эмоциональной окраски...

Леля. Давайте. (Читает.) «В чем трагедия Гамлета?» В раздвоенности.

Пауза.

Товарищ Семенов, это недостаточно ясно? Тогда объясните вы.

Семенов (встает). Автор пьесы, Шекспир, жил в Англии при королеве Елизавете. Век Елизаветы был блестящей страницей истории развития торгового капитала в Англии... Феодальная знать теряла свое политическое значение... Часть ее превратилась в королевскую челядь, в искателей должностей и подачек, часть деклассировалась и /пре/вратилась в то, что называется интеллигенцией... Эта интеллигенция отличалась преобладанием рассудка над другими душевными способностями, крайне слабо развитой волей, разладом между словом и делом, нерешительностью, мрачным взглядом на жизнь и, наряду с этим, благородством сердца и умением хорошо разбираться в окружающей действительности. К числу этой интеллигенции, находившейся между распадающей/ся/ аристократией и нарождающимся жизнеспособным классом буржуазии, принадлежит и Шекспир, создавший тип Гамлета по своему подобию, т. е. /героя/ со всей сложностью психологии, раздвоенностью...

Леля. Простите. Вот тут есть записка, разрубающая все узлы. (Читает.) «Никаких Гамлетов сейчас нет. Где они? Укажите нам! На строительстве Турксиба или в колхозах? Сейчас о раздвоенности не может быть речи. Какая может быть раздвоенность, когда есть целеустремленность?»

358.2.70. Л. 42

Леля. Я не совсем понимаю вас.

Ибраг/имов/. Вы отлично понимаете.

Леля. Чего ж вы хотите?

Ибр/агимов/. Я позову сюда женщину, которая сидел/а/ рядом со мной. Это не известная мне женщина. Зритель.

/*Леля.*/ Пожалуйста. Это даже интересно. Пусть он попросит /о/ встрече артистки и зрителя.

<...>

Работ/ница/. Я на фабрике работаю.

/*Леля.*/ Ну, дальше. Вы на фабрике, а я актриса.

Работ/ница/. Ничего против вас не имеем.

Леля. Так что же вам нужно?

Работ/ница/. На вас поглядеть интересно.

Леля. Это можно из зала.

Работ/ница/. Мы из зала смотрели.

Леля. Ну, дальше. Что будет дальше? Что я должна делать?

<...>

/*Ибрагимов.*/ Я вас прошу подняться сюда, товарищ.

Входит зритель.

[Этот человек... Это хозяин страны.] Принцев и королей мы под стенку ставим.

/*Леля.*/ Но ведь это ж театр!

/*Ибрагимов.*/ И в театре можно под стенку.

/*Леля.*/ О чем здесь идет разговор... я не понимаю.

/*Ибрагимов.*/ Вы разговариваете с вашим зрителем.

/*Леля.*/ Это ж неверно, дорогой товарищ. Я играю принца, но это же не значит, что я сама... О чем мы говорим?

/*Ибрагимов.*/ Зачем нас пугать?

/*Леля.*/ Кто пугает вас?

358.2.70. Л. 42—43

Леля. Я не совсем понимаю.

Ибрагим/ов/. Вы отлично понимаете.

Леля. Какая ерунда. Это маниак какой-то.

<...>

Ибр/агимов/. Теперь скажите ему о гадком утенке. Вообще скажите ему что-нибудь на своем языке... вот вы только что говорили...

Леля. Разве вам непонятно, что вот Гамлет хотел убить своего отчима... Понимаете? Я не должна равняться на кретинов... Это кретин!

Семенов. Я прошу прекратить.

358.2.70. Л. 47

Леля. Ну что ж, все ясно. И я вполне согласна. Это уже в последний раз мы играли трагедию о раздвоенном человеке. Дальше читаем. (Разрывает записку.)

«Как вы смотрите на политику в дальнейшем? Победит коммунизм — вы верите?»

— Я верю. Победит коммунизм.

Семенов. Тут целый ряд записок не имеет отношения к пьесе. Я думаю, что нужно отвечать только на те...

Леля. «Говорят, что вы ведете дневник, куда записываете все свои мысли о политике и людях. Будьте осторожны. Об этом дневнике известно».

[Если мне надо быть осторожней, то как-то глупо посылать такие записки. Да, я веду дневник.]

«Рабочий класс неграмотен. Он не понимает сущности вашей. Она контрреволюционна. Какие бы ни были ваши убеждения, ваш паспорт, — все равно, — в основе всего ложь: аристократизм. Ваше поведение [губит] пролетария».

Осталось всего две записки. Одна из них коротка, другая целое письмо.

358.2.70. Л. 45

Вариант сцены первой
Черновое марание

[Я знаю, что тянет вас на запад, в Европу.

Группа молодежи учредила специальную комиссию по защите психики нового человека.

Само существование ваше контрреволюционно...

Вы не нужны нам совершенно, ни вы со своей гениальностью, ни ваш Шекспир, ни...

Чрезвычайная комиссия по защите психики человека от воздействий...

Умственное превосходство...

Мы не верим вам ни на...

Никакого примирения. Нам совершенно ясно, кто вы и что вы.

Тоску обезьяны...

Власть таланта наиболее деспотическая власть.]

Ваше искусство — один из тончайших способов вредительства.

358.2.81. Л. 6 об.

/Леля./ «Не уезжайте за границу. <...> [Вам кажется, что вы замучены здесь критикой, цензурой, вульгарн... Ведь это ясно — вам хочется бежать.] Европа манит артиста идеей о свободе творческой личности. Но вы жестоко ошибетесь. Вам кажется, что вы замучены здесь, в нашей стране. И вы думаете, что Европа со слезами примет вас на свое лоно...» И так дальше ... Я устала. Это большое письмо. Я прочту потом и отвечу по почте, адрес есть: Сретенка, Алексеевский переулок. Общежитие. Студент МГУ Федор Львов, член партии. Ну, вот.

358.2.70. Л. 28

Леля. Третья записка. Сериозная, написана автоматическим пером. Интеллигентный почерк. Прочтем. [«Что общего между Гамлетом и пятилеткой? В эпоху великого строительства <...> артист обязан агитировать.] Не притворяйтесь. Великим артистам сейчас нечего делать. Пусть молчат музы, когда гремят трактора. Что общего между вашим Гамлетом и планом колхозного строительства?»

На эту записку я не могу ответить.

358.2.70. Л. 33

«Зачем вы едете за границу?»

— Вопрос сложный. Я еду за границу, во-первых, затем, чтобы увидеть мировых артистов. Кроме того, я хочу отдохнуть. Мне надоели рабкоры, которые, ничего не понимая в искусстве, собираются искусство перестраивать, мне надоели беспартийные критики, которые хотят быть коммунистами более, чем сами коммунисты, — меня утомила суетливость, называемая темпом, та суетливость, когда...

358.2.70. Л. 32

«Гончарова! Великая артистка! Бегите отсюда. Как можете вы, утонченная, рафинированно-интеллигентная женщина, жить в стране дураков и нищих. Бегите на Запад, в Америку. Там ждут вас лучшие цветы славы».

— Ну вот, эта записка перекликается с предыдущей. Теперь я могу более обобщающе ответить на вопрос, зачем я еду за границу.

В каждом из нас, артистов, советских артистов, — живет идея Европы... в артистическом смысле... Две идеи противоположные живут в нас: нового мира и Европы, нового мира и родины. Потому что Европа — родина для артиста. [...] Европа нашей души — это мечта о деспотизме таланта <...>

Я, кажется, выражаюсь непонятно. Ладно, я думаю, что это и неинтересно. Вот еще записка. Ну, все равно. (Разрывает записку.)

<...>

Семенов (читает). Какая ваша роль не на сцене, а в жизни?

Леля. Не понимаю.

— Убирайтесь вон!

<...>

Леля. «Что общего между колхозами и Гамлетом?» Так написано? А ну, еще раз прочтем.

Читает, спутав, не ту записку.

«Я сегодня впервые услышал слово “Гамлет”». Нет, это не та записка. Куда же та делась? Она у вас.

Семенов. Читайте эту.

Леля. А как же можно не ответить на ту? Ну, ладно. (Читает.) «Я сегодня впервые услышал слово “Гамлет”. Ни отец, ни мать, ни братья — этого слова никогда мне не говорили, потому что они все рабочие, необразованные. Спасибо вам. Вы мне объяснили культуру прошлого. Мы едем завтра в район сплошной коллективизации, строить культуру будущего». Товарищ с автоматическим пером, вам отвечают, слушайте: «Я понимаю, какая на мне лежит ответственность...»

358.2.71. Л. 30—31

[«Вас отталкивают, а вы напрашиваетесь, вам говорят — вон, а вы лепечете...»]

Это целое письмо.

[«Наша молодежь неграмотна. Многие уже не знают, что были такие Шекспир, Сервантес... Не уезжай/те/... Вы стремитесь в Ев/ропу/...

Придите к нам в общежитие, и я покажу вам чудовищ в миниатюре, всю сущность того, что происходит в человеческом материале... Нужно бороться изо всех сил, не капитулируйте, не бегите из страны, не обращайтесь в бегство. Революция — это культура.

Я живу в общежитии среди чудовищ.

С дураками, стяжателями, вульгаризаторами и чиновниками надо бороться изо всех сил. Коммунизм — это культура.

Они думают, что коммунизм — это царство обезьян.

У меня два товарища, один кретин, другой — инквизитор. Оба оберегают мою душу. <...> Весь ужас в том, что и вам, вероятно, новый мир представляется населенным подобными чудовищами...»]

358.2.70. Л. 46

В пансионе

— Доброе утро, мадемуазель.

— Доброе утро, мадам.

— У вас очень хороший вид сегодня.

— Я счастлива.

— [Если вы так же счастливы, как и хороши собой, то, значит, в природе воистину существует гармония. Вот вам кофе, булочки и масло.

— Какой хороший кофейник.]

— Погода прелестна. В саду цветет жасмин.

— Я давно не видела, как цветет жасмин.

— Выгляните в окошко.

— Цветет жасмин. А чей это сад?

— Он в нашем пользовании.

— Вы арендуете?

— [Да. Этот дом и еще домик, примыкающий. И сад. Мы арендуем у господина Маржерета.

— А кто такой господин Маржерет?

— Это очень богатый человек. Он инженер фирмы Ляменэ. Артур Ляменэ живет в Люксоре, это в Египте, а Бартоломей Ляменэ недавно выиграл большой процесс у акционерной компании Лянтерн. Теперь Бартоломей Ляменэ очень богатый человек. Он хочет купить газету, чтобы противодействовать сдаче правительственных заказов Жозефу Элиту. Но он ждет, когда вернется его брат Артур из Египта.

— А вам нравится, когда цветет жасмин?]

358.2.73. Л. 20

У Татарова

(Сравнительно поздний вариант. Уже есть Трегубова и Кизеветтер, но Татаров не знаком с Кизеветтером. Сохранен и Барка, который должен убить Марселя Тибо. Татаров украл тетрадь, и Леля отправляется в мюзик-холл, чтобы заработать деньги и выкупить ее. — *В.Г.*)

<...>

Стук. Входит Максимилиан Барка.

Барка. Несколько слов.

Молчание.

Без свидетелей.

Татаров. Вы должны уйти, Лида.

Барка. Ступайте.

Трегубова уходит.

Барка. Марсель Тибо приезжает послезавтра. Он везет с собой десять тысяч франков для безработных. Остановится в гостинице Лянтерн. Прислуга в наших руках, лакей и горничная.

Татаров. Где ваш убийца? Известно ли вам, что в Париже гостит советская актриса Гончарова?

Барка. Читал.

Татаров. Я хочу сопоставить эти два имени рядом: Марсель Тибо и актриса Гончарова.

Барка. Ну, стоят рядом. Дальше.

Татаров. Подумайте.

Барка. А?

Татаров. Марсель Тибо поет хвалу новому миру.

Барка. [Русский Поэт] Репортер, говорите проще.

Татаров. А, может быть, этот новый мир и поистине прекрасен?

Барка. Русский, русский, не надо отвлеченностей. Я не понимаю.

Татаров. Есть люди, которые верят Марселю Тибо. Он говорит, что в России рай.

/ *Барка.*/ Послезавтра он будет убит.

Татаров. Я услышал голос, который кричит о том, что в России — ад.

Барка. Голос этой приезжей?

Татаров. Да.

Барка. Купите его.

Татаров. Я его украл (тетрадка).

[*Барка*. Браво!]

Стук.

Жена? Рано.

Леля. Это я, Гончарова.

Барка. Голос звонкий.

Входит Лсля. Татаров садится в кресло.

Татаров. Что случилось, госпожа Гончарова?

Леля. Я принесла платье обратно.

Татаров. Почему? Оно вам не нравится?

Леля. Мне просто не нужно.

Татаров. Может быть, вам отказали в мюзик-холле «Глобус»?

Леля. Нет, это все ерунда. Пожалуйста: вот платье. И отдайте мне расписку.

Татаров. Вы собирались на бал.

Леля. Нет, я не пойду. Я увлеклась.

Татаров. Почему не сверкнуть на балу?

Леля. Потому что советской актрисе не подобает сверкать на буржуазном балу.

Татаров. Разве вы так преданы советской власти?

Леля. Я не понимаю вашего вопроса. Конечно, предана.

Татаров. Несмотря на ее преступл/ения?/

Леля. Я не знаю никаких преступлений советской власти.

Татаров. Я вам могу прочесть их список.

Достает тетрадку. Встает, поворачивается,
идет на нее. В руке тетрадка.

Леля. А!

Молчание.

Татаров. Где же чекист, который берег вашу святость?

Леля. Вы украли!

Татаров. Вы служите тем, кто украл у меня родину.

Леля. Это не я писала.

Татаров. Лжете. Один почерк на расписке и здесь. Я опубликую оба документа.

Леля. Я вас прошу, верните мне это!

Татаров. Это будет стоить десять тысяч франков.

Леля. У меня нет таких денег!

Татаров. Достаньте. Заработайте. Идите в мюзик-холл. Сыграйте сцену из «Гамлета».

Леля. У вас нет сердца.

Татаров. Спросите у расстрелянных, как дело у них обстоит с сердцами.

Леля. Хорошо. Отлично. Я принесу вам деньги.

Татаров. Завтра.

Леля. Хорошо. Я сейчас пойду в мюзик-холл. Ничего страшного. Подумаешь!

Уходит энергично.
На пороге встречается с Кизеветтером.
Сцена. Кизеветтер видит. Столбенеет.
Леля уходит.

Кизеветтер. Кто это был? А? Кто был здесь? А?

Татаров. Красавица из страны нищих.

/*Кизеветтер*./ Нет! Ты отвечай! А! Ты слышишь? Кто это был здесь?

Татаров. Невеста твоя.

Выходит Барка.

<...>

Барка. Не поворачивайтесь, чтобы не видеть моего лица. Это исполнитель?

Татаров. Да.

Барка. Эпилептик. Отчего не лечитесь? Если он убьет, скажут, что убил безумец.

Татаров. [Его имя не будет фигурировать в протоколе. Он будет только фактическим убийцей.] Он убьет за кулисами. А на сцене будет фигурировать другой убийца.

Барка. Не получится убедительно. Нам нужно убийство — протест, а не убийство — (текст не дописан. — *В.Г.*)

Татаров. Он убьет за кулисами. А на сцене будет фигурировать другой убийца.

Барка. Кто?

Татаров. Елена Гончарова.

[*Барка*. Браво. Кем вы были в России?

Татаров. Адвокатом. В старой России вы служили в суде?]

Барка. (нрзб) Сообщите ему, что он должен делать в подробностях.

Татаров. Да!

Барка. Запомните. Он должен в вестибюле отеля спросить лакея, которого зовут Энлантин. Как вас зовут, неизвестный?

Кизеветтер. Меня зовут Дмитрий Кизеветтер.

Барка. Дмитрий Кизеветтер, послезавтра в отеле Лянтерн вы получите десять тысяч франков. Вечером того же дня вы уедете в Африку, в Конго. Передайте ему кинжал.

Вынимает кинжал. Татаров берет у Барки кинжал и
передает Кизеветтеру. Кизеветтер берет кинжал.
Молчание.

Кизеветтер. Если вы так могущественны, что я не имею права видеть вашего лица, то сделайте так, чтобы я еще раз мог увидеть ту, которую я ждал всю жизнь.

/*Татаров.*/ Ты ее увидишь. Послезавтра в отеле Лянтерн.

Барка. Колоть надо в горло.

Кизеветтер. Я не хочу!

Бросается на Барку. Тот ударом кулака сваливает его с ног.

Занавес.

358.2.76. Л. 60—62 об.

В посольстве

Посол. Вот так штука капитана Кука! Ничего не понимаю. Расскажите, что с ним происходит.

Врач. Это явление, в общем, редкое, но довольно частое.

Посол. Я весь — внимание.

Врач. Товарищ Федотов старый фронтовик.

Посол. Знаю.

Врач. Он был много раз ранен. Не много, но, в общем, много. И, кроме того, он был контужен.

Посол. Знаю.

Врач. И это бывает. Товарищ Федотов был контужен в тот момент, когда собирался выстрелить из револьвера. То есть вот так: он готов был нажать курок, а в это время разрыв неприятельского снаряда.

Посол. Ужасти.

Врач. Вся воля пациента была направлена к произведению выстрела. Но контузия помешала выстрел произвести.

Посол. Вот какая философия. Понимаю. (Звонит.) Товарища Федотова. Ясно, как шоколад.

Врач. И теперь у него раз примерно в год под влиянием какой-нибудь психической травмы — гнева, сильного раздражения — происходит припадок. Понимаете ли: желание выстрелить...

Посол. Ясно, как апельсин.

Входит Федотов.

Здравствуйте, молодой человек красивой наружности и ловкого телосложения. Красавец, вам надо в больницу.

Федотов молчит.

Вам надо в больницу, Саня.

Федотов. Да... черт его знает! Это пройдет.

Посол. Или пойдите в уборную, запритесь и выстрелите.

Федотов. Все дело в том, Михаил Сергеевич, что мне хочется выстрелить в человека.

Посол. Вот так фунт. Вы мне всех сотрудников перестреляете.

Врач. Товарищ Федотов, вам надо полежать дня три. Это подсознательное. Тут следует надеяться на благотворную помощь сновидения. Вам может присниться, что вы выстрелили в кого-нибудь, и тогда вы будете здоровы, не здоровы, но в общем — здоровы.

[*Федотов.* Вы предлагаете какой-то идеалистический способ лечения.]

Посол. И грубый у тебя вид какой-то, Саня.

Федотов. Да ччерт его знает.

Посол. Ты на улицу не показывайся. Лошади, то есть такси, пугаться будут. Ну, идите. Мое вам с кисточкой.

Уходит /врач/.

Да! А револьвер-то при тебе? Немедленно сюда. Надо быть идиотом... Клади пушку сюда. А я и стрелять как — забыл. Сто лет не стрелял. Когда тебя контузили, я в штабе дивизии был. В бою при Касторной[53].

Звонок телефона.

Весь внимание. Пожалуйста. Десять минут свободен. (Занят бумагами.)

Курьер. К вам, Михаил Сергеевич. Я говорю, что приема нет.

Посол. Пусти. Это из Москвы, артистка.

Входит Леля.

358.2.74. Л. 15—16

«Список благодеяний»

Эта сцена в окончательную редакцию не вошла.
Тибо, Нантейль — актеры.
Сантиллан, Фукье, Рондель — рабочие.
/Буфетчик./

Буфетчик. Ее мучили?

Тибо. Да.

Буфетчик. Пытали?

Молчание.

Господин Тибо, вы слышите вопрос?

Тибо. Что?

Буфетчик. Ее пытали?

Тибо. Я вам прочту. Статья называется так: «Тайна советской интеллигенции в обмен на парижское платье».

Входит Леля.

1-й Завсегдатай. Актеры пришли!
2-й Завсегдатай. Тибо пришел!
3-й Завсегдатай. Музыки, господа! Музыки!
Тибо. Мы будем репетировать у тебя.
[*Буфетчик.* Пожалуйста.]
Нантейль. Тибо, смотри, салат какой. Давай съедим салату.
Тибо. Дай нам салату.
1-й Завсегдатай. Выпей рюмку, Тибо.
Тибо. И рюмку. Спасибо.
Буфетчик. Нантейль цветет как роза.

Актеры репетируют. Входит Федотов.
Входит Леля. Входит Сантиллан.Облава.

358.2.81. Л. 73—74

У канавы

Рассвет. Дорога. Домики, стена.
Вдали очертания огромного города.
Путь фонарщика. Гасит фонарщик фонари.
Идет по насыпи Леля.

Фонарщик. Куда идешь?

Леля не отвечает.

Остановись, поболтаем.

Леля идет, не отвечая.

Глухая идет или мертвая. [...Может быть, смерть идет. (Кричит.) За кем идешь, смерть?]
Леля. Кто меня зовет?
Фонарщик. Мертвая заговорила.
Леля. Ты фонарщик?
Фонарщик. А ты хочешь, чтобы я был могильщиком?

Леля молчит.

Кто ты? День наступает. Мертвые ходят ночью. На рассвете умирают живые. Ты смерть?

Леля не отвечает.

За кем идешь, смерть?
Леля. Я не смерть.

Фонарщик. А кто ты?

Леля. Нищая.

Фонарщик. Ого, ты хочешь есть?

Леля. Да.

Фонарщик. Значит, ты идешь не в ту сторону.

Леля. А куда мне идти?

Фонарщик. Обратно.

Леля. В город?

Фонарщик. Сегодня все голодные идут в город. Слышишь? Чего тебе одной ходить? Всем вместе веселей. С музыкой. Садись и жди.

Леля. Я должна идти.

[Удаляется фонарщик. Леля одна. Сидит на камне.
Из-за стены появляется маленький человечек
в штанах с бахромой. Черные усики, шевелюра.
Идет вдоль канавы, размахивая тросточкой.]

Фонарщик. Куда же идешь?

Леля. В Россию.

Молчание.

Фонарщик. Эге, старушка. Ты не в своем уме. Тебя, видно, за пьянство и с работы прогнали. Полежи в канаве и протрезвись. Там ромашки цветут, не бойся, и съестного можно найти. А пьяную тебя безработные с собой не возьмут. Они трезвые и строгие. Прощай.

Фонарщик удаляется.
Леля стоит. Затем идет, делает несколько
шагов и падает на краю насыпи.
Вылезает из канавы маленький человечек
в штанах с бахромой, черные усики, шевелюра,
палочка в руке, грубые большие башмаки.
Садится на камень. В руке старый измятый котелок.
Рассматривает его под фонарем.
<...>

Фонарщик. <...> Я потушу фонарь.

Человечек. <...> Подожди. Дай рассмотреть находку. А ну-ка. (Надевает котелок.)

Фонарщик. Вот теперь сразу видно: артист.

Удаляется фонарщик. Человечек
[вынимает флейту, дует, играет печально и слабо].
Идет вдоль канавы. Нагибается.
Лежит Леля. Поднимает Лелю.

Человечек. Шел в канаву, попал в могилу. Искал золото, нашел кость. (Кричит.) Могильщик! Могильщик! Вернись, я мертвую нашел!

Леля (приходит в себя). Кто это? Где я?

Человечек. Это дорога в Валеруа.

Леля. Ночь. Господи, как темно. Телега раздавила мне ноги. Нет, нет. Это показалось, потому что я долго шла. Спасибо. Что бы я делала без ног? Помогите мне подняться. У меня глиняные ноги. Я пойду дальше.

Человечек. Куда?

Леля. Я иду в Россию.

<...>

Человечек. Все безработные — большевики.

Леля. Я тоже большевичка.

Человечек. Будем ждать безработных здесь. Сядем на камни. Если вы нищая, вам надо беречь обувь. Весну сберечь нельзя, а обувь сберечь можно. Я помогу вам снять обувь. У вас сбиты ноги. Я тоже безработный. Я был артистом.

Леля. Артистом?

Человечек. А теперь я ночую в канавах. Канава — это не так плохо. Там цветут ромашки. В некоторых можно найти съестное. Вчера я спал в поле, три дерева стояли надо мной. Я проснулся ранним утром, деревья оказались молодыми, они зевали и потягивались вместе со мной.

358.2.79. Л. 6—9

<...>

[*Леля*. Я предала их!

Человечек. Вы служили в полиции?

Леля. Нет.

Человечек. Вы срывали забастовку?

Леля. Нет.

Человечек. У вас была фабрика?

Леля. Нет. У меня никогда ничего не было.

Человечек. Почему же вы считаете себя предательницей рабочих?

Леля. Как я могу предстать перед ними? Мне еще так много нужно делать... что-то сделать, чтобы искупить свое преступление...]

Все ближе поход.

Человечек. Вставайте! Они идут!

Леля. Объясните им... Скажите, что я... какой угодно ценой...

Человечек бежит наверх.

Леля одна.

Человечек. Товарищи! Возьмите нас с собой!

1-ый безработный. Мы не берем бродяг.

Вступают безработные на вал.

Оркестр. Трубы. Факелы.

Человечек. Внизу лежит голодная женщина.

1-ый безработный. Она может идти?

Леля (снизу). Могу!

Леля стоит.

2-ой безработный. Осталось десять километров пути. У тебя хватит сил?

Леля. Я могу пройти десять тысяч километров.

1-ый безработный. Ты член союза?

Леля. Да!

358.2.79. Л. 15

<...>

[*Леля.* Спасибо. Вы так добры ко мне. Кто вы?

Человечек. Я тоже безработный. Я был артистом.

Леля. Артистом.

Человечек. Я был великим артистом.

Леля. Я хочу увидеть ваше лицо. У меня туман в глазах.

Человечек. Я зажгу спичку.

Чиркает. Ничего не получается.

Отсырели спички в канавах.

Леля. Неужели я так и не уви...

Слышен дальний шум похода. Музыка.

<...>

Леля. Я вижу, что вы тот, кого я ждала всю жизнь. Вы Чаплин? Так вот, как мы встретились с тобой, маленький человечек... Я была молодая, красивая. И вот что со мной стало. Далеко-далеко, в старом доме, в комнате, где я спала [и думала, и видела во сне] и где собирались мои друзья, висел твой портрет на стене... Я принесла тебе клятву стать такой, как ты. Я мечтала о встрече с тобой. Я знала, что только тебе можно пожаловаться и что только ты поймешь меня, потому что ты лучший человек на земле. У меня украли мою жалобу, и превратили ее в камень, и раздавили этим камнем мою жизнь... Видишь, я стала нищей...

Человечек. Я тоже нищий.]

358.2.79. Л. 17—18

<...>

Шествие движется. Человечек задержался.

Человечек (кричит Леле). Поднимайтесь! Поднимайтесь!

Выходит из толпы фонарщик.

Фонарщик. Кого ты зовешь, человечек?

Человечек. А, здравствуй, фонарщик! Тебе, я вижу, надоело зажигать фонари?

Фонарщик. Нет, мне надоело тушить злобу. Ну что? Ты поел тогда супу? Оставил на ужин?

Человечек. Нет, понимаешь ли, съел все сразу.

Фонарщик. Ничего! Сейчас мы славно пообедаем!

Человечек. Тогда возьмем с собой еще одну голодную.

Фонарщик. Где она?

Леля стоит внизу, прямая, всклокоченная, босая.

Эй, старуха, ты пойдешь с нами?

Леля. Если вы простите меня.

Фонарщик. Кто ты?

Леля. Предательница.

Фонарщик. Кого ты предала?

Леля. Вас.

Фонарщик. Поднимись сюда, я плохо тебя понимаю.

Леля всходит на вал.

Эх ты, человечек, — вот видишь, она тебя накормила супом, а сама от голоду помешалась.

Человечек. Я, понимаешь ли, флейтист, и вся моя [память] внимание держится в пальцах. И я потому не узнал ее.

Фонарщик. А я, понимаешь ли, фонарщик, и вся моя [память] внимание держится в глазах. Потому я узнал ее сразу. Идем. Веди ее.

Человечек. У вас хватит сил идти?

Леля. Хватит.

Человечек. Три километра!

Леля. Я хотела пройти три тысячи!

Человечек. Идем!

Идут безработные.
Марш.
Конец сцены.

358.2.79. Л. 27—28

Рассвет. Дорога. Насыпь. Домики.
Вдали очертания огромного города.
Гаснут фонари. Фонарщик гасит фонари.
Идет по насыпи Леля.

Фонарщик. За кем идешь, смерть?

Леля. Ты фонарщик?

Фонарщик. А тебе хочется, чтобы я был могильщик?

Леля. Ты весел, и тебя можно принять за могильщика.

Фонарщик. Я сплю днем и потому весел ночью. А разве могильщики — веселые?

Леля. Я видела двух веселых могильщиков.

Фонарщик. Где?

Леля. В одной пьесе, когда была артисткой.

Фонарщик. Что это за пьеса, в которой участвуют могильщики?

Леля. «Гамлет».

358.2.79. Л. 1

ПРИМЕЧАНИЯ

1. Чукоккала: Рукописный альманах Корнея Чуковского. М., 1999. С. 235.
2. Ф. 358. Оп. 2. Ед. хр. 70. Л. 35.
3. Ф. 358. Оп. 2. Ед. хр. 69. Л. 1.
4. Приведу выразительную и драматичную дневниковую запись Олеши, точно описывающую внешний вид его черновиков: «Я садился к столу, на котором лежала кипа бумаги, брал лист и, написав одну-две строки, тотчас же зачеркивал их. Тут же я повторял то же начало с некоторыми изменениями и опять все зачеркивал. Зачеркнутой оказывалась вся страница. Причем я зачеркивал не просто, а почти рисуя. Страницы получались красиво зачеркнутыми, производящими такое впечатление, как будто все живые строчки на них закрыты решеткой. Близкий человек смотрел на эти страницы со слезами» (*Олеша Ю.* Книга прощания. С. 311).
5. Под рубрикой: Писатели о себе // На литературном посту. 1929. № 4/5, февраль—март. С.120.
6. В беседе с автором в январе 1998 г.
7. Авантекст как «совокупность черновиков: рукописей, набросков, вариантов, сценариев, планов, рассматриваемых как материальные предшественники текста, системно с ним связанные» (Генетическая критика во Франции: Антология. С. 283).
8. Под лозунгами творческой перестройки: Год работы московских театров (На докладе тов. Млечина в Теаклубе) // Советское искусство. 1931. 23 июня.
9. Ф. 358. Оп. 2. Ед. хр. 69. Л. 11.
10. «Ничего наперед придумать не могу. Все, что писал, писал без плана: пьесу даже и детский роман...» (*Олеша Ю.* Книга прощания. С. 102).
11. См., например: «У Олеши принципиально нет плана» (*Шкловский В.* Мир без глубины: Юрий Олеша // Шкловский В. Гамбургский счет. М., 1990. С. 482).
12. *Олеша Ю.* Книга прощания. С. 28—29.
13. См. свидетельство Татьяны Есениной: *Есенина Т.* О В.Э. Мейерхольде и

З.Н. Райх: Письма К.Л. Рудницкому / Публ. Н. Панфиловой и О. Фельдмана // Театр. 1993. № 2. С. 101.

14. Ф. 358. Оп. 2. Ед. хр. 72. Л. 30.
По-видимому, труппа в самом деле пристрастно следила за тем, как репетирует З. Райх роль Гончаровой. В стенной газете ГосТИМа «Мейерхольдовец» сохранилась негодующая заметка неизвестного автора, рассказывающая, как на одной из репетиций «Списка» З. Райх, сорвавшись, потребовала, чтобы все присутствующие покинули зал.

15. Ф. 358. Оп. 2. Ед. хр. 72. Л. 32.

16. *Есенина Т.* О В.Э. Мейерхольде и З.Н. Райх. С. 82.

17. См. замечательное олешинское размышление о фамилиях героев пьес Островского: *Олеша Ю.* Ни дня без строчки. М., 1965. С. 211.

18. Кизеветтер Александр Александрович (1866—1933), известный русский историк и политический деятель, член кадетской партии. Выслан из России в 1922 году на знаменитом «философском корабле».

19. Об «академическом деле» см. далее: наст. изд., примеч. 30 к главе 3.

20. И.Л. Татаров был учеником и сотрудником знаменитого историка М.Н. Покровского. Сохранились его дневниковые записи за 1930 год, время острейшей идеологической борьбы вокруг Покровского. См. об этом: *А.Н. Артизов* М.Н. Покровский: финал карьеры — успех или поражение? // Отечественная история. 1998. № 2. С. 142—143.

21. «Только то пальтишко, в котором вы сидели на скамье на бульваре Сен-Мишель, когда я вас увидела впервые, только это пальтишко — вот все, что явилось сюда из вашего прошлого...» (Ф. 358. Оп. 2. Ед. хр. 75. Л. 15 об.).

22. Беседовский Григорий Зиновьевич (1896—1949), с мая 1927 года — советник полпредства в Париже. В октябре 1929 года остался во Франции. Судя по сохранившимся в архиве Мейерхольда телеграмме и письму Беседовского (Ф. 998. Оп. 1. Ед. хр. 1176), они были знакомы. После бегства из России Беседовский выпустил книгу «На путях к Термидору» (1931). Позже, в конце 1930-х, стал автором выразительного предисловия к книге Евг. Замятина (см. воспоминания К. Видре о Фриде Вигдоровой // Звезда. 2000. № 5. С.113).

23. Довгалевский Валериан Саулович (Самуилович) (1885—1934). По образованию инженер, революционер, дипломат. В 1924—1927 годах — советский полпред и торгпред во Франции, в 1928—1934 годах — полпред в Париже.

24. Ф. 358. Оп. 2. Ед. хр. 73. Л. 36.

25. Махно Нестор Иванович (1889—1934), в начале 1919 года военачальник Южного фронта. 29 мая 1919 года выступил против советской власти и был объявлен вне закона. Тем не менее в октябре 1919 года конный отряд Махно участвовал в разгроме врангелевцев (в соответствии с так называемым «Старобельским соглашением»). Численность «Повстанческой армии» Махно, опиравшейся на недовольство крестьян политикой «военного коммунизма», доходила до 35 000 человек. В 1921 году Махно бежал в Румынию, затем — во Францию. Умер в Париже.

26. Татаров говорит о ссылаемых на лесоповал крестьянах. Слухи об этом доходили до европейской эмиграции. Напомню, что еще в 1929 году «было осуждено 182 тыс. кулаков, примерно треть числящихся в стране. Лето и осень 1929 года проходили под лозунгом увеличения давления на кулака»

(цит. по: Неуслышанные голоса: Документы Смоленского архива. Книга первая. 1929 / Сост. Сергей Максудов. Ann Arbor, 1987. С. 34. См. также: *Гинцберг Л.И.* Массовые депортации крестьян в 1930—1931 годах и условия их существования в северных краях (по материалам «особых папок» Политбюро ЦК ВКП(б) и «комиссии Андреева») // Отечественная история. 1998. № 2. С. 190—196.

27. Ф. 358. Оп. 2. Ед. хр. 73. Л. 20.

28. Имеется в виду «первый вариант» диалога о роли театра и его взаимоотношениях с властями. См. наст. изд., раздел Б в главе 2.

29. Речь идет о сцене Лели, Лизы и Маши за кулисами театра перед приездом «вождя» и «друга театра» Филиппова (Ф. 358. Оп. 2. Ед. хр. 70. Л. 13). См. наст. изд., раздел Б в главе 2.

30. В одном из набросков есть монолог Татарова, обращенный к Леле: «Европу ничем не удивишь. Здесь Махно живет. Подумайте: Махно. На лице у него сабельный шрам. Стеклянные глаза. Этот человек собственно/ручно/ убил не меньше трехсот человек. Махно — подумайте. Легенда. А Париж даже не обращает на него внимания. А вы думали, что вы станете здесь — легендой» (Ф. 358. Оп. 2. Ед. хр. 76. Л. 45).

31. Числа «точного плана работы» относятся к марту 1930 года. См. наст. изд., глава 3.

32. Персонаж, пока что носящий фамилию Долгопятов, — это будущий Татаров, эмигрант-провокатор, соблазняющий Лелю прелестями европейской жизни. Гермафродит — будущий Улялюм.

Судя по тому, что упоминаются звенья сюжета, которых нет в известном тексте пьесы (съезд и оркестр безработных), записи могут относиться ко времени работы Олеши над «Списком благодеяний» в Ленинграде. Именно к середине марта 1930 года он надеялся окончить шлифовку вещи и прочесть ее Мейерхольду.

33. Имя персонажа (Марсель Тибо) отсылало, по-видимому, к имени известного французского писателя левой ориентации Роже Мартену дю Гару (1881—1958), автору романа-хроники «Семья Тибо». Из контаминации фамилии героя романа и несколько переиначенного имени его автора и появилось имя персонажа пьесы.

34. Определение жанра пьесы как «патетической мелодрамы» и новая сцена «У Татарова» появляются предположительно в апреле 1931 года.

35. Пьеса Б. Ромашова, соединившая в фабуле сколки с «Дней Турбиных» М. Булгакова и «Любови Яровой» К. Тренева одновременно. Семья адвоката и актрисы, застигнутая 1917 годом, сын-белогвардеец и дочь, уходящая к большевикам, а в последнем акте сын, загадочным образом вернувшийся из эмиграции в Россию, становится еще и диверсантом-вредителем. Премьера «Огненного моста» состоялась в Малом театре 28 февраля 1929 года.

36. Стихотворение «О, волшебная минута...» публиковалось ранее в журнале «Смехач» (в числе нескольких миниатюр, объединенных заголовком «В цирке»), под псевдонимом Зубило. См.: *Олеша Ю.К.* Альбом со стихотворениями... (Ф. 358. Оп. 1. Ед. хр. 21. Л. 14).

37. В прежних переводах Шекспира вместо привычного сегодня названия «Ромео и Джульетта» имя героини звучало как «Юлия».

38. Острое ощущение утраченной почвы было выражено Н. Эрдманом в

«Мандате» (1925). Ср.: «Но больше всего мы любили Россию. И что же мы видим — ее нет. Ее подменили, ее выдернули из-под наших ног, и вот мы повисли в воздухе. Ваше высочество, я вишу в воздухе, я теперь человек без веса. Да, ваше высочество, мы лишились веса, и все мы повисли в воздухе...» (Ф. 963. Оп. 1. Ед. хр. 440. Л. 188. Явление 22).

Но мысль, которая у Эрдмана была окрашена скорее иронической интонацией, у Олеши звучала драматически.

39. Гиш Лилиан (1896—1993), американская киноактриса. Самые известные ее работы связаны с творчеством режиссера Д.У. Гриффита. Создавала образы чистых, наивных, беззащитных девушек (что в тексте пьесы Олеши давало определенный штрих для образа Лели Гончаровой).

40. Вассерман Альберт (1867—1952), немецкий актер. С 1909 года играл в Национальном театре Рейнхардта. Известность получил благодаря значительным работам в пьесах Шекспира (Лир, Отелло, Шейлок и др.). С 1915 года до конца жизни был актером-гастролером.

41. Павлова Анна Павловна (Матвеевна; 1881—1931), балерина. После участия в «русских сезонах» Дягилева в Париже гастролировала с собственной труппой во многих странах мира.

42. Стравинский Игорь Федорович (1882—1971), композитор и дирижер. С 1910 до 1939 года жил в Париже.

43. Один из вариантов этой сцены впервые опубликован: *Гудкова В.* В борьбе с самим собою: «Список благодеяний» Ю. Олеши // Russica Romana. 1998. Roma. Vol. 5. S. 165—187.

44. Ср. в рассказе «Мой знакомый»: «От меня ушли мелкие чувства...»

45. Ср. в рассказе «В мире»: «Я увидел нищего не сразу. <...> Он стоял на коленях, выпрямив туловище, черный, неподвижный, как истукан».

46. Ср. в рассказе «Мой знакомый»: «Он произносил слова: невеста, жених, жизнь, душа, награда. Мы не только слышали их, — мы их видели! Они испускали лучи, их можно было нести в руках, как хрустальные сахарницы. Они жили — эти слова — как природа, как деревья, образовывали ландшафт, возвышенный и печальный, как встреча или расставание с родиной. И все это оказалось ложью. И все это исчезло, испарилось, развеялось по ветру. И не успели разлететься последние листья, как мы уже прошли по ним без всякого сожаления».

47. Ср.: «Для миллионов граждан России, ставшей советской, принадлежащих к свергнутым слоям, <...> а шире — всех состоятельных людей, у которых было что отнять, — это означало преследования по принципу социального происхождения, характерные для всех революций. Большинство этих людей, отнесенных к категории "бывших", было обречено на потерю фундаментального для человека признака — собственного места в мире. Эта тотальная утрата складывалась из двух основных компонентов: во-первых, из лишения своего дома, что означало потерю собственной социальной среды, той «ниши», в которой они родились и нашли свое место в мире; во-вторых, из утраты правового статуса, традиционно выступавшего как выражение социальной защиты со стороны власти; отныне они оказались беззащитны перед любой угрозой, а власть вместо защиты только преследовала их за то, чем они непоправимо были — рожденными в «плохом» классе» (*Черных А.* Становление России советской: 20-е годы в зеркале социологии. М., 1998. С. 261).

48. Трудно не заметить перекличку с повестью М. Булгакова «Собачье сердце» (1925), где персонаж тоже «вообразил себя человеком». Хотя повесть была запрещена к публикации, известно, что Булгаков читал ее среди друзей, а Олеша в те месяцы бывал в доме Булгаковых.

49. «Гамлет» в самом деле исчез со столичных театральных подмостков почти на четверть века и вернулся (со знаменитыми спектаклями Г. Козинцева и Н. Охлопкова) лишь после смерти Сталина, накануне XX съезда партии, на исходе 1954 года. (См. изложение рассказа Пастернака об оценке Сталиным «Гамлета» как «упадочной пьесы», которую «не следует ставить вообще», в кн.: *Берлин И.* История свободы. Россия. М., 2001. С. 464—465.)

В последний раз перед исчезновением пьесы Шекспира из репертуара режиссерский проект постановки «Гамлета» обсуждался в конце марта 1931 года, именно в те дни, когда начинались репетиции «Списка благодеяний» (спектакль Н. Акимова вышел к зрителям 19 мая 1932 года). Но этот Гамлет был интриганом, алчущим власти, дерущимся за престол, то есть решался вне русской традиции прочтения, в определенном смысле не был Гамлетом вовсе. Стало быть, последним воплощением Гамлета на русской сцене, о котором не могли не помнить зрители мейерхольдовского спектакля, оставался Гамлет «невозвращенца» Михаила Чехова.

50. В конце 1920-х годов люди без специального образования, «от сохи» и «от станка», могли быть назначены на самые неожиданные высокие посты «в порядке выдвижения». Определяющими факторами становились социальное происхождение и безоговорочная лояльность кандидата. (Ср. приводимую в дневниках М. Пришвина запись о «вобле-выдвиженке».)

51. Ср. формулу М. Пришвина: «Революция — это грабеж личной судьбы человека» (*Пришвин М.* Дневник писателя / Публ. Л.К. Рязановой // Октябрь. 1989. № 7. С. 179. Запись от 24 ноября 1930 года).

52. В литературе тех лет часты упоминания о «беспокойных» (либо «тревожных») глазах граждан нового мира. Эпитет передает нервозность, неустойчивость самоощущения человека, утратившего ясность представлений о мире и о своем будущем в нем.

53. Олеша вводит упоминание о реальном сражении: атаке Буденного у ст. Касторной в ноябре 1919 г., незадолго до взятия Харькова частями Красной армии.

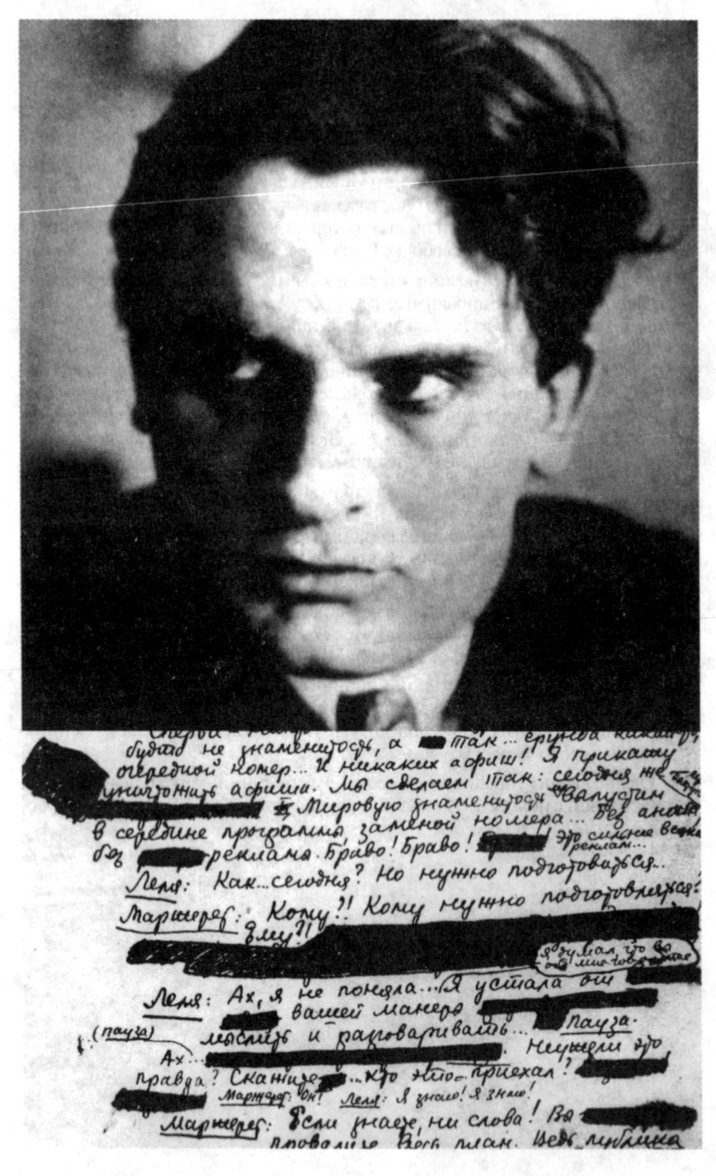

будто не знаменитость, а [illegible] так... ерунда какая-то,
очередной номер... И никаких афиш! Я прикажу
уничтожить афиши. Мы сделаем так: сегодня же
[illegible] Мировую знаменитость выпустим
в середине программы заменой номера... Без анонса
без [illegible] реклама. Браво! Браво! [illegible] Это сильнее всех реклам...

Леля: Как... сегодня? Но нужно подготовиться...

Маржерет: Кому?! Кому нужно подготовляться?
Зрителю?!

Леля: Ах, я не поняла... Я устала от [illegible]
[illegible] вашей манеры [illegible]
мыслить и разговаривать... пауза.
(пауза) Ах... [illegible]. Неужели это
правда? Скажите [illegible]... кто это приехал? [illegible]
Маржерет: Он! Леля: Я знаю! Я знаю!

Маржерет: Если знаете, ни слова! Вы [illegible]
провалите весь план. Вся публика

Фрагмент рукописи Ю. Олеши (сцена «В Мюзик-холле). 1931 г.

Глава 3

«В борьбе с самим собой...» К истории текста «Списка благодеяний»: замысел пьесы, трансформация сюжета, цензурные приключения

Сложное положение дел с репертуаром, проще говоря, отсутствие пьес в театре Мейерхольда на рубеже 1920—1930-х годов ни для кого секретом не было.

Виктор Шкловский писал, что конструкции спектаклей у Мейерхольда «дивертисментны», а сам театр «как будто умышленно обходится без пьес или с пьесами нулевого значения»[1]. Еще резче формулировал Н. Берковский, утверждая, что Мейерхольд «борется с семантикой автора» (и разбирал это на примере «Ревизора»: «заплечный мастер», «хрустят кости» автора, — такими были метафоры Берковского). «Нельзя не тревожиться о судьбе трактовки Мейерхольдом всего дальнейшего репертуара...»[2]

Уже произошли — и стали достоянием общественности — ссоры Мейерхольда с А. Файко, И. Эренбургом, И. Сельвинским, вскоре начнутся расхождения с Вс. Вишневским, М. Зощенко. И хотя у каждого конфликта режиссера с драматургом были, бесспорно, свои причины, но в результате и без того ограниченный круг возможных авторов сужался. М. Булгаков на просьбы Мейерхольда о пьесе отвечает отказом[3]. Эрдмановского «Самоубийцу» и «Хочу ребенка» С. Третьякова ставить не разрешают. Большинство же действующих драматургов режиссеру неинтересны, от А. Афиногенова, Б. Ромашова, В. Киршона и пр. до А. Толстого и В. Катаева. Между тем современная, живая пьеса ему необходима.

«Мейерхольд в <...> стадии удачи, но эту удачу нужно сменить другой удачей, мейерхольдовской же. Театр Мейерхольда пришел к необходимости иметь свою драматургию»[4], — полагает тот же наблюдательный Виктор Шкловский.

В эти месяцы «мейерхольдовская» пьеса уже заказана. Ее пишет Юрий Олеша.

«Будущим любителям мемуарной литературы сообщаю: замечательнейшим из людей, которых я знал в моей жизни, был Всеволод Мейерхольд, — записывает в дневнике Олеша 20 января 1931 года. — В 1929 году он заказал мне пьесу.

В 1930 году в феврале — марте я ее написал.

Зимой 1931 года он стал над ней работать.

Я хочу написать книгу о том, как Мейерхольд ставил мою пьесу.

Пьеса называется "Список благодеяний"»[5].

Книгу эту Олеша не написал, и теперь никто не сумеет сделать это так, как он, друживший с Мейерхольдом, подолгу живший у него на Брюсовском и даче, проведший многие часы в общих разговорах[6]. Но историю рождения пьесы и спектакля можно попытаться восстановить.

Полагая, вслед за Б.В. Томашевским, безусловным корректность разделения истории печатного текста пьесы и истории ее сценического текста, сосредоточимся на истории сценического текста «Списка благодеяний», оставив историю ее печатного текста за рамками данной работы.

Единственный экземпляр ранней редакции «Списка благодеяний» сохранился не в архиве писателя, а в фондах Главреперткома. Пьеса была отправлена Вс. Мейерхольдом в цензуру в конце октября 1930 года К.Д. Гандурину, тому самому, кого прославила эпиграмма Маяковского:

Подмяв моих комедий глыбы,
сидит Главреперткомом Гандурин.
А вы ноктюрн сыграть могли бы
на этой треснувшей бандуре?

Подмят был и «Список благодеяний». Ранняя его редакция была подвергнута многочисленным цензурным вмешательствам (о которых речь пойдет ниже).

Кроме этой редакции сохранилось еще несколько машинописных экземпляров «Списка благодеяний», появившихся во временном промежутке с конца октября 1930 года по сентябрь 1931 года (один из личного архива Вс. Мейерхольда, пять из фонда ГосТИМа, наконец, еще один — из личного фонда М.М. Коренева, ассистента Вс. Мейерхольда на репетициях «Списка»). Все они хранятся в РГАЛИ.

Приведу перечень сохранившихся текстов пьесы:

Архив ГРК.

Ф. 656. Оп. 1. Ед. хр. 2198.

Машинопись с пометами цензора.
Датирована 31 октября 1930 года.

Архив Мейерхольда.

Ф. 998. Оп. 1. Ед. хр. 237.
Режиссерский экземпляр. Датирован 17 марта 1931 года.
Машинопись с пометами Вс. Мейерхольда и Ю. Олеши.
Отмечены купюры ГРК.

Архив ГосТИМа.

1. Ф. 963. Оп. 1. Ед. хр. 709.
Машинопись с правкой Ю. Олеши.
Промежуточный вариант текста:
от варианта Ф. 656. Оп. 1. Ед. хр. 2198
к варианту Ф. 963. Оп. 1. Ед. хр. 712.

2. Ф. 963. Оп. 1. Ед. хр. 708.
Рукописи и машинопись с правкой и дополнениями Ю. Олеши.
Машинописные варианты — это сцены Пролога,
фрагмент сцены «Тайна» (эпизод с Дуней)
и практически вся сцена «В Мюзик-холле».
Все же прочие: «Тайна», «Приглашение на бал»,
«У портнихи», «У Полпреда», «У Татарова» (после которой
идет эпизод «На дороге» — развернутый диалог Лели
с Человечком), «Просьба о славе» — рукопись Ю. Олеши.

3. Ф. 963. Оп. 1. Ед. хр. 712.
Машинопись с многочисленными пометами М.М. Коренева.
Второй экземпляр той же перепечатки, что и текст из архива
Вс. Мейерхольда (Ф. 998. Оп. 1. Ед. хр. 237).
В экземпляр вложены три вставные тетради с окончательными вариантами сцен.

4. Ф. 963. Оп. 1. Ед. хр. 710.
Машинопись. Датирована 13 сентября 1931 года.
Отмечены некоторые сокращения.

5. Ф. 963. Оп. 1. Ед. хр. 711.
Машинопись. Суфлерский экземпляр.

6. Ф. 963. Оп. 1. Ед. хр. 713.
Машинопись. Тексты ролей.

Архив М.М. Коренева.

Ф. 1476. Оп. 1. Ед. хр. 49.
Машинопись с пометами М.М. Коренева.
Датирована 27.V11.31 г., Киев.

Архив Ю.К. Олеши.

Ф. 358. Оп. 2. Ед. хр. 84.
//Список благодеяний. Красная новь. 1931. № 8.

Рукописных цельных вариантов пьесы в личном фонде писателя не сохранилось.

***

Упоминание о «новой пьесе» Олеши, позволяющее приблизительно датировать начало работы над ней, находим в выступлении Мейерхольда 23 сентября 1929 года на обсуждении «Бани» В. Маяковского. Олешу «поражает доступность всей драматургической концепции, которой владеет Маяковский. Еще недавно мы говорили с Олешей, и он больше всего мучился над тем (он пишет сейчас свою новую пьесу), что он считает, что нужно со сцены говорить таким языком, который был бы понятен всякому — и высококвалифицированному зрителю, и еще недоквалифицировавшемуся. Это весьма важно — нащупать простой язык»[7].

Возможно, речь идет еще не о реальной «работе над текстом», а лишь об обдумывании замысла. Важно то, что работа ведется, по словам Олеши, по заказу Мейерхольда. Но тогда вполне допустимо предположение, что замысел пьесы обсуждался вместе с режиссером уже на самых ранних этапах.

Следующая дата, фиксирующая уже некие результаты работы (отрывок из будущей сцены «Тайна»), отыскивается в архиве друга Олеши, А.Е. Крученых. Запись олешинской рукой: «Может быть, будет пьеса, благословленная Круч/ены/хом. Это одна из вариантных страниц. 22 января 1930 г. Москва. Ю. Олеша»[8]. То есть пьеса была начата в Москве.

В архиве писателя сохранился недатированный листок из тетради, на нем — текст отправленной телеграммы:

«Ленинград. “Европейская”. Мейерхольду.

Обнимаю приветствую начинаю писать пьесу для вас мой дорогой и великий друг»[9].

Уточняют время работы над пьесой открытки и телеграммы Олеши к жене, О.Г. Суок[10], из Ленинграда в Москву, за февраль—март 1930 года (цитируются лишь выдержки, имеющие прямое отношение к пьесе).

24 февраля Олеша пишет: «Пока не сделаю того, что решил, не приеду, хоть лопни. Имей в виду: выйти должно замечательно. Ведь это трудно так потому, что это первая пьеса, которую я пишу по совершенно новому материалу. Какая роль для Райх! Что она поделывает, эта мадам. Кланяйся ей».

На полях: «Я, кажется, привезу великое произведение? А вдруг это крах, и я уже утратил чувство контроля?» (Л. 1).

25 февраля отправляется телеграмма:

«Может быть привезу всю пьесу» (Л. 5).

8 марта 1930 года — вновь открытка: «Это уже совершенно точно: Приеду 15 или 16-го марта с готовой пьесой» (Л. 7).

Ю.К. Олеша и О.Г. Суок. 1931 г.

9 марта. (Дата на открытке не совсем различима): «<...> Я — худой, злой, мешки под глазами, перебои, плохо сплю. Вероятно, от табаку и усталости. Пьеса будет, может быть, посвящена тебе, хотя я уже обещал посвятить Зощенке. Она, между нами говоря, говно. <...> Героиню пишу пополам с тебя и Зинаиды. Что это значит: "они, правда, ждут с нетерпением" и "кому ты ее дашь". Ведь это же им пьеса! Они должны ее ждать, задыхаясь!

Не обижай Симу[11]. Я ее очень люблю. "Вы две половины моей души". (Это из пьесы.)» (Л. 6).

15 марта одна за другой отправляются две открытки. В первой из них Олеша пишет: «Страшное изменение: думал, что 15—16, а теперь 18—19. Что делать! Не могу приехать без готовой вещи. Только два

дня!! Не сердись. Сегодня пишу письмо Мейерхольду!» На полях приписка: «Только пьеса задерживает, вот стерва!» (Л. 8).

Во второй открытке: «Пьесу кончаю не сегодня —» (на тире текст оборван, видимо не дописано: «завтра». — *В.Г.*) (Л. 9).

16 марта он пишет: «Я так хочу скорей, скорей закончить — понимаешь? — потому что

Тема висит в воздухе!

и не сегодня завтра любая сволочь огласит что-нибудь подобное, испортит, опоганит!! То и дело то тут, то там появляются намеки на то, что кусок темы уже кем-то поедается. Я хочу закончить и немедленно опубликовать беседу, отрывки — чтоб не было никаких разговоров. Итак: сегодня 16 — работа весь день, завтра 17 — тоже, 18 тоже. Может быть, выеду девятнадцатого. Вернее всего. <...> Я хочу прочесть ее Федину, Зощенке, Казике[12], Бережному[13], Либединскому[14] и пр. У меня для пьесы есть 10 названий Мейерхольду на выбор» (см. об этом в главе 2. — *В.Г.*) (Л. 13).

Во второй открытке того же дня: «Я так много разболтал здесь по своей дурацкой привычке иметь дело с литературной мелкотой! Меня обворуют здесь! Я теперь в ужасе. А может быть, пьеса дрянь, ничего не понимаю. <...> Вот пишу уже вторую открытку, потому что нет начала сцены. Сейчас буду начинать» (Л. 10).

20 марта 1930 года датируется телеграфный ответ Мейерхольдов: «Сегодня получили Вашу открытку крайне удивлены постановке вопроса о пьесе она уже заявлена производственном плане сезона пойдет начале сезона обязательно буду ставить сам ждем нетерпением вашего приезда и чтения пьесы до отъезда за границу отъезд 27 марта. Любим целуем Всеволод Зинаида»[15].

Стало быть, 20 марта Олеша все еще в Ленинграде. Тем не менее пьеса была прочтена Мейерхольдами до их отъезда на зарубежные гастроли (см. об этом далее). В театре же реальная работа над пьесой началась лишь через год, весной 1931 года.

***

Не случайно центральным персонажем обращенной к публике «Исповеди» Олеша делает женщину. Еще в набросках к «Зависти» остался образ юной девушки Маши Татариновой (в сюжетных построениях долженствующей, по всей видимости, занять место будущего Кавалерова), это имя есть и в черновых набросках «Списка благодеяний». Об особой роли видения реальности женщиной в том же 1930 году, когда идет работа над «Списком», размышляет и Михаил Пришвин: «И вот характерно, что теперь, при победе мужского начала, “идеи”, “дела”, с особенной ненавистью революция устремилась в дело разрушения женственного мира, любви, материнства. Революция наша как-то без посредства теорий нащупала в этом женственном мире истоки различимости людей между собой и вместе с тем, конечно, и собственности, и таланта»[16]. Ср. понимание ситуации из сегодняшнего дня Иосифом Бродским: «То, что произошло в 1917 году, вызвало у многих головокружение. <...> Возникновение нового порядка они приняли за новое сотворение мира. Система стала реализацией Евангелия. И — очень многие таким именно образом успокаивали свою совесть. Но не женщины. Мужчина может оправдаться перед собой с помощью общих понятий. У женщин воображение иного склада. Женщина видит несчастье. Сломанную жизнь. Страдание»[17].

31 марта Олеша публикует сцену спора Лели и Федотова в одной из ленинградских газет[18]. Публикация сопровождена авторской преамбулой, в которой Олеша говорит: «Я в Европе не был. Изображать Европу не брался. Тема пьесы — “Европа духа”, если можно так выразиться. Называю я свою пьесу патетической мелодрамой». Кроме того, автор сообщает, что пьеса «делится на три части».

То есть сразу после окончания работы над первой редакцией «Списка» Олеша, как и намеревался, знакомит с ней читателей. Именно после данной публикации, самой ранней из разысканных, становится известной реплика Лели о том, что «художник должен думать медленно». Здесь же автор пытается и объяснить смысл вещи: «Но все это — и СССР, и Европа — существует как бы в душе главного героя. <...> Бежав в Европу, она как бы входит в себя. <...> Ей кажется, что она едина. <...> И уже став на путь предательства, начинает понимать, что вне тех условий, которые вчера казались ей неестественными и невыносимыми, она существовать не может. Здесь как бы вторая половина становится главной — мысль, здесь героиня второй раз выходит из себя и мечется, охваченная ужасом: вернуться! вернуться!»

В конце марта 1930 года ГосТИМ уезжает на зарубежные гастроли, но и там режиссер не забывает о планах будущего сезона. 5 апреля 1930 года Мейерхольд в письме Л. Оборину из Берлина настаивает: «<...> Мне необходимо устроить свидание твое с Олешей, так как решено, что музыку к его великолепной пьесе будешь писать ты. Обязательно попроси его прочитать тебе свою пьесу хотя бы в той редакции, какая налицо»[19]. То есть условлено, что в пьесу должны быть внесены какие-то изменения.

Другими словами, после первой читки работа над пьесой не останавливается. Внесение корректив пока может быть связано либо с претензиями режиссера, либо — с неудовлетворенностью самого автора. Важно отметить, что Олеша возвращается к пьесе не спустя некоторый существенный промежуток времени, когда, по Б. Томашевскому, происходит «перемена литературного вкуса»[20], а почти сразу же. Судить о направлении, в котором происходила доработка вещи, возможно по тем изменениям в тексте, которые появляются в результате.

З.Н. Райх. 1923 г.

11 апреля Олеша пишет в Берлин Мейерхольдам: «Дорогие и многоуважаемые Зинаида Николаевна и Всеволод Эмильевич! Письмо Ваше получили, второе. Страшно нам приятно получать вести от Вас и думать, что Вы помните нас и хорошо к нам относитесь. <...> Письма Ваши совсем не "литературные" (Вы высказали опасение, что они покажутся "литературными") — очень хорошие, теплые, замечательные письма — честное слово!»[21]

А на следующий день, 12 апреля, З. Райх отправляет письмо жене Олеши: «Милая Ольга Густавовна! Как-то случилось, что за эту зиму из всех друзей — Всеволод полюбил именно Вас обоих больше, чем кого-либо. О пьесе Юрочки мы говорим ежедневно: здесь она, конечно, острее, чем где бы то ни было... Мейерхольд ею гордится перед актерами и всюду о ней говорит!»[22]

Через две недели стреляет в себя Маяковский. Его самоубийство потрясает всех. 30 апреля 1930 года Олеша пишет Мейерхольду о случившемся. Письмо это существует в двух вариантах. В первом из них, более нервном, трагически-сумбурном, Олеша, будто пытаясь как-то освободиться от шока, делает на полях приписку: «Видим Вас: раут, Эрих Мария Ремарк целует руку Зинаиды Николаевны, "окруженную яблоневым цветением платья" (лит/ературная/ пошлость). А Мейерхольд стоит у колонны во фраке, скрестив руки на груди, — недоступный и высокомерный. <...> Альберт Эйнштейн ест маленький (нрзб.) бутербродик с икрой»[23].

Героиня «Списка» Леля в ранних набросках пьесы мечтала о встрече с Альбертом Эйнштейном (личность Эйнштейна на протяжении всей жизни притягивала Олешу, его смерти посвящена специальная запись в дневнике писателя), даже отправляла ему письмо с просьбой о свидании, а взамен появлялся лишь его повар — Татаров.

Во втором варианте письма, уже более уравновешенном, будто отредактированном, Олеша, переходя к текущим делам, в конце приписывает: «Спасибо, что думаете о моей пьесе! Приезжайте, — прочту новый вариант»[24].

Лишь 19 мая Мейерхольд отвечает Олеше: «Дорогой Юрий Карлович, письмо Ваше о Маяковском мы получили. Простите, что до сих пор не извещали Вас об этом, что давно не давали Вам о себе вестей.

Сегодня мы с Довгалевскими ездили ins Grüne, клевали носами землю, собирая ландыши. В авто Зинаида Николаевна рассказала Довгалевским содержание Вашей новой пьесы "Список благодеяний" (какое чудесное название). Приехав домой, мы почти одновременно воскликнули (я и Зинаида Николаевна): какая замечательная пьеса! И Довгалевские были ею очарованы»[25].

Гастроли ГосТИМа продолжаются. Летом до режиссера во Францию доходят взволновавшие его слухи в связи с пьесой, и 6 августа он отправляет Олеше отчаянное письмо:

«Дорогой Юрий Карлович, вчера из Москвы я получил письмо с вестью о том, что Вы намерены передать "Список благодеяний" вахтанговцам[26]. Приводится в письме и мотив: "Пьеса не понравилась Райх".

Дорогой Юрий Карлович, весть эта настолько невероятна, что я заметался, как зверь, которого только чуть-чуть коснулись раскаленным железом и только еще грозят этим орудием пыток испепелить.

Как же так, дорогой мой?

Я пьесу Вашу поставил в центр репертуарного плана на сезон 1930/1931. Путешествуя с труппой по Западной Европе, среди всех трудностей, которые стояли на пути наших гастролей, усталый, изнервленный, больной, я все же находил время работать над Вашей пьесой. Я придумал очень много великолепных деталей к режиссерскому плану для Вашей пьесы. Два-три раза рассказывая содержание Вашей пьесы друзьям нашего театра здесь, на Западе[27], я ловил себя на том, что никогда еще ни одна пьеса так не захватывала меня, как "Список благодеяний". <...> Умоляю Вас немедленно (непременно телеграфно) сообщить мне: верен ли слух? или это сплетня? И потом: какая чепуха, будто Зинаиде Николаевне пьеса не понравилась. Кто собирается нас поссорить? Зинаида Николаевна еще больше, чем я, восхищена пьесой. Я был свидетелем, как она передавала трагический план Вашей новой большой трагедии и как она восхищалась Вашими в ней лирическими подъемами.

<...> Ушел Маяковский. Эрдман в депрессии. <...> Дорогой друг,

одумайтесь!»[28]

Олеша отвечает короткой, какой-то сдавленной запиской: «Я думаю, что я написал плохую пьесу. Над ней надо работать, а работать у меня нет сил. Если Вы говорите о депрессии Эрдмана, то у меня депрессия, на мой взгляд, не меньшая. Никому пьесу передавать не собираюсь»[29].

Бригада ГосТИМа под руководством Н.И. Боголюбова, Л.Н. Свердлина, В.Н. Плучека по обслуживанию осенней посевной кампании в Московской области. Сцена из спектакля «Перевал». 1930 г.

Летом 1930 года, с 26 июня по 13 июля, проходит XVI съезд партии. Резко меняется отношение к попутчикам. Лозунгом дня теперь становится: «Не попутчик, а союзник или враг». Обещанный Сталиным 1 ноября 1929 года, идет «год великого перелома», с высылкой раскулаченных, подступающим, пока еще локальным, голодом, процессами вредителей. Уже прошло шумное «шахтинское дело», в 1929 году начато «дело академиков»[30], впрямую относящееся к исторической памяти России, затем пришел черед ищущему виновных в последствиях разорения села делу сельскохозяйственной партии Чаянова. Позже, осенью 1930 года начнется процесс Промпартии.

Как известно, процессы сопровождались гневными «народными» митингами, широко освещались прессой и были завершены смертными приговорами некоторым участникам. Интеллигенция была не просто осуждена — признана смертельным врагом пролетариата.

Было от чего впасть в депрессию.

Мейерхольды возвращаются в Москву 22—23 сентября 1930 года[31], а в середине октября «Советский театр» печатает разворот: «Оружие искусства — против интервентов и вредителей», где пуб ликуется подборка выступлений на экстренном собрании работ-

Мейерхольд на митинге в ГосТИМе. 1930 г.

ников искусства г. Москвы, состоявшемся 12 октября в Малом театре после опубликования обвинительного заключения по делу Промышленной партии. Приходится выступить и Мейерхольду: «Наша задача — разоблачение не только больших, но и маленьких незаметных вредителей, рассыпанных в громадном количестве по всем уголкам Советского Союза...»[32]

В это время работа над «Списком» продолжается. Протокол № 1 заседания Художественно-политического совета ГосТИМа 21 октября 1930 года сообщает: «Ю. Олеша зачитывает свою пьесу “Список благодеяний”. <...> После прений Совет принимает <...> пьесу Ю. Олеши всеми голосами против одного»[33]. Э.П. Гарин пишет Х.А. Локшиной в тот же день: «Вечером вчера Олеша и Вишневский читали свои пьесы. Я слышал только Олешу. Мне не понравилось»[34]. И в письме от 22 октября: «Вчера на вечернем заседании Худ.-полит. совета выяснилось лицо сезона, ибо приняли к постановке две пьесы: 1. Вишневский "Последний и решительный" <...> 2. Олеша "Список благодеяний"»[35].

Это и был самый ранний из дошедших до нас цельных текстов пьесы, сохранившийся в архиве ГРК и отчего-то обозначенный как «пьеса в 1 действии» (публикуется ниже, см. главу 4). Экземпляр датирован 31 октября 1930 года и содержит многочисленные карандашные пометки, по всей видимости, цензурного характера.

Структура пьесы была такова: после краткого Пролога («В театре») шла сцена предотъездной вечеринки у Лели. Затем начинались парижские сцены: «В пансионе», далее — сцена «У Татарова», после которой героиня оказывалась «В полпредстве», снова сцена «У Татарова», переходящая в эпизод с Фонарщиком и Маленьким человечком. Финал существовал здесь в форме сценария и занимал всего семнадцать строчек. Леля всходила на баррикады, выкрикивала список благодеяний — в ответ по ней били залпы. (Судя по тому, что финал здесь был лишь конспективно набросан, апофеоз и раскаяние героини явно не давались автору.)

Что было изменено в данном варианте пьесы в сравнении с ранее цитировавшимися эпизодами?

Главное: уже нет сцен, описывающих новый быт советской страны и нового человека, теснящего людей «бывших», захватывающего их жизненное пространство (сохранен лишь эпизод с мнимой кражей яблок). Напротив, усилены понимание и снисходительность в отношении советских властей к совершившей ошибку актрисе, акцентируется их отеческая мягкость к Леле, признание ее таланта.

Центр тяжести вещи перемещается на изображение Европы (в которой писатель никогда не был), пьеса становится «парижской» (из восьми ее эпизодов семь происходят в Париже и лишь одна, первая, в Москве). При этом объем московской сцены значительно сужен в сравнении с черновыми вариантами.

Дополнены и развиты реминисценции с «Гамлетом»: кроме «сцены с флейтой» сочинен развернутый диалог Маленького человечка с Фонарщиком (разговор о «знакомых могильщиках» из Дании и пр.), то есть Олеша, тщательно прописывая, усиливает мотив вечных ценностей старой культуры, противостоящей и революционной Москве, и буржуазному Парижу.

Леля резка в своих характеристиках советской страны и, что еще важнее, прямо заявляет сотруднику полпредства Федотову: «Вернуться домой я не могу. И не хочу». Необходимо напомнить, что именно означала эта реплика героини в историко-политическом контексте 1930 года.

Год назад, 21 ноября 1929, вышло постановление президиума ЦИК об объявлении вне закона граждан, оставшихся за границей, так называемых «невозвращенцев»[36]. Наказание — смертная казнь и конфискация имущества. Более того, вопреки всем канонам юридической науки закон имел обратную силу. А чуть позже к репрессиям в отношении самого сбежавшего были добавлены репрессии по отношению к его семье, т.е. государство начало брать заложников. Родилась историческая фраза: «Я тебя научу родину любить!» Без понимания этих реалий времени сегодня трудно оценить, что за тип человеческой личности пишет Олеша и — в начале 1931 года — репетирует Зинаида Райх. Да и сам Мейерхольд совсем недавно находился в ситуации, очень похожей на ту, которая излагается в пьесе.

18 августа 1930 года Мейерхольд отправляет докладную записку в коллегию Наркомпроса РСФСР об итогах гастролей ГосТИМа в Германии и Франции, о необходимости гастролей театра в Америке и о положении театра. Но одной из главных тем письма становится его собственное положение. Режиссер пишет:

«То, что я сделал в качестве директора ГосТИМа, не может быть рассматриваемо как "самоуправство".

Извещение т. Ф.Я. Кона[37] (полученное мною через т. Дивильковского[38] 22 июля 1930) о том, что так будут рассматриваться мои действия, если я направлю труппу в Америку (кстати: извещение это было мною получено тогда, когда труппа давно уже находилась в Москве, выехав из Парижа 30 июня), ухудшило состояние моего здоровья настолько, что спокойный подробный доклад мой, который я подготовлял на протяжении времени после окончания парижских гастролей, пошел к черту.

Когда же наконец прекратят говорить со мной таким тоном?

Такого ко мне отношения не заслужил я, 12 лет проработавший в партии и 10 лет — над созданием революционного театра, отношения, пронизанного таким недоверием.

"Невозвращение труппы в Москву будет рассматриваться как самоуправство".

Как прикажете читать? Так?: "невозвращенцы подлежат объявлению вне закона?"»[39].

Возвращаясь к тексту пьесы, отметим, что, по-видимому, это и были поправки, которые внес автор по замечаниям режиссера и собственным соображениям.

Через несколько дней после читки, в двадцатых числах октября

1930 года Мейерхольд отправляет служебную записку председателю Главреперткома К.Д. Гандурину: «Уважаемый товарищ, препровождаю Вам пьесу Юрия Олеши "Список благодеяний". Просим Вас названную пьесу прочитать вне очереди и в срочном порядке решить вопрос о включении ее в репертуар Гос. т. им. Вс. Мейерхольда, т.к. театр спешит с реализацией двух пьес: Вс. Вишневский "Последний решительный" и Ю. Олеша "Список благодеяний", имеющих быть показанными зрителю одна в середине декабря 1930 г., другая в начале января 1931 г.

Довожу до сведения Вашего, что та и другая пьеса Художественно-Политическим Советом ГосТИМа признаны весьма желательными к постановке на сцене ГосТИМа»[40].

Спустя месяц, 25 ноября 1930 года проходит заседание Главреперткома, на котором рассмотрение пьесы Ю. Олеши значится в повестке пунктом пятым. ГРК постановляет:

«а) разрешить при условии внесения исправлений в пьесу,

б) заслушать на ГРК постановочный план»[41].

Другими словами, цензура пропускает пьесу условно и сообщает театру о необходимости внесения корректив. Помимо того, что пьесу должен откорректировать автор, указания адресуются уже и режиссеру будущего спектакля.

Еще в 1927 году В.Г. Кнорин убедительно объяснял, почему именно театр удивительно удобен для руководящего вмешательства: «Театр отличается от литературы тем, что в театре сила вещей гораздо сильнее и сильнее ее влияние на индивидуальное творчество. Если творчество того или другого старого писателя, даже в пределах советского государства, совершенно независимо от государства и подвергается только последующему контролю советской цензуры, издательства и общественного мнения, то в театре весь творческий процесс находится в теснейшей зависимости от того, в чьих руках находится театральное помещение и те капитальные ресурсы, без которых художественная постановка немыслима.

Если само творчество старых писателей, как Сологуба, Замятина и др., — совершенно независимо от советского государства до окончания творческого процесса, то художественное мастерство Станиславского, Таирова, Южина и др. подконтрольно советскому государству во всех своих стадиях. Это делает наши позиции по отношению к старому театральному мастерству гораздо более выгодными...»[42]

В тот же день, когда Главрепертком рассматривает пьесу Олеши, 25 ноября 1930 года в Москве открывается суд над Промпартией. Под давлением следствия обвиняемые сознаются во «вредительстве» и связях с зарубежными буржуазными кругами[43].

В прессе сообщения о процессах и спектаклях соседствуют. «В связи с происходящим судом над “Промпартией” ЦУГЦ организовал выезд художественных бригад на фабрично-заводские предприятия с репертуаром, посвященным процессу», — сообщается в

Вс. Мейерхольд на митинге на Кабельном заводе. 1929 г.

газетной колонке «Текущие дела». И следом: «Вс. Мейерхольд приступил в театре своего имени к постановке пьесы Ю. Олеши “Список благодеяний”. Музыка Оборина»[44].

В ноябре 1930 года по столицам прокатываются «стихийные» демонстрации трудящихся, протестующих против вредителей и требующих смертной казни обвиняемым[45]. По всей видимости, не только Мейерхольду, но и Олеше настоятельно посоветовали не отмалчиваться и высказаться публично: он на виду, еще не забыт успех нашумевшей «Зависти» (причем не только в Советском Союзе, но и за рубежом; известно, как высоко была оценена повесть в литературных кругах русской эмиграции и западных интеллектуалов), да и новая пьеса еще не проскользнула сквозь цензурное сито. И 29 ноября на страницах «Литературной газеты» публикуется заметка писателя в связи с процессом Промпартии: «В нашем словаре имеются и грозные слова».

В альбоме Олеши на одном из листков небрежный рисунок: бутылка водки и кособокая рюмка. Тут же и надпись его рукой: «В предпоследний день страшного года (1930). Смерть Маяковского. Встреча Нового года на фоне перегиба». Есть и перечень собравшихся: Олеша, Катаев, Крученых. На листке дата: «30 декабря 1930 г.»[46]

10 декабря 1930 года Олеша записывает в дневнике:

« Я был в гостях у Мейерхольда.

Мейерхольд с женой уезжает сегодня в Ленинград. Там он прочтет две лекции. Нужны деньги. (Это пишется в период финансовых затруднений в стране. Денег нет. Выплату жалованья задерживают, опаздывая недели на две, месяц. С литературными гонорарами еще трудней.) Получит наличными рублей восемьсот.<...>

Они уезжают сегодня в 10 часов 30 минут. Райх играет сегодня в "Д.С.Е." Надо успеть сыграть, доехать до вокзала и т. д.

Оказывается, они (Райх и он) вчера спорили. Вчера был у них Лев Оборин, которому Мейерхольд заказал музыку для моей пьесы. Шло обсуждение. И вот Райх накинулась на [мужа] Мейерхольда. Это то вечное обвинение, которым терзают [вели] Мейерхольда. Дескать, неинтерес к личности, к судьбе, к лирике. Дескать, любовь к марионеткам. Акробатика! Штучки! А между тем Мейерхольд, сияя теплотой, всегда убеждает всех: ах, какая ложь, как неверно судят обо мне!»[47].

Спустя две недели, 26 декабря 1930 года, проходит заседание Худполитсовета ГосТИМа. Резолюция указывает: «При режиссерской работе над пьесой "Список благодеяний" Вс. Мейерхольд учитывает все замечания, сделанные Главреперткомом, ХПС и присутствовавшими на чистке (так в документе, но в данном случае речь, по-видимому идет о читке пьесы. — *В.Г.*) в редакции журнала "Красная новь". ХПСсовету будет сделан доклад об установке режиссуры; можно будет еще раз заслушать пьесу»[48].

В архиве ГосТИМа хранится текст «Списка»[49], машинописный экземпляр с обширной авторской правкой, тем не менее не вносящей пока что принципиальных перемен. В данном варианте пьесы изменена сцена пансиона в Париже: помимо хозяйки пансиона и портнихи Трегубовой введен еще один эпизодический персонаж — Леон Бори, пианист. Федотов называет имена «эмигрантских знаменитостей», которые будут на балу, — Рахманинов, Стравинский. Но главная героиня пьесы все еще не хочет возвращаться на родину.

В финальной сцене пьесы, по ремаркам драматурга, залпы на баррикадах, как и в первом известном варианте «Списка», бьют не по бастующим вообще, а именно по Леле:

«Залп. Леля падает.

Внизу оркестр безработных.

Она падает на оркестр.

Оркестр начинает играть. Скажем, Бетховена.

Звук поднимает Лелю.
Секунду она стоит над толпой —
седая, с разбитыми глазами, босая, нищенка».

В феврале 1931 года проходит важная дискуссия в РАПП, на которой говорят о «механистичности» метода Мейерхольда. Формула «механические взгляды» означала обвинение в «формализме» (напомню: формализм в литературоведении только что разгромлен). «Советское искусство» под заголовком «Дневник совещания РАПП» пишет: «Выступление Вс. Мейерхольда в очень малой степени говорило о платформе театра его имени. Его рассуждения об идеологии и технологии театра мало чем разнились от идеалистической теории о противопоставлении формы и содержания»[50]. 7 февраля газета печатает изложение выступления режиссера: «Слово “идеология” <...> Мейерхольд считает затасканной формой, прикрывающей пустоту и незнание. Работники театра, — говорит Мейерхольд, — перестали совершенствовать свою технику и — совершенно отвлеклись от своего ремесла. Работники театра должны больше заниматься вопросами технологии театрального искусства». Отвечая на обвинения, прозвучавшие в его адрес на только что прошедшей дискуссии о его методе в ГАИС, Мейерхольд приводит в пример книгу о технологии обработки дерева[51]. Режиссер противопоставляет «психоложеству» биомеханику — как технологию режиссуры, метод «обработки материала».

С точки зрения РАПП идеология важнее технологии, «что» важнее, чем «как». Но тогда это не искусство, а прокламация, прикидывающаяся романом, пьесой, стихотворением, даже оперой[52]. Суть происходящего проста: новые драматурги дерутся за подмостки. Они могут ручаться лишь за «верное» содержание своих сочинений, а за «форму» — нет, она не выходит. Спор идет о праве писать (рисовать, сочинять музыку) плохо. «Бесформенно», если не косноязычно, выражать правильные, утвержденные сверху формулы, не заботясь, точнее — не справляясь с их художественным претворением. Правда, за верностью идеи тоже уследить нелегко: линия партии «диалектически» колеблется.

РАПП разворачивает наступление, в частности, и на Мейерхольда, не желающего ставить «реконструктивные» пьесы (о которых актриса Гончарова в «Списке» во всеуслышание заявляет, что они фальшивы и бездарны). Театры, дорожащие художественной репутацией и актерскими силами, отбиваются от подобных сочинений. Тогда РАПП предлагает выход: создать свой, специальный театр. Необходимое решение принимается, и вскоре проходит первый пленум оргкомитета рабочего театра РАПП имени Максима Горького[53]. С докладом, посвященным анализу театрального искусства Станиславского (которого оратор квалифицирует как «буржуазного реалиста») и рассмотрению творческого пути Мейерхольда, на пленуме выступает Ю. Либединский. Разбирая недавно вышедшую из печати книгу Н.Д. Волкова, Либединский сообщает, что тот «рисует Мейерхольда как вождя русского декаданса»[54].

Весной 1931 года проходит дискуссия в Государственной академии искусствознания (ГАИС) «О творческом методе театра им. Вс. Мейерхольда». В.А. Павлов говорит: «<...> смысл и содержание стиля ТИМ, его развитие есть не что иное, как театрально-образное выражение мыслей и чувств, переживаемых именно тем слоем интеллигенции, который, отколовшись под влиянием нашей революционной действительности от косяка буржуазной идеологии, уже крепит связь с пролетариатом». Казалось бы, Мейерхольда по-прежнему признают за «своего». Но Павлов продолжает: «А таким мыслям и чувствам свойственны черты шатания, шараханья из одной крайности в другую, <...> от мелкобуржуазного радикализма до мелкобуржуазного либерализма, а также переход от восторженного (полуанархического) оптимизма к тревоге, ужасу и капитулянтской панике»[55].

На этом фоне продолжается работа над «Списком». Она, как представляется автору, идет к концу, — судя по тому, что на обороте странички с текстом рукописи[56] Олеша записывает: «15 марта — Мейерхольду, 15 апреля — вахтанговцам, 15 мая — Моск/овскому/ Худ/ожественному/ Театру-1». По-видимому, это предполагаемые числа чтения пьесы труппам. Имя Олеши не нуждается в представлении: еще в 1929 году с новым и ярким драматургом первым познакомил зрителей спектакль «Заговор чувств» Театра им. Евг. Вахтангова, а весной 1930 года во МХАТе прошла премьера его «Трех толстяков». Его новую пьесу ждут.

2 марта 1931 года в беседе с участниками будущего спектакля Мейерхольд сообщает, что «пьеса несколько переработана. Первый толчок был дан Главреперткомом (у нас было особое совещание Главреперткома), и второй толчок был дан мною, причем некоторые мои предложения не вполне совпадали с ...» (реперткомовскими? Фраза не дописана в документе. — *В.Г.*)[57].

Главрепертком возражал против сцены в полпредстве[58]. Возможно, не устраивала фигура шутника полпреда, его хлебосольное радушие — на фоне продуктовых очередей и недавно введенных в крупных городах хлебных карточек. (Татаров говорил, что в России «едят конину», а полпред советовал приятелю «пить меньше шампанского».) Возможно, возмущало и само предположение, что изменницу могли не раскусить сразу, что официальное лицо компрометировало себя любезностями в адрес Гончаровой.

10 марта Олеша дописывает наконец текст финала, ставит под ним подпись и даже указывает место, где работа над пьесой, как ему представляется, была завершена: «Москва. 1930—1931 г. Март, 10 числа, отель "Селект"»[59].

Этот вариант финала весьма близок к тому, который и прозвучит со сцены. Но отличия, и существенные, все же есть. Леля стесняется (или боится) признаться на баррикадах, что она и есть та самая актриса, слухи о признаниях которой успели облететь Париж, и говорит, что она ее прислуга. Кроме того, последним, кого она видит в своей жизни, оказывается склоняющийся над умирающей Лелей Чаплин. К нему и обращены ее заключительные слова.

15 марта Олеша записывает в дневнике: «Вчера читал окончательный вариант моей пьесы труппе. Читка происходила в темном зале, на сцене. Стол был освещен сбоку прожектором, который озеленил лицо Мейерхольда. <...> Мейерхольд писал на листках, производя распределение ролей. Комбинировал. Он в очках. Сказочен. Доктор. Тетушка из сказки. Замечателен»[60].

Та же дневниковая запись донесла до нас и оценку вещи режиссером: «Меня начинает тревожить: пьеса не понравилась.

Мейерхольд говорил: гениальная! Приятно верить, но Мейерхольд не только артист, он, кроме того, еще и директор театра, и над ним — промфинплан и обязательство поставить определенное количество пьес. А может быть, пьеса моя средняя, обыкновенная пьеска — и больше ничего.

Нет, в глубине души я уверен: пьесу я написал замечательную»[61].

Каким же был третий, по нашему счету, вариант «Списка благодеяний», прочитанный Олешей труппе в марте 1931 года, о котором Мейерхольд сказал автору: «В вашей пьесе есть яд»?[62] По всей видимости, речь идет о почти целиком переписанном рукою автора варианте «Списка», хранящемся в архиве театра[63] (на первой странице сцены «Приглашение на бал» («Пансион») надпись: «В музей. В.Я. Степанову. Оригинал, правленный автором. 5.V.31»). Текст вновь перестраивается, причем теперь переделки носят принципиальный, содержательный характер.

Перечислю самые важные.

Во второй сцене («Тайна») с Орловским вместо сурового «рабочего Тихомирова» в комнату Лели входит юноша с жасмином. Фраза Орловского «Вы арестованы» здесь отсутствует, кроме того, с директора театра снята военная форма. Теперь уже юноша с жасмином берет тетрадку с дневником — чтобы вырвать листок для записки, которую хочет написать Леля. В комнате Лели появляются два лучащихся доброжелательностью человека. Уходит и сцена шантажа Баронским — Лелю провожают в Париж трогательными «цветами от коммунальщиков». Последней фразой действия становится реплика «Я горжусь тем, что я актриса Страны Советов» (Л. 13).

Но актриса Гончарова все еще уезжает в Париж, увозя с собой мучительные мысли Олеши.

В сцене третьей («Приглашение на бал») Федотов, пока еще сотрудник полпредства, зовет Лелю на вечер в полпредстве и требует отказаться от бала артистов, так как «там всякая сволочь будет. Знать. Эмигрантские знаменитости». Имен, известных всему миру, уже нет. Леля отвечает: «Я не хочу возвращаться в Россию».

Еще сохранен спор Лели с Федотовым.

«Федотов. <...> Мы Америку перегоняем.

Леля. Родным пахнуло. Три недели не слышала этой фразы. Закрываю глаза и вижу — оборванные люди... Кузнецкий мост вижу... Тулупы, шапки, нахлобученные на глаза, чтоб легче было смотреть исподлобья, стужа, лошадиные морды, пар.

Федотов. Это мелочи. <...> Через два года будет иначе.

Леля. Через два года кончится моя молодость.

Федотов. Это обывательский разговор».

Появляется Татаров. Федотов угрожает ему. Но тема оттеснена новым эпизодом: демонстрацией избиения, происходящего на глазах у зрителя. Два полицейских и один в штатском преследуют неизвестного, который пытается спрятаться в пансионе. Финальная реплика сцены — крик избиваемого: «Да здравствует Москва!»

В четвертой сцене («У портнихи») Леля приходит за платьем и пикируется с Татаровым, не узнавая его. Татаров говорит о гадком утенке, а Леля отвечает, что эта сказка — «агитка мелкой буржуазии». Затем она дает расписку на листке из блокнота Татарова: 1 мая Леля должна вернуть две тысячи франков за бальное платье. Забывает чемоданчик, уходя, и Татаров крадет тетрадь .

В сцене «В Мюзик-холле» переделки производятся лишь в конце эпизода, когда Леля остается одна. Появляется ее монолог о родине с фразой: «Я хочу стоять в очереди и плакать».

Максимальные изменения претерпевала сцена с Фонарщиком и «Маленьким человечком, похожим на Чаплина».

В экземпляре осени 1930 года, отправленном Мейерхольдом в ГРК[64], сцена занимала 7 страниц, она стояла после второй сцены «У Татарова» и предшествовала наброску финала.

В мартовском экземпляре театра 1931 года[65] — оставалась той же и находилась еще на прежнем месте в структуре пьесы.

В переработанном театральном экземпляре[66], появившемся уже во время репетиций, сцена резко сокращена (она занимает теперь всего 2 страницы), перемещена (здесь она следует после сцены «В Мюзик-холле») и переписана. Теперь в ней нет никаких шекспировских реминисценций, это разговор всего лишь о голоде и еде. Леля дает маленькому человечку деньги на «океан супу» и говорит, что завтра уезжает (то есть возвращается в Москву). После этого эпизода идет сцена у полпреда.

В режиссерском экземпляре[67] (по которому работа шла, судя по датам, встречающимся на листках, с 28 марта по 9 апреля 1931 года) сцена Фонарщика и Маленького человечка та же, сокращенная, но здесь она еще и вычеркнута. В этом кратком двухстраничном варианте сценка была сыграна на премьере в Москве. Но уже 1 июля в Харькове была вовсе снята из спектакля (см. об этом ниже).

В экземпляре пьесы, помеченном 13 сентября 1931 года[68], сцена вычеркнута тоже. Была ли она возвращена в спектакль, когда он игрался в Москве в сезонах 1931/32—1933/34 годов[69], неизвестно.

В экземпляре «Списка» середины марта 1931 года сохранена сцена «У полпреда». В ней полпред Филиппов угощает гостью:

«Чаю. Бисквитов, варенья принеси. <...> Ростбифу. Слышишь, Дьяконов? И вина. <...> Это историческое кресло. Знаете, кто в нем сидел? Ромен Роллан»[70].

Филиппов помнит Лелю по Москве (он был на ее спектакле). Речь идет о бале угольного магната Валтасара Лепельтье — конечно, «валтасаровом пире», — в пику которому советским полпредством в Париже будет устроен вечер «в честь Ромена Роллана». Монолог Филиппова о великих стариках с «гордыми могучими кадыками» и баррикадах, которые «тоже романтика».

Отдельной темой диалога полпреда с Лелей становится обличение интеллигенции.

Филиппов. «Интеллигенция! Смешно это. Правда, смешно? Что это значит, быть интеллигентом? Быть умным, да? Понимать? Разбираться? Рассуждать? Быть тонким, да? Как же может называть себя тонким тот, кто не умеет разбираться в исторических процессах? Вот те хваленые интеллигенты, вредители, которых недавно судили, — они были очень тонкими, рассудительными, образованными, они цитировали Гейне одной стороной языка, а другой стороной призывали генерала Лукомского[71], палача и хама. Потому что язык у них раздвоенный, как у змеи» (Л. 59).

Леля. «У меня была тетрадка. Она состояла из двух частей».

Полпред. «Как язык змеи?» (Л. 62). И далее:

Полпред. «Ваше преступление в том, что вы тайно ненавидели нас. Может быть, за то, что у нас нет балов и роскошных платьев <...> С этой минуты вы эмигрантка» (Л. 64).

Бал Лепельтье отменяется, так как его устроители испугались безработных.

Последняя реплика Лели (после того как ей сообщают, что «с этой минуты она эмигрантка»), заключающая сцену: «Не мучьте меня. Я уже мертвая».

В сцене седьмой, «У Татарова», Леля пытается застрелить Татарова, но роняет браунинг. Кизеветтер, юный эмигрант, поднимает его и стреляет в Татарова. На звуки выстрелов появляются два полицейских. Вербуют Кизеветтера и уводят его. Входит Трегубова с букетом астр. Обнаружив у своего любовника Лелю, набрасывается на нее с площадной бранью: «Шлюха! Шлюха! Девка бульварная! Вот тебе! Вот тебе!» (бьет ее по лицу букетом). Конец сцены» (Л. 58 об.).

Если в Москве Леле цветы дарят, то в Париже Лелю букетом хлещут по лицу. Тем самым теперь коммунальная квартира в Москве рисуется в романтических тонах, тогда как, напротив, парижский пансион, где возможно подобное, компрометируется.

В сцене восьмой «Просьба о славе» действие идет на баррикадах Парижа. Звучат сочиненные Олешей куплеты про блондинку. Пожилой буржуа говорит, что он «пролетарий по крови», и пытается уговорить Сантиллана покинуть баррикады. Голоса безработных выкрикивают список требований (Л. 80). Чаплина здесь уже нет.

Финал пьесы теперь таков:

«Леля (встает). Вот слава твоя, Париж!

Падает, шепчет ткачихе на ухо.

Ткачиха. Она просит накрыть ее тело красным флагом.

Сантиллан. Мы пойдем навстречу (драгунам. — *В.Г.*)

Идут безработные. Марш. Конец.

Леля лежит мертвая, непокрытая» (Л. 83).

Подведем итоги осуществленным переделкам. Хотя Леля уезжает теперь от настроенных дружелюбно Орловского и юноши с букетом, в ее диалоге с Федотовым еще сохранены реплики о России как стране холода и голода.

Первая из двух сцен «У Татарова», где ранее звучала тема его ностальгии по России, заменена сценой «У портнихи». Теперь он осознанно провоцирует Лелю, соблазняя ее сказочным платьем. И он же крадет у Лели чемоданчик с рукописью, сама она никаких компрометирующих ее связей с эмигрантами не заводит, писем в редакцию не пишет.

(Спустя несколько месяцев зрители увидят достаточно советизированную Гончарову. Правда, часть ее реплик, важных Олеше, автор передаст юноше Кизеветтеру, тоскующему о звездном небе и своей, не бывшей никогда, невесте. Его функция — быть сниженным двойником Лели, осуществляющим убийство Сантиллана. Очевидно, таким образом автор пытался спасти от этого любимую героиню.)

Но, пожалуй, самое важное в данном варианте — новые монологи полпреда. В них явственно слышны отзвуки идущих политических процессов, ощутима специфическая лексика газетных отчетов. Политически шаткая фигура Чаплина заменена «прогрессивным» Роменом Ролланом (к тому времени написавшим открытое письмо в поддержку сталинских процессов против интеллигенции[72]). Эмиграция же становится безликой, так как имена знаменитых русских художников-эмигрантов (Рахманинова, Стравинского) сняты.

Резко меняется финал. Теперь Леля не возносится над толпой, подобно героине известной картины Делакруа «Свобода ведет народ Франции», как в предыдущем варианте пьесы, а, напротив, падает и тихо шепчет последние слова ткачихе, которой как представителю «угнетенного класса» отдана заключительная реплика.

Последовательно проводится снижение прежде поэтической и возвышенной героини, очернение образов эмигрантов и эмиграции — и высветление образа советской страны.

Именно этот текст 15 марта передан машинистке для перепечатки. Через два дня Мейерхольд подписывает свой экземпляр и ставит дату: «17.III.1931 г.» Это, разумеется, первый экземпляр машинописи — «режиссерский экземпляр»[73]. Второй же экземпляр той же перепечатки становится рабочим, на нем М.М. Кореневым делаются пометки на репетициях[74]. Оба экземпляра помещены в синий переплет, и в обоих страницы с машинописью чередуются с чистыми листами, предназначенными для режиссерских записей и указаний.

Что же происходит с текстом «Списка» внутри театра?

Первое, что делает режиссер: просматривает текст с сугубо литературной точки зрения и вносит множество мелких (надо сказать, удачных) стилистических поправок. Но это отнюдь не значит, что Мейерхольд выступает в роли привычного литературного редактора: его правка подчинена исключительно режиссерским целям. Он разбивает часть принадлежащих Гончаровой реплик, передавая их другим персонажам, так что диалоги становятся короче, энергичнее; устраняет некоторые необязательные для характеристики персонажей и движения сюжета реплики, «излишества» — все то, что может быть выражено действием актера, его мимикой, жестом, мизансценой в целом.

Мейерхольд последовательно исправляет в диалогах Лели с подругой обращение «ты» на «вы», повышая, облагораживая их отношения. Более того, оказывается, что этой, казалось бы, языковой частностью корректируется и самооценка героини.

Вводит новое эпизодическое лицо с минимумом речевого материала — Настройщика (в сцене «В комнате Гончаровой»).

Помечает ряд музыкальных номеров, их начала и концы, а также фиксирует предварительный хронометраж этих номеров.

Далее — из экземпляра целиком исчезает сцена «В полпредстве». Листы с ней вырезаны, а на чистом листе Мейерхольд пишет: «Эп/изод/ "В кафе"» (но приготовленное для него место в тетради так и остается пустым).

Таким образом, мейерхольдовский экземпляр «Списка» не является тем самым текстом, который прозвучит со сцены ГосТИМа. Здесь еще есть фрагменты текста, которых не будет в спектакле (эпизод с пианистом Леоном Бори и эпизод избиения неизвестного (Сантиллана) в сцене «Пансион», эпизод с появлением портнихи Трегубовой с букетом и ее нападением на Лелю в сцене «У Татарова»), и фрагменты текста, впоследствии снятые цензурой; напротив, отсутствует еще не переработанная сцена «В кафе».

18 марта проходит первая репетиция пьесы[75]. Параллельно репетициям продолжается интенсивная переработка вещи. Она идет по двум направлениям. Во-первых, режиссерский экземпляр «Списка» вновь, по всей видимости, отправляют в цензуру. Результатом становятся не раз и не два появляющиеся на нем пометки Мейерхольда: «Купюра ГРК». А М.М. Коренев записывает в тот же день: «Пьеса разрешена НКПром и должна пойти в Наркоминдел»[76].

Цензурование происходит в промежуток между 17 и 27 марта, так как уже 28 марта 1931 года напротив первой из отмеченных купюр, на левом чистом листе рукой Мейерхольда записано: «ГРК. Исправить». И тут же, другим почерком: «Вычеркнуто 28.III».

Привожу полный текст купюр.

В сцене «Тайна»:

Леля. Если революция хочет сравнять все головы — я проклинаю революцию.

*Петр Ив/*анович/. Ей революция не нравится.

(Слева на чистом листе отмечено рукой Мейерхольда: «ГРК, исправить». — *В.Г.*)

Леля. Мне совершенно все равно. [Я уезжаю из этой страны. Он мечется передо мной. Кривляется, прыгает на меня. А мне совершенно все равно. Сквозь туман путешествий я вижу вас, Баронский, и уже не различаю ваших черт и] сквозь туман путешествий я не слышу его голоса. (Фрагмент текста в квадратных скобках вычеркнут, но не отмечено, что это купюра ГРК. — *В.Г.*)

Леля. За кого? Я их ненавижу. Мелкие чувства. Революция освободила нас от мелких чувств. Правда? Вот тебе первое благодеяние революции.

В сцене «Приглашение на бал» («Пансион»):

Леля. <...> Моя жизнь была неестественной. Расстроились части речи. Ведь там, в России, отсутствуют глаголы настоящего времени. Есть только времена будущие и давно прошедшие. Глагол: живу ... его никто не ощущает у нас. Ем, трогаю, вижу... Нам говорят: сейчас как вы живете, неважно, думайте о том, как вы будете жить через пять лет. Или через сто. И мы думаем. Изо всех глаголов настоящего времени остался только один: думать.

Леля. Когда-то русские презрительно называли всех европейцев немцами, а теперь называют фашистами.

Леля. <...> И в тот год произошла революция... С того дня я стою нищая, на коленях стою, прямая, как истукан, протянув руки, шершавые, как песок. Что вы сделали с людьми? Зачем?

Татаров. <...> Это в Советском Союзе всем хорошо: и убийце, и убитому. Убийца исполняет волю истории, убитый — жертва закономерности — и все довольны.

Татаров. <...> Пользуясь ею, этим удачнейшим экземпляром, я докажу еще раз, лишний, убедительнейший раз я докажу, что в России — рабство. Мир говорит об этом. Но что слышит мир? Он слышит жалобы лесорубов, темное мычание рабов, которые не могут ни мыслить, ни кричать. А теперь я могу извлечь жалобу из высокоодаренного существа... И миру станет вдвое страшней.

В сцене «У Татарова»:

Первый полицейский. Где?
Второй полицейский. Очевидно, в советском посольстве.

Первый полицейский. Французская полиция охраняет советское посольство. Это известно вам? Таково международное правило. Красть вообще нехорошо. А красть в посольстве иностранной державы к тому же невежливо. Если вы произвели кражу в посоль-

Суд над драматургами, не пишущими женских ролей, устроенный в Московском клубе театральных работников

Слева — обвиняемые драматурги Катаев, Олеша, Яновский
Справа — чтение приговора актрисами-судьями

стве, я должен вас арестовать как воровку. За это полагается тюрьма. Вы хотите в тюрьму за ограбление советского посольства?

Леля молчит. (Нет пометы, что это купюра ГРК. — *В.Г.*)

После того, как прошла читка на труппе ГосТИМа, Олеша уезжает в Ленинград[77]. Через три дня, 18 марта 1931 года, выступая на обсуждении «Списка благодеяний» на собрании ленинградской общественности, он скажет: «Первый вариант пьесы был написан год тому назад в Ленинграде. Это было еще до процесса Промпартии. Тогда я защищал Гончарову, и пьеса получилась реакционная. Теперь я переписал пьесу заново и считаю, что для меня это колоссальный шаг вперед в борьбе с самим собою. Критики говорят: случайности — украли, мол, дневник. Не случайность это. Не в том дело, что украли дневник, ибо не было бы дневника, не было бы и кражи. <...> Основная мысль: кто не с нами, тот против нас»[78].

Похоже, определенную роль в существенных переделках текста сыграла и неустойчивость позиции самого автора, его неуверенность в правоте собственного видения (понимания) современности.

26 марта в Москве в ГосТИМе проходит заседание, на котором Мейерхольд подробно рассказывает, каким ему видится спектакль, и вскользь говорит о том, что произошло к этому времени с самой пьесой: «Первый вариант, который был зачитан Олешей, он мне дал повод создать конструкцию, которую я отменил не потому, что она мне не нравится, а потому, что Олеша изменил вариант, и старый вариант не был созвучен элементам нового варианта. Там была героическая, если так можно выразиться, поэма, где солист поет главную мысль автора, а другие лица постольку, поскольку это нужно»[79].

На том же заседании Олеша говорит о сущности пьесы, об отвергнутой и уничтоженной ее редакции, о важнейшей ее структурной особенности: «В первом варианте героиня была в центре, из нее выходили персонажи, с которыми она спорила. Это был спор героини с самой собой. Теперь эти персонажи получили больше прав на существование, но цифра 2 осталась. Она проходит во всем. Две половины тетради; на диване лежит платье, отражение его в зеркале. Кизеветтер убивает Лелю из советского револьвера, т.е., иначе говоря, ее расстреливают и красные, и белые и т.д.

Это — мужская роль, это — тема пьесы, это голос флейты»[80].

29 марта Олеша публикует еще один отрывок из «Списка благодеяний». Теперь это эпизод «В Мюзик-холле» с включенной в него сценой шекспировской «Флейты». В небольшом предуведомлении читателям автор сообщает: «Тема — борьба с “идеей Европы” внутри себя»[81].

О ряде дальнейших существенных переделок пьесы сообщает письмо (к сожалению, недатированное) автора к режиссеру. По-видимому, оно пишется в самом конце работы над многострадальной пьесой, после 5 мая 1931 года (так как здесь речь идет о только что появившейся сцене «В кафе», сменившей так и не пропущенный эпизод «У полпреда»):

«Дорогой Всеволод Эмильевич!

Того, что мы предполагали вначале (в сцене кафе), сделать мне не удалось. То есть: не удалось сделать расщепления фигуры полпреда на ряд фигур французских рабочих.

Я думаю, что это и лишнее. Лучше “народность” оставить для финала. Считаю, что вариант сцены в кафе, предложенный теперь, хорош — он закругляет Федотова и дает новые вспышки Леле. Эта сцена короткая и быстрая, и это лучше, по-моему.

Но вот что: теперь я не вижу необходимости разыгрывать эту сцену в кафе. Почему именно кафе? Теперь это не столь важно. Решите сами.

Дальше: сцена избиения.

Следовательно, нужно либо оставлять ее там, где она была, — либо выкинуть вовсе. Потому что эта сцена — в кафе — совершенно закончена и нет смысла вводить в нее новый элемент. Не знаю. Тут затрудняюсь. Может быть, в работе Вашей что-нибудь дано будет такое, что повернет эту сцену на новую концовку.

(Напомню, что сценой избиения в экземпляре Ф. 963. Оп. 1. Ед. хр. 708 заканчивался эпизод «В пансионе». — *В.Г.*)

Жду Вашего сообщения по поводу сцены. По-моему, она сделана верно. В сцене пансиона я сделал соответствующие изменения в связи с изменением версии полпредства.

Крепко приветствую Вас.

Весь Ваш всегда

Любящий Вас по уши

Ю. Олеша.

Пожалуйста, приветствуйте Зинаиду Николаевну»[82].

Появляется четвертый вариант пьесы, о котором Мейерхольд говорит за месяц до премьеры, 3 мая, в специальном докладе «О макете спектакля» на производственном совещании в театре: «Я уверен, что четвертый вариант, который представил автор — не последний, сейчас, когда мы ставим пьесу на ноги — мы видим, что еще нам предстоит работа, предстоит еще пьесу улучшать и заострять. Теперь вопрос об интеллигенции совсем не так звучит, как это было в первом варианте»[83].

Здесь сцена «В кафе» сменяет прежнюю сцену «В полпредстве», а «комиссия по тракторным делам»[84], возглавляемая товарищем Лахтиным, — советского полпреда в Париже Филиппова и его сотрудников. Безупречные (и неофициальные) советские люди встречаются теперь с изменницей на нейтральной территории парижского кафе. Была закольцована и тема «легкой промышленности», с которой в советской стране с тех самых пор и по настоящее время дело обстоит неважно. Артисты, художники, писатели, музыканты, безработный флейтист и «оркестр безработных», в нужный момент исполняющий Бетховена, уступали место рабочему классу Франции. Бал, задумывавшийся Олешей как «международный бал артистов в честь Чаплина», теперь превращался в бал текстильного (а не угольного) магната, и в заключительной сцене пьесы появлялись безработные бастующие ткач и ткачиха.

Данный экземпляр «Списка»[85] наглядно демонстрирует изменения, проделанные уже во время репетиций. В нем к напечатанному (и переплетенному) тексту пьесы присоединены еще три вкладные тетради, в которые внесены окончательные варианты трех сцен. Экземпляр, напомню, датирован 18 марта 1931 года, а вкладные тетради, по-видимому, появились после 5 мая. Намеченные в режиссерском экземпляре[86] купюры ГРК здесь уже изъяты из текста. Таким образом, один экземпляр текста реально содержит в себе две редакции пьесы (по нашей нумерации — это 3-й и 4-й варианты «Списка благодеяний»).

На первом листе экземпляра рукой Мейерхольда записано:

«Порядок эпизодов:

Пролог

1-ый эпизод — «У Гончаровой (в Москве)».

2-ой эпизод — «Пансион» (см. отдельную тетрадку).

3-ий эпизод — «У Трегубовой (портнихи)».

4-ый эпизод — «Мюзик-холл».

5-ый эпизод — «Кафе» (см. отдельную тетрадку).

6-ой эпизод — «У Татарова».

7-ой эпизод — «Финал» (см. отдельную тетрадку)».

На листах трех вложенных тетрадей режиссерские ремарки отсутствуют (тогда как в «основном» машинописном тексте их множество). Несомненно, это более поздний текст, чем тот, который напечатан в «основном» экземпляре, он-то и прозвучит со сцены спустя месяц.

Сравним текст машинописного экземпляра пьесы и вкладных тетрадей.

2-й эпизод

В экземпляре: «Приглашение на бал».

В тетради: «Пансион».

В экземпляре: двое в штатском вбегают, бьют третьего. Он кричит: «Да здравствует Москва!» (финальная фраза сцены).

В тетради: Леля рвет приглашение, а вся сцена идеологического избиения отсутствует.

5-й эпизод

В экземпляре: «Сцена у полпреда».

В тетради: «Кафе».

В экземпляре Леля крадет револьвер, а бал у магната отменяется.

(Федотов II. Я вам сказал: Уходите.

Леля. Я ухожу. Хорошо. Я уйду сама. Не мучьте меня. Я уже мертвая.)

В тетради финальные фразы сцены иные:

(«Скажи ей... Скажи ей... Скажи, что пролетариат великодушен».)

7-й эпизод. Финал

В экземпляре в перечне действующих лиц:

Агитатор.

1 голос.

2 голос.

Безымянный пожилой господин со свитой.

Леля. «Я помню... Я вспомнила... Сады, театры, искусство пролетариату...»

Выстрел. Леля успевает закрыть собой Сантиллана.

Падает. Шепчет что-то ткачихе на ухо.

Ткачиха. «Она просит покрыть ее красным флагом».

Карандашом дописана реплика:

«Мы прокричим правительству список наших бед».

Последняя ремарка: «Идут безработные. Леля лежит мертвая, непокрытая. Марш».

В тетради:

Вместо авторских служебных обозначений «1 Голос», «2 Голос» вписаны имена актеров: Пшенин, Консовский, Никитин, Трофимов, Высочан, Логинов, Крюков и др.

Появляются написанные Олешей куплеты «народной песенки» о блондинке.

Безымянный «пожилой господин со свитой» сменяется текстильным магнатом Лепельтье с семейством.

После выстрела, смертельно ранившего Лелю, раздаются голоса:

«Она воровка».

«Он ее из ревности».

«Любовник ее».

«Она служила в полиции».

«Предательница».

«Потаскуха».

Леля. «Это я украла у товарища... Не поддавайтесь на провокации... Не стреляйте... Идут войска Советов... валить стены Европы... Париж, Париж, вот слава твоя, Париж...»

Ткачиха. «Мы прокричим правительству список наших побед». Но слог «по» зачеркнут.

Заключительная ремарка: «Леля лежит мертвая, непокрытая».

«Народность», о которой упоминает драматург в письме к Мейерхольду, реализована в финальных сценах пьесы легкомысленной песенкой, голосами толпы, осуждающей Лелю, лозунгами, которые выкрикивают демонстранты.

Итак, общий смысл исправлений в структуре и словесном материале пьесы, производимых на протяжении года, с конца марта 1930 до мая 1931 года:

снимается угроза, исходящая от Советской России. На это направлена вся линия переделок: юноша с жасмином вместо грозного «рабочего Тихомирова», Леля открыто уезжает с цветами, а не убегает тайком, в Париже она теперь спорит не с Федотовым, а с Татаровым, называя сказку о гадком утенке «агиткой мелкой буржуазии»; купируются рискованные реплики Татарова об «убийцах, исполняющих волю истории», Гончарову не изгоняют из полпредства фразой о том, что она поставила себя вне закона, а, напротив, сообщают ей (в кафе), что «пролетариат великодушен». Международный бал артистов в честь Чаплина превращается чуть ли не в фашистское сборище. Наконец, темы арестов и убийств в СССР приглушаются, становясь почти шутливо-комическими. «Правильная» идеология пронизывает теперь каждую клеточку пьесы, образ, фразу. В финале заметно нарастает ложноклассический пафос баррикад и всячески снижается образ Лели, заслоненный криками, знаменами, широкой картонной спиной коммуниста Сантиллана. Унижение и осмеяние главной героини бесспорно, ее надгробная эпитафия не оставляет сомнений в том, что ее вина перед советской страной не может быть заглажена ничем, даже жертвенной гибелью.

За два дня до официальной премьеры спектакля «Список благодеяний», 2 июня 1931 года, после просмотра проходит обсуждение работы ГосТИМа с членами Главреперткома, на котором Мейерхольд подчеркивает еще раз: «Те, кто был знаком с первым вариантом пьесы, знают, как там была поставлена проблема интеллигенции. Я был очень благодарен ГРК, когда тот предложил изменить постановку этого вопроса в первом варианте. Во втором варианте линия Лели Гончаровой попадает между <...> двумя мировоззрениями, которые в пьесе очень четко отмечены»[87].

Парадоксально, но в октябре 1930 года Мейерхольд представил в цензуру в целом достаточно лояльный в идеологическом отношении вариант пьесы. Леля не идеализировалась автором, а Федотов был написан теплыми красками, был человечен и немногословен, не «агитировал» и митинговал, а разговаривал, стремясь услышать и понять собеседника. Татаров же хотя и не представал воплощением зла, но, во всяком случае, и не читался как лицо страдательное. Баланс сил, обрисовка характеров были продуманны.

Но чрезмерная подозрительность идеологических редакторов приводит в конце концов к деформации системы образов пьесы. Добиваясь «более верного» тона Федотова, получают ходячую схему. Злодей Татаров, будучи оттенен совершенно картонным противником, будто наращивает мускулы, демонстрирует на его фоне интеллект, ироничность, становится более привлекательным. Леля же, попав в обстоятельства бесчеловечного давления, с одной (советской) стороны, и успешно сопротивляясь столь сильному противнику, как Татаров, — с другой, вырастает в масштабности, превращаясь в трагическую фигуру.

На каком-то этапе переделок текста (и сюжета) вещи Олешу побеждает вторичность, неточность приводит к красивостям, фразы порой звучат как пародийные. Драматург будто проваливается в эпигонство, претенциозность — именно тогда, когда ложна излагаемая

Ю. Олеша среди участников Вседонецкого слета молодых писателей. 1934 г.

мысль. Литературщина входит в пьесу как симптом недобросовестности, интеллектуальной нечестности. Если новая олешинская мысль вела и свои слова, то повтор общих мест проявляется в вычурной нарядности изложения (напомню монолог полпреда о «пламенных революционерах», «гордых стариках», Ромене Роллане). В монологах Федотова, шутках бодрячка-балагура Лахтина, заменившего полпреда, филиппиках фанатичного Дьяконова нарастают фальшь и натужная заданность.

Премьера «Списка» проходит 4 июня. Но еще и на следующий день, 5 июня 1931 года «вдогонку» готовому спектаклю из стен Главреперткома уходит срочная телефонограмма за подписью и.о. председателя ГРК О. Литовского:

«Т.т. Мейерхольду и Белиловскому[88]:

Вторично предлагается Вам в спектакле "Список благодеяний" устранить всякие упоминания о посольстве в связи с револьвером — реплику Гончаровой: «Не говорите полпреду по поводу бала». Снять форму в сцене у Татарова со старшего полицейского»[89].

Возможные «запрещенные» ассоциации действующих лиц (с советскими агентами, осуществляющими террористические акты за рубежом и, по-видимому, с чем-то, пугающе-опознаваемым гражданами России в поведении парижского полицейского) продолжают тревожить власти и приводят к очередной сценической купюре уже выпущенного спектакля.

Замечу, не последней купюре.

Гастроли ГосТИМа начались в двадцатых числах июня, т.е. почти сразу после премьеры в Москве. «Список» везут в Харьков, Воронеж, Киев. В Харькове Мейерхольд был с 29 июня до 14 июля. 1 июля сыграли премьеру, а 10 июля режиссер писал Олеше:

«Местному Реперткому показывали пьесу целиком накануне премьеры. Играли в фойе без декораций. Актеры были в своих костюмах. Шел спектакль хорошо. Зиночка плакала. Один из членов Реперткома требовал снятия "Списка". Мотив? Харьковцам абсолютно неинтересно следить за переживаниями колеблющейся Гончаровой, потому что в Харькове нет ни одного колеблющегося интеллигента, и вообще в Харькове совсем иная интеллигенция, не похожая на московскую. И нечего Харькову идти в хвосте Москвы. Пора Москве идти в хвосте Харькова. Другой член Реперткома предлагал мне вставить в сцене Чаплина еще одну фигуру безработного — индустриального рабочего, с тем чтобы Гончарова говорила одновременно то с Чаплином, то с рабочим. Пьесу спасло голосование, четыре были за, один был против.

Так как реперткомовцы собирались после премьеры еще раз обсуждать — быть «Списку» в Харькове или не быть, — я решил харьковцам показывать «Список» без сцены Чаплина. Боялся: а вдруг на расширенном заседании Реперткома после премьеры харьковцы превратят сцену Чаплина в сцену армии безработных с Чаплином во главе? Пьеса имела очень большой успех, и совещание не было созвано»[90].

В театральном экземпляре[91] вычеркнут целиком весь эпизод Маленького человечка и Фонарщика, то есть приглушена столь важная Олеше тема Чаплина, тесно связанная с шекспировскими реминисценциями.

История содержательной редактуры пьесы в сжатом виде выразила историю переделок любой, каждой вещи мыслящего литератора, работавшего в советской России во второй половине 1920-х — начале 1930-х годов. Это был не индивидуальный случай, а вполне типовой сюжет. А конкретные узлы цензурного вмешательства обозначили проблемы, которые либо нельзя было трогать вовсе, либо позволялось решать лишь «в установленном порядке», определенными средствами и с выводами, предрешенными не логикой художественного произведения, а логикой политических обстоятельств.

Этапы изменения текста

Текст, прочитанный Мейерхольду в конце марта 1930 года (в котором Олеша «оправдывал Гончарову»).	1-й вариант пьесы (неизвестный).
Текст, доработанный в течение лета и представленный в цензуру в конце октября 1930 года.	2-й вариант 656.1.2198
Текст, который Олеша читает на труппе ГосТИМа 14 марта 1931 года и о котором говорит 18 марта 1931 года, что он «переписал пьесу заново».	3-й вариант 963.1.708
Он же, перепечатанный (по которому идут репетиции).	963.1.712 (осн. текст).
Окончательный театральный текст.	4-й вариант 963.1.712 (вкл.тетради).

Итак, редакция «Списка благодеяний», образованная машинописью 963.1.712, с заменой трех сцен текста «основной тетради» сценами на листах, вложенных в переплетенный экземпляр, и есть сценический текст спектакля ГосТИМа. Он и избран к опубликованию.

Спустя два месяца после премьеры пьеса была напечатана в журнале «Красная новь» (1931. № 8) и вслед за этим вышла отдельным изданием в издательстве «Федерация». Была опубликована редакция, ставшая литературной основой спектакля Мейерхольда, за немногими, но чрезвычайно красноречивыми разночтениями. Ключевая реплика Лели «Я полагаю, что в эпоху быстрых темпов художник должен думать медленно» превратилась в прямо противоположную: «Художник должен думать немедленно».

В архиве Олеши отыскался развернутый отзыв Л. Славина о рукописи А. Белинкова «Юрий Олеша», где, в частности, Славин пишет: «<...> или — вопрос об опечатке в реплике Гончаровой («Список благодеяний») — когда в отдельном издании этой книги было напечатано: «Художник должен думать немедленно» (вместо: «Художник должен думать медленно»). Над этой знаменитой опечаткой в свое время много смеялись — в первую голову Олеша»[92]. Об этом же вспоминал и автор. В выступлении на диспуте «Художник и эпоха», прошедшем в январе 1932 года в Ленинграде, Олеша говорил: «Я когда-то сказал вещь, которая считалась крамольной: что в эпоху быстрых темпов художник должен думать медленно. Когда "Список благодеяний" вышел отдельной книгой, то настолько моя мысль показалась странной, что корректор написал вместо "медленно" — "немедленно", и получилось: в эпоху быстрых темпов художник должен думать немедленно»[93].

Искажена была и данная в ремарке авторская характеристика Петра Ивановича, соседа Лели, как человека «неинтеллигентного». В печатном издании он стал, напротив, «человеком интеллигентным».

Эти два случая искажения авторского текста представляются скорее осознанной «редактурой корректора», нежели нечаянными ошибками.

Наконец, в театральном экземпляре была исправлена важная реплика Кизеветтера. Вместо «Почему я должен лить кровь из чужого горла?» в спектакле звучало: «Почему я не могу лить кровь из чужого горла». В печатном издании пьесы Олеша сохранил первоначальный вариант.

Итак, во время работы с пьесой происходило следующее:

1. Уходили целые сцены (театрального разъезда, закулисья, общежития коммунистов, полпредства в Париже), важные для пьесы персонажи, как сценические (Маленький человечек и Фонарщик), так и внесценические (Чаплин, Эйнштейн и др.).

2. Напротив, дописывались новые эпизоды и сцены: сцена «В кафе» сменила сцену «В полпредстве», на место первой сцены «У Татарова» пришла сцена «У портнихи». Появлялись и новые персонажи (советские коммунисты Лахтин и Дьяконов, французский — Сантиллан).

3. Изменялась последовательность эпизодов, т.е. структура вещи.

4. Менялись названия действий, финальные реплики как отдельных действий, так и пьесы в целом.

5. Принципиально перестраивались все центральные герои.

У Лели были отняты существенные фразы обвинения, а дописаны декларативно-восторженные реплики внезапно прозревшего человека. В окончательной редакции пьесы Леля из «ветви, полной цветов и листьев» превращалась во второго Бабичева, воспевающего колбасу. Вместо сказки о гадком утенке из ее уст звучала теперь «сказка об утином экспорте».

Татаров представлял собой теперь не драматическую фигуру российского эмигранта, а злодея-резонера. С интенсивной корректировкой роли Татарова заметно стушевывалась и тема ценности человеческой личности и человеческой жизни, смолкали обвинения в адрес Советской России.

Полпред Филиппов, хлебосол и театрал, притом «лицо официальное», сменялся рядовым советским гражданином, строгим, но доброжелательным инженером Лахтиным.

Федотов из комбрига, ушедшего в чекисты, которому «приходилось поработать» и следователем, превращался в механика, члена «комиссии по тракторным делам», журящего Лелю с дружеской мягкостью.

А место Федотова II, «держиморды» по аттестации полпреда, занимал единственный, кто оставался непримирим к Леле, — Дьяконов.

В первоначальных вариантах пьесы Олеша выговаривал важные, выношенные мысли. О цене человеческой жизни и смерти. О терроре невежественных фанатиков. О лжи, в которой тонет страна. О расстрелах. Голодных бунтах. О роли частной собственности и «единственно верном» способе мышления — марксизме. Леля кричала Федотову о том, что «в Европе никогда не будет революций».

Редактура была длительной и неустанной.

Но хотя «сомнительные» реплики вычеркивались — Олешей сочинялись новые, в которых упорно пробивались лиризм и исповедальность автора. Кроме того, как известно, сущность произведения заключена не в одних только «правильных» репликах — она растворена в самой структуре пьесы (что в сюжете заключена идеология, было сформулировано еще О.М. Фрейденберг[94]).

Поэтому вычеркнутое оставалось, жило в спектакле.

Но пьеса менялась на уровне сюжета. Как формулировал В. Шкловский, «сюжет создается ощущениями перемены моральных законов»[95]. Законы оставались прежними — задавлены были люди. Мысли, сколько-нибудь имеющие отношение к реальной жизни страны, к этому времени уже были окончательно запрещены к публичному употреблению. Формировался так называемый социалистический «большой стиль». Казалось, Олеше так и не позволили написать — и тем более обнародовать — исповедь интеллигента.

ПРИМЕЧАНИЯ

1. *Шкловский В.* О современной русской прозе // Шкловский В. Гамбургский счет. М., 1990. С. 194.
2. *Берковский Н.* Мейерхольд и смысловой спектакль // На литературном посту. 1929. № 1. С. 39—45.
3. А. Февральский вспоминал, что Мейерхольд приводил в театр Булгакова на собрание режиссерского факультета. По-видимому, переговоры между режиссером и драматургом шли по поводу «Бега», пьесы, которую Мейерхольд просил у Булгакова и которую, с точки зрения Булгакова, излишне реалистически, не ощущая авторской поэтики, репетировал МХАТ. См.: *Февральский А.* Записки ровесника века. М., 1976. С. 289.
4. *Шкловский В.* Конец барокко // Шкловский В. Гамбургский счет. С. 449.
5. *Олеша Ю.* Книга прощания. С. 25.
   Замечу, что книгу о Мейерхольде от Олеши ждали. Одним из тех, кто подталкивал к ее сочинению, был уверен в органичности и необходимости рождения такой книги, был Вс. Вишневский. В письме к Олеше 19 февраля 1934 года он упрекал его: «<...> живой Олеша о Мейерхольде и *писатель* Олеша о Мейерхольде. Какая же жалкая судьба у написанных Вами строк о том, кого Вы знаете так полно, о ком можете написать настоящее — достойное искусства» (*Вишневский Вс.* Статьи. Дневники. Письма. М., 1961. С. 528).
6. Сын З.Райх от брака с Сергеем Есениным К.С. Есенин вспоминал в 1969 году: «Когда-то <...> Юрий Карлович был очень дружен с Всеволодом Эмильевичем Мейерхольдом, с моей матерью, с нашим домом. <...> Юрий Карлович, Ольга Густавовна были в те годы неотъемлемой частью квартиры на Брюсовском, дачи в Балашихе...» (*Есенин К.С.* Воспоминания о Ю.К. Олеше. Машинопись. // Ф. 358. Оп. 2. Ед. хр. 954. Л. 7).
7. *Мейерхольд Вс.* Выступление на заседании Худполитсовета ГосТИМа 23 сентября 1929 г. // Стенограммы выступлений Вс. Мейерхольда. Ф. 963. Оп. 1. Ед. хр. 46. Л. 23—26.
8. «Список благодеяний». Наброски. Автограф Ю. Олеши // Ф. 1334. Оп. 2. Ед. хр. 415. Л. 10 об. (Фонд А.Е. Крученых.)
9. *Олеша Ю.К.* Письма и телеграммы В.Э. Мейерхольду // Ф. 358. Оп. 2. Ед. хр. 616. Л. 6. Автограф.
10. *Олеша Ю.К.* Письма, открытки и телеграммы к жене, О.Г. Суок // Ф. 358. Оп. 2. Ед. хр. 626.
11. Сима — Серафима Густавовна Суок, в первом (гражданском) браке жена Ю. Олеши, во втором жена В. Нарбута, в третьем — Н. Харджиева и в последнем — В. Шкловского.
12. Казико Ольга Георгиевна (1900—1963), актриса, педагог. С 1927 года в труппе БДТ. Подробно о личности Казико см.: *Шварц Е.* Телефонная книжка. М., 1997. С. 200—205, 591.
13. Бережной Тимофей Иванович — администратор БДТ.
14. Либединский Юрий Николаевич (1898 — 1959), журналист, писатель. Один из руководящих деятелей РАППа (в 1931 году — член совета Главреперткома).
15. *В.Э. Мейерхольд.* Письмо, телеграммы и записка Ю.К. Олеше с пояснительными надписями Ю.К. Олеши. // Ф. 358. Оп. 2. Ед. хр. 774. Л. 5.

16. *Пришвин М.* Дневник писателя // Октябрь. 1989. № 7. С. 162.

17. *Бродский И.* По обе стороны океана: Беседы с Адамом Михником // Всемирное слово. 1999. № 10/11. С. 12.

18. *Олеша Ю.* Тема интеллигента // Стройка. Л. 1930. 31 марта.

19. Вс. Мейерхольд — Л. Оборину // Мейерхольд В.Э. Переписка. 1896—1939. М., 1976. С. 305. Но весной—летом 1930 встречи Оборина с Олешей не произошло, т.к. Оборин не знал адреса драматурга и был занят другими, более неотложными для него делами. В результате музыку к спектаклю «Список благодеяний» писал композитор Г.Н. Попов.

20. *Томашевский Б.В.* Писатель и книга: Очерк текстологии. 2-е изд. М., 1959. С. 142.

21. Ф. 358. Оп. 2. Ед. хр. 616. Л. 1.

22. Письмо З. Райх О.Г. Суок из Берлина. Автограф // Ф. 358. Оп. 2. Ед. хр. 1175. Л. 2 об.

23. Ф. 358. Оп. 2. Ед. хр. 616. Л. 5.

24. Ю. Олеша — Вс. Мейерхольду 30 апреля 1930 года. Из переписки Ю.К. Олеши с В.Э. Мейерхольдом и З.Н. Райх / Публ. Э. Гарэтто и И. Озерной // Минувшее: Исторический альманах. М.; СПб., 1992. Вып. 10. С. 142—147.

25. Вс. Мейерхольд — Ю. Олеше, из Парижа в Москву // Мейерхольд В.Э. Переписка. С. 307.

26. Возможно, сомнения Олеши в том, кому отдавать пьесу (если они вообще были), появились из-за ставших ему известными планов Мейерхольда разделить труппу на две части и с лучшими, известными артистами отправиться на зарубежные гастроли, оставив молодых на сезон 1930 / 1931 года в Москве. См. докладную записку В.Э. Мейерхольда в Коллегию Наркомпроса РСФСР 18 августа 1930 года, где он, в частности, пишет: «ГосТИМ на исходе 10-го года своего существования вырос и окреп настолько, что может работать двумя группами. И, заглядывая вперед, в сезон 1930—1931, можно с совершенной уверенностью сказать, что новый план разделения ГосТИМа на две группы (одна группа направляется в Америку, другая остается в Москве) не представляет из себя решительно ничего утопического» (см.: Докладная записка В.Э. Мейерхольда в Коллегию Наркомпроса РСФСР об итогах гастролей ГосТИМа в Германии и Франции, о необходимости гастролей театра в Америке и о положении театра. Автограф // Ф. 998. Оп. 1. Ед. хр. 2826. Л. 9—10).

27. Известно, что среди важных для Мейерхольда встреч во время гастролей в Берлине произошла и встреча с Михаилом Чеховым.

28. Вс. Мейерхольд — Ю. Олеше // Мейерхольд В.Э. Переписка. С. 308.

29. Ю. Олеша — Вс. Мейерхольду // Там же. С. 309.

30. Дело ленинградских академиков (либо «академическое дело», либо «дело историков») — репрессии в отношении русской гуманитарной интеллигенции в 1929—1930 годах, в основном обрушившиеся на сотрудников ленинградской Академии наук. Всего по «делу академиков» было привлечено более ста человек. Событие не могло не обсуждаться в среде писателей, с которыми встречался Олеша во время своих нередких поездок в Ленинград, в частности и во время работы над пьесой в феврале—марте 1930 года. Чистка Академии наук началась еще весной 1929 года, первые аресты прошли в октябре того же года. М.И. Калинин: «Партия должна была нанести удар

Академии, чтобы добиться ее подчинения. Поэтому мы прибегли к арестам». Следствие по делу «четырех академиков» (С.Ф. Платонова, Е.В. Тарле, Н.П. Лихачева и М.К. Любавского) закончилось в январе 1931 года. В обвинительном заключении утверждалось, что академики планировали восстановить в России монархию, надеясь на помощь интервентов и т.д. См. об этом подробнее: *Анциферов Н.П.* Три главы из воспоминаний // Память: Исторический сборник. М., 1979. Вып. 4; Париж, 1981. С. 55—45; *Ростов А.* Дело четырех академиков // Там же. С. 469—495; *Перченок Ф.Ф.* Академия наук на «великом переломе» // Звенья: Исторический альманах. М., 1991. Вып. 1. С. 163—235.

«Первая серия приговоров по "делу Академии наук" была вынесена в феврале 1931 года, когда несколько десятков человек получили от 3 до 10 лет; в мае последовала серия более суровых приговоров: пять человек приговорены к расстрелу, большая группа ученых отправлена в лагеря» (*Черных А.* Становление России советской: 20-е годы в зеркале социологии. М., 1998. С. 142—143).

31. 16 сентября 1930 года Мейерхольд пишет Оборину: «Прощаемся с Парижем. 19-го днем садимся в поезд и ай-да: на денек в Берлин и снова ай-да в Москву...» (цит. по: *Руднева Л.* Лев Оборин и Всеволод Мейерхольд // Л.Н. Оборин — педагог. Сост. Е.К. Кулова. М., 1989. С. 158—189).

32. Советский театр. 1930. № 13/16. С. 8.

33. Протоколы заседаний Художественно-политического совета театра. Машинопись. Ф. 963. Оп. 1. Ед. хр. 148. Л. 102. А в фонде А. Крученых, близкого друга Ю. Олеши, на полях набросков сцены, в которой главная героиня говорит о жасмине, сохранилась запись рукой Ю. Олеши: "Список благодеяний". Читано 20, 21 октября 1930 г. в театре Мейер/хольда/» (Ф. 1334. Оп.2. Ед. хр. 415. Л. 14).

Филипп Гопп вспоминал: «В 1930 г. мы с Ю.О. и Вс. Вишневский со своей женой, художницей Вишневецкой, пошли в театр Мейерхольда. Там в один и тот же вечер должны были быть прочитаны две пьесы: "Последний решительный" Вишневского и "Список благодеяний" Ю. Олеши. Читка состоялась на втором этаже театра. Шел "Лес"» (*Гопп Ф.* В те недавние времена // Звезда. 1975. № 8. С. 181—192).

34. Ф. 2979. Оп. 1. Ед. хр. 284. Л. 53—53 об.

35. Ф. 2979. Оп. 1. Ед. хр. 285. Л. 1—1 об.

36. Напомню, что одним из первых «невозвращенцев» оказался Г.З. Беседовский, советник полпредства в Париже, «убежавший через забор полпредского сада в 1929 году. На собраниях в полпредстве этот поступок «клеймился позором» и рассматривался как черная измена родине и всему делу социализма» (*Канивез М.* Моя жизнь с Раскольниковым // Минувшее: Исторический альманах. Paris, 1989. Вып. 7. С. 62). Бегство Беседовского имело шумный резонанс в зарубежной прессе. «А здесь белоэмигранты весьма заряжены Беседовскими...», — писал М. Горький Г.Г. Ягоде в июне 1930 года (цит. по: Неизвестный Горький: Материалы и исследования. М., 1994. Вып. 3. С. 172). См. также: наст. изд., примеч. 22 к главе 2.

37. Кон Феликс Яковлевич (1864—1941), партийный деятель, сотрудник Коминтерна.

38. Дивильковский Иван Анатольевич, сотрудник советского полпредства в Париже.

39. Ф. 998. Оп. 1. Ед. хр. 2826. Л. 1.

«Невозвращенчество» было связано со множеством известных лиц, имен, наконец, просто знакомых Мейерхольда и Олеши. Недавно остались за границей М. Чехов и А. Грановский. Нервничал из-за планируемой поездки за границу для лечения Станиславский. Об «огромных сложностях» с выдачей заграничных паспортов писал Вл.И. Немирович-Данченко. Не был выпущен во Францию перед самоубийством кумир Олеши, его старший друг Маяковский. В 1930 было отказано в зарубежной поездке Пастернаку. Двери закрывались даже перед теми, кому совсем недавно разрешалось беспрепятственно пересекать границы СССР.

О том, что Мейерхольд задержался за рубежом, помнил Сталин и определенным образом расценивал этот факт. В автографе известного сталинского письма к В.Н. Билль-Белоцерковскому от 1 февраля 1929 года (в основном посвященного дирижеру Большого театра Голованову и булгаковской пьесе «Бег») были такие строки: «Из этого не следует, что <...> [кривляку Мейерхольда, который почему-то раздумал оставаться... не удалось обосноваться за границей, надо носить на руках] // Власть и художественная интеллигенция: Документы. 1917—1953 / Под общей ред. А.Н. Яковлева. М., 1999. С. 100.

40. Вс. Мейерхольд — К.Д. Гандурину // Ф. 963. Оп. 1. Ед. хр. 716. Л. 23—23 об.

41. Фонд Главискусства. Заседание ГРК. Протокол № 27. Машинопись / / Ф. 645. Оп. 1. Ед. хр. 129. Л. 51.

42. *Кнорин В.Г.* Очередные задачи развития театра // Пути развития театра: Стенографический отчет и решения партийного совещания по вопросам театра при Агитпропе ЦК ВКП(б) в мае 1927 г. М.; Л., 1927. С. 9.

43. См.: *Крыленко Н.В.* Судебные речи. 1922—1930. М., 1931.

44. Рабочий и искусство. 1930. 7 декабря. № 67.

45. Дело было не только в самих организованных мероприятиях, но и в том, какой след они оставляли в сознании каждого. См. изложение доклада О. Хархордина на конференции «Частная жизнь в России: от средневековья до современности», прошедшей 4—6 июня 1996 года в университете Анн Арбор, США (Отечественная история. 1998. № 3. С. 208—213): его анализ «истории обличений», особенностей их воздействия на индивидуальную психику человека в Советской России.

46. Ф. 358. Оп. 1. Ед. хр. 22. Л. 45.

47. *Олеша Ю.* Книга прощания. С. 103—104.

48. Протоколы заседаний Художественно-политического совета ГосТИМа. Протокол № 3. Машинопись // Ф. 963. Оп. 1. Ед. хр. 148. Л. 111.

49. Ф. 963. Оп. 1. Ед. хр. 709.

50. Советское искусство. 1931. 2 февраля.

51. Советское искусство. 1931. 7 февраля.

52. Ср.: «Я написал пьесу — в виде оперы, — обращается к М. Исаковскому некий бестрепетный автор. — Наш драмкружок отказывается ставить ее, говорит, “дрянь”. А какая же может быть дрянь, если я настоящий писатель и меня печатают? Вот мне и надо удостоверение, чтобы в драмкружок предъявить» (*Исаковский М.* Литература или беда? О крестьянских «писателях» // На литературном посту. 1928. № 6. С.73).

53. В феврале 1931 года Л.Л. Авербах направляет записку в ЦК ВКП(б), где, в

частности, пишет, что «существование рапповского театра безусловно будет способствовать дальнейшему революционизированию профессионального театра», и предлагает разместить этот художественный организм в «театральном помещении нового дома ГПУ». Постановление Политбюро ЦК ВКП(б) «Об организации театра Российской ассоциации пролетарских писателей» датируется 5 марта 1931 года. См. об этом: Власть и художественная интеллигенция. С. 143.

54. Изложение доклада Ю.Н. Либединского «Основные вопросы платформы театра РАПП» опубликовано в: Пролетарская литература. 1931. № 5/6. С. 134.

55. *Павлов В.А.* Творческая методология театра им. Мейерхольда // РАБИС. 1931. 1—10 апреля. № 9.

56. Ф. 358. Оп. 2. Ед. хр. 81. Л. 52 об.

57. *Мейерхольд Вс.* Беседа с участниками спектакля «Список благодеяний» 2 марта 1931 года. // Наст. изд., глава 5.

58. О тогдашней ситуации в советских полпредствах за рубежом яркое представление дают мемуары жены Ф.Ф. Раскольникова, (об «атмосфере осажденной крепости» из-за многочисленных представителей ГПУ, о появлении на дипломатических постах невежественных выдвиженцев, о глухой изоляции от жителей страны, в которой находилось полпредство, и пр.). См: *Канивез М.* Моя жизнь с Раскольниковым // Минувшее: Исторический альманах. Paris, 1989. Вып. 7. С. 60—64.
Не менее интересным в связи с пьесой представляется то, что знакомого Мейерхольдам советского полпреда в Париже В.С. Довгалевского обвиняли в похищении лидеров белой военной эмиграции генералов А.П. Кутепова и Е.К. Миллера.
«Большим успехом советских разведчиков стало похищение лидеров белой военной эмиграции руководителей РОВС генералов А.П. Кутепова и Е.К. Миллера. По горячим следам событий о них рассказал в книге «Большевистские ганстеры в Париже» эмигрантский журналист В.Л. Бурцев. <...> Участниками похищения <...> Бурцев назвал полпреда Довгалевского и сотрудника ОГПУ Яновича. Но это были вовсе не они. Организации похищения Кутепова, которое состоялось 26 января 1930 года, помог белогвардейский генерал Дьяконов» (сотрудничавший с советской разведкой. — *В.Г.*). Цит. по: Советская разведка и русская военная эмиграция 20—40-х годов: Интервью со старшим консультантом пресс-бюро службы внешней разведки России полковником В.Н. Карповым // Новая и новейшая история. 1998. № 3. С. 119—124.
Совпадение фамилий одного из сотрудников полпредства в окончательной редакции пьесы Олеши — Дьяконов — и реально действующего лица, возможно, свидетельствует об осведомленности автора пьесы (через Вс. Мейерхольда) о событиях текущей политической жизни.
Ср. рискованную реплику Татарова, обращенную к Леле, которая осталась в черновиках: /Советское посольство/ [инспирировало вас на терр рассылает своих агентов предприняло ряд террористических актов против эмигрантов] (Ф. 358. Оп. 2. Ед. хр. 76. Л. 35 об.).

59. Ф. 358. Оп. 2. Ед. хр. 80. Л. 13 об.

60. Ни дня без строчки: Из дневников и воспоминаний Ю.К. Олеши / Публ. Н.Г. Королевой // Встречи с прошлым. М., 1988. Вып. 6. С. 309—311.

61. Там же.

62. Там же. С. 311. «Яд», присутствующий в драме ли, в музыке ли, в живописи, — это, по всей видимости, рудимент характерной, принятой в околосимволистских кругах лексики. Ср. Михаил Кузмин о своем творчестве: «У меня не музыка, а музычка, но в ней есть яд» (цит. по: *Иванов Г.* Из литературного наследия. Стихотворения. Третий Рим. Петербургские зимы. М., 1989. С. 367).
63. Ф. 963. Оп. 1. Ед. хр. 708.
64. Ф. 656. Оп. 1. Ед. хр. 2198.
65. Ф. 963. Оп. 1. Ед. хр. 709.
66. Там же. Ед. хр. 708.
67. Там же. Ед. хр. 712.
68. Там же. Ед. хр. 710.
69. Достоверно известно, что еще 24 февраля 1934 года «Список» был в репертуаре театра. См.: Списки действующих лиц и исполнителей спектакля «Список благодеяний» // Ф. 963. Оп. 1. Ед. хр. 714. Л. 53.
70. Ф. 963. Оп. 1. Ед. хр. 708. Л. 45.
71. Лукомский Александр Сергеевич (1868—1939), генерал-лейтенант Генштаба, помощник Главнокомандующего Добровольческой армии (1918—1919), с января 1919 года — «Вооруженных сил Юга России», председатель правительства при генерале Деникине (1919—1920). С 1920 года в эмиграции. Автор мемуаров о Гражданской войне в России (Воспоминания. Берлин, 1922). Имя Лукомского не раз звучало в обвинительных речах прокурора Н.В. Крыленко на процессе Промпартии (в связи с планом интервенции, вступлением экспедиционного корпуса Лукомского в Россию и пр.).
72. В «Письме ВОКСу», датированном 4 февраля 1931 года, Р. Роллан говорит о «громком процессе, вскрывшем нарыв, назревший в сердце некоторых интеллигентов, пользовавшихся своими привилегиями для предательства трудового народа» (*Роллан Р.* Собр. соч.: В 14 т. М., 1958. Т. 13. С. 211).
73. Ф. 998. Оп. 1. Ед. хр. 237.
74. Ф. 963. Оп. 1. Ед. хр. 712.
75. Достоверными источниками, благодаря которым удалось уточнить дату первой репетиции «Списка», стали письма Э.П. Гарина жене и режиссерские заметки М.М. Коренева (так как стенограммы репетиций сохранились лишь с 31 марта 1931 г.).
    Гарин пишет Х. Локшиной 17 марта 1931 года: «Завтра первая репетиция “Списка благодеяний”...» (Ф. 2979. Оп. 1. Ед. хр. 288. Л. 45 об.).
76. *Коренев М.М.* Режиссерские заметки и записи на репетициях спектакля «Список благодеяний», поставленного В.Э. Мейерхольдом в ГосТИМ. Автограф // Ф. 1476. Оп. 1. Ед. хр. 50. Л. 3 об.
77. 15 марта 1931 года Олеша записывает в дневнике: «Сегодня я уезжаю в Ленинград, где состоится выступление от федерации — на литвечере четырех писателей: Всеволода Иванова, Михаила Светлова, Александра Безыменского и Юрия Олеши. Я соединил полезное... с полезным. Воспользуюсь поездкой на казенный счет для того, чтобы прочесть пьесу Большому драматическому театру» (*Олеша Ю.* Книга прощания. С. 31).
78. *Олеша Ю.* Выступление на обсуждении пьесы «Список благодеяний» на собрании ленинградской общественности с участием представителей ле-

нинградского обкома ВКП (б), ФОСП, ЛАПП, БДТ и др. // Наст. изд., глава 5.

Формулу сущности пьесы («борьба с самим собой») Олеша выразил много раньше схожими словами. В фонде А.Е. Крученых на листе, разорванном пополам и тщательно склеенном, рукой автора записано: «Лист как лицо немецкого бурша после дуэли. Дуэль с самим собой. Разорван мною, бинты наложены женой. Ю.О.» (Ф. 1334. Оп. 2. Ед. хр. 415. Л. 13 об.).

79. Стенограмма заседания в ГосТИМе коллектива театра, Главреперткома и Худполитсовета театра по обсуждению постановки пьесы «Список благодеяний» Ю. Олеши в Театре им. Вс. Мейерхольда 26 марта 1931 г. — См.: наст. изд., глава 5.
80. Выступление Ю. Олеши. Там же. // Наст. изд., глава 5.
81. *Олеша Ю.* «Флейта»: Сцена из пьесы «Список благодеяний» // Литературная газета. 1931. 29 марта. № 17 (116).
82. Ю. Олеша — Вс. Мейерхольду // Из переписки Ю.К. Олеши с В.Э. Мейерхольдом и З.Н. Райх. С. 150.
83. *Мейерхольд Вс.* Доклад о макете спектакля «Список благодеяний» на производственном совещании в театре 3 мая 1931 г. // Наст. изд., глава 5.
84. Группа инженеров «по тракторным делам» вошла в пьесу не случайно, ее появление отражало реальные, весьма интенсивные торгово-экономические контакты с Америкой в те годы. См. специальные постановления ЦК ВКП(б) от 25 августа 1929-го и 30 января 1930 года — об американской «техпомощи по тракторным и комбайновым заводам», по сооружению Магнитогорского завода, о закупках тракторов и комбайнов, об обучении инженеров в Америке и т.д.: «...Могут убраться к черту»: Документы Политбюро ЦК ВКП(б) о внешнеэкономической политике партии 1929—1934 гг. / Публ. Л.И. Гинцберга // Исторический архив. 1996. № 3. С. 154—158.
85. Ф. 963. Оп. 1. Ед. хр. 712.
86. Ф. 998. Оп. 1. Ед. хр. 237.
87. Стенограмма заседания Главреперткома с Худполитсоветом после просмотра спектакля «Список благодеяний» 2 июня 1931 г. // Наст. изд., глава 8.
88. Василий Васильевич Белиловский в те месяцы был директором ГосТИМа.
89. Письма Главреперткома В.Э. Мейерхольду о результатах и сроках просмотра пьес, совещаний и др. // Ф. 998. Оп. 1. Ед. хр. 2808. Л. 5.
90. *Мейерхольд В.Э.* Переписка. С. 319—320.
    Э. Гарин писал Х. Локшиной с гастролей, из Харькова 2 июля: «Вчера была, так сказать, премьера, причем местными блюстителями вычеркнуты сцены с Фонарщиком и Чаплином и сцена с поцелуем в Мюзик-холле. Этакое южное тупоумие, просто умилительно. Уж снимали бы все, а “Тихий Дон” (экранизация эпопеи Шолохова. — *В.Г.*) идет, как и у нас, и публика лезет, как будто выдают мясо» (Ф. 2979. Оп. 1. Ед. хр. 290. Л. 19 об.). И 3 июля (о предполагаемой совместной киноработе с режиссером А. Каплером): «...картины хорошей у него не получится. Это я заключил по тому еще, что ему понравился “Список благодеяний”, значит, интеллигент, да еще девяносто шестой пробы, несмотря на то, что прием спектакля в Харькове носит явно иронический характер» (Ф. 2979. Оп. 1. Ед. хр. 290. Л. 22 об.—23).
91. Ф. 963. Оп. 1. Ед. хр. 712.
92. *Славин Л.И.* О работе А. Белинкова «Юрий Олеша». Машинопись // Ф. 358. Оп. 2. Ед. хр. 908. Л. 6.
93. Выступление на Всесоюзной конференции драматургов // *Олеша Ю.* Пьесы. Статьи о театре и драматургии. С. 268.
94. «У меня есть претензия считать, что я первая в научной литературе увиде-

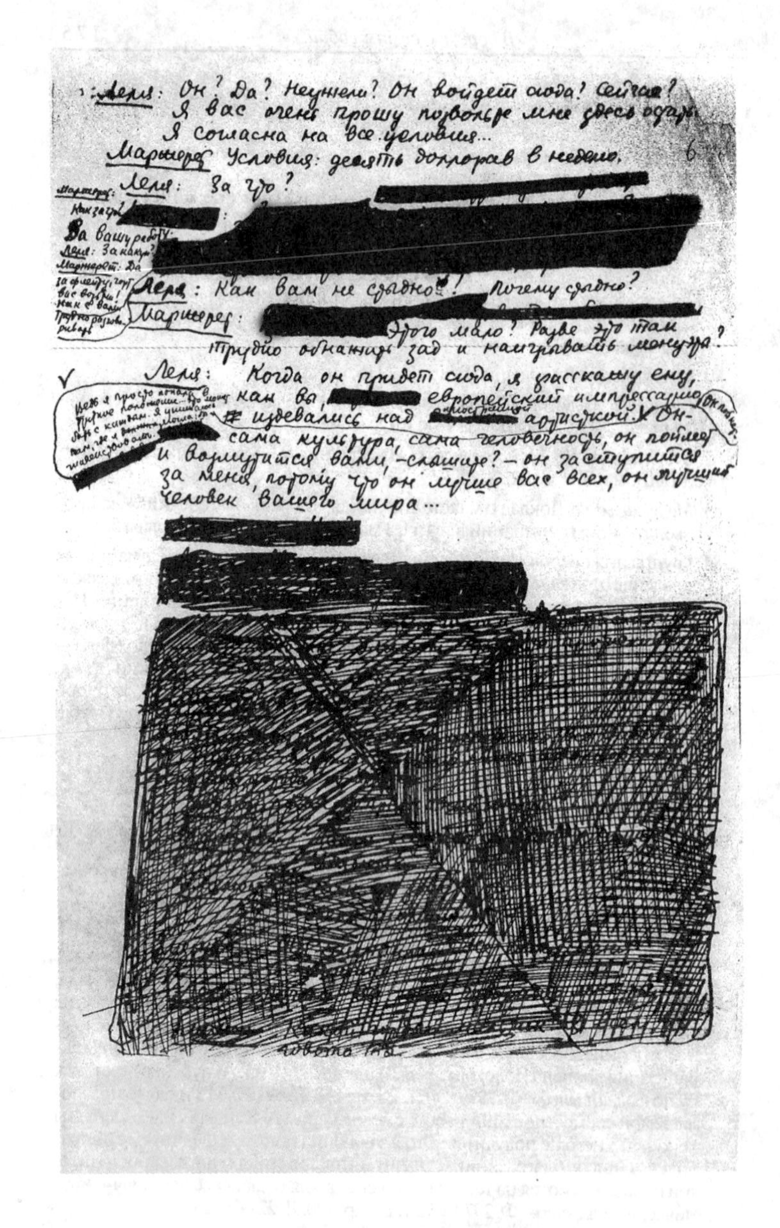

Леля: Он? Да? Неужели? Он войдет сюда? Сейчас?
Я вас очень прошу позвольте мне здесь ожидать.
Я согласна на все условия...
Маргерет: Условия: десять долларов в неделю.
Леля: За что?

Леля: Как вам не стыдно! Почему стыдно?
Маргерет: Этого мало? Разве это так трудно обнажить зад и наигрывать мотивчик?
Леля: Когда он придет сюда, я расскажу ему, как вы, европейский импрессарио, издевались над артисткой. Он — сама культура, сама человечность, он поймет и возмутится вами, — слышите? — он заступится за меня, потому что он лучше вас всех, он лучший человек вашего мира...

Ю. Олеша. Черновик сцены «В Мюзик-холле». Ф. 358. Оп. 2. Ед. хр. 77. Л.6

Глава 4

«Голос флейты»
Ранняя редакция пьесы (1930 г.)

Весной 1930 года Олеша записывал в дневнике: «Я хочу написать пьесу, в которой было бы изображено современное общество: ряд современных типов, та среда, которая перестала быть буржуазией и еще продолжает ощущать себя влиятельным слоем.

Когда ныне говорят «общественность», то под этим словом разумеют профсоюзы, газеты, пролетарские организации — словом, разумеют — пролетариат, правящий класс, потому что иная общественность в пролетарском государстве влиятельной быть не может. Между тем, помимо вышеуказанной общественности, параллельно, рядом существует общественность, с которой не считаются, но которая слагается из мнений и взглядов того огромного количества людей, которые, не имея права голоса в управлении и регулировании общей необходимости, продолжают участвовать в жизни страны тем, что работают в государственных предприятиях, на строительстве, всюду. Эта общественность никем не регулируется, она живет по каким-то внутренним законам, возникающим помимо профсоюзов, газет и т.п., — и видоизменяется, и дышит чуть ли не в зависимости от устойчивости цен на свободном рынке, — без внутреннего сговора она покоится на пружинах, очень могучих и всеми ощущаемых, и эти пружины приходят в действие сами по себе, хотя никто не стоит у рычага, чтобы нажимать его, — даже неизвестно, где и в чем заключен рычаг. Эта вторая общественность, это второе мнение, существующее в советском государстве, и является материалом, на котором хотел бы я построить свою пьесу.

Темой одного из героев этой пьесы должно быть следующее положение:

«Нельзя строить государство, одновременно разрушая общество».

Это герой — вычищенный при чистке учреждения, в котором он служил.

Другой герой — вернее, героиня — мечтает о Европе, о заветном крае, где можно проделать «прыжок от пишущей машинки в звезды ревю», — где можно стать знаменитой и богатой в один день.

Третий герой ненавидит себя за свою интеллигентность, за «гамлетизм», за раздвоенность.

Четвертый хочет вступить в партию для карьеры, для утирания кому-то носа, — для удовлетворения тщеславия.

Пятый ощущает конец жизни, стареет, разрушается в тридцать лет, чувствует отсутствие жизненной воли, определяя себя нищим, лишенным всех внутренних и материальных богатств.

Целая серия характеров, вернее носителей мнений представляется мне возможной для воплощения в персонажах современной советско-человеческой комедии.

Фон — строительство социализма в одной стране. Конфликт — двойное существование, жизнь собственного Я, кулаческая сущность этой жизни — и необходимость строить социализм, долженствующий раскулачить всякую собственническую сущность.

Вот о чем хочу я написать. Писать я буду в реалистической манере — бытовую пьесу!»[1]

Но вместо бытовой пьесы, разоблачающей «кулаческую сущность жизни», из-под пера Олеши выходит поэтическая драма о судьбе человека в новой России. Даже в самой объективированной из форм литературного высказывания — драме — Олеша остается лириком.

Связь основных тем пьесы с прозой Олеши очевидна. О развитии мотивов «Зависти» в пьесе писали много. Тема Лели звучит в рассказе «Я смотрю в прошлое» («Так возникает мысль о бегстве, о дороге, о сладости быть униженным, о вознаграждении жалостью...»). В «Списке» Маленький человечек, похожий на Чаплина, находит Лелю в придорожной канаве. Это не просто канава — знак границы (конца) привычного, знакомого мира, нарушение правил. (Ср.: «<...> овраг пересечет мой путь, та свалочная канава, над которой в детстве реял гений путешествий»[2].)

Еще полнее ощутимы переклички автора с любимым персонажем в дневниковых записях Юрия Олеши 1929—1931 годов. Целые страницы могут служить развернутым автокомментарием к пьесе. Размышления о частной собственности и «мелких чувствах», нищете и славе, свободе и Европе как «детстве» интеллигента, помнящего жизнь старой России, от важных обобщений до частных деталей, — многие мысли, до того как превратиться в реплики Елены Гончаровой, жили в этих дневниковых заметках (важнейшие из них будут отмечены в примечаниях). Так, читаем у Олеши, в записи 5 мая 1930 года: «Скучный дневник, самокопание, гамлетизм — не хочу быть интеллигентом»[3]. И в одном из набросков пьесы та же реплика звучала из уст Лели: «Как надоело быть интеллигентом... Гамлетизм надоел...»

Так же как и автора драмы, актрису Гончарову мучает раздвоенность, невозможность приятия послереволюционных изменений в России. Олеша пишет пьесу о том, в чем повинен новый строй перед людьми, населяющими Россию, предъявляет и пытается обнародовать список его преступлений. Главная героиня пьесы отказывается возвращаться в страну, где у нее отняты индивидуальность, душа, смысл творчества.

В ранней редакции пьесы запечатлевалось противостояние уравнивающего всех и вся коллективизма — и яркой личности, лишенной возможности самоосуществления, индивидуализма творческого успеха. Не случайно это слово долгие десятилетия встречалось в советской печати лишь в устойчивом словосочетании: «буржуазный индивидуализм» (который противопоставлялся «социалистическому коллективизму»).

«Гениальная» («великая») актриса Гончарова (это важно и подчеркивается в пьесе не раз) в новой России чувствует себя будто бы в безвоздушном пространстве. «Мы все бездомные. У нас нет родины», — пытается она объяснить свои чувства театральной приятельнице Кате Семеновой, но та не понимает ее. Новой России не нужен ни Гамлет, которого играет Леля, ни она сама. Напомню, что еще в брошюре «Амплуа актера» 1922 года, составленной Вс. Мейерхольдом (совместно с В. Бебутовым и И. Аксеновым), роль Гамлета была отнесена авторами к амплуа «неприкаянный или отщепенец (инодушный)»[4].

Напомню известное: пьеса Шекспира занимала особое место в сознании и творческих планах Мейерхольда. Записи А. Гладкова сохранили мейерхольдовские слова, относящиеся ко времени его работы над спектаклем «Список благодеяний»: «Я всю жизнь мечтаю о "Гамлете" и откладываю эту работу то по одной причине, то по другой. <...> Но сейчас я уже решил окончательно: "Гамлет" будет нашим первым спектаклем в новом здании. <...> Откроем новый театр лучшей пьесой мира!»[5]

По-видимому, «Список благодеяний» с момента зарождения идеи содержал в себе важнейшие мысли обоих будущих авторов спектакля, не одного лишь Олеши.

Важно и то, что писавшаяся в конце 1920-х пьеса апеллировала к живой культурной памяти интеллигенции, хранившей, среди прочего, впечатление от «Гамлета» Михаила Чехова, сыгранного им в 1924 году, и его же более раннего «Эрика XIV» с темой «человека между двух миров»[6]. Это создавало спектаклю по сугубо современной пьесе второй план, возможно, не всеми воспринятый, но от этого не исчезающий.

Устами центральной героини в первой редакции вещи драматург говорил о самых важных, острых проблемах времени. Прежде всего — о ценности человеческой жизни. Олеша видит, что в революции человек перестает быть мерой всех вещей, а превращается всего лишь в «функцию времени», нечто зависимое, утратившее самостоятельное значение. Мало того что его воля, разум, идеи вторичны, предопределены «общей» историей страны. Из этого вытекает еще и нравственный релятивизм, приуготовляющий разум к оправданию любого поступка, совершенного «во имя высокой цели». А писатель убежден, что человек — первопричина и средоточие мира.

Олеша набрасывает — кажется, мельком, в проходной сценке, но как много прочитывается в ней — и абрис новой антропологии. Так, драматургу очень важен эпизод с мнимой кражей яблок. Появившись уже в самых ранних набросках пьесы, он ни разу не исчезал из нее. Яблоки украдены, как утверждает деклассированная нищенка Дуня, лишь потому, что дверь была открыта. Имеется в виду, что было бы странно, если бы их не украли. Существенна лишь чисто физическая, техническая возможность осуществления кражи: свобода доступа к чужому.

Уже в первой сцене пьесы («В комнате у Лели Гончаровой») сообщено, как живет знаменитая актриса («в грязном кармане дома»), мельком упоминается то, что продукты надо «доставать»; позже из диалога с Федотовым в парижском пансионе станет понятным, что он дурно одет, оттого что «легкая промышленность отстает»; Леля, вспоминая о России, говорит о московской стуже и оборванных людях на Кузнецком мосту. И монолог героини, обращенный к Федотову, завершают две (позже снятые) фразы: «Что вы сделали с людьми? Зачем?»

В первой редакции пьесы отчетливо звучала больная для страны тема очередей[7] и общей нищеты, голода и холода. Самой же рискованной, конечно, была тема арестов, смертей и расстрелов, «полезных стране».

Устойчивый лейтмотив всех без исключения образов советских граждан, так или иначе причастных к власти (неважно, директор это театра или «агент» из полпредства), — готовность к насилию. Директор театра, появляясь на прощальной пирушке «в военном», шутливо говорит об «аресте» Лели. Показательно и то, что Леля реагирует на шутку всерьез, и то, что шутка оказывается не совсем уж шуткой. Целая страница пьесы отдана тому, как Лелю принуждают отказаться от вымечтанной поездки в Париж и сделать то, чего она вовсе не намерена была делать. Федотов, вступая в спор с эмигрантом Татаровым в парижском пансионе, срывается в крик: «Убью как собаку». Татаров отвечает саркастической и убийственной фразой: «Это в советской России всем хорошо: и убийце, и убитому. Убийца исполняет волю истории, убитый — жертва закономерности, и все довольны». А позже, в ответ на угрозы Лели, заметит: «У всех советских мания убийства».

Ранняя редакция «Списка благодеяний» поражает прежде всего неизвестным ранее образом самого Олеши, социальной зрелостью автора, размышляющего о пути России и причинах ее срыва в революцию. Он видит нерасторжимую связь уважения к частной собственности и социальной ответственности человека, понимая, что с уничтожением первой исчезает, изживается, не находя опоры, и другая. «Русские безответственны. Они даже перед реальной вещью, близкой и понятной, собственнической — перед родиной — не умели быть ответственны <...> Если бы мы были японцами, через пять лет у нас была бы великая страна», — говорит Леля.

Леля Гончарова и есть движитель сюжета. Это ее мысли и эмоции, решения и поступки приводят драму в действие. Прочих персонажей немного, и все они группируются вокруг главной героини. Ее мучает память, привычка к саморефлексии, нагруженный знанием мозг, не могущий освободиться, отбросить собственный опыт. «Если бы мне было пятнадцать лет, я ничего не знала бы и не помнила, и ничего во мне не было бы такого, от чего мне трудно было бы отказываться <...> я стала бы Гулливером в стране великанов». А теперь она все та же, ее собственные масштабы и действия остались прежними, но ее обступает страна лилипутов.

Индивидуальность, уникальность личности, воплощенная в пьесе образами Чаплина и Гамлета, которыми восхищается Леля, противопоставлена планам будущего, которое наступит «через 100 лет». Но она «хочет сегодня ощущать себя живой, независимой личностью, а не быть винтиком в социалистической машине времени», протестует против «жертвенности во имя будущего»[8]. В настоящем же сосед Лели по квартире Баронский, вслед за Дуней врывающийся в пространство чужой жизни, уверен, что главное — это потребительская заинтересованность людей. Если все едят и пьют, все нуждаются в тепле и свете, стало быть, и все равны, то есть — одинаковы. Но «если революция хочет сравнять все головы — я проклинаю революцию», — заявляет героиня.

Леля ведет дневник, в котором ее сомнения, мучения, боль. Дневник Гончаровой — это ее «золотое обеспечение», то, что придает вес словам и поступкам героини. Это средоточие ее духовного существования, может быть, главное деяние жизни. То, наконец, что дает ей возможность сыграть Гамлета как созвучную и равновеликую личность.

Леля уезжает в Париж. И, движимая желанием высказаться, пишет о мучающем ее раздвоении в эмигрантскую газету. Сотрудник полпредства «агент» Федотов, узнав об этом, сообщает Леле, что ей «уже не нужно идти в полпредство».

Леля решает «начать жизнь сначала» (это Олеша повторяет дважды, в разговоре с Федотовым и в сцене мюзик-холла). Но жизни «с чистого листа» не бывает, а Гамлет Гончаровой оказывается не нужен и парижскому мюзик-холлу. Пусть по-иному, нежели на родине, но главное, что он не нужен и там. Героиня бросается к эмигранту Татарову, но в диалоге с ним осознает свою кровную связь со страшной, сделавшейся непонятной и отталкивающей ее родиной.

Живущая порывами, эмоциями актриса идет в полпредство просить о помощи. Но «правильные» советские люди отказывают ей в прощении. Талант (даже «гений») не нужен стране, где, кажется, все решают лишь большие числа, массы.

Поддержку Леля получает — почти во сне — от Маленького человечка, похожего на Чаплина, ведущего диалог, исполненный шекспировских реминисценций, с Фонарщиком. Здесь реализуется одна из излюбленных мыслей Олеши: все художники принадлежат к одному отечеству — искусству, только в нем они могут жить и дышать. (Но Маленький человечек на деле не Чаплин, а всего лишь флейтист театрального оркестра Шарль.)

Измученная, поседевшая, Леля появляется на площади Парижа будто бы затем, чтобы прокричать всему миру о благодеяниях советской власти. Но вся структура вещи, начиная с ситуаций, которые выстраивает Олеша для героини в Москве (будь то диспут в театре с невежественной и агрессивной публикой либо склоки с соседями по коммунальной квартире), кончая диалогами с советскими людьми в Париже, «агентом» Федотовым и самодовольным шутником-полпредом, судящим о ее игре буквально «на уровне сапог», создавая мрачный и гибельный образ новой России, противоречит рождению подобного списка.

Пьеса в первой (из известных) редакций была пропитана шекспировскими мотивами, именно они объясняли ее философию, сообщали ей объем, многослойность. Не случайно эпизод с флейтой Олеша выносит в пролог и делает его лейтмотивом всей пьесы. Французский антрепренер Маржерет руководит театром со всем известным названием «Глобус». А сквозь пронзительные диалоги Фонарщика и Маленького человечка явственно проступает сцена шекспировских могильщиков. И канава, в которой находит Лелю человечек, «роющий темноту вниз», — это разверстая могила, так же как Леля — и Гамлет, и охваченная безумием Офелия. «Двойники

Федотовы» — это еще и олешинские реминисценции с соглядатаями, преследующими Гамлета, Гильденстерном и Розенкранцем. Мрачно-поэтические шутки персонажей и завершающая эпизод авторская ремарка «Оркестр. Факелы. Трубы» — все это, конечно, восходит к шекспировскому «Гамлету», навеяно им.

Уже в прологе игралась сцена с флейтой, далее в эпизоде с Кизеветтером Татаров произносил фразу о том, что «распалась связь времен»; потом следовал эпизод «В Мюзик-холле», где вновь Леля разыгрывала сцену с флейтой. В полпредстве же актриса Гончарова не просто пыталась украсть револьвер: она хотела вслед за Гамлетом связать распавшееся время убийством виновного. И, так же как у Гамлета, у нее это не выходило. Наконец, в финале Леля встречалась, то ли во сне, то ли наяву, с Фонарщиком и Маленьким человечком, принесшим из Дании ромашку на башмаке и знакомым с Могильщиком, с которым разговаривал принц Гамлет.

Мотивы «сна» и «тумана», теней и зеркальных отражений, двойников и безумия, света и тьмы, темы «кажущегося» и истинного, столь важные в поэтике Шекспира (и, замечу, в поэтике литераторов символистского круга), в 1920—1930-е годы не случайно занимали важное место в творчестве самых талантливых писателей послереволюционной России. Разрушение нормы, расколотость прежних «правильных» представлений о миропорядке не только ломает жизнь людей, но и приводит их к безумию. (Так, мотив «действительности, которая бредит» был существенным в творчестве одного из друзей Олеши 1920-х годов, М. Булгакова, всех важнейших его вещей, от «Дьяволиады» до «Бега» и «Мастера и Маргариты».)

Не раз и не два на страницах первой редакции «Списка благодеяний» возникают слова «сон», «туман», «бред»... Это идеологически запретные мотивы, грозящие одной-единственной, официально дозволенной интерпретации реальности. Сон либо как иное, не санкционированное властью видение яви, либо как ее отторжение, неприятие. Устойчивы мотивы противостояния сновидений и яви (ср. реплику А. Ахматовой: «Жаль, в те годы мы не записывали своих снов. Это был бы богатейший материал для истории»[9]). Запретные сны и отвратительная явь, в которой не хочется жить[10].

Пьеса была метафорична на всех ее уровнях, от общей метафорики сюжета (героиня — флейта Гамлета, представительствующая от его имени, воплощение традиции мировой культуры) до единичного эпизода, поступка, жеста.

Действие драмы начиналось резко обозначенным конфликтом между зрительным залом (с которым был солидарен председатель диспута, директор театра Александр Орловский) и Лелей, т.е. «коллективом», массой и индивидом. То и дело звенел предостерегающий колокольчик ведущего, означавший «красную черту» запретной для обсуждения темы. Колокольчик вводил выразительную и рискованную метафору пастуха и ведомого стада, «блеющих овец».

Леля отвечала залу «сценой с флейтой» — тем самым в современной пьесе демонстрировалось, распахивалось символическое пространство шекспировской драмы.

Далее действие резко опускалось с поэтической высокой ноты, поэзия уступала место быту: шли реалистические сценки в комнате у Лели, с эпизодом мнимой кражи яблок и криками Баронского; затем — пансион и диалоги с Федотовым и Татаровым и пр. В сцене мюзик-холла, в кризисный, переломный момент, Леля будто искала поддержки в шекспировском образе, не находя достаточных сил в себе самой.

К финалу пьеса вновь набирала высоту: в сцене с Фонарщиком и Маленьким человечком шекспировские темы звучали отчетливо, но уже не в «готовом», старинном тексте, а в новом, созданном Олешей. Сцена с Фонарщиком, рифмуясь с шекспировской сценой «Флейты», вновь выводила действие пьесы из плана реалистического в план символа, пьеса обретала напряжение лирической трагедии.

Леля оказывалась равной и Гамлету и Чаплину, вступала с ними в диалог, шла не столько вместе с «безработными», сколько с классическими героями, чтобы вознестись над толпой на баррикадах. Баррикады же этой, первой редакции не скрывали своей природы и сути: это были подмостки Театра. Жизнь и смерть героини мыслились только на сцене. Реальный же мир — будь то мир строящегося социализма или мир капиталистической свободы — ее отторгал. По-видимому, в этом Олеша и Мейерхольд были единодушны.

Обращает на себя внимание сверхконцентрация театральности в пьесе: четыре «слоя» театральных образов.

Первый — образ театра, где Гончарова играет Гамлета (и в котором угадывается, особенно в черновиках, «коллективный прототип» — ГосТИМ). Второй — излюбленный Мейерхольдом образ кабаретного, кафешантанного, пряного и острого, блестящего западного развлекательного зрелища (в эпизоде парижского мюзик-холла). Третий — внесценический (словесный) образ международного «бала артистов» (который Мейерхольд планировал развернуть в спектакле). Он не раз возникает в диалогах героев, с упоминанием обязательных его деталей: роскошных лож со знаменитыми артистами мира; женщин в вечерних туалетах и пр., — театр, увиденный глазами романтического провинциала, захватывающее празднество избранных. И, наконец, четвертый, образ театра грез, театра-сна, Лелиной мечты: сцена с Фонарщиком и «Маленьким человечком, похожим на

Чаплина» (ср.: «Чаплин для него — трагический Гамлет современности», — говорил Мейерхольд на репетиции»[11]).

Эта встреча Гончаровой в костюме Гамлета с безработным, «похожим» на Чаплина, казалось бы, неминуемо должна была бы обернуться невыносимой литературщиной. Но как естественно она осуществлена Олешей: Гамлет — трагическая актриса, Чаплин — безымянный нищий.

Важнейшая особенность пьесы Олеши заключалась в ее двуадресности: она обращена одновременно и к самым больным вопросам современной ему жизни, и к проблемам экзистенциального характера. Видимо, именно это сделало Мейерхольда горячим ее поклонником. Не одна лишь узкая «социальность», политические аллюзии создавали содержание вещи. В России Леля, накануне отъезда в Париж, «сквозь туман путешествий» не видит лица Баронского в ненавистной коммунальной квартире. В Париже, решив вернуться «на Триумфальную площадь», так же «сквозь туман путешествий» не видит лица Татарова. Явственно звучит тема экзистенциального одиночества мыслящей личности, неспособной к органическому слиянию с толпой, людскими массами. «Так создается одиночество — навсегда...» (рассказ Ю. Олеши «Я смотрю в прошлое»).

Замечу кстати, что пьеса опрокидывает неоднократно высказываемые утверждения, что Олеша не умеет и не любит писать диалоги, что они не нужны ему[12]. Споры Лели с подругой в Москве и с Федотовым в Париже, диалоги Фонарщика и Маленького человечка поэтичны, резко индивидуальны и вовсе не похожи на те, которые звучали со сцен отечественных театров на рубеже 1920—1930-х годов.

В финале пьесы Леля по-прежнему одна, ни с кем, надо всеми. Финал написан скорее как вызов несломленной индивидуальности, нежели как апофеоз «благодеяний революции». Важнее, что Леля по-прежнему вознесена над толпой, а не то, что именно она провозглашает. Похоже, что благодеяния советской власти в отличие от ее преступлений остаются неясными Олеше. Завершают пьесу ремарки:

> «Кричит первое благодеяние.
> Кричит второе.
> Кричит третье».

Их еще необходимо придумать.

Немалое место в «Списке» занимала тема плотской любви в ее полярных проявлениях: опоэтизированный «античный бог» Улялюм из древнего города Нима и, напротив, «бабник» Федотов, сотрудник полпредства, да сниженный «посол-педераст», по характеристике Татарова «окруживший себя молодыми красавцами». И в своих интимных проявлениях человек Советской России был несвободен, поднадзорен[13].

По-иному звучала в ранней редакции и тема эмиграции. Назывались реальные, известные миру имена добровольно оставивших Россию людей: Куприн, Бунин, Мережковский, Шаляпин (список, который мог бы быть с легкостью продолжен). Их бесспорный художественный авторитет не мог не определять тон разговора об эмиграции. В дальнейшем эти имена уходят из текста пьесы. С их исчезновением становится возможной иная, уничижительная интонация решения темы.

В ранней редакции пьесы отчетливо просматривалась связь персонажей Олеши с мотивами Достоевского: и самой системой персонажей, и темой двойничества, и лейтмотивом нерасторжимой духовной связи русского интеллигента и Европы, наконец, прямыми репликами эмигрантской «тени» Лели — Татарова («Давайте без достоевщины, Елена Николаевна...»).

Юрий Олеша

На обсуждении пьесы в ГосТИМе 26 марта 1931 года (в дни репетиций уже иного, сглаженного варианта драмы) Ю. Олеша говорил: «Тема этой пьесы — это тема о свободе слова. <...> Это есть мечта о голосе»[14]. Тема мучила не одного лишь Олешу. Виктор Шкловский будто подхватывал размышление: «Какой голос должен быть у беспартийного? Я думаю, что колоратурное сопрано или контральто, потому что мужские голоса сейчас закреплены за коммунистами, остальные сочувствуют или ищут места, где тембр голоса неопределенен. <...> Проблема беспартийности — это проблема голоса»[15].

Пьеса о свободе слова осталась неизвестной современникам писателя.

В творчестве Олеши в целом, равно как и в пьесе «Список благодеяний» в частности, запечатлены и удручающие особенности специфически интеллигентского сознания: неспособность к жесткому выбору позиции, колебания в различении добра и зла, неуверенность в собственной правоте. Именно эти качества мышления центральной героини «Списка» определяют художественную актуальность вещи для сегодняшнего дня. Но они же и делают невозможным выразить направленность творчества писателя единой схемой. Попытка А. Белинкова в известной книге («Сдача и гибель советского интеллигента. Юрий Олеша») осуществить это показала неубедительность предложенной им логической конструкции. Возможно, для демонстрации столь выдержанной концепции стоило бы обратиться к иному типу личности, иным судьбам — таким, например, как А. Толстой или В. Катаев[16]. Представляется, что феномен культурно-социального поведения Олеши точнее поняла Л.Я. Гинзбург, писавшая: «Люди 20-х годов <...> наговорили много несогласуемого. Но не ищите здесь непременно ложь, а разгадывайте великую чересполосицу — инстинкта самосохранения и интеллигентских привычек, научно-исторического мышления и растерянности»[17].

Первая редакция пьесы сохранилась в архиве Комитета по делам искусств, в легкомысленной оранжевой папке, отчего-то обозначенная как «Пьеса в 1 акте»[18]. Дата представления «Списка благодеяний» в цензуру — 31 октября 1930 года. По-видимому, это экземпляр пьесы, отосланный Мейерхольдом председателю ГРК К.Д. Гандурину. Гандурину же, очевидно, принадлежат и многочисленные карандашные пометки цензурного характера, отмечающие наиболее «сомнительные» фрагменты текста. В данном экземпляре отсутствует список действующих лиц и посвящение О.Г. Суок, жене писателя.

Юрий Олеша

СПИСОК БЛАГОДЕЯНИЙ

/ранняя редакция/

В театре. Давали «Гамлета».
После спектакля состоялся диспут. Диспут закончился.
На сцене король Клавдий, королева Гертруда,
Горацио, Лаэрт и Гамлет. Гамлета играет
Елена Гончарова, Леля. Она в ботфортах
и с папиросой[19] *в руке. На первом плане обыкновенный*
столик, крытый красным. Председательствующий —
директор театра Орловский.

Орловский (*звонит*). Диспут по поводу постановки «Гамлета» закончился. Теперь артистка Гончарова, как режиссер спектакля и исполнительница главной роли, ответит на записки. Пожалуйста, товарищ Гончарова. (*Протягивает ей пачку.*)

Леля (*читает первую записку*). «Правда ли, что вы считаете себя гениальной артисткой?» — Правда. (*Вторую читает.*) «Вы уезжаете за границу. На сколько времени?» — На один месяц я уезжаю. «Эта пьеса, которую нам показали, — "Гамлет" — очевидно, писалась для интеллигенции. Рабочий зритель ничего в ней не понимает, это иностранщина и дела давно минувших дней. Зачем ее показывать?» — «Гамлет» лучшее из того, что было создано в искусстве прошлого. Так я считаю. По всей вероятности, никогда русским зрителям «Гамлета» показывать не будут. Я решила показать его нашей стране в последний раз. (*Перебирает записки.*) Так. Дальше читаем: «Вы играете Гамлета — т.е. мужчину. А по ногам видно, что вы женщина». — Судя по тонкому пониманию искусства, писал фабкор...

Орловский звонит.

«Вы знаменитая артистка, хорошо зарабатываете. Чего еще вам не хватает? Почему же на фотографиях у вас такое беспокойное выражение глаз?» — Потому что мне очень трудно быть гражданкой нового мира.

Орловский звонит.

В чем дело? Я что-нибудь сказала плохое?

Орловский (*к публике*). Товарищ Гончарова выражается в духе тех монологов, которые только что декламировала, когда играла Гамлета. (*К Леле.*) Отвечайте проще.

Леля (*читает*). «Теперь много говорят о коллективизации творчества[20]. Что вы думаете по этому поводу, ответьте». Отвечаю просто: коллективизация творчества — это чепуха.

Орловский звонит.

Каждую мою фразу вы сопровождаете звоном колокольчика. Можно подумать, что мои фразы похожи на овец. Разве я блею?

Орловский. Продолжайте, пожалуйста.

Леля. «Что вы будете делать за границей?» — Ну что ж... по специальности... ходить в театры, знакомиться с артистами... смотреть знаменитые кинофильмы, которых мы никогда не увидим здесь.

Орловский (*звонит*). Товарищ Гончарова слишком высокого мнения об иностранной кинопродукции. Наши фильмы, как, например, «Броненосец "Потемкин"», «Турксиб», «Потомок Чингис-хана»[21], завоевали себе полное признание в Европе.

Леля. Можно продолжать? (*Читает.*) «Зачем ставить "Гамлета", разве нет современных пьес?» — Современные пьесы отвратительны, лживы, лишены фантазии, прямолинейны. Играть в них — значит терять квалификацию. (*К Орловскому.*) Можете не звонить, товарищ Орловский. Я знаю, что вы хотите сказать. Да, да — это мое личное мнение.

Орловский. Я и не звоню. Пожалуйста.

Леля (*читает*). «Как сделаться артистом?» — Чтобы сделаться артистом, надо родиться талантливым[22].

Орловский (*нервно*). Сколько еще записок осталось?

Леля. Немного. (*Прочла записку, разорвала. Читает.*) «В эпоху реконструкции, когда бешеный темп строительства захватил всех, противно слушать нудные самокопания вашего Гамлета». — Товарищ Орловский, хватайтесь за колокол. Я сейчас скажу крамольную вещь. (*К публике.*) Уважаемый товарищ. Я полагаю, что в эпоху быстрых темпов художник должен думать медленно.

Орловский (*звонит*). Одну минуточку, товарищи... То, что высказывает товарищ Гончарова, есть ее личное мнение... Что касается театра нашего в целом, то мы не во всем согласны с артисткой Гончаровой. Это, так сказать, в дискуссионном порядке... Продолжайте, продолжайте...

Леля. Последняя записка. (*Читает.*) «Мы просим еще раз прочесть монолог Гамлета, где он говорит насчет флейты». — Вот я уже не знаю, что делать.

Орловский. Прочтите.

Леля. А где тот, кто играл Гильденштерна? Он не разгримировался еще? Коля!

Гильденштерн. Я здесь.

Леля. Ну что ж, сыграем по желанию публики.

Гильденштерн. Давай.

Играют.

Леля. А, вот и флейты! Дай-ка сюда одну. Вы хотите отвести меня в сторону? Да что это вы все около меня вертитесь, точно выслеживаете и хотите загнать в западню?

Гильденштерн. Если, принц, я слишком смел в усердии, то в любви слишком назойлив.

Гамлет. Я что-то не совсем понимаю. Поиграй-ка на этой флейте.

Гильденштерн. Я не умею, принц.

Гамлет. Пожалуйста.

Гильденштерн. Поверьте, не умею.

Гамлет. Очень тебя прошу.

Гильденштерн. Я не могу взять ни одной ноты.

Гамлет. Это так же легко, как и лгать: наложи сюда большой палец, а остальные вот на эти отверстия; дуй сюда, и флейта издаст самые прелестные звуки. Видишь, вот дырочки.

Гильденштерн. Но я не могу извлечь из них ни одного звука: у меня нет уменья.

Гамлет. Ну, так видишь, каким вы меня считаете ничтожеством! Вы хотели бы показать, что умеете за меня взяться; хотели бы вырвать у меня самую душу моей тайны; хотели бы извлечь из меня все звуки, от самого низкого до самого высокого. А вот в этом маленьком инструменте много музыки, у него прелестный звук; и все же вы не заставите его звучать. Черт возьми! Или вы думаете, что на мне легче играть, чем на дудке? Назовите меня каким угодно инструментом; хоть вы и можете меня расстроить, но не можете играть на мне[23].

Леля. Ну, вот и все. Никто не аплодирует. Ну, что ж. Кончайте диспут, товарищ Орловский.

Падает к ногам ее записка.
Леля поднимает, читает.

«Что было написано в записке, которую вы порвали? Ответьте честно». — В этой записке был задан мне вопрос, вернусь ли я из-за границы. Отвечаю честно: вернусь.

/У Гончаровой/

Вечером состоится вечеринка.
Катя Семенова принесла закупленное.

Катя (*вынимает из корзины свертки*). Рябчиков купила.

Леля (*заглядывает*). А ну...

Катя. Восемь рябчиков готовых. Хватит?

Леля. Хватит, не беспокойся.

Катя. Пополам будем резать.

Леля (*достает консервную жестянку*). Шпроты! Молодец. Где достала шпрот?

Катя. Три коробки шпрот. Потом фаршированный перец. Подожди... Баклажанная икра. Ой, кажется, не положили. Нет, есть... Потом: сыр. Замечательный швейцарский сыр.

Леля. Колбасу жарить будем.

Катя. Страшно соленая делается, если жарить.

Леля. А по-моему, жарить.

Катя. После... подожди. Яблоки вот тебе. Бери банку ту, вино вливай.

Леля. Отвратительны наши советские пирушки. Фаршированный перец. Коричневые жижи на тарелках[24]. И обязательно крюшон.

Катя. Режь яблоки.

Леля. В последний раз пью ваш мутный крюшон.

Катя. Конечно, свинство. Ты уезжаешь за границу. Нужно было банкет. Пусть бы дирекция на свой счет банкет устроила. Нож для консервов есть?

Леля. Поищи. В ящике. Нет, нет. В том. Ужасное у меня хозяйство. Если я расскажу за границей, как я жила, — не поверят.

Катя. Кто не поверит?

Леля. Никто не поверит. Репортеры. А может быть, ко мне репортеры придут в Берлине.

Катя. Никто к тебе не придет.

Леля. Приедет из Москвы известная советская артистка. Конечно, придут. Я расскажу им. Хорошо бы фотографию показать — эту комнату. Не поверят. Я пять лет живу в этой дыре. Здесь моя молодость прошла. В грязном кармане дома живет артистка, играющая Гамлета новому человечеству.

Катя. Никто тебе не мешает жить по-человечески. Это у тебя в натуре.

Леля. У меня ничего нет. Книг нет. Мебели. Платьев[25]. Если мне покидать дом — я уйду, как стою. Ничего с собой не взяла бы. Как нищая. Ничего нет дорогого. Что ты сказала? Это у меня в натуре?

Катя. Конечно.

Леля. Что? Бездомность?

Катя. Ну — бездомность.

Леля. Ты тоже бездомная.

Катя. Не понимаю.

Леля. Мы все бездомные. У нас нет родины.

Катя. Какой родины? У кого нет родины?

Леля. У всех. Нет родины, есть новый мир. Я не знаю, как жить по-человечески в новом мире. Как устраивались люди на родине —

это известно. Вещи, слова, понятия. (*Пауза.*) Жасмин.

Катя. Что?

Леля. На родине цвел жасмин.

Катя. Так и теперь цветет жасмин. Я не понимаю: где это — на родине? Ты ведь в России родилась.

Леля. Прежде цвел жасмин... Да, конечно, ты права. И теперь цветет жасмин. Но нет, скажем, субботы[26]. Так? А это связано: значение жасмина со значением порядка, в котором он существует. Потому что люди запомнили: когда в субботу едешь на дачу, вдоль дороги цветет жасмин. Теперь ощущение запаха и цвета жасмина становится неполноценным, жасмин становится понятием блуждающим, потому что разрушился ряд привычных ассоциаций. Многие понятия блуждают, скользят по глазам и слуху и не попадают в сознание. Например: невеста, жених, гость, дружба, награда, девственность. Вспомни, как эти слова звучали для нас в детстве. Вот скажи: награда.

Катя. Награда.

Леля. Как ты представляешь себе награду теперь? Что это — увеличение жалованья?

Катя. А прежде?

Леля. Когда я была маленькая, мне показали старичка. Он собирал тряпки, мусор. И мне сказали: у него сын инженер и имеет два дома. Вот это награда. Сын искупил унижение отца... Теперь не то что нельзя быть домовладельцем, а даже неизвестно еще, какие дома будут строить. Ты говоришь, что у меня в натуре бездомность. Ничего подобного. Я просто не знаю: *как* устраивать личную жизнь в новом мире. В Европе это делается так: вот портрет Чаплина, смотри. Я понимаю, почему так любят Чаплина на Западе. Не только потому, что он великий артист. Он великий артист потому, что он воплощает главную тему европейца. Тему нищего, который становится богатым. Это сказка о «гадком утенке». «Золотая лихорадка». Знаменитая картина Чаплина. Маленький человечек в штанах с бахромой, жалкий городской человечек хочет найти золото... Идет снег... Золото ищут сильные, отчаянные люди, убийцы Голиафа. Маленький человечек смешон, над ним издеваются. Он очень одинок. И вдруг он оказывается самым счастливым среди всех, он находит золото, — он богач, победитель. Вот это и есть самая обольстительная идея капиталистического мира: одинокий путь нищего, который добивается успеха. Тема Чаплина. Это наша тема, беспартийная. Жалобы спеца на то, что ему не дают ходу. Жалоба частника, кулака. По существу говоря, тема мелкой буржуазии[27], задавленной Голиафом государственного капитала. Вот марксистский анализ дурного моего настроения. А ты дура.

Катя. Почему я дура?

Леля. Потому что не слушаешь. Ты что-нибудь поняла?

Катя. Я поняла, что ты хочешь бежать за границу.

Леля. Я еду на один год. В Европу, как на родину. Путешествие в детство. Я хочу видеть куст жасмина, где он стоял прежде. Съесть его, съесть его запах. Потому что здесь, в новом мире, я ощущаю голод по вещам. Здесь только понятия. Я побегу на окраины, в захолустные кино искать фильмы Чаплина. «Золотую лихорадку». «Цирк»[28]. Они уже устарели. Их только на окраинах показывают, потому что весь мир уже пересмотрел их. А мы их не видели и никогда не увидим. В весенний вечер, в маленьком кинотеатрике в Париже я буду смотреть Чаплина и плакать...

Катя. Ты не вернешься из-за границы.

Леля. Мне дано разрешение на год.

Катя. Ты не вернешься.

Леля. Убирайся вон.

Катя. Ты замуж выйдешь за границей.

Леля. За кого? Я их ненавижу. Там дуры и дураки. Мелкие чувства. У нас нет мелких чувств. Революция освободила нас от мелких чувств, правда.

Катя. В чем дело?

Леля. Я артистка нового мира. Я «Гамлета» показываю новому человечеству. Шапки долой! Если я мечтаю о Европе[29], это не значит, что я предательница. Вот смотри, иди сюда. Вот видишь, синяя тетрадка. В ней ненависть к советской власти. Я записала здесь всю правду. А вот другая тетрадка: список благодати советской власти[30]. Сложи эти тетрадки вместе: получишь — меня полностью. В обеих слова абсолютно правдивы. Но сложенные вместе — путаница и ложь.

Катя. Покажи.

Леля. Никому и никогда. Вот тут пункты злобы. Вот тут пункты восторга. Две половины одной совести. Хорошо, иди сюда. Вот первая тетрадка. Вот, смотри, как она начинается: «Ложь. Мы всегда лжем нашей власти, лжем классу, который правит нами. Ни один интеллигент искренне не разговаривает с пролетарием. Он смотрит ему в глаза и пытается скрыть либо жалость, либо страх. Мы лжем партийцам, молодежи. Как может создаваться государство на основе лжи?»

Катя. Спрячь, спрячь, прошу тебя, спрячь.

Леля. Вся правда о новом мире. Я увезу с собой за границу эту тетрадку. Я ее продам. Одну половину совести.

Катя. А другую: за другую никто не даст ни копейки.

Леля. Вот слушай. Вот другая. Список благодеяний. Вот подожди. Слушай.

Стук в дверь.

Кто там? Войдите.

Входит Дуня Денисова — соседка — в худом платье, немолодая.

А... Дуня Денисова. (*К Кате.*) Ты еще не видела ее. Моя новая соседка. Она побирушка.

Катя. Ты с ума сошла.

Леля. Она этого не стесняется. Она уходит утром и заявляет всем в коридоре: иду побираться. Вот спроси ее. Даже щеголяет этим. А говорит, что безработная. Просто сволочь какая-то.

Катя (*в ужасе, конфузясь за всех*). Леля!

Леля (*к Дуне*). Что вам угодно, Дуня?

Дуня. Яблоки у меня украли.

Леля. Какие яблоки?

Дуня. Пяток. (*Пауза.*) Принесла домой пяток яблок. Только вышла — украли.

Леля. Кто?

Дуня. Почем я знаю.

Леля. Ты слышишь, Катя? Когда приеду в Берлин и ко мне придут репортеры — я расскажу, что в Москве я жила рядом с нищенкой.

Катя. Неужели она думает, что мы украли у нее яблоки?

Дуня. Я ничего не думаю. Я вижу, что яблоки лежат.

Леля. Я расскажу репортерам о том, как я, знаменитая артистка Елена Гончарова, украла у побирушки пять яблок.

Дуня, разом поднявшись, уходит.

Леля (*к Кате, с объятием*). Катя, Катя! Какое счастье, что я уезжаю! Этого не может быть ни в Берлине, ни в Париже. Это возможно только здесь. Катя, говорят, что, когда поезд подходит к Парижу, люди ночью, за сто километров, вскакивают, бегут к окнам, смотрят, хватают друг друга за руки, шепчут, кричат: «Париж, Париж!»

Входят Дуня и Петр Иванович, сосед — человек неинтеллигентный.

Петр Иванович (*к Леле, сразу, строго*). Вы зачем яблоки воруете?

Пауза.

(К Дуне). Вы свои яблоки узнать можете?

Дуня. Она их на части порезала.

Петр Иванович. По частям можно узнать.

Леля. Ну что ж, сознаюсь, мы украли у вас яблоки.

Петр Иванович. Ясно.

Дуня. Зачем резали? Не имели права резать.

Петр Иванович. Ей целые нужны яблоки. Она испечь хотела.

Дуня. Я испечь хотела.

Леля. А теперь компот сварите.

Петр Иванович. Вы не указывайте.

Катя. Слушайте, я не понимаю... как вы смеете обвинять нас в краже яблок.

Дуня. Дверь открыта была. Ежели дверь закрыта — украсть нельзя.

Петр Иванович (*к Кате*). Дверь открыта была?

Катя (*растерянно*). Не знаю.

Дуня. Чего спрашивать? Через закрытую дверь нельзя украсть.

Катя. Да вы знаете, кто мы? Это Елена Гончарова, артистка... она в Берлин едет.

Петр Иванович. В Берлине другой порядок.

Дуня. Она мне указывает: компот варить. Я раз в год яблоки покупаю.

Леля (*истерически*). Убирайтесь отсюда к чертовой матери!

Стук в дверь. Врывается человек из-за стены — Баронский, сосед. Наружность индуса — худ, смугл, черная борода. Молод. В сапогах, в галифе и в бязевой рубахе, сильно, но аккуратно раскрытой на груди.

Баронский (*громко, крикливо, весь размахивается*). Я все слышу из-за стены! Возмутительно! Барыня разговаривает с плебеями.

Катя (*оправдывается*). Они говорят, что мы украли яблоки...

Баронский. Возмутительный тон! Тон возмутительный. (*К Леле, наскакивая.*) Кто вы? Кто? Аристократка духа? Да?

Леля (*спокойно*). Вы врываетесь в комнату без разрешения.

Баронский. Бросьте! Бросьте эти штучки. Меня не возьмете на это. Кто дал вам право издеваться над ними? Они — темные люди? Да? А вы? Актриса. Да? Что вы молчите? Если они забитые, полузвери — верно? Да? Вы так думаете: полузвери — то вы? Артистка? Плевать! Артисты — это подлейшая форма паразитизма.

Леля. Если революция хочет сравнять все головы — я проклинаю революцию.

Петр Иванович. Ей революция не нравится.

Баронский. Вам это не нравится? Конечно. Нет, успокойтесь. Вы ничем — слышите, ничем не лучше — слышите? Перед лицом будущего вы ничем не лучше ее, Дуни Денисовой. Воду пьете? Не бойся ее, Дуня: она тоже пьет воду. Коммунальный водопровод. Пьете воду. А хлеб? Хлеб потребляете? Магазины для всех. Для всех граждан продажа. Свет жжете? Дуня, не бойся ее. Потребительская заинтересованность — слышите, — потребительская заинтересованность — вот формула, равняющая все головы.

Катя. Почему ты молчишь, Леля?

Леля. Мне совершенно все равно. Я уезжаю из этой страны. Он мечется передо мной, кривляется, прыгает на меня. А мне совершенно все равно. Сквозь туман путешествий я вижу вас, Баронский, и уже не различаю ваших черт и не слышу вашего голоса...

Баронский. Не слышите? Зато мы слышали.

Леля. Что вы слышали?

Баронский. Что вы бежать хотите за границу.

Петр Иванович. Ясно.

Баронский. Вы никуда не уедете, я все расскажу. Вот свидетели.

Дуня. Я свидетельница.

Леля. Бросьте, Баронский, трепаться. Вы меня сами довели.

Баронский. Ничего подобного. Нужно наказывать таких, как вы.

Леля. С чего вы сбесились, Баронский?

Баронский. Что ж, испугались?

Леля (*раздельно*). Плюю на вас.

Баронский. Ах, плюете? Дуня! Беги, кричи на весь дом: артистка Гончарова бежит за границу.

Дверь открывается. На пороге — директор театра Орловский (Саша) в военном и высокий старик в тройке — рабочий Тихомиров.

Орловский (*с улыбкой*). Вы арестованы, гражданка Гончарова.

Молчание. Дуня и Петр Иванович смываются.

Леля (*бросается к вошедшим*). Это все неправда, все ложь. Я не предательница, нет... это гораздо сложнее...

Орловский. Вы арестованы, Елена Николаевна. Мы вас ищем по всему городу — теперь мы вас поймали и не выпустим. Почему у вас так много народу? Я пришел к вам с товарищем Тихомировым — делегатом от рабочих завода «Магнит».

Тихомиров. Здравствуйте.

Леля. Садитесь, пожалуйста.

Тихомир/ов/. Вот в какой худой квартире живете.

Леля. Ну, ничего, ерунда.

Тихомиров. Вам хорошую нужно квартиру. Это кто — соседи?

Леля. Будьте добры, Баронский, у меня деловой разговор. (*Указывает на дверь.*) А это Катя Семенова — наша актриса.

Баронский, Дуня и Петр Иванович уходят[31].

Орловский. Ну что ж, давайте...

Тихомиров. Завод «Магнит» отправляет бригаду в Алексеевский район на колхозное строительство. Как завод, подшефный вашему театру, мы просим вас поехать с нами вместе. Вот тут резолюция... (*Вынимает листок.*)

Леля (*к Орловскому*). Саша, вы же директор театра. Почему же вы не объяснили товарищам?

Орловский. Они отправили делегата лично к вам.

Леля. Но ведь агитгруппа уже организована.

Тихомиров. Мы просим, чтобы с агитгруппой отправилась также и артистка Гончарова. Для нас вы популярная артистка, и нам будет важно и приятно, если вы поедете вместе с нами.

Леля. Да, но я уезжаю послезавтра за границу.

Тихомиров. Вот так, чего?

Леля. Саша, ведь это всем известно. Ведь вы сами приглашены сегодня на прощальную вечеринку ко мне.

Орловский. Товарищ Гончарова уезжает за границу.

Леля. Я два года собираюсь.

Тихомиров. А что вам делать за границей?

Пауза.

Орловский. Товарищ Гончарова едет за границу отдыхать.

Тихомиров. А что — больны?

Леля. Нет, я здорова. Устала просто.

Тихомиров. Ну, конечно. А может, отложить поездку вашу?

Леля. Как же, когда все готово...

Тихомиров. Что?

Леля. Визы, паспорт.

Тихомиров. Пустяк.

Леля. Я уже чемодан собрала.

Тихомиров. Где? Давайте распакуем...

Леля. То есть еще не собрала.

Тихомиров. Вот видите.

Леля. Смешно, ей-богу... вы меня просите...

Орловский. В самом деле, Елена Николаевна...

Тихомиров. Все строительством заняты, а вы за границу.

Леля. Да мне и делать нечего в колхозах. Гамлета играть? В ботфортах и с мечом ехать.

Тихомиров. Ну, специальную пьесу сыграете.

Леля. Но и так ведь едут актрисы.

Тихомиров. Мы вас просим.

Леля. Вы настаиваете, как будто я не хочу.

Тихомиров. Если хотите, так в чем же дело?

Леля. Но я уже решила за границу.

Орловский. Отложите, Елена Николаевна.

Леля. Да, но почему? Это нелепо.

Тихомиров. Рабочие просят.

Молчание.

Л е л я. Хорошо. Я еду в колхоз.

О р л о в с к и й. Чудесно.

К а т я. А вечеринка?

О р л о в с к и й. Ну, прощальная будет — перед отъездом в колхоз.

Т и х о м и р о в. Спасибо. (*Пожимает руку.*)

О р л о в с к и й. А завтра прощальный спектакль.

Т и х о м и р о в. Будьте здоровы.

Л е л я. До свиданья, Сашенька.

Уходят двое.

Л е л я (*хватая Катю за руку, шепотом*). Иди сюда... Ни за что, слышишь... Я вру, слышишь? Я убегу. Ни за что! Я не хочу, Катя, этого. Никакой нет радости... Зачем мне быть знаменитой? Мне не это нужно, Катенька.. Меня мучают... Я хочу в Европу... Я хочу быть таким, как маленький человечек, как Чаплин... Мне не нужно славы нового мира... Я хочу голодать, быть нищей на камне Европы, быть дурнушкой и нищенкой, и пройти путь унижений к настоящей человеческой славе.

Занавес

/Пансион/

Комната в пансионе. Утро.
Хозяйка несет Леле завтрак.

Х о з я й к а. Доброе утро, мадемуазель.

Л е л я. Доброе утро, мадам.

Х о з я й к а. Я имею сообщить вам кое-что. Вчера один молодой человек спрашивал вас.

Л е л я. Кто?

Х о з я й к а. Он приезжал в автомобиле под красным флажком. Один молодой большевик из посольства. О, мадемуазель Гончарова, вы обманули...

Л е л я. Кого я обманула?

Х о з я й к а. Вы обманули меня. Вы мне должны были сказать.

Л е л я. Что я вам должна была сказать?

Х о з я й к а. Что вы великая артистка.

Л е л я. Кто это сказал вам?

Х о з я й к а. Это сказал молодой человек, который приехал в автомобиле под красным флажком. Мадемуазель Гончарова, он сказал мне, что у себя на родине вы считаетесь великой артисткой. Вы так скромны, мадемуазель Гончарова. Я узнала, что вы играете Гамлета. А я видела в молодости, как эту роль исполняла бессмертная Сара Бернар.

Л е л я. Он еще что-нибудь говорил про меня?

Х о з я й к а. Он говорил, что ваша родина гордится вами.

Леля. Он так и сказал — родина?

Хозяйка. Он сказал, что это великая честь — показывать «Гамлета» — как он выразился — новому человечеству. Я могу вам оказать услугу, мадемуазель Гончарова.

Леля. Какую услугу?

Хозяйка. Ведь Маржерет — мой родственник.

Леля. Что?

Хозяйка. Великий Маржерет — мой родственник.

Леля. Я не знаю никакого Маржерета. Простите, я очень взволнована тем, что вы сообщили мне...

Хозяйка. О да, он очень красив и молод — этот большевик.

Леля. Что вы сказали? Какой Маржерет?

Хозяйка. Вы не знаете Маржерета?

Леля. Маржерет — это полководец[32], по-моему.

Хозяйка. Он именно полководец. Это очень остроумно. Под его начальством находится почти всемирная армия артистов.

Леля. Я вовсе не собиралась острить.

Хозяйка. Августин Мария Маржерет мой родственник, и я получаю иногда даровые места в театр «Глобус».

Леля. Ах, директор «Глобуса».

Хозяйка. Да, Августин Маржерет — директор первого в мире мюзик-холла. Вы хотите сохранить инкогнито, мадемуазель Гончарова?

Леля. Я вас не понимаю.

Хозяйка. Вам принесло бы пользу знакомство с Маржеретом. Я могла бы написать письмо. Если он узнает, что вы известная артистка, это его заинтересует.

Леля. Разве Сара Бернар играла Гамлета в мюзик-холле?

Входит Федотов.

Хозяйка. Вот молодой человек, который приезжал вчера. Доброе утро.

Хозяйка бочком уходит.

Федотов. Здравствуйте, товарищ Гончарова. Вас зовут Елена Николаевна? Моя фамилия Федотов. Я сотрудник полпредства.

Леля. Вы подаете мне руку?

Федотов. А почему нет?

Леля. Я ведь предательница.

Федотов. Ну, какая вы предательница.

Леля. Рабочие звали меня в колхоз. Я согласилась. И вместо того, чтобы ехать в колхоз, приехала сюда. Я обманула рабочих.

Федотов. Ну, зачем так торжественно...

Леля. Ну да, конечно... Я забыла, что я только артистка. Артистка — что? Ничто. Надстройка. Разве я могу поколебать базу. Предательство артиста — не предательство. Его бегство — не бегство. Если бы все искусство бежало из пролетарской страны, никто даже не заметил бы этого.

Федотов. Все ждут вашего возвращения.

Леля. Да, но я в «Правде» читала филиппику против себя.

Федотов. Это дело замято. Вы прощены. (*Смеется.*)

Леля. Скажите пожалуйста.

Федотов. Мы вас любим и ценим.

Леля. А я вас ненавижу.

Федотов. Ну, это неправда. Оставим этот разговор. Я рад, что познакомился с вами.

Леля. Я тоже.

Федотов. Как же вы живете здесь?

Леля. Хорошо.

Федотов. Ну, как... Европа. Нравится?

Леля. Очень. А вам?

Федотов. Тоже.

Леля. Вот видите.

Федотов. Мне нравятся демонстрации в Пруссии, в Баварии и Саксонии. Мне нравится голодный поход безработных на столицу. Мне нравятся бои с жандармерией в Дюнкиркене. Европа сейчас ближе к революции, чем когда бы то ни было.

Леля. Не знаю. Я уже три недели отдыхаю от мыслей о революции.

Федотов. Уже три недели вы здесь... Ну, что же вы делаете... музеи...

Леля. Ничего не делаю. Хожу.

Федотов. Куда?

Леля. Просто хожу.

Федотов. Просто ходите?

Леля. Иногда останавливаюсь и смотрю: вижу, лежит моя тень. Я смотрю на нее и думаю: моя тень лежит на камне Европы.

Пауза.

Я жила в новом мире. Теперь у меня слезы выступают на глазах, когда я вижу мою тень на камне старого[33]. Моя жизнь была неестественной. Расстроились части речи. Ведь там, в России, отсутствуют глаголы настоящего времени. Есть только времена будущие и прошедшие. Глагол: живу... Этого никто не ощущает у нас. Ем, нюхаю, вижу. Нам говорят: сейчас как вы живете, это не важно. Думайте о том, как вы будете жить через пять лет. Через сто. Вы или ваши потомки. И мы думаем. Из всех глаголов настоящего времени — остался только один: думать. Я вспоминаю, в чем состояла моя личная жизнь в мире, который вы называете новым. Только в том, что я думала. Революция отняла у меня прошлое и не показала мне будущего[34]. А настоящим моим —

стала мысль. Думать. Я думала, только думала, мыслью я хотела постигнуть то, что не могла постигнуть ощущением. Жизнь человека естественна тогда, когда мысль и ощущение образуют гармонию. Я была лишена этой гармонии, и оттого моя жизнь в новом мире была неестественна. Мыслью я воспринимала полностью понятие коммунизма. Мозгами я верила в то, что торжество коммунизма естественно и закономерно. Но ощущение мое было против. Я была разорвана пополам. Я бежала сюда от этой двойной жизни, и если б не бежала, то сошла бы с ума. В новом мире я валялась стеклышком родины. Теперь я вернулась, и две половины соединились, я живу естественной жизнью, я вновь обрела глаголы настоящего времени. Я ем, нюхаю, смотрю, иду... Пылинка старого мира, я осела на камне Европы. Это древний, могучий камень. Его положили римляне. Никто не сдвинет его.

Федотов. Его развор/от/ят скоро и будут воздвигать из него баррикады. Неужели вы не ощущаете того, что сейчас происходит в Европе? Не все глаголы настоящего времени вернулись к вам: глагол «ощущать» остался в новом мире.

Леля. Как раз это тот глагол, тоска о котором привела меня сюда. Там, у вас, я только думала, здесь я стала ощущать.

Федотов. И перестали думать.

Леля. Каждый хочет думать только о себе.

Федотов. Вы просто устали.

Леля. Не говорите со мной, как с ребенком. Это там, в советской стране, ни во что не ставят наши мнения и, слушая нас, пересмеиваются смешком авгуров.

Федотов. Когда вы вернетесь?

Леля. Это вы спрашиваете меня как лицо официальное? От имени посольства?

Федотов. Да.

Леля (*не отвечая*). Почему вы не пойдете в магазин — не купите себе человеческую одежду? Ведь вы же в посольстве служите...

Федотов. Как-нибудь пойду и куплю.

Леля. Это просто старинная ненависть к Европе. Прежде всех европейцев называли немцами, а теперь называют — фашистами. Вечное азиатское высокомерие. Все европейское — оттолкнуть. Как было в допетровское время, так и теперь.

Федотов. Ну, что вы... Зачем нам Европа? Мы Америку перегоняем...

Леля. Родным пахнуло... Три недели не слышала этой фразы. Закрываю глаза и вижу: оборванные люди... Кузнецкий мост вижу... Тулупы, шапки, нахлобученные на глаза, чтоб легче было смотреть исподлобья, стужа, лошадиные морды и пар. Скоро у нас люди будут делиться на людей в русском платье и в немецком. Как в допетровское время.

Федотов. Легкой промышленности нет. Это мелочь. Через два года все будет.

Леля. Через два года я буду старая.

Федотов. Это обывательский разговор.

Леля. Артистка должна считаться с обывателями.

Федотов. Наоборот. Презирать обывателей.

Леля. Артистка только тогда становится великой, когда она воплощает демократическую, общепонятную и волнующую всех тему.

Федотов. Эта тема — социализм.

Леля. Нет.

Федотов. А какая же?

Леля. Урод хочет быть красивым. Нищий богатым. Лентяй хочет получить наследство. Матери хочется приехать к сыну. Вот тема общепонятная.

Федотов. Тема личного благополучия. Кулаческая тема.

Леля. Что ж. Марксизм в Европе не официальная идеология. Пусть... кулаческая.

Федотов. Хорошо, что вы хоть понимаете.

Леля. Я все понимаю, в этом мое горе. Помогите мне. Я не знаю, что происходит со мной. Нет ничего и никого, ни вас, ни России, ни этого города. Я одна во всем мире, только я одна. Весь мир — это я. И во мне все это происходит: и возникновение нового мира, и существование старого. Это все в душе у меня: борьба двух миров. И не с вами это я спорю, а спорю сама с собой. Веду сама с собой мучительный длинный спор, от которого сохнет м/озг/, — смотрите, что делается со мной: волосы мои седеют... Что стало с моей жизнью? Я была гимназистка, в день окончания гимназии цвела акация, лепестки падали на страницы, на подоконники, в сгиб локтя[35]. Я видела свою жизнь: она была прекрасна. В тот год произошла революция. И что стало со мной? С того дня я стою нищая, на коленях стою, прямая, как истукан, протянув руки, шершавые, как песок. Что вы сделали с людьми? Ради чего?

Молчание.

Федотов. Почему вы не явились в полпредство?

Леля. Я никого не хочу видеть.

Федотов. Я приехал по поручению сотрудников. Мы просим вас устроить в клубе полпредства ваш вечер.

Леля. Я прошу вас сообщить, что вы не нашли меня, что меня нет. Я все боялась, что придут репортеры и станет известно, что я приехала... Но репортеры не пришли...

Федотов. Вы официально обязаны явиться.

Леля. Я не знаю.

Молчание.

Слушайте...

Федотов. Что?

Леля. У меня к вам просьба.

Федотов. Пожалуйста. Какая?

Леля. Дайте мне денег.

Федотов (*огорошенный*). Как?

Леля. В долг.

Молчание.

У меня ничего не осталось. Я не рассчитала. Вообще все это сон. Простите меня, я шучу, конечно. Я хотела испытать, как отнесется ко мне соотечественник.

Федотов. Елена Николаевна, мне кажется, что вы очень больны.

Леля. Я совершенно здорова. Денег у меня нет ни копейки. Я серьезно просила вас. Вернуться домой я не могу. И не хочу. Я буду нищенкой. Я не хочу быть знаменитой у вас, я хочу быть нищенкой, проституткой... с разбитыми глазами, в лохмотьях, и буду умирать в мире, который создал меня.

Федотов. Это все ужасно — то, что вы говорите. Я считаю просто своим долгом увести вас... Я сейчас же сообщу полпреду. Ну, будем говорить спокойно, Елена Николаевна. Ну, вы просто изнервничались, время трудное, всем трудно. Ну, дайте вашу руку, ну, все пройдет это. Что значит — вернусь, не вернусь... Что же вы тут делать будете?

Леля. Это вы искренне говорите? От души?

Федотов. А почему же нет? Разве я не могу быть вашим другом... Мы же соотечественники с вами, граждане одной страны, почти ровесники... Столько хорошего переживали все вместе и столько плохого...

Леля. Мне надо возвращаться, да?

Федотов. Ну, конечно...

Леля. А это удобно, просить денег у полпреда? Мне немного нужно. Только хозяйке за пансион и на дорогу... Черт его знает, ерунда какая-то получилась... Я не рассчитала... Как-то так потратила... и ничего не купила даже. Какую-то ерунду... пуховки... сумку...

Федотов. Ну, одевайтесь, поедем...

Леля. Поцелуйте меня в лоб. Официально, от имени полпредства. А я очень несчастна, очень... У меня ни мужа нет, /н/и детей. Может быть, вот эти мои метания это есть поиск нежности, просто любви, поиски утраченной молодости... Давайте так сделаем: сейчас пойдем в полпредство, я официально, так сказать, явлюсь, покаюсь... Вечер ведь платный будет?

Федотов. Насчет денег — это легко...

Леля. Я сцену из «Гамлета» сыграю, правда?

Федотов. Конечно, мы пригласим туземцев. Пусть посмотрят вас, черт их дери.

Леля. Ну, скорей, скорей... Сейчас же идем. А вечером давайте так сделаем... пойдем с вами куда-нибудь... Поухаживаете за мной... Погуляем... Мюзик-холл... как пара влюбленных... хорошо? Здесь в Луна-парке... такие чудные влюбленные пары... Я видела...

Федотов. Давайте.

Рукопожатие.

Леля (*кричит*). Мадам Македон! Мадам Македон! Счет! За булочки, кофе, уют и прочее. Мадам Македон, я уезжаю завтра.

За стеклянной дверью силуэт мужчины.
Стучит мужчина в стеклянную дверь.
Леля испугалась.

Подождите... Кто это? Это не ко мне...

Федотов. Войдите.

Входит Татаров.

Татаров (*к Леле*). Это вы хотели меня видеть?

Леля. Я не знаю вас.

Татаров. Я Татаров.

Леля. Я не знаю никакого Татарова. Вы ошиблись. Вы не ко мне...

Татаров. Вы Гончарова? Артистка, бежавшая из Москвы.

Леля. Я вовсе не бежала.

Татаров. А в редакции говорят, что вы бежали.

Федотов. В какой редакции?

Татаров. В редакции газеты «Россия».

Федотов (*к Леле*). Как? У вас какие-то дела с белогвардейской газетой?

Леля. Федотов, я умоляю вас... слышите... Все ложь, что этот человек будет говорить.

Татаров. Это ваш муж? Вы бежали вместе?

Федотов. Я сотрудник советского полпредства.

Татаров. Ах, вот как. Значит, происходит борьба за душу. Вы бог, я дьявол — а госпожа Гончарова праведница.

Федотов. Я вас прошу отсюда уйти немедленно.

Татаров. Здесь не территория посольства.

Федотов (*к Леле*). Что у вас общего с этим человеком?

Леля. Ничего.

Федотов (*к Татарову*). Вам хочется спровоцировать нашу артистку. Хотите получить интервью... Какие-то темные слухи дошли до вас...

Леля. Конечно... они узнали, что я приехала... и думают: бежала. Они ждут, что я начну клеветать.

Татаров. Не прикидывайтесь праведницей, Елена... Николаевна, кажется? Уже кое-какой грешок лежит поперек дороги вашей в рай.

Федотов. Уходи отсюда немедленно, или я пущу тебе пулю в лоб.

Татаров. Как вы сказали?

Федотов. Убью тебя, как собаку.

Татаров. Убьете? Не думаю... Не рискнете... Здесь не любят убийц. Это в Советской России всем хорошо: и убийце, и убитому. Убийца исполняет волю истории, убитый — жертва закономерности, и все довольны. А здесь человеческая жизнь не отвлеченное, а весьма конкретное понятие. Прежде всего явятся ажаны, два ажана с усиками, в черных пелеринках... Схватят вас за руки, возьмут небольшой разгон и ударят спиной об стенку. Несколько раз, пока не отобьют вам почки. Потом, с отбитыми почками, харкающего кровью, повезут вас... Что с вами, Елена Николаевна? Почему вы так побледнели?

Леля. Федотов... выгоните его...

Татаров. Я пришел потому, что вы приглашали меня.

Федотов. Вы приглашали его?

Леля. Он сам пришел.

Татаров. У меня есть ваше письмо.

Федотов. Какое письмо?

Леля. Никакого письма нет.

Федотов (*к Татарову*). Вы лжете.

Татаров. Елена Николаевна написала письмо в редакцию газеты «Россия», сотрудником которой я являюсь.

Леля. Я вас прошу... подумайте... будьте человеком... мне очень трудно. Ведь я вам никакого письма не писала.

Федотов (*к Татарову*). Если оно есть, покажите.

Татаров (*вынимает бумажник, роется*). Сейчас... сейчас... сейчас...

Леля. Ну, и ничего страшного... никакого письма нет... а может быть, фальшивка... подделанное.

Татаров (*роясь*). Ну... кто станет... подделывать письмо... актрисы. Вот, пожалуйста.

Федотов выхватывает.

Леля. Отдайте. Отдайте! Как вы смеете!

Федотов читает письмо.

Как вы смеете читать чужие письма! Здесь не Советская Россия. Я запрещаю вам — слышите? Чужое письмо — это тайна... Мерзавец. Мерзавец. (*Задыхается.*) Да, это я писала, я. Пустите мне пулю в лоб. Я продала вас. Что? Прочли? Да, я написала письмо в белогвардейскую газету... продать свою тетрадку... список преступлений... Тайну... всю тайну русской интеллигенции...

Федотов (*прочел письмо*). И много вы просите за тайну русской интеллигенции?

Леля (*стихнув*). Все это очень смешно... Вот теперь я вижу вас, две половины моей души... Какое мне дело до вас обоих? Две половины тетрадки. Я ничего не хочу... Уходите оба.

Федотов. Уже вам не нужно идти в полпредство. Прощайте. (*Уходит.*)

Леля (*на диване*). Вы видели, как я играю? В Москве. Ах, верно, ведь вы эмигрант... Когда вы бежали, я только кончила гимназию... Я очень хорошая актриса... Неужели я здесь должна пропадать? Ведь я же могу начать жизнь сначала... сначала я буду в мюзик-холле... маленькая артисточка... буду унижаться... карабкаться... идти по пути унижений... все выше... выше... как Маленький человечек в штанах с бахромой... Как Чаплин... Это правда, что приезжает Чаплин? Все это сон. Я прежде умела просыпаться, когда видела дурной сон. Я делала усилие... в детстве... (*Умолкает.*)

Татаров. О, какая вы интересная женщина.

Подсел, она поникла на плечо к нему.

Вам не нужно будет унижаться... Режим насилья, диктатура хамов убила вашу прекрасную душу. Я выведу вас на большую дорогу. Вы слышите меня? Только здесь, только в капиталистическом мире больших людей ждут большие дела... Мы огласим вашу исповедь. Европа, содрогаясь, будет слушать исповедь русской интеллигенции... Вы дадите мне вашу тетрадку... Мы напечатаем вашу исповедь во всех газетах... Общественное мнение... Русские писатели: Куприн, Бунин, Мережковский, политические деятели, артисты, Шаляпин... Европа примет вас на свое лоно, — вас — заблудшее дитя великого старого мира. Вы будете богаты и счастливы. Мы поедем в Ниццу. Вы знаете, что это такое — дорога в Ниццу? Это и есть дорога славы. По сторонам цветут розы. Альпы, римские Альпы сияют в небесах.

Пауза. Встревожен неподвижностью и молчанием Лели.

Елена Николаевна. (*Кричит.*) Елена Николаевна!

Леля в обмороке.

Она в обмороке. Елена Николаевна! Эй, кто здесь? Она умерла! (*Встает. Медлит. Оглядывается. На цыпочках уходит.*)

Тишина. Елена Николаевна лежит неподвижно.
Входит мадам Македон.
Приближается к Леле, смотрит.

Хозяйка. Кто здесь был? Кто здесь был? (*Бежит к графину.*)

Леля (*в забытьи*). Я хочу домой... Катя. Здравствуй, Катя. Что у вас слышно... оборванные люди... новый мир... молодость моя... они хотят, чтоб я продала свою молодость... я хочу стоять в очереди... Снег идет... Дуня... за керосином... шпроты достала... я хочу стоять в очереди и плакать...

Хозяйка. Выпейте воды. Вам дурно было.

Леля (*пришла в себя*). Что? Кто? А... где они? Этот ушел? Он украл... он украл... Подождите, он украл мою тетрадку... Пустите! (*Бежит к чемодану.*) Нет... на месте... замок... Фу, как плохо мне... Страшно голова кружится...

Хозяйка. Я написала письмо Августину Маржерету, директору «Глобуса».

Леля. Какое письмо? Подождите... Только что читали письмо.

Хозяйка. Вы устали... Надо щадить себя. Вам почудилось. Я только что письмо окончила. Сядьте, выпейте воды, я вам сейчас прочту. (*Читает.*) «Дорогой Августин. Я направляю к тебе мадемуазель Гончарову. Это прелестная женщина...»

Занавес

/Мюзик-холл/

За кулисами мюзик-холла «Глобус».
Вечер. Маржерет. Леля в костюме Гамлета.
На столе Маржерета стакан с молоком и булка.

Леля. Я надела костюм, чтобы вы получили полное впечатление.

Маржерет молчит.

Может быть, вы заняты?

Маржерет. Почему — занят?

Леля. Ну, так. Ведь у вас такое большое дело...

Маржерет. Почему большое?

Леля. Ну, как же... Мюзик-холл... Столько артистов... Трудно...

Маржерет. Почему трудно?

Леля. Как вы смешно разговариваете...

Маржерет. Почему смешно?

Леля. Все время... спрашиваете: почему?

Маржерет. Потому, что я занят.

Леля. Вот видите. Я ж и боялась, что вы заняты.

Маржерет. Почему боялись?

Пауза.

Леля. Может быть, мне уйти?

Маржерет. Уходите.

Пауза.

Леля. Вы не хотите меня попробовать?

Маржерет. Хочу.

Леля. Я могу сыграть сцену из «Гамлета».

Маржерет. Почему из «Гамлета»?

Леля. Я предполагала... сделать так, понимаете — известная русская артистка... на афише: «Елена Гончарова... отрывки из “Гамлета”».

Маржерет молчит.

Ну, хорошо... Вот сейчас я сыграю... Так. Что бы лучше всего. Ага. Разговор с Гильденштерном. (*Играет, переходит с места на место, изображая двоих.*)

«А, вот и флейты! Дай-ка сюда одну. — Вы хотите отвести меня в сторону. Может быть, хотите загнать в западню?» — Тут говорит Гильденштерн. Ведь вы знаете эту сцену. Я не буду объяснять.

«Да, принц, я слишком смел в усердии, зато в любви я слишком настойчив».

Гамлет. «Я что-то не совсем понимаю. Поиграй-ка на этой флейте».

«Я не умею, принц».

«Пожалуйста»,

«Поверьте, не умею».

«Я очень тебя прошу».

«Я не могу взять ни одной ноты».

«Но это так же легко, как и лгать: на эту дырочку положи большой палец, а остальные вот на эти: дуй сюда, и флейта запоет».

Гильденштерн. «Но у меня нет уменья».

Тут Гамлет разражается гениальным монологом. Гамлет говорит так: «Ну вот видишь, каким вы меня считаете ничтожеством. Вы хотите играть на мне...»

Маржерет (*машет рукой*). Нет, нет, нет. Не годится.

Леля (*скандализованная*). Почему?

Маржерет. Неинтересно. Флейта, да. Вы флейтистка?

Леля. Почему — флейтистка?

Маржерет. Теперь вы начинаете спрашивать: почему. Словом, не годится. Что? Эксцентрика, на флейте. Тут надо удивить, понимаете? Флейта запоет, этого мало.

Леля. Вы не слушали, вы не поняли... Это совсем другое...

Маржерет. Ну, если другое, тогда расскажите — что такое другое. Другое, может быть, интересно. Интересной работа с флейтой может быть такая: сперва вы играете на флейте...

Леля. Да я не умею.

Маржерет. А вы сами говорили, что это очень легко.

Леля. Да это не я говорила.

Маржерет. Вы даже очень образно выразились: что это так же

легко, как лгать.

Леля. Вы не слушали, вы заняты.

Маржерет. Вот видите: я занят, даже не имею времени выпить стакан молока, а вы отнимаете у меня время. Кончим разговор. Я говорю вам, что интересной работа с флейтой может быть такая. Сперва вы играете на флейте... Какой-нибудь менуэт... Чтобы публика настроилась на грустный лад. Вот. Затем вы флейту проглатываете... Публика ахает. Переключение настроения: удивление, тревога. Затем вы поворачиваетесь к публике спиной, и оказывается, что флейта торчит у вас из того места, откуда никогда не торчат флейты. Это тем пикантней, что вы женщина. Вот. Слушайте меня, это замечательно. Затем вы начинаете дуть во флейту, так сказать, противоположной стороной, — и тут уже не менуэт, а что-нибудь веселое... Понимаете? Публика в восторге, хохот, буря аплодисментов[36].

Леля. Вы говорите, что я отнимаю у вас время, а сами тратите его на шутки.

Телефонный звонок.

Маржерет. Алло. Что? Приехал... Это неправда. У меня порок сердца. Я могу не вынести удара. Приехал. Ура. Скорей. Скорей. (*Бросает трубку. К Леле.*) Приехал. Вы слышите? Приехал! (*Бегает по коридору.*) Приехал. Приехал.

Леля. Господин Маржерет, я прошу выслушать меня серьезно.

Маржерет (*возвращается, увидел, как бы впервые, Лелю*). Что? Ах! Вы. Да... Это вы принесли письмо от Фелицаты Македон? Да, да, простите. Я ведь разговаривал с вами. Но у меня ужасная особенность. Когда у меня мысли заняты, я слушаю и ничего не понимаю... вмешиваюсь в разговор, как идиот... — у меня уже целую неделю заняты мысли, я все ждал — понимаете — я все думал: приедет или не приедет, приедет или не приедет. Приехал! У меня освободились мысли. Да. Так что вы хотите? Вы флейтистка?

Леля. Я трагическая актриса.

Маржерет. Почему трагическая?

Леля. Вы опять спрашиваете «почему».

Маржерет. Верно, верно, останавливайте меня. У меня опять заняты мысли.

Леля. Вы забавный человек. Чем же теперь у вас заняты мысли?

Маржерет. Подождите... (*Морщится, подносит руку ко лбу.*) Чем-то заняты...

Леля. Ведь тот, кого вы ждали, приехал.

Маржерет. Подождите. Так-так-так. Дайте мне освободить мысли от того, чем они заняты. Да. Готово. Так это ж они вами и заняты, черт возьми. Что вам нужно от меня?

Л е л я. У себя на родине я была известная... если хотите... знаменитая артистка. Теперь я хочу начать жизнь сначала.

М а р ж е р е т. Да, да, да, да. Все понимаю. Отлично. Как вы говорите? Почему сначала? Верно. Верно. Верно.

Л е л я. Сперва я буду маленькой актрисой.

М а р ж е р е т. Ну, да! Превосходно. Превосходный план. Сперва — никто ничего не подозревает... Так... Как будто не знаменитость, а так... ерунда какая-то, очередной номер... И никаких афиш. Я прикажу уничтожить афиши. Мы сделаем так: сегодня же — первое выступление. Мировую знаменитость мы выпустим в середине программы, заменой номера... Без анонса, без рекламы. Браво. Браво. Это сильнее всяких реклам...

Л е л я. Как... сегодня. Но нужно подготовиться.

М а р ж е р е т. Кому? Кому нужно подготовляться? Ему?

Л е л я. Ах, я не поняла... Я думала, что вы обо мне говорите. Я устала от вашей манеры мыслить и разговаривать... (*Пауза.*) Ах... (*Пауза.*) Неужели это правда? Скажите. Кто это приехал?

М а р ж е р е т. Он.

Л е л я. Я знаю! Я знаю.

М а р ж е р е т. Если знаете, ни слова. Вы провалите весь план. Ведь публика ничего не подозревает... Молчите. (*Хватает за руку, сжимает.*) Да, да, это он...

Леля. Он. Да. Неужели. Он войдет сюда. Сейчас. Я вас очень прошу, позвольте мне здесь остаться... Я согласна на все условия...

М а р ж е р е т. Условия: десять долларов в неделю.

Л е л я. За что?

М а р ж е р е т. Как — за что? За вашу работу.

Л е л я. За какую?

М а р ж е р е т. Да за флейту, черт вас возьми, как трудно с вами разговаривать.

Л е л я. Как вам не стыдно.

М а р ж е р е т. Почему стыдно? Этого мало? Разве это так трудно, обнажить зад и наигрывать менуэты?

Л е л я. Когда он придет сюда, я расскажу ему, как вы, европейский импресарио, издевались над иностранной артисткой. Ведь я просто попала в трудное положение... Это может быть с каждым. Я унижалась там, где я могла бы главенствовать. Он поймет. Он — сама культура, сама человечность, он поймет и возмутится вами, — слышите — он заступится за меня, потому что он лучше вас всех, он лучший человек вашего мира...

М а р ж е р е т. Кто? Кто лучший человек нашего мира? Как вам не стыдно. Он ничтожный, жадный, мелкий человек...

Л е л я. Неправда. Этого не может быть...

Маржерет. Ну да, конечно, вы готовы ему все простить. Люди сделали его богом. Мир помешался на сексуальности. А он, вне всякого сомнения, чемпион сексуальности. Для мужчин — он мужчина, для женщин — женщина. Может быть, он в самом деле бог. Когда я слушаю его пение, я испытываю такое состояние, как будто передо мною медленно раздевается предназначенная для меня женщина... Тогда я начинаю следить за женскими лицами. Честное слово, феноменально. Он поет, а у каждой из них опускаются веки, как у курицы, они стекленеют, они мертвы. Это экстаз. А что он поет? Дурацкие песенки. Но какая-то тайна скрыта у него в эрогенной зоне.

Леля. Я думала, что вы говорите о другом.

Маржерет. Никто другой не может сравняться с ним. Он бог. Когда он поет, женщинам кажется, что они видят, как он извергает семя.

Леля. Я думала, что приедет Чаплин.

Маржерет. Почему Чаплин?

Шум, воодушевление, приближается Улялюм[37].

Улялюм! Великий Улялюм.

Входит Улялюм. Артисты со всех сторон.
Улялюм смотрит на Лелю
/так, что она/ готова попятиться.

Улялюм. Кто [это, Маржерет?

Маржерет. Я приготовил ее для тебя.

Улялюм. Кто ты?

Леля молчит.]

Я Улялюм.

Леля. Не знаю.

Улялюм. Кто же ты? Негр? Нет, ты не негр. У тебя каштановые волосы и лицо персидской белизны. Кто же ты? Галл. Ты древний галл.

Леля. Я не знаю вас. Почему вы так говорите со мной?

Улялюм. Я Улялюм.

Леля. Не знаю.

Маржерет. Она притворяется, чтобы поразвлечь тебя.

Улялюм. Зачем ты штаны надела?

Леля. Оставьте меня в покое.

Улялюм. Чудесно. Сегодня я видел во сне свое детство. Сад, деревянные перила, я спускался по старой лестнице, скользя рукой по перилам, слегка нагретым солнечными лучами. Ты воплощенная метафора. Сними куртку, умоляю тебя. У тебя руки круглые, как перила.

Леля. Вы странный человек.

Улялюм. Я тогда был мальчик. Зеленые холмы были. Ты пришла

из детства, где был город Ним, построенный римлянами. Иди сюда.

Леля. С некоторых пор жизнь мне кажется похожей на сон.

Маржерет. Идите. Вам улыбнулось счастье.

Улялюм. Подойди ко мне.

Леля. Смешно.

Улялюм. Ну, я сам могу подойти. (*Подходит.*) Я поцелую тебя.

Леля. Я вспомнила. Я знаю. Я слышала вашу песенку... с пластинки. Когда я мечтала о Европе...

Улялюм. Можно поцеловать тебя?

Леля. Можно.

Улялюм целует Лелю. Пауза.
Общее восторженное молчание.

Улялюм. Кто ты? (*К Маржерету.*) Где ты достал ее, Маржерет?

Маржерет. Она дует прямой кишкой во флейту.

Улялюм. Тьфу. А вдруг она, не помывши флейту, стала дуть в нее губами.

Смех.

Леля. Ну это ж неправда... Ну, господи, Маржерет, ведь вы же сами все выдумали.

Улялюм (*не обращая на нее внимания*). Маржерет, ты меня хочешь выпустить сейчас?

Маржерет. Да. Ты должен появляться как молния.

Леля. Господин Улялюм.

Улялюм. Ну что тебе?

Леля. Вы обидели меня.

Улялюм. Чем я тебя обидел?

Леля. Вы не знаете меня... вы можете подумать, что так и есть на самом деле... Я пришла в театр по делу, я думала, что это театр... а это камера пыток... Вы хорошо говорили о детстве.

Улялюм. Воспоминания детства разлетаются как одуванчик.

Леля. Вы странный человек, я могла бы вас полюбить.

Улялюм. Нет женщины, которая не полюбила бы меня.

Леля. Я знаю. Конечно...

Пауза. Улялюм молчит.

Я так мечтала о Европе. Мне бы не хотелось, чтоб у вас создалось плохое впечатление обо мне... У себя на родине я считалась красивой... Ведь вы сами обратили внимание на меня.

Улялюм. Приди завтра.

Леля. Вы не так понимаете меня. Я схожу с ума.

Пауза. Где-то аплодисменты. Окончился номер.

Подбегают к Маржерету люди.

Маржерет. Сейчас... Сейчас тебе, Улялюм. Ты готов?

Улялюм. Идем.

Уходят.

Леля одна. Шум в зале, аплодисменты, крики, шепот. Стихает. Аккомпанемент. Улялюм начинает петь. Леля пьет молоко, крошит хлеб, плачет.

Занавес

/У Татарова/

Татаров. Это правда, что в России снимают колокола?

Леля. Не знаю. Кажется, снимают. Я однажды видела, как разрушали маленький монастырь[38]. Как валилась стена. Высокая стена. Ее веревками... Сперва она наклонилась и несколько секунд, а может быть, целую минуту стояла неподвижно в наклонном положении... Тишина наступила страшная. Впервые в природе этой местности совершалось падение большого тела, и природа этой местности — домики, мостовая, заборы, обыкновенный городской кусок — как бы ужаснулась, воспринимая такой грандиозный физический акт. В лесу падают сосны, в горах — происходят обвалы, но... в городе стены падают редко. И зрелище получилось патетическое. Стена рухнула плашмя, мгновенно расчленилась, и медленно стало подниматься облако пыли, как в кинематографе в так называемой замедленной съемке...

Татаров. Я вижу, что разрушение святыни вы воспринимали как интересное зрелище.

Леля. Да, это очень эффектно.

Татаров. А правда ли, что в Москве и других городах ежедневно расстреливают?

Леля. Ну, не ежедневно.

Татаров. То есть как? А если даже каждую неделю, то вы не находите, что это слишком часто?

Леля. Расстреливают тех, кто мешает строить государство.

Татаров. Мы считаем, что расстреливают лучших людей России.

Леля. Теперь ведь России нет.

Татаров. Как нет России?

Леля. Сейчас есть государство, существующее во времени... Союз Советских республик... Это ведь не географическое понятие... потому что завтра может произойти революция в Европе... в какой-нибудь части Европы... и тогда в состав союза входит эта часть Европы...

какая же это Россия... Так что и качества людей надо оценивать во временном смысле... И с этой точки зрения самый лучший человек может оказаться негодяем...

Татаров. Ого... Значит, вы не этнографическое понятие... функция во времени[39].

Леля. Да. Я... Новый мир — это понятие не географическое.

Татаров. А какое же?

Леля. Историческое. И потому так трудно быть гражданином нового мира.

Татаров. Можно подумать, что вы немножко гордитесь.

Леля. Чем? Тем, что я гражданка нового мира? Конечно, горжусь.

Татаров. Но у вас в новом мире, говорят, очень мало хлеба?

Леля. Мало.

Татаров. Едят конину.

Леля. Мяса вообще мало.

Татаров. Голодные бунты происходят.

Леля. Ничего подобного.

Татаров. Очереди.

Леля. Бывает. Все средства брошены на тяжелую промышленность. Металлургию, машиностроение. Нужно несколько лет. Правда, у нас дураков много. Надо дураков расстреливать.

Татаров. Ого.

Леля. У нас нация плохая. Алкоголь на нее страшно действует.

Татаров. Пьянство поголовное.

Леля. Не в том дело. Вообще нельзя русским пить. Я даже другое имею в виду: русские безответственны. Они даже перед реальной вещью, близкой и понятной, собственнической — перед родиной — не умели быть ответственны, значит, как им трудно теперь, когда требуется ответственность перед вещью отвлеченной, непривычной — будущий мир. Если бы мы были японцы. Скажем, японцы. Клятву нужно какую-то. На мечах. Самоотверженность. Самураями нужно быть. Романтика требуется. Если бы мы были японцами, через пять лет у нас была бы великая страна.

Татаров. А так, значит, не будет великой страны?

Леля. Не знаю.

Татаров. Никто не верит.

Леля. Верить в нее — значит совершенно отказаться от себя. Поэтому легче не верить. Интеллигенция считает себя умнее, на голову выше класса, стоящего у власти. Она считает себя Гулливером в стране лилипутов. Все дело в возрасте. Я слишком много помню. Если бы мне было пятнадцать лет, я ничего не знала бы и не помнила, и ничего во мне не было бы такого, от чего мне трудно было бы отказываться... я стала бы Гулливером в стране великанов.

Т а т а р о в. Интеллигенция ненавидит советскую власть.

Л е л я. Напротив. Очень много интеллигентов вступает в партию.

Т а т а р о в. Тогда я не понимаю, на что вы жалуетесь...

Л е л я. Я хочу править страной. Я хочу, чтобы мне поверили, что я, вот такая, как я есть, — могу править страной, советской страной.

Т а т а р о в. В результате всего вы бежали сюда.

Л е л я. Да. Я сошла с ума.

Т а т а р о в. Вы каетесь?

Л е л я. Теперь уже поздно. Мне нужно серебряное платье.

Т а т а р о в. Что вы говорите?

Л е л я. Мне нужно сверкающее платье, жемчуг, мне нужна одежда, которая стоит десять тысяч франков... Лучшая массажистка должна прийти ко мне завтра утром... Я хочу править Европой.

Т а т а р о в. У вас большой диапазон. От очереди за кониной к серебряному платью.

Л е л я. Нет никого и ничего. Я одна в мире. Артистка. Человек. Мысль. Я — мысль, разодранная на две части. И мне кажется, что я должна быть лучше всех... Новый мир осмеял меня, неужели и Европа унизит меня? Нищей стране, очередям, сугробам, тулупам я отдала свою молодость. Нельзя начать жизнь сначала... У меня нет второй молодости, чтобы положить ее на завоевание Европы. Только одно богатство у меня в руках. Эти листки. Возможность продать себя.

Т а т а р о в. Что вы хотите за ваши листки?

Л е л я. Магазины, портних, массажисток, всю легкую промышленность Европы, дорогу в Ниццу, всех презирающих меня, гражданку нищей страны, расступающуюся толпу, внимание, всеобщую остановку внимания, психопатизм, сексуальный экстаз, тишину маленьких домиков, сады с жасмином, зависть, бессмысленные мечтания гадких утят — лебединые серебряные крылья — все дары капиталистического мира, весь список его благодеяний я хочу получить взамен этого списка жалоб на мир старый.

Т а т а р о в. Грандиозно.

Молчание.

Что же вы хотите конкретно? Денег?

Л е л я. Елена Гончарова, знаменитая артистка Страны Советов, бежала в Европу. Это непросто... Слышите? Когда Данте был изгнан из пределов родины, об этом знал весь мир. Он плакал на чужбине, и его слезы до сих пор блестят на страницах истории.

Т а т а р о в. Вы можете поплакать мне в жилетку.

Л е л я. Что?

Т а т а р о в. Я говорю, что моя жилетка может заменить вам страницу истории...

Леля. Как... подождите... вы думаете, что за эти листки ничего не дадут...

Татаров молчит.

Ведь это бегство мысли... Мысль бежала из советской страны.

Татаров. Сколько вы хотите?

Леля. Ну, сто тысяч франков...

Татаров. Сколько?

Леля. То есть двести пятьдесят тысяч франков.

Татаров. За что?

Леля. За половину моей души... За список жалоб...

Татаров. Вам дадут за это пятьдесят франков.

Леля. Сколько?

Татаров. Или двадцать.

Леля. Что же мне делать?

Татаров. Берите двадцать.

Леля. Зачем вы так зло шутите?

Татаров. Дайте сюда эту самую половинку вашей души... Я просмотрю. Из этого фельетон можно сделать.

Леля. Вы сошли с ума. Я оглашу это — я не знаю где... в парламенте. У президента. Нужно специальный съезд созвать. Я в Сорбонну поеду читать свою исповедь. К лучшим представителям гуманитарной мысли... К Чаплину... Конечно, конечно, я не то сделала... Ах, как я ошиблась! Спутаться с вами... Нужно было Чаплину писать, Ромену Роллану, Альберту Эйнштейну[40]...

Татаров. Давайте сюда.

Леля. Руки прочь. У меня ничего общего нет с эмигрантами... это совсем другое... Ведь вы же вне закона...

Татаров. И вы уже вне закона.

Леля. Я прекращаю разговор с вами. Так далеко зайти. Я сейчас же отправлюсь в полпредство. Я все объясню. Я напишу письма в «Известия», в «Правду», в Наркоминдел.

Татаров. Эти листки ставят вас вне закона.

Леля. Да я порву их к чертовой матери. (*Рвет.*) На мелкие куски. Вот вам... видите? Ничего нет. Плюю на вас.

Татаров. Истеричка.

Леля. Ничего нет... Я опять чиста. Уже не вижу вас. Я завтра уезжаю. Сквозь туман путешествия я вижу вас и уже не различаю ваших черт и не слышу вашего голоса.

Татаров. Пешком уйдете?

Леля. Неужели вы думаете, что советский посол не придет на помощь гражданке советской страны?

Татаров. Ну что ж. Счастливого пути.

Леля. Я еще вернусь к вам. Без серебряного платья, без жемчуга, — я приду к вам босая, с ногами, разбитыми о камни походов, окровавленная, грозная, — с армией, с барабанным боем, с лохмотьями красных знамен — с победоносными войсками Советов валить стены Европы.

Татаров. Как это в «Гамлете»: «Слова... слова... слова...»

Леля. Вот тогда вы увидите Гамлета.

Татаров. Куда же вы уходите, Елена Николаевна?

Леля. Я страшно пала, мне стыдно. Ведь таких, как вы, мы привыкли видеть только в карикатурах на первой странице «Известий». Продажная белогвардейская пресса. И вдруг живая, плоть и кровь, гордая — понимаете — гордая нашей самостоятельностью во всем мире, ни с чем не сравнимой суверенностью советского народа — я вдруг влезла в карикатуру, я — живая, красивая — протянула руку вам... нарисованному плоскостному человечку. Это антифизический акт. Вы человек двух измерений. Вы тень, а я скульптура.

Татаров. Какой у вас язык, темперамент, фантазия... Вы необычайно интересная женщина. Я завидую вам. Ведь я бывший адвокат.

Леля. Вам одно осталось... завидовать нам...

Татаров. Вы могли бы завоевать Европу.

Леля. Зачем мне Европа? Я уже была в новом мире.

Татаров. А я ведь пошутил, Елена Николаевна.

Леля. О чем?

Татаров. За ваши листки вам дали бы двести пятьдесят тысяч франков.

Леля. Я уничтожила их.

Татаров. Напрасно.

Леля. Я счастлива. Я уничтожила список преступлений.

Татаров. А вторая половина тетрадки?

Леля. Там список благодеяний.

Татаров. Это неинтересно.

Леля. Я прочту его, когда будут валиться стены Европы. Вы говорите, что я могла бы получить двести пятьдесят тысяч франков?

Татаров. Но вы уже порвали листки.

Леля. Да, я порвала их.

Татаров. Лепестки лежат.

Леля. Акация.

Татаров. Нашелся бы предприниматель. Ряд лекций. Я говорю серьезно.

Леля. Я уничтожила список преступлений.

Татаров. Вы можете их вспомнить.

Молчание.

Леля. Мне бы только хотелось унизить... понимаете? Только один день мне нужен... Какая-то ложа, чтоб я вошла в ложу в сверкающем платье... Ведь я так мечтала о Европе.

Т а т а р о в. Вот бумага и карандаш. Садитесь. Вспоминайте и записывайте.

Пауза. Татаров нагибается за клочком.

Я помогу вам. Вот тут написано: «Постоянная ложь»... Что это значит?

Л е л я. Ложь?

Т а т а р о в. Да. Вот, значит, первое обвинение. «Ложь».

Л е л я. Так это ж... не они лгали мне, а я лгала им... Это ж мое преступление. (*Пауза.*) Не знаю.

Т а т а р о в. Ну, вспоминайте... (*Пауза.*) Почему вы молчите?

Пауза.

Л е л я. Хлеб по карточкам... нет, это ж ерунда... Отмена воскресенья — нет... это ж ерунда... расстреливают воров... нет, это ж ерунда... квартирный кризис... нет, это ж ерунда... мутный крюшон... нет, это ж ерунда... я не могу... вспомнить... ни одного преступления советской власти.

Занавес

/В полпредстве/

Полпред Филиппов за столом.
Читает газету. Телефон на столе. Звонок телефона.

Ф и л и п п о в. Я весь внимание. Да, могу. На десять минут. (*Кладет трубку, зовет.*) Дьяконов.

Появляется курьер.

Пропустить ко мне.

Курьер исчезает. Филиппов берет трубку.

Алло. Филиппов говорит. Федотова Александра ко мне. Ах, это ты, Саня. Ко мне немедленно. Одна нога там, другая — здесь. (*Снова читает.*)

Появляется курьер.

К у р ь е р. К вам, Сергей Михайлович.

Ф и л и п п о в. Впускай.

Входит Федотов.

Ф и л и п п о в. При тебе револьвер?

Ф е д о т о в. При мне, Сергей Михайлович.

Ф и л и п п о в. Давай сюда.

Ф е д о т о в. Зачем?

Ф и л и п п о в. Без лишних разговоров. Ты знаешь, что я лишних разговоров не терплю. Как Наполеон. То есть как Суворов.

Федотов. Пожалуйста. (*Вынимает браунинг, кладет на стол полпреда.*) Но я не понимаю, Сергей Михайлович.

Полпред (*указывает на газету, лежащую на столе*). В белогвардейской газете «Россия» помещена сегодня статья, где написано, что вчера в каком-то пансионе ты, агент советского посольства Федотов, выстрелом из револьвера убил сотрудника газеты «Россия» Татарова. Черным по белому. Принимая во внимание, что сия статья напечатана в газете белогвардейской, допускаю, что ты вышеупомянутого Татарникова...

Федотов. Татарова.

Полпред. Не важно. Я допускаю, что ты этого Татарникова не убил. Я даже предполагаю, что ты и не ранил его. Я готов думать, что ты в него и не стрелял вовсе. Можно, пожалуй, утверждать, что ты в него стрелять и не собирался. Я верю даже, что у тебя и в мыслях не было — стрелять в этого Татарниковского.

Федотов. Белогвардейская газета брешет, Сергей Михайлович.

Полпред. Револьвера, однако, лишаю тебя на трое суток.

Федотов. В этой статье еще что-нибудь написано?

Полпред. Вы свободны. Мое вам с кисточкой.

Федотов — к выходу.

Полпред (*вдогонку*). Стой.

Федотов поворачивается по-военному.

Неужели ты размахивал револьвером в какой-то бордели?

Федотов. Это неправда.

Полпред. Ступай.

Федотов уходит.

Полпред к телефону.

Алло. Коменданта. Товарищ комендант. Полпред говорит. Федотова Александра — под арест на трое суток.

Появляется курьер.

Курьер. К вам, Сергей Михайлович. Дама. Я говорю, что приема нет.

Полпред. Поперед батьки в пекло не суйся. Я велел впускать. Это из Москвы. Артистка.

Входит Леля.

Леля. Здравствуйте, товарищ Филиппов.

Полпред. Здравствуйте. Садитесь, пожалуйста. Сергей-Михалычем прошу величать. Рад вас приветствовать. Когда приехали?

Леля. Вчера.

Полпред. Из Москвы?

Леля. Да.

Полпред. Ну, что в Москве?

Леля. Хорошо.

Полпред. Что хорошего? Очень плохо в Москве.

Леля. Почему?

Полпред. Снег... жижа... Здесь весна.

Леля. Да, здесь прекрасная погода.

Полпред. Училась музыке три года. Я в прошлом году, когда был в Москве, видел вас в какой-то пьесе. Был восхищен. (*К телефону.*) Алло. Филиппов говорит. Приехала из Москвы артистка ...

Леля. Не надо...

Полпред (*к Леле*). Вы хотите огорчить нас. (*В трубку.*) Артистка Гонч... (*к Леле*) простите... тугая память у меня...

Леля. Гончарова... Елена.

Полпред (*в трубку*). Гончарова. Необходимо сегодня же принять меры. Что? К устройству вечера. Как? Вы уже знаете? Ну, превосходно. (*Кладет трубку.*)

Леля. Я ведь очень устала.

Полпред. Отдохнете, выспитесь. Вы где остановились? Наши все останавливаются на улице Лантерн. Дешево, без претензий. Вам напишут записку.

Леля. Благодарю вас. Не беспокойтесь, пожалуйста: я уже устроилась.

Полпред. Ну, как знаете. Вольному воля. Вы в первый раз в Европе?

Леля. Да.

Полпред. О, сейчас интересные вещи происходят здесь... Тсс... По секрету вам могу сказать... Идут, идут — безработные идут на столицу. Тсс... Голодный поход безработных... А? Это вам не жук наплевал. Полиция наготове. Идут безработные. Никому ни слова... Секрет Полишинеля... Вот-с, матушка, — прекрасная здесь погода. Так. Ну, ладно. (*Встает.*) Еще раз приветствую вас и желаю вам здравствовать. Сейчас же отправляйтесь к начальнику нашего клуба, во дворе, второй флигель, второй этаж — и договоритесь насчет вечера. Вы что теперь играете?

Леля. Гамлета.

Полпред. То есть как: Офелию?

Леля. Нет, самого Гамлета.

Полпред. Вот так штука капитана Кука. Да вы — женщина.

Леля. Женщина.

Полпред. Да как же вы Гамлета играете — то есть мужика?

Леля. Ну... так... Играю... Сара Бернар ведь играла.

Полпред. Ну, это Сарочка-Бернарочка. Французы нам не указ.

Леля. Какой вы жизнерадостный человек.

Полпред. Вы не увертывайтесь. Я вопрос в лоб вам ставлю. На

каком основании такая метаморфоза: баба мужчину играет?

Л е л я. Теперь время мужское. Революция. Сводятся мужские счеты. Женщина обязана думать по-мужски.

П о л п р е д. Чепуха на постном масле.

Леля молчит.

Да как же вам не стыдно, матушка. Ведь по ногам-то сразу видно, что женщина играет.

Л е л я. Да ведь я и не скрываю.

П о л п р е д. Этого и нельзя скрыть. Ведь по ногам сразу видно. Природа-мать. Как ни старайтесь, а природных женских качеств не скроете. Сразу видно: ноги. Вот время какое, а? Не знаю, не знаю, я старик и в искусстве мало понимаю... Но прежде бывало: театр — так театр... Ведь мы урывками получали наслаждение от святого искусства. Лекции... бегаешь по лекциям, колбаской питаешься, работа в революционных кружках, а зато... когда попадешь в театр... Дрожишь, бывало, замираешь где-нибудь на галерее ... А потом хлопаешь до седьмого поту... Мозоли набьешь на ладонях, клянусь вам бородой пророка. Умели мы ценить искусство. Вы меня простите, женщина — Гамлет, морское чудо-юдо... но мне кажется, что теперь у вас всех главное: накрутить. Да, да, да — каждый думает: эх, думает, — дай накручу, да заверну, да так заверну, чтоб всем тошно стало... Это как — извините — такой анекдот есть: один солдат, — вы извините меня, как вы мужчина до известной степени, штаны надеваете перед публикой, то обижаться вам нечего — один солдат, матушка, «Боже, царя храни» этим самым местом выдувать умел... Что с вами?

Л е л я. Нет, ничего.

П о л п р е д. Извините, пожалуйста, если обидел. Только меня, старого дурака, на мякине не проведешь. Вот. Прошу прощения. (*Протягивает руку.*) Пожалуйста. Заходите, до свиданья.

Л е л я. У меня к вам просьба.

П о л п р е д. Какая?

Звонок телефона.

Я весь внимание. Кто? Аааа. Здравствуйте, Рапопорт, здравствуйте, старина. Да, да. Она у меня на столе лежит. Да. Что? Я его посадил под арест. Думаю, что из-за бабы. Что? Еще не прочел... Что? Весь внимание... (*Долго слушает.*) Слушаю, слушаю. Пальцем вожу. (*Водит пальцем по газетному листу.*) Да... (*медленно*). Вижу... читаю... «конину едят»... так. Сейчас прочту... Интересно... Спасибо. Ну, как живешь? Как подагра? Не пей шампанского. Да, ну что ж поделаешь. Одним врагом больше. Ариведерчи.

Пока он кладет трубку, Леля незаметно берет со стола револьвер. Полпред читает газету.

Леля. Я не виновата ни в чем. Даю вам честное слово.

Полпред. От вашего имени в белогвардейской газете «Россия» приведен ряд вымышленных фактов, клеветнически характеризующих внутреннее положение в СССР. Тут написано (*читает*): «Лучшие люди России покидают свою родину. На днях бежала из советского рая знаменитая артистка Елена Гончарова». Если вы бежали, то зачем же вы приходите к нам? «Расстрелы, голодные бунты, поголовное пьянство, разрушение святынь, все это подавляет каждого мыслящего человека — интеллигента и вызывает в нем ненависть к советской власти. Никто не верит в пятилетку»[41].

Леля. Я этого не говорила.

Полпред. Каким же образом ваше имя проникло в белогвардейскую прессу?

Леля молчит.

Отвечайте.

Леля молчит.

Что ж вы молчите?

Леля. Я не могу на это ответить.

Полпред. Трагедия принца Гамлета. Дьяконов.

Появляется курьер.

Товарища Федотова сюда.

Входит Федотов II, высокий, в гимнастерке.

Леля. Это не Федотов.

Полпред. Товарищ Федотов, проводите эту женщину до крыльца.

Леля. Простите меня. Мне кажется, что у меня затемняется сознание. Тот был другой Федотов. Разве вы меня целовали в лоб?

Федотов II. Я вас никуда не целовал, мадам.

Полпред. У нас два Федотовых[42]. Федотов Александр арестован по вашему же делу.

Леля. Но он ни при чем.

Полпред. Вы сами только что хотели приобщить его к своему делу.

Федотов II. Кто такая?

Полпред. Вот, прочтите. (*Ищет газету на столе.*) Где мой револьвер?

Пауза.

Федотов II (*кричит*). Двери...

Двери захлопывают.

Посол. Вот так штука капитана Кука. Может быть, вы пришли застрелить меня? Я положил сюда револьвер. Обыскать ее...

Леля (*вынимает из сумки револьвер*). Я взяла ваш револьвер.

Федотов II. Зачем?

Леля. Чтоб застрелиться.

Федотов II. Шпионка.

Леля. Товарищ Филиппов, верьте мне: я не клеветала. Вот у меня список благодеяний. Вторая половина тетради. Прочтите. (*Протягивает ему.*)

Полпред. Мне некогда этим заниматься. (*Разрывает листки.*)

Леля. Зачем вы это сделали? (*Нагибается, хочет поднять обрывки.*)

Федотов II. Бросьте, ерунда. (*Наступает на листки ногой.*)

Леля идет к столу, где револьвер.

Куда?

Леля берет револьвер.

Назад! Ложитесь, Сергей Михайлович! (*Схватывает Лелю.*)

Леля (*в его тисках*). Не мучьте меня. Я уже мертвая.

Федотов II. Куда ее?

Леля. Мне нужен револьвер, чтобы убить Татарова и реабилитировать себя.

Федотов II. Что с ней делать?

Посол. Не шарпайте[43] ее, Федотов. Белены объелись? Вот сумасбродные однофамильцы — Федотовы: один бабник, другой — Держиморда. Вам хочется, чтобы она пошла в белогвардейскую газету и сказала, что ее пытали в советском посольстве? Проводите ее до подъезда и пусть идет на все четыре стороны.

Занавес

/У Татарова/

Ночь.

Леля сидит неподвижно на кровати.

Раздернута красная занавеска.

Татаров. Вы должны согласиться с тем, Елена Николаевна, что я совершенно прав. Вы все время высказывались туманно. Нельзя было понять, что же вам нужно, в конце концов. Какая-то путаница мыслей и ощущений. Что сделал я? Я внес ясность в эту путаницу. Смею вас уверить: мой фельетон — зеркало ваших мыслей. Ведь так, Елена Николаевна?

Леля молчит.

Можно подумать, что вы обижены на меня. Будьте марксисткой, Елена Николаевна. Вам и книги в руки, раз вы жили в стране, где марксизм единственная форма мышления. Я тоже увлекался марксизмом в молодости. Ну вот. Вооружимся марксистским методом. Вы говорили, что вам трудно жилось в Советской России. Вы философствовали. Почему вам плохо — так вы и не объяснили. А я написал просто: артистка Гончарова бежала из советского рая, не вынеся атмосферы расстрелов, голодных бунтов, религиозных преследований, насилия, подавленности, неверия. Я поставил вашу философию на ноги.

Леля молчит.

Вы молчите. Я не собираюсь просить у вас прощения, потому что не чувствую себя виноватым. Напротив. Я даже думаю, что вы поступили бы справедливо, если бы, вместо того чтобы сидеть неподвижно, как истукан, выразили мне чувство благодарности. Своим фельетоном я успокоил бурю, которая терзала вашу душу. У вас была тетрадка, разорванная надвое. Так? Вас было две. Теперь — вы стали едины: мысль и ощущение образуют гармонию. Вы всей душой против советского режима, как и весь мир.

Леля молчит.

Скажите мне спасибо, Елена Николаевна. Прекрасная женщина может выразить благодарность чем угодно: взглядом, взмахом ресниц, одним движением руки. Я начну вам говорить комплименты, чтобы расшевелить вас. Вы, конечно, горды... Вы чувствуете историческую миссию на себе. Шарлотта Корде. Не правда ли, Елена Николаевна? Но я думаю, что комплименты действуют на всех женщин без исключения. Шарлотта Корде была прекрасна. Палач, месье де Пари, плакал, пуская нож на ее лебединую шею. Она пришла убивать Марата, когда тот сидел в ванне. Но я думаю, что ей было бы гораздо приятнее, если /бы/ Марат пришел к ней сам, а она в это время сидела бы в ванне...

Леля молчит.

Если вы не хотите разговаривать, то зачем вы пришли ко мне?

Леля. Я пришла вас убить.

Татаров. Ну вот, видите. Это совсем нехорошо. Вот до чего довела вас психика. У всех советских мания убийства. Вам надо в больницу лечь. Конечно, если бы у вас были деньги, лучше всего поехать на юг. Приморские Альпы, перемена впечатлений... Ах да, простите меня, Елена Николаевна, вам следуют деньги.

Леля. Сколько?

Татаров. Я еще не получил гонорара за этот фельетон. Фактически вы водили моей рукой, когда я его писал. Половина гонорара вам. Это выйдет десять франков. Гонорар выдают по средам.

Леля молчит.

Я могу дать в долг вам до среды.

Пауза.

Вы не расхворайтесь. Возьмите себя в руки. Европеянка должна строить свою психику на триаде[44]: спорт, гигиена, комфорт. Тогда ваша психика станет победоносной. Как прекрасны европеянки! Они сверкают, как ящерицы.

Пауза.

А она все молчит, а она все молчит. Сбросьте с себя извечную скуку русской женщины. Может быть, вас обидели в посольстве? Пытали? Да? Половину языка вырвали? Вы знаете: можно написать о вашем визите в посольство. Ведь посол — педераст[45]. Ведь он не обратил на вас никакого внимания как на женщину. Он педераст. Окружил себя молодыми красавцами. Но человек он безвкусный и хочет удивить Европу только тем, что он — педераст. Как будто Европу можно удивить этим.

Леля молчит.

Если вы будете молчать, я тоже буду молчать. Будем молчать оба. Ну, Елена Николаевна. Ну, встряхнитесь же. Ведь самое страшное прошло. Это — как корь, этим надо переболеть.

Леля молчит.

А, ей-богу, чепуха. Глупо вы себя ведете. Ну, как хотите... Ну, я ухожу. Мне некогда. До свиданья, Елена Николаевна. (*Протягивает ей руку.*)

Она бессмысленно протягивает ему свою.

Ну вот, видите. Значит, мы уже помирились. У вас чудные руки, Елена Николаевна. Можно мне поцеловать вашу руку?

Леля. Можно.

Татаров. Браво. Вот это уже по-женски. Можно еще раз? Нет, нет, я не хочу напрашиваться. Я ведь очень одинок и несчастен, Елена Николаевна. А может быть, когда-то, очень давно, на родине, вы были моей невестой. Помните: как часто это бывало — в прежней нашей жизни, в традициях литературы, в дворянской романтике, — как часто это бывало, что девочку, тринадцатилетнюю гимназистку, считали невестой взрослого человека... Острили, добродушно посмеивались... Помните? Ведь все забыто, и перевалились друг через друга, пересыпались трижды куски нашей жизни, как стеклышки калейдоскопа, мы забыли лица сестер наших, имена друзей... Кто пал в бою, кто расстрелян, кто сожжен мужиками, у кого отвалились гангренозные, отмороженные ноги, кто в Африке, в Иностранном легионе, кто в Аргентине пасет быков... Кто за двадцать франков продает свою душу... вот я жалкий репортер продажной газеты... Бедная, несчастная родина наша. Где изгороди прошлого? Цветущие клумбы дач... именины... Вспомните, Елена Николаевна. Может быть, я в майский день, в белом кителе, в небесной студенческой фуражке приезжал на велосипеде на дачу, и вы сбегали мне навстречу, барышня в белом платье, вся в руладах Шопена... девственница... невеста... Вспомните. Вот, на русский лад вы настроили меня... Так долго я выковывал из себя европейца, выбрасывал из души все эти надрывы, всю эту так называемую широту... Но вы такая русская, вся поэзия цветов и запахов родины заключена в вас... и, куда к черту, слетает с меня мой европеизм. Я тоже хочу домой, Елена Николаевна. Мы вернемся в Россию, мы увидим еще, как будут заживать раны ее, мы еще будем с вами целовать землю родины, русскую землю, /политую/ кровью лучших сынов ее: юнкеров, кавалергардов, молодых красавцев, павших за великую Россию. Мы должны ждать, стиснув зубы, ждать.

Леля встает.

Куда вы? Нет, нет. Я не пущу вас. Вы сами разложили меня, как выражаются у вас. Не уходите, Елена Николаевна... Что же я, останусь один плакать, пить водку... Ну, прошу вас. Как вас зовут там... дома?

Леля. Леля.

Татаров. Останьтесь, Леля.

Леля. Я ухожу.

Татаров. Куда?

Леля. Домой.

Татаров. Куда, в пансион? У вас нет денег.

Леля. В Москву.

Татаров. Как?

Леля. Пешком.

Татаров. Вы вне закона.

Леля. Если я приду... через всю Европу... с непокрытой головой... прямо в театр... на Триумфальную площадь... днем. И скажу общему собранию... (*умолкает*).

Татаров. Я никуда вас не пущу. Я старше вас... Вам отдохнуть надо. Отлежаться. Ночью, в таком состоянии. Вы с ума сошли... Вы бредите, у вас психика расстроена. Раздевайтесь, ложитесь, это абсолютно здравое предложение. Я здесь буду спать, на диване. В Европе священны обязанности хозяина и права гостей. К черту русскую расхлябанность. Будем европейцами. Ложитесь, не стесняйтесь. Я задерну занавеску. Только разденьтесь, это русская привычка спать не раздеваясь. Не брезгайте моей постели. Говоря высокопарно — это скорбная, но чистая постель изгнанника. Ей-богу, вы заразили меня своей манерой говорить. То же русское: «от пирующих, праздно болтающих, умывающих руки в крови — уведи меня в стан погибающих за великое дело любви»[46]. Чепуха. Спите, девочка. (*Задергивает красную, мутную байковую занавеску. Остается на первом плане.*) Нужно всеми силами выкорчевывать из своей психики русские корни. Несчастная страна. Здесь врут некоторые, побывавшие у вас, что у ваших девушек какие-то особенные, сияющие улыбки. Что девушки ваши умеют шить платья из тряпочек. Что ваши женщины простаивают в очередях и остаются красивыми. Что у ваших матерей какие-то замечательные, толстые, смышленые дети. Что у всех русских какая-то непонятная гордость. Разве можно не иметь ничего за душой и в то же время оставаться гордым? Не понимаю. Вы легли? В Европе женщина — все. Культ. Вы знаете, если бы в ваших советских журналах печатали голых девушек, как у нас, — то, ей-богу, — ваши ударные бригады работали бы с большим воодушевлением. (*Начинает раздеваться понемногу.*) Вы пуритане. Пуритане. Форменные пуритане. Здесь женщина — прекрасное изделие, сосуд, если угодно, — прибор, аппарат, тончайший аппарат для наслаждения. Смотришь на европеянку и не понимаешь — что это: произведение великого ювелира, чеканщика, Бенвенуто Челлини, или это прекрасное насекомое... волшебно. Но зато как напряжено мужское половое вожделение... Здесь проститутка священна. Половой акт обожествлен. А русский бьет проститутку. Бьет, а потом кланяется страданию ее. Ерунда... Правда, Елена Николаевна. Достоевщина. Давайте без побоев и поклонения... Без достоевщины... Вы можете заблистать здесь... Леля... вас будут называть Лолита... Здесь вы актриса... Ля белль Лолита... Пустите меня к себе, Лилит. Можно? Ведь вы были, может быть, моей невестой. Вспомните. Девственницей вы мечтали, может быть, обо мне. Вы не спите, Леличка? Можно к вам? (*Открывает занавеску.*)

Леля стоит седая.

Молчание. Татаров отступает.
Леля медленно проходит и спускается по лестнице.

Конец сцены, перемена.

Ночь. Дорога. Фонари. Вал. Канава.
Вдоль канавы идет Маленький человечек в штанах с бахромой. Черные усики, без головного убора, шевелюра. Грубые большие башмаки. Размахивает тросточкой поперек хода, останавливается, нащупывает тросточкой лежащее на пути, смахивает, идет дальше.

Путь Фонарщика. По валу идет Фонарщик с шестом.
Фонарщик шествует, гася фонари.
Темнота идет за ним.

Человечек. Эй, оставь для меня хоть один фонарь.
Фонарщик. Приказано тушить фонари.
Человечек. До самого Валеруа фонари горят всю ночь.

Фонарщик. А ты, видно, бродяга: хорошо знаешь дороги.

Человечек. Ты фонарщик?

Фонарщик. С такой догадливостью ты бы мог заработать на новые штаны.

Человечек. Веселый человек — фонарщик.

Фонарщик. Я сплю днем и оттого весел ночью. (*Спускается с вала.*)

Человечек. Ты назвал меня бродягой. А какой же я бродяга? Ты слишком весел, чтобы быть наблюдательным.

Фонарщик. Я достаточно наблюдателен, чтобы увидеть на башмаке у тебя ромашку. У нас не растут. Ты пришел из Валеруа.

Человечек. Я не бродяга, потому что я весь день занят.

Фонарщик. Что же ты делаешь?

Человечек. Ищу золото[47].

Фонарщик. Где?

Человечек. В мусорных ямах. Заработать мне не дают, красть — запрещают, поэтому я решил искать.

Фонарщик. Ты тряпичник?

Человечек. Если верить твоей наблюдательности — да.

Фонарщик. И давно ты занимаешься этим делом?

Человечек. С тех пор как перестал заниматься другим.

Фонарщик. А чем ты занимался прежде?

Человечек. Я был артистом.

Фонарщик. А почему ты сделался артистом?

Человечек. Я за этим родился. А знаешь, зачем ты родился?

Фонарщик. Не знаю.

Человечек. Ты родился, чтобы мешать мне работать.

Фонарщик. Из чего ты заключаешь, что я мешаю тебе работать?

Человечек. А вот догадался.

Фонарщик. Мне некогда. Я должен потушить фонарь.

Человечек. Ну вот видишь. Этим самым ты и мешаешь мне работать. Ты ведешь за собою ночь, а чтобы найти золото — оно должно блеснуть.

Фонарщик. Сегодня я веду за собой особенно черную ночь.

Человечек. Почему?

Фонарщик. Чтобы в ней не блестели пулеметы.

Человечек. Ага. По дороге идут безработные.

Фонарщик. А в кустах стоят пулеметы.

Человечек. Вот видишь: мы и договорились с тобой. И много идет безработных?

Фонарщик. Десять тысяч.

Человечек. Они, говорят, идут с музыкой.

Фонарщик. У них хорошие оркестры.

Человечек. Откуда ты знаешь?

Фонарщик. Голодному легко дуть во флейту.

Человечек. Почему?

Фонарщик. В пустом брюхе много воздуху.

Человечек. Ты фонарщик.

Фонарщик. Ты ищешь золото, а сам потерял память. А потерявши память, ты не вспомнишь, что делать с золотом.

Человечек. Хоть ты и фонарщик, а похож на могильщика.

Фонарщик. Сходство вполне естественное. Мы оба роем темноту. Только могильщик роет вниз, а я — вверх.

Человечек. У меня был знакомый могильщик, особенно похожий на тебя.

Фонарщик. Где?

Человечек. В Дании.

Фонарщик. Может быть, ты из Дании принес ромашку на башмаке? Ты был разве в Дании?

Человечек. Был.

Фонарщик. Когда?

Человечек. Когда был артистом.

Фонарщик. Ты был плохим артистом.

Человечек. Объясни, пожалуйста.

Фонарщик. Раз ты познакомился с могильщиком, значит, ты представлял на кладбище. Тебя не хотели смотреть живые, и ты пошел к мертвым.

Человечек. Зато он был хороший могильщик.

Фонарщик. Почему?

Человечек. Потому что с ним даже принц разговаривал.

Фонарщик. Какой принц?

Человечек. Гамлет.

Фонарщик. Эге. Тебя, видно, за пьянство выгнали из театра. Прощай, куманек. Я потушу фонарь.

Человечек. Не спеши. Разве ты хочешь, чтобы ночь стала чернее? Помоги безработным.

Фонарщик. Чего мне им помогать? Я человек рабочий. Рабочих мало, а безработных много. А где много — там и сила. Прощай.

Человечек. Подожди. Я вижу, в канаве лежит что-то интересное. Потушишь фонарь, я не найду.

Фонарщик. Скорей.

Человечек нагибается,
тросточкой вытаскивает из канавы шляпу —
старый, измятый котелок.

Покажи находку.

Человечек. Видишь, как это кстати? У меня шляпы ведь нет.

Фонарщик. А где твоя шляпа?

Человечек. Когда я узнал, что безработные решили идти на город, я так высоко подбросил свою шляпу, что она не вернулась вовсе.

Фонарщик. А ну, примерь.

Человечек надевает котелок.

Человечек. Ну как?

Фонарщик. Как раз к лицу. Теперь ты стал сразу похож на артиста. Прощай.

Фонарщик поднимается на вал. Тушит фонарь.
Удаляется. Человечек идет вдоль канавы.
Возле груды отесанных, но развалившихся камней,
наполовину из канавы — лежит Леля.

Человечек. Шел в канаву, попал в могилу. Искал золото, нашел прах. (*Кричит.*) Могильщик! Могильщик! Вернись! Я мертвую нашел. Могильщик! Офелия лежит[48].

Леля (*приходит в себя*). Кто это? Где я?

Человечек. Это дорога в Валеруа.

Леля. Ночь. Господи, как темно. Телега раздавила мне ноги.

Человечек. Не бойтесь. У вас ноги целые.

Леля. Целые... целые... Это показалось мне потому, что я долго шла. Спасибо. Что я бы делала без ног? Помогите мне подняться. Я пойду дальше.

Человечек. Куда?

Леля. Я иду в Россию.

Человечек. Это очень далеко — Россия.

Леля. Я знаю.

Человечек. Через Дунай и Карпаты.

Леля. Я пойду. Вот видите: я стою крепко. У меня железные ноги.

Человечек. Кто вы?

Леля. Я нищая.

Человечек. В таком случае вы идете не в ту сторону.

Леля. А куда мне идти?

Человечек. Обратно. Сегодня все нищие идут на город. Зачем вам идти в Россию, когда сама Россия идет сюда. Все безработные — большевики.

Леля. Я тоже — большевичка.

Человечек. Будем ждать безработных здесь. Сядем на камни. Если вы нищая, вам надо беречь обувь. Весну сберечь нельзя, но обувь сберечь можно. Хрупкие туфельки вы разбили. Я помогу вам снять. У вас ноги сбиты.

Леля. Спасибо. Вы так добры ко мне. Кто вы?

Человечек. Я тоже безработный. Я был артистом.

Леля. Артистом?

Человечек. Я был великим артистом.

Леля. Я хочу увидеть ваше лицо. У меня туман в глазах.

Человечек. Я зажгу спичку. (*Чиркает.*)

Вспыхнула спичка.

Леля. Я всю жизнь мечтала о встрече с тобой, Маленький человечек.

Человечек. Вот мы и встретились.

Леля. Я была молодая и красивая.

Человечек. Вы и теперь красивая.

Леля. Я несла свою жалобу тебе, ее украли у меня и превратили в камень, и камнем этим раздавили мою жизнь.

Человечек. Вам надо собраться с силами. Мы должны идти с безработными на город. Слышите: они приближаются.

Слышен дальний шум похода.

Леля. Далеко-далеко, в старом доме, в комнате, где я спала и где собирались мои друзья, я принесла клятву стать такою, как ты...

Человечек. Ну вот — мы теперь оба нищие.

Леля. Ты лучший человек этого мира. Если бы я знала, что ты тоже стал нищим, то разве я мечтала бы о богатстве?

Человечек. Они пройдут верхом. Нужно, чтобы они увидели нас.

Все ближе поход.

Вставайте. Они идут. Я побегу им навстречу.

Человечек бежит наверх. Леля одна.

Человечек (*на валу*). Товарищи.

Вступают безработные на вал.
Оркестр. Трубы. Факелы.

1-й безработный. Отойди в сторону. Мы не берем бродяг.

2-й безработный. У тебя карман оттопырился. Ты прячешь револьвер.

Голос. Он в полиции служит.

Человечек. Я безработный флейтист. Вот флейта моя. (*Вынимает флейту.*)

3-й безработный. Я знаю его. Здравствуй, Шарль.

Человечек. Мы служили вместе в театре.

3-й безработный. Иди. Шагай. Завинчивай флейту.

Человечек. Там женщина голодная лежит.

1-й безработный. Где она?

Леля. Я здесь.

1-й безработный. Ты пойдешь с нами?

Леля. Если вы простите меня.
1-й безработный. Кто ты?
Леля. Предательница.
Человечек. У нее рассудок затемнен. Она бредит все время.
1-й безработный. Кого ты предала?
Леля. Вас.
Человечек. Она от голоду помешалась.
1-й безработный. Кто ты?
Леля. Я русская.
1-й безработный. Имя России ведет нас. Ты должна быть с нами.
Голос. Поднимайся, старуха.
2-й безработный. Пойдем обедать все вместе.
1-й безработный. Ты член союза?
Леля. Да.
2-й безработный. У тебя хватит сил идти?
Леля. Хватит.
1-й безработный. Три километра?
Леля. Я могу пройти три тысячи.
1-й безработный. Идем.

Леля входит на холм. Шествие двигается.

Занавес

/Финал/

Сценарий.

Леля приходит с безработными в город. Баррикада. Полиция предлагает безработным уйти. Леля на баррикаде. Она читает список благодеяний. Самого списка нет, полпред разорвал его, но ей кажется, что она читает. Всего три благодеяния.

Первое, скажем:

«Советская власть простила внебрачных детей»[49].

Залп по Леле.

«Помогите мне читать. Глаза мне заливает кровью. Я помню, помню все благодеяния».

Кричит второе благодеяние.

Залп по ней.

Третье.

Залп. Леля падает.

Внизу оркестр безработных.
Она падает на оркестр.
Оркестр начинает играть. Скажем, Бетховена.
Звук поднимает Лелю.
Секунду она стоит над толпой —
седая, с разбитыми глазами, босая, нищенка.

Конец

1930 г.

ПРИМЕЧАНИЯ

Впервые ранняя редакция «Списка благодеяний» опубликована нами в: Мейерхольд и другие. М., 2000. С. 665—710.

1. *Олеша Ю.* Книга прощания. С. 40—41.
2. Там же. С. 100.
3. Там же. С. 39.
4. *Мейерхольд В.Э., Бебутов В.М., Аксенов И.А.* Амплуа актера. М., 1922. С. 8.
5. Цит. по: *Гладков А.* Соч.: В 2 т. М., 1990. Т. 2. С. 275.
6. «Между двух миров» — второе название пьесы С. Ан-ского «Гадибук», которую репетировал Евг. Вахтангов параллельно «Эрику XIV» А. Стриндберга. Формула темы заглавного героя спектакля «Эрик XIV», сыгранного Михаилом Чеховым, — «человек между двух миров» — принадлежит П.А. Маркову.
7. Тема очередей была с конца двадцатых годов политически запретной (см., например, разговор Ю. Тынянова с К. Чуковским: *Чуковский К.* Дневник. 1930—1969. М., 1994. С. 72—73) и чрезвычайно болезненной, что подтверждают сохранившиеся, порой поразительные, свидетельства. Так, Н.С. Аллилуева, жена Сталина, пишет своей подруге З.Г. Орджоникидзе, что «в Москве очень трудно покупать сейчас, т. к. везде колоссальные очереди» (Свободная мысль.1997. № 5. С. 74). В статье «Классовая борьба обостряется» (На литературном посту. 1929. № 1. С.1) приводится трезвое суждение по этому поводу драматурга Н. Суханова: «На одном из собраний в Коммунистической академии Н. Суханов сказал недавно: “Появились хвосты у лавок, появились реакционные ноты в журналах. Тогда исчезнут они, когда исчезнут хвосты у лавок... Изолированно убеждать, несмотря на хвосты, делать то-то и то-то — бесплодно, призывать независимо от этого — будет иметь своим последствием не что иное, как оскудение и удушение вместе с отрицательным и положительного нашего художественного творчества”».
8. *Гурвич А.* Под камнем Европы: «Список благодеяний» Юр. Олеши в театре им. Вс. Мейерхольда // Советский театр. 1931. № 9. С. 26.
9. Цит. по: *Чуковская Л.* Записки об Анне Ахматовой: В 3 т. М., 1997. Т. 2. С. 198.

10. Эта важная черта произведений Олеши была замечена уже одним из первых его внимательных критиков. Ср: «День — это кошмар, ночь — чудесная явь» (*Гурвич А.С.* Три драматурга: Погодин. Олеша. Киршон. М., 1936. С. 140).
11. *Чушкин Н.* Гамлет — Качалов. М., 1966. С. 262.
12. Ср.: «У Олеши, по существу, нет диалога. <...> В репликах его героев нет и словесной выразительности — они чисто информационны» (*Чудакова М.* Мастерство Юрия Олеши. М., 1972. С. 25).
13. Т.Лоусон, известный публикатор и комментатор уникальных дневников советских людей (ведущихся в 1930-е годы), пишет, что частная жизнь граждан СССР в 1920—1930-е годы была «под постоянным давлением не только идеологических стереотипов <...>, но и вынужденно деформировалась в условиях материальной необеспеченности, религиозных преследований, этнической, правовой, сексуальной дискриминации» (Intimacy and Terror: Sovjet Diaries of the 1930s. / Ed. V. Garros. N. Korenevskaja. T. Lausen. N.Y., 1995).
14. Выступление Олеши цитируется по стенограмме заседания в ГосТИМе коллектива театра, Главреперткома и Худполитсовета театра по обсуждению постановки пьесы «Список благодеяний» Ю. Олеши в Театре им. Вс. Мейерхольда 26 марта 1931 года. // Наст. изд., глава 5.
15. По свидетельству литературоведа М.С. Петровского, дружившего с А.П. Белинковым в годы его работы над «Олешей», автор колебался в выборе героя для книги с уже выработанной концепцией, размышляя над тремя фигурами: В. Шкловским, И. Сельвинским и Ю. Олешей.
16. Так в рукописи заканчивалась статья Шкловского «В защиту социологического метода». (см.: *Шкловский В.* Гамбургский счет. М., 1990. С. 523).
17. *Гинзбург Л.Я.* Еще раз о старом и новом: Поколение на повороте // Вторые Тыняновские чтения. Рига, 1986. С. 139.
18. Комитет искусств при СНК СССР. № 263. Дело № 257. Театр им. Мейерхольда. 1) Башня Гей-Люссака. Г. Каннель. № 959/н; 2) Список благодеяний. Ю. Олеша. № 961/н. // Ф. 656. Оп. 1. Ед. хр. 2198.
19. В других вариантах текста — со шпагой либо с рапирой.
20. Через попытки создать художественное произведение коллективно прошли многие, если не все, писатели начала 20-х годов, причем над одним романом работало порой до двадцати авторов. Как правило, до завершения дело не доходило. В РГАЛИ сохранилась папка с разработкой текста «коллективного романа» «Инженер Гвоздев», среди авторов которого названы Ю. Олеша, В. Плугов, М. Козырев, Н. Горд, Н. Черный, Костерин, Л. Славин. Фабула вещи — детективная история о вражеском вредительстве на железной дороге, с покушениями на жизнь героя романа, с его «ангелом-хранителем», вездесущим чекистом и т. д. Роман предназначался для журнала «Крокодил», изложен в форме, близкой сценарной. Сегодня воспринимается как законченная пародия на конъюнктурную беллетристику 1930-х годов. // Ф. 600. Оп. 2. Ед. хр. 25. 203 л.
21. «Броненосец “Потемкин”» (1925), реж. С.М. Эйзенштейн; «Турксиб» (1929), реж. В.А. Турин и Е.Е. Арон; «Потомок Чингиз-хана» (1928), реж. В.И. Пудовкин.
    Принятое сегодня написание: Чингисхан.
22. Казалось бы, вовсе аполитичный эпитет «талантливый» в те годы далеко не всеми воспринимался спокойно. Так, большевик Рахья утверждал, что та-

лантливых людей «надо резать», поскольку «ни у какого человека не должно быть никаких преимуществ перед людьми. Талант нарушает равенство» (цит. по: *Шаляпин Ф.И.* Маска и душа. М., 1989. С. 220).

23. Сцена из «Гамлета» цитируется автором по переводу великого князя Константина Романова (К.Р.). Выпущено лишь полстроки. Полностью фраза звучит так: «Вы хотели бы играть на мне, хотели бы показать...» — и далее по тексту Олеши.
24. Ср.: «Я писатель и журналист. <...> И я каждый день пирую. <...> Я переполнен коричневыми жижами» (*Олеша Ю.* Книга прощания. С. 56).
25. Одежда была больной проблемой многих лет советской власти. В частности, статистика сообщает, что «число стандартов женского готового платья, вырабатываемого économ госпромышленностью, с 80 в 1925 году сокращается до 20 в 1929/30 и до 4 в 1931/32 г.» (*Полляк Г.С.* К вопросу о потребительских шкалах (потребление одежды) // Народное хозяйство. 1932. № 3/4. С. 183). То есть к услугам всех женщин СССР к концу 1930 — началу 1931 года было всего четыре модели платьев.
26. В августе 1929 года была введена так называемая «шестидневка», т.е. выходной день приходился на шестой день после пяти рабочих. Новый календарь был призван отменить воскресенья и религиозные праздники.
27. Ср. запись в дневнике 7 мая 1930 г.: «<...> в конце концов надо признаться: я мелкий буржуа...» (*Олеша Ю.* Книга прощания. С. 45).
28. Эти картины Чаплина не шли в России тех лет, но не из идеологических соображений, а в связи с дороговизной их проката.
29. Ср. запись в дневнике 20 января 1930 года: «Я никогда не был в Европе. Побывать там, совершить путешествие в Германию, Францию, Италию — моя мечта. Вижу во сне иногда заграницу. Что же это за мечта? Может быть — реакционная?» (*Олеша Ю.* Книга прощания. С. 25).
30. В начале пьесы у Лели две отдельные тетрадки со списками благодеяний и преступлений советской власти. В сценах «У Татарова» и «В полпредстве» — это одна и та же тетрадь, разделенная надвое. По-видимому, невнимательность автора при внесении изменений.
31. Так, дважды повторена ремарка об уходе Дуни и Петра Ивановича.
32. Хозяину мюзик-холла, присвоившему название всемирно известного шекспировского театра «Глобус», дана фамилия известного французского авантюриста Жака Маржерета, служившего у Бориса Годунова и у обоих Лжедмитриев.
33. Ср. у Достоевского («Подросток»): «Русскому Европа так же драгоценна, как Россия; каждый камень в ней мил и дорог. Европа так же была отечеством нашим, как и Россия. О, более! Нельзя более любить Россию, чем люблю ее я, но я никогда не упрекал себя за то, что <...> Париж, сокровища их наук и искусств, вся история их — мне милей, чем Россия. О, русским дороги эти старые чужие камни, эти чудеса старого божьего мира, эти осколки святых чудес; и даже это нам дороже, чем им самим!» (*Достоевский Ф.М.* Собр. соч.: В 10 т. М., 1957. Т. 8. С. 517).
34. Ср.: «<...> у нас только будущее без прошлого и настоящего, жить будущим, не имея ничего в настоящем, чрезвычайно мучительно, это очень односторонняя и вовсе уж не прекрасная жизнь» (*Пришвин М.* Дневник писателя. Запись 6 мая 1930 г. // Октябрь. 1989. № 7. С.156).
35. Ср. в рассказе Олеши «Мой знакомый»: «Большинство из нас думало: вот

мы кончаем гимназию, вот цветут акации в гимназическом саду, лепестки ложатся на подоконники, на страницы, в сгиб локтя...»

36. Ср. известный эпизод с Михаилом Чеховым, отозвавшийся в сюжете пьесы: М. Чехов предложил сыграть Гамлета в Берлине и натолкнулся на встречное предложение антрепренера сделать из него «второго Грока», знаменитого клоуна, для чего актер должен был «начать с кабаре» — танцевать, играть на музыкальных инструментах и проч. См. об этом: *Чехов М.* Воспоминания. Письма: В 2 т. М., 1995. Т. 1. С. 182—183; *Нинов А.* Мастер и прокуратор: Неопубликованные письма М.А. Чехова и И.В. Сталина // Знамя. 1990. № 1. С. 192—200; а также: *Золотницкий Д.* Мейерхольд: роман с советской властью. М., 1999. С. 263—265.

37. Имя двоящегося, изменчивого персонажа, вероятно, связано с названием стихотворения любимого поэта Олеши Эдгара По.

38. Возможно, Олеша вводит в пьесу поразившее его впечатление от взрыва в Кремле — незадолго до начала работы над пьесой, 17 декабря 1929 года, — древнейшего в Москве собора Чуда Архангела Гавриила (Чудова монастыря).

39. Ср. запись в дневнике 7 мая 1930 года: «<...> кто же я? Никто. Функция во времени» (*Олеша Ю.* Книга прощания. С. 46).

40. Кумиры Лели, названные Олешей, призваны продемонстрировать ее вкус, масштаб, понимание истинных титанов времени. Это личности, которыми всю жизнь восхищался Олеша.

41. Первый пятилетний план был принят в 1928 году. Как известно, результаты его «перевыполнения» были фальсифицированы в угоду пропаганде. «Рабочая Москва» (30 сентября 1930 г.) писала в заметке под названием «Антисоветское выступление в театре им. Мейерхольда»: «...артистка Логинова заявила на обсуждении, что "пятилетка уже застряла в горле и порядочно надоела". Коллектив не дал отпора этому выступлению <...>, что говорит о неблагополучии внутри театра. Это подтвердило и выступление артистки З. Райх с выпадами против прессы и, в частности, Демьяна Бедного». Именно эти слова Логиновой, но уже без упоминания фамилии актрисы, использует П. Керженцев в авторском варианте печально знаменитой статьи «Чужой театр» (см.: История политической цензуры: Документы и комментарии / Отв. сост. Т.М. Горяева. М., 1997. С. 79—80).

42. Помимо отсыла к шекспировским соглядатаям Розенкранцу и Гильденстерну здесь присутствует прямое указание на актуальность реалий конца 1920-х — начала 1930-х годов. Тема безындивидуальных двойников — агентов ГПУ была широко распространена в литературе тех лет. (Так, в пьесе М. Булгакова «Адам и Ева» появлялись Туллер I и Туллер II, один из которых перед смертью оказывался Богдановым.) Другими словами, в неявном виде здесь сообщалось о служебных псевдонимах, «кличках» сотрудников ГПУ, под которыми скрывались их реальные имена. Смысл этот легко улавливался современниками.
В дальнейшем из пьесы уйдет как выразительное слово «агент» по отношению к персонажу, так и один из героев-двойников.

43. Просторечное, в значении: не трогайте, оставьте ее.

44. Ср. в рассказе «Мой знакомый»: «Мы оторваны от Европы. В Европе установлен культ спорта, гигиены и комфорта. На этой триаде покоится здоровье, уравновешенное и победоносное сознание современного европейца».

45. Очевидно, пьеса резонирует на злобу дня: в связи с отставкой Георгия Чичерина из Наркомата иностранных дел в 1930 году в узком кругу посвященных обсуждалась история его взаимоотношений с Мих. Кузминым. Ср. чрезвычайно характерное объединение «сексуальной порочности» с порочностью идеологической: «старый педераст Чичерин окружил себя гомосексуалистами-шпионами...» (цит. по: *Максименков Л.* Сумбур вместо музыки. М., 1997. С. 185).

46. «...От ликующих, праздно болтающих, / умывающих руки в крови — / уведи меня в стан погибающих / за великое дело любви...» — из стихотворения Н. Некрасова «Рыцарь на час».

47. Олеша развивает метафору чаплинской «Золотой лихорадки». Человечек ищет золото, а находит Человека.

48. Продолжается тема «Гамлета». Подсказка автора, что после пережитых потрясений Леля почти безумна, как героиня шекспировской драмы.

49. Единственное бесспорное для Олеши благодеяние революции, существующее уже в первых набросках сценария будущего финала пьесы. О «священных правах ребенка», возвращенных республикой Советов, писал и Р. Роллан в своем «Ответе Константину Бальмонту и Ивану Бунину» 1928 года. См.: *Роллан Р.* Собр. соч.: В 14 т. М., 1958. Т. 13. С. 167.

Эскиз статуи к сцене «У Татарова». 1931 г.

Глава 5

«Этот мир принимает не всех...» Театральные документы начала работы над спектаклем

Эту главу составили театральные документы, предшествующие премьере: беседы Мейерхольда с труппой ГосТИМа, обсуждение пьесы после авторской читки в БДТ, режиссерская экспликация спектакля и доклад о макете.

В беседе с труппой 2 марта 1931 года мысли Мейерхольда еще заняты «Последним решительным». В связи с этим спектаклем режиссер размышляет о том, что такое направленность актерского действия, мелодия, тембр сценической речи, умение слушать партнера, а также нужна ли «искренность» актерам ГосТИМа, или она свойственна лишь артистам Художественного театра, и пр.

Но уже сказаны и важные вещи о «Списке»: что приступают к репетициям не первого варианта пьесы, она уже была подвергнута переработке; что первый толчок к этому был дан Главреперткомом, но определенные претензии были и у режиссера; что «Список» создан драматургом «в новых приемах» и т.д.

Примерно спустя две недели, 18 марта, проходит еще одна беседа о «Списке благодеяний», теперь в ленинградском БДТ, после читки автором пьесы расширенному партийному и писательскому активу города. В Москве в эти дни начались репетиции «Списка».

Протокол беседы фиксирует позиции двух лагерей, на которые разделились выступавшие: работников театра, стремящихся начать работать над увлекшей их пьесой, и налитпостовцев, осуждающих содержательные постулаты вещи, видящих ее враждебность уже в том, что острые социально-политические проблемы названы, обозначены — т.е. в самом факте публичного признания того, что они существуют.

Впервые в связи с пьесой упомянут Рамзин[1] и его группа «вредителей» («шахтинское дело»), а также впервые предложено «послать Гончарову на завод»[2].

Некий Ананьев, отмеченный среди выступавших в качестве «философа», как и полагается советскому служивому диаматчику, опираясь на недавние партийные документы (по всей видимости, связанные с делом «ленинградских академиков»), протестует против «абстрактности» пьесы, заявляя, что действие ее могло протекать и во времена Французской революции.

Но самое сильное впечатление производит речь Вс. Вишневского. Он защищает автора и его пьесу, но таким необычным образом и с таких позиций, что автору, мысленно оглядывающемуся на Достоевского, вероятно, приходится нелегко. Выразив в восхищенной формуле свое отношение к писательскому дару Олеши («излучение мозгового интеллектуального золота»), проницательно ухватив сущность лиризма пьесы, он заявляет: «Мы можем расстрелять еще 100 000 человек, и это не будет преступлением, ибо это идет на пользу революции». Слеза ребенка растворяется в потоке неоплаканных людских смертей, в которых, уверен Вс. Вишневский, «не перед кем оправдываться»[3].

Сам Олеша, кажется, готов отказаться от своей героини. «Гончарова не может быть прощенной», — говорит он. И пророчит, что про-

Мейерхольд и Олеша на читке «Списка благодеяний» в фойе ГосТИМа. 1931 г.

цессы вредителей будут еще продолжаться долго: «до тех пор, пока не придет новая интеллигенция».

Звучит множество нечасто употребляемых хвалебных эпитетов, а в выступлении Лаврентьева Олеша даже назван «живым классиком»[4].

26 марта Мейерхольд выступает с развернутой экспликацией будущего спектакля на труппе ГосТИМа. Сохранившаяся стенограмма его доклада представляет для понимания замысла будущего спектакля особый интерес. В выступлении режиссера проясняются и особенности первого этапа работы над спектаклем, и причины переделок пьесы, и первоначальные планы постановки.

Сцена должна быть развернута в «три четверти» к зрителю. Этой решительной диагональю будет разрушена привычная симметрия мизансцен, а в восприятии сценического действия публикой появится тревога.

Для важнейших монологов центральных персонажей освобождена «пустая ладонь» (Олеша) сценического пространства, исполненный театральными средствами «крупный план».

В зрительный зал для перетекания действия со сцены в партер будут спущены ступени, чтобы вовлечь публику в спор персонажей[5].

Режиссер предполагает еще и устроить «всемирный бал артистов», фантазирует о блестящем зрелище, начинающемся уже в фойе театра; видит партерную публику в парадных нарядах, цилиндрах; а на сцене, в зеркальной витрине — золотой манекен в черных кружевах.

В экспликации «Списка» звучат любимые темы Мейерхольда: «японцы» (т.е. приемы старинного японского театра: ритм мизансцен, цвет и фактура вещей, например материи в сцене с портнихой; работа с зеркалом), музыкальность структуры образа, семантика вещи как емкой метафоры в едином художественном пространстве спектакля, особенности решения костюмов и пр.

Режиссер размышляет о значении продолжительности спектакля. Анализирует важнейшую проблему театрального языка: взаимосвязь сценического времени и пространства. Объясняет, что такое искусство мизансценирования, в частности, какая смысловая нагрузка закреплена за рутинным расположением актера в мысленном «центре» сцены. Говорит о симметрии сценического построения как источнике зрительского психологического комфорта, влияющем на восприятие спектакля. О роли публики и способах воздействия на нее. Ополчается в очередной раз против сцены-коробки: «<...> мы идем к тому, чтобы полностью освобождаться даже от конструкций...» Наконец, заявляет о главном принципе предстоящего спектакля: «<...> необходимо привычную точку зрения зрителя в отношении сцены сбить...» Мейерхольд решает переместить центр сцены, нарушить привычно-симметричную планировку мизансцен. В пьесе нет равновесия — значит, его не должно быть и на сцене. И никаких фронтальных мизансцен: режиссер на репетиции, по плану Мейерхольда, должен видеть актера со спины.

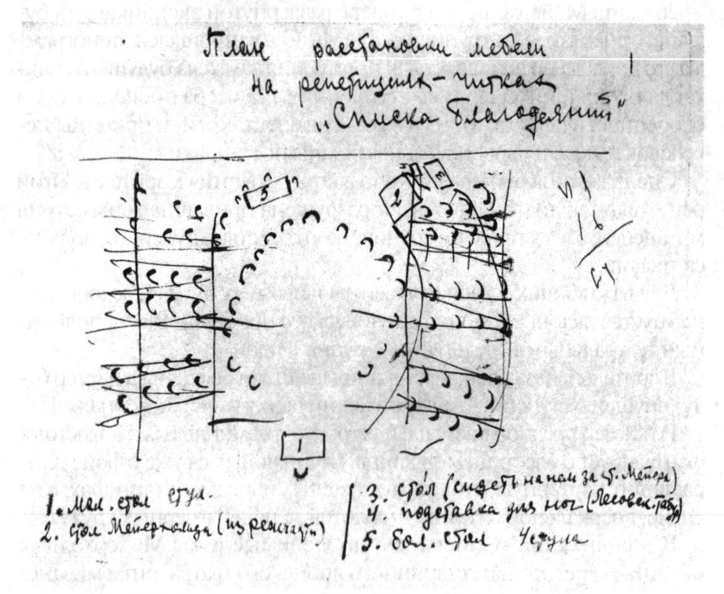

Ф. 963. Оп. 1. Ед. хр. 720. Л. 1

Этот поворот сцены по отношению к линии рампы, т.е. к зрителю, Мейерхольд фиксирует уже во время читок пьесы. Сохранился листок с чертежом, поясняющим, как именно располагаются актеры и режиссер во время застольных репетиций[6]. 24 марта П. Цетнерович, помогавший Мейерхольду на репетициях, записывает: «Профильное построение, а не фронтальное»[7].

Мысли о символизме, этом давно и безоговорочно осужденном и отвергнутом официозом течении, и на рубеже 1920—1930-х годов, в резко изменившейся историко-литературной и политической обстановке, не оставляют режиссера. Вспоминая кадры довженковского фильма «Земля» и «отмежевываясь» от философии символистов, Мейерхольд настаивает на глубокой содержательности их приемов.

Внимательный актерский слух отмечал: «Олешина пьеса вся в разговорах, написана она совсем не в манере театра — это-то, пожалуй, и интересно. И я думаю, Всеволод в ней окончательно завершит круг своих нововведений, вернувшись к приемам символического условного театра»[9], — писал Гарин жене еще 22 октября 1930 года, после первого знакомства с пьесой. Правда, теперь, спустя пять месяцев, возвращение Мейерхольда к символизму оценивается им куда более строго. Выслушав экспликацию Вс. Мейерхольда, Гарин комментирует ее в письме к жене, отправленном 26 марта 1931 года: «Книжечка "Гамлет" Аксенова есть[10], но только там как раз и написано, что для современности "Гамлет" не идет. Я ее привезу. Что же касается "Гамлета" в 3-й Студии[11], то, конечно, дорогу-то он перейдет.<...> Утром нынче Мейер/хольд/ читал экспозицию. (Между нами) старик впал в детство, после этой постановки его ликвидируют, и будут правы. Решил он приемами символического театра орудовать. Установку сделал глупее глупого, но провозглашает как революцию. Разговор после доклада носил салонный, даже спиритический характер. Мадам вдохнула в него густой марксизм.

Я бы всю тройку — З. Райх, Мастера и автора — отправил на лесозаготовки. Выжили из ума»[12].

Продуманная экспликация «Списка» чрезвычайно важна ее автору. Об этом свидетельствует сохранившаяся записка Мейерхольда М.М. Кореневу, датированная тем же днем, 26 марта 1931 года. «Дорогой Михаил Михайлович, — пишет режиссер, — знак Вашего одобрения к моей работе сегодняшний мой день — праздничный — превращает в день звонкого торжества. Мне очень радостно, что именно Вы отметили плюсы новой работы, и отметили в ней то, что мною по-особенному любится. Большое Вам спасибо»[8].

Кроме конкретных мизансценических решений данной работы театра стенограмма экспликации «Списка» дает возможность понять, какие именно проблемы технологии режиссуры занимали Мейерхольда в то время (формирование верной психологической установки у публики, изменение точки зрения зрительного зала, методы работы с актерами и пр.).

На редкость содержателен в стенограмме обсуждения пьесы в ГосТИМе автокомментарий Олеши, развернутые поясняющие реплики драматурга. Сегодня отчетливо видно, что драматург говорит не столько о теме двойничества, сколько о проблеме совершенно новой, позже получившей название «двоемыслия».

Центральные темы будущей работы театра отчетливо звучат в сохранившихся в архиве записях, сделанных рукой З. Райх. Актриса фиксировала те мысли из выступления Ю. Олеши, которые казались ей важнейшими: «Куда устремляется пьеса. К философств/ующим/ людям. Обрыв мещанской пьесы. Рука эпохи. Какие узлы вяжет. Наступление вещей[13]. (Кулаческая тема.) «Через два года буду старая».

Мысль — ощущение. Суть вещей. Запад и мы — развитие этой темы: Чаплин — нищий, становящийся богачом. «Мы» и раб/очий/ класс[14]. «Мы хотим править страной». «Лжем нашей власти». «Верить в новый мир — отказаться от себя»[15].

В исторической ситуации, когда немалая часть просвещенных слоев общества отстранена от реального участия в решении судеб страны и уже появилось новое слово «лишенец», в размышлениях героини Олеши еще прочитывалось, по-видимому, не столько задавленное (постыдное) честолюбие, сколько обычное прежнему времени представление о нормальном социальном поведении образованных людей, «претендующих на место в истории общественной и политической жизни своей страны. Это наша либеральная, оппозиционная демократия»[16].

Наконец, последний документ: доклад 3 мая 1931 года о макете к «Списку». В нем Мейерхольд предельно краток, деловит, но и в этом выступлении «сугубого практика» неизбежны и апелляция к новым партийным установкам (а именно: больше внимания философскому фронту), и ссылка на последнее постановление ЦК ВКП(б) (по поводу художественной литературы).

Определен фокус проблематики пьесы: отношение интеллигенции к советской власти, навязываемое властью двоемыслие, саморефлексия интеллигента, размышляющего о своей судьбе в меняющейся стране.

Несмотря на благожелательную в целом оценку пьесы Олеши, от обсуждения в БДТ остается ощущение опасности, разлитой в воздухе. Похвалы стилю и языку звучат на фоне главных событий: осмысливается процесс Промпартии, продолжается коллективизация, только что совершился разгон Ленинградской академии, с 1 по 9 марта 1931 года прошел процесс по «делу» контрреволюционной организации меньшевиков, не прекращаются и расстрелы.

Общество встревоженно притихло.

Наступает время насильственных творческих командировок писателей на завод, в колхоз, на народные стройки. На «индивидуалистически» мыслящих художников активно наступает РАПП. Перед многими из них встает проблема выживания. В театре, искусстве публично ориентированном, она особенно остра.

Но, может быть, важнее другое: к концу работы над спектаклем тема остроактуальная, политическая (в восприятии контролирующих органов и спешащей им на помощь организованной общественности) превращается для Мейерхольда в философскую, экзистенциальную. Речь идет теперь уже не о неприятии старой интеллигенцией пролетарской диктатуры, а о метафизическом одиночестве мыслящей индивидуальности в мире. В любой части света, России или Европе, в любом обществе — капиталистическом или социалистическом — «этот мир принимает не всех». А одна из реминисценций, пришедших на ум Мейерхольду во время обсуждения «Списка», кажется относящейся к нему самому: о поседевшем от ужаса бобре, которого убивают не сразу, а сначала лишь ранят, чтобы драгоценный мех приобрел благородную седину.

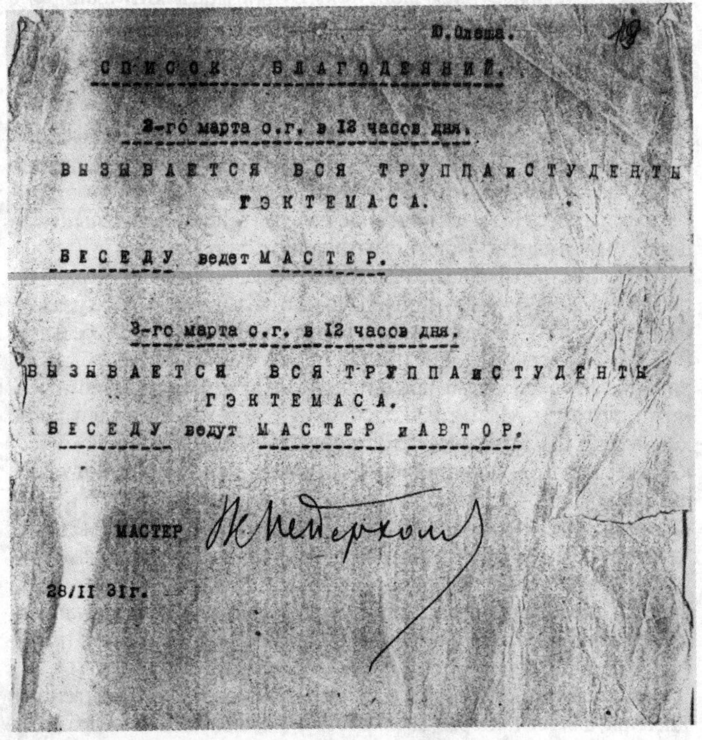

Ю. Олеша.

СПИСОК БЛАГОДЕЯНИЙ.

3-го марта с.г. в 12 часов дня.

ВЫЗЫВАЕТСЯ ВСЯ ТРУППА и СТУДЕНТЫ ГЭКТЕМАСА.

БЕСЕДУ ведет МАСТЕР.

3-го марта с.г. в 12 часов дня.

ВЫЗЫВАЕТСЯ ВСЯ ТРУППА и СТУДЕНТЫ ГЭКТЕМАСА.

БЕСЕДУ ведут МАСТЕР и АВТОР.

МАСТЕР Вс. Мейерхольд

28/II 31г.

Ф. 963. Оп. 1. Ед. хр. 716. Л. 19

Вс. Мейерхольд.
Беседа с труппой ГосТИМа о пьесе Ю. Олеши «Список благодеяний» 2 марта 1931 года[17]

Замечается, что многие актеры не умеют слушать своих партнеров. А ведь от слушания многое зависит, если плохо слушать, то можно прямо зарезать того, кто говорит. Расскажу вам такой случай. В 1913 году я пошел в Париже на выставку итальянского скульптора Бочионе[18], футуриста. Маринетти[19] принимал активное участие в этой выставке. Была назначена лекция Бочионе, Бочионе говорил с трибуны свое кредо как художник, говорил он по-французски отвратительно, на лекции присутствовали правые элементы, ну вроде современных киршоновцев[20], которые стали ему, плохо говорившему по-французски, мешать говорить. Для того чтобы заставить зрителей слушать Бочионе, на эстраду вышел Маринетти, уставился на Бочионе и стал его внимательно слушать — все замолчали, и Бочионе продолжал свою речь при полном напряжении даже тех, кто мешал, потому что вышел какой-то человек, стоит, внимательно слушает, мимирует даже, публика смотрела частью на Бочионе, частью на Маринетти. Это замечательный прием, это доказывает, что можно слушанием помочь говорящему и, наоборот, можно зарезать.

Так же и здесь, если сговориться и устроить бойкот по отношению Бушуева[21], не слушать, публика тоже не станет слушать, даже часть уйдет из зала. Здесь та же комбинация. Если вы будете внимательно слушать, этим самым вы заставите и публику насторожиться.

Мы хотим удержать театр на высокой комедии, вроде «Великодушного рогоносца»[22], мы от этой задачи не отказываемся, мы эту задачу будем проводить, но все-таки наш театр кроме этого ставит себе и другую задачу — ставить такие пьесы, в которых мы бы могли быть такими же великолепными драматическими актерами, как и комическими, потому что это только в плохих театрах труппа делится на комических и драматических актеров. Самый блестящий комический актер должен сыграть трагическую роль, и наоборот. Вот таким актером был Ленский[23]. Он играл самые комические роли и в то же самое время самые трагические. Есть такие комики, которые выходили и только смешили, таких нам не нужно. С «доходит» нам нужно бороться. Если человек насмешит, где не полагается, мы будем считать, что он не годится. Вот еще пример: Ярон — комический актер[24] сейчас в мюзик-холле политический монолог говорит с трибуны[25] и делает это замечательно хорошо, я просто был поражен.

Таким образом, какие выводы? Нужно будет вести художественный дневник, для всех актеров, мне кажется, что мы не делаем подразделения на актеров и студентов, это только организационно можно так говорить — это студент ГЭКТЕМАСа[26]... Это только организационно.

Когда студенту ГЭКТЕМАСа назначена роль, он в эту минуту становится актером. Тренаж состоит вовсе не в том, чтобы тренироваться произносить монолог, а тренироваться и слушать. Это тоже надо тренировать, надо уметь слушать, надо уметь сосредоточить все свое внимание. В этом-то и состоит дисциплина актера.

Есть термин, который часто произносится и который некоторыми берется под обстрел. Этот термин — «искренность». Некоторые думают, что искренность — это есть принадлежность мхатовской системы, а у нас искренность не полагается. У нас игра поставлена на умении поставить себя в верный ракурс, ногу задрать, голову задрать, слова произносить, как какие-то куски, которые действуют, как какие-то пружины нашей биомеханической системы. Но при всем этом речь может быть произнесена искренно и неискренно. У каждой фразы есть своя мелодия и свой тембр. Можно подобрать такую мелодию, что она будет абсолютно не соответствовать тому, какое содержание вложено в эту фразу. Когда вы подберете неправильную мелодию — фраза зазвучит неискренно, т.е. просто неправильно. Теперь тембр. Вы можете подобрать верную мелодию, но неверно стембровать с голосом — тогда тоже получается фальшь, т.е. получается неискренность. Искренность получится, когда вы верно стембруете.

Отличие Штрауха от Ильинского[27] именно в те моменты, когда он не нашел верного тембра и верной мелодии. Когда верна мелодия? Веселая фраза стремится в высоту, трагическая же фраза имеет тяготение мелодии вниз. В отношении тембра — веселая фраза стремится /к/ подъему, она очень прозрачна, очень светла, фраза же с трагическим содержанием — как будто на инструмент надевается сурдина, придается большая заглушенность, и при том, что мелодия тяготеет вниз, она завуалируется. Когда говорится искренно — это не значит копание в области душевного состояния героя, потому что есть выразительные средства, которые могут быть, как в музыке, терминологически точно установлены. Надо установить со стороны содержания — мажор это или минор, несмотря на то, что мы не имеем гармонизации, так что каждый актер является солистом. Вот, например, Сигетти[28], при сольном исполнении он знает, когда он что разыгрывает, веселое начало или трагическое.

Потом сюда еще входят такие вещи: например, стаккато /или легато/. (Видимо, не дописано стенографисткой. — *В.Г.*) Эти определения имеют тоже свое содержание. Стаккативное раскрывает одну сущность содержания, легативное — раскрывает другую сущность содержания.

Затем направленность. Направленность — это тенденция держать содержание в мозгу, в голове, так подбирать краски, так оформлять. Необходимо знать, к чему направлена сцена.

Вот как образец об этой направленности. Сцена Кармен[29]. Кармен танцует на столе, все актеры — и Кармен, и Жан Вальжан, и Анатоль Эдуард, и Подруга[30] — должны знать, к чему направлена эта сцена, направлена ли она на смех, подобно тому, как вызывается смех в «Двенадцатой ночи» Шекспира. Нет, не эта направленность. Поэтому все реплики, которые в этой сцене должны подаваться актерами, в другом плане. Моя направленность должна передаваться через актера, я не могу выйти и сказать: моя направленность такая. Пляшет Кармен — этот кусочек должен иметь направленность на некоторое беспокойство, на некоторую тревогу, должен чувствоваться будущий скандальчик. Все отдельные куски этой сцены должны быть именно так показаны. Например, Ильинский подбегает к столу и скидывает посуду, это не для того, чтобы вызвать смех, а чтобы запроектировать эмбрион будущего скандала, и когда в коридоре разыгрывается сцена, она хоть и неожиданна по высоте своего нагромождения, по экзажерации, но публика видит, что разразился скандал, который назревал. В сцене, когда пляшет Кармен, этот эмбрион срывается кем? ненаправленностью всех исполнителей. Если «есть, дон Хозе!» вызывает смех — лучше эту фразу снять, потому что нам нужен этот эмбрион будущего скандала, здесь нужно подать без смеха, а потом пожалуйста, когда они валяются с бутылками, можете вызывать смех, но смех другого порядка. Здесь должен быть не комедийный смех, а... (Обрыв стенограммы. — *В.Г.*).

В «Гадибуке»[31] публика дрожала от ужаса, который вызывала сцена пляски.

Мы будем постепенно в биомеханической нашей работе раскрывать эти необходимые вещи, которые нужно знать актеру. Мы будем проходить целый ряд упражнений, на которых это будет раскрываться.

Теперь относительно смерти Семенова[32]. Эту смерть пришлось снять не принципиально, а потому, что нам не удалось ее сделать. Смерть Семенова есть определенное звено в Заставе, это звено было нам необходимо, но, к сожалению, Бакулин[32] так играл, что мы вынуждены были снять, так как это место вызывало смех.

Мы сегодня должны закончить нашу беседу. Будем считать эту беседу неоконченной и перенесем ее на другой день.

Теперь о «Списке благодеяний». В этой пьесе мало действующих лиц, но мне бы хотелось провести очень сложную, имеющую принципиальное значение работу для роста актерского мастерства в нашей труппе. Я распределяю роли таким образом, что на каждую роль сразу назначаю не менее четырех исполнителей, только в крайних случаях, когда нет исполнителей, назначаю двух, трех. Это делается для того, чтобы сразу втянуть в эту работу весь коллектив, которая имеет для нас принципиальное значение, потому что эта пьеса Олеши написана в новых приемах, которыми мы еще не пользовались до сих пор.

Пьеса несколько переработана. Первый толчок был дан Главреперткомом (у нас было особое совещание Главреперткома)[34], и второй толчок был дан мною, причем некоторые мои предложения не вполне совпадали с /реперткомовскими/.

Я слышал, что есть недовольные настроения, что всего двенадцать действующих лиц, есть слухи, что ряд репетиций будут закрытые. Может, будут случаи, когда мы две, три репетиции закроем. В этом, в сущности говоря, виноваты сами актеры, если бы товарищи в репетициях сидели бы сосредоточенно, то нам не приходилось бы закрывать репетиции.

Обсуждение «Списка благодеяний» после читки Ю.К. Олешей пьесы на труппе ГБДТ (Ленинград) 18 марта 1931 года

Присутствовали: представители обкома ВКП(б), ряда писательских организаций (ФОСП[35], ЛАПП[36] и др.), журналисты и театральные критики — т.т. Гусман[37], Родов[38], Мочульский[39], Загорский[40] и т.д., представители Редсовета ОГИЗа, рабкоры и работники ГБДТ.

Читка происходила вторично. Первый раз автором была прочитана пьеса для части работников театра 17 марта с.г. 17 же марта Дирекцией театра решено было организовать читку для расширенного партийного и писательского актива.

Читка пьесы 18-го началась в 10 час. 40 мин., /о/кончилась в 12 час. 20 мин.

Диспут начался в 12 час. 50 мин., /о/кончился в 2 ч. 45 м/инут/.

Товарищ Голубов[41] (театральный критик).

Детально расценивать пьесу сейчас, после читки, преждевременно. Это можно сделать лишь после личного ознакомления и чтения пьесы. Я бы сказал, что основная тема пьесы — искупление. В пьесе целый ряд случайностей и отсюда — неизбежный иррационализм. Нет социальных мотивировок происходящих событий. Говорить о блестящих формальных достоинствах пьесы не приходится. Вещь замечательная. Надо сказать, что она сугубо интеллигентская, и подчеркнуть, что автор субъективно оправдывает поступки своей героини. Надо подчеркнуть, что автор не дал политического лица полпреда, коммунист у него неубедителен. В целом я бы сказал, что пьеса по жанру полуобозрение, т.к. все показано лишь вокруг жизненного пути актрисы Гончаровой. Это лишает пьесу того огромного значения, которое она имела бы в иных условиях ее построения.

Товарищ Цимбал (театральный критик)[42].

Самое существенное в пьесе то, что она открыто мировоззренческая. Своеобразно, остро т. Олеша видит мир, и это им блестяще показано в пьесе. Актриса Гончарова вся показана, особенно в первой половине пьесы, в свете улыбки, необычайной жизнерадостности. Конечно, вопрос: может ли Гончарова представительствовать от имени нашей, советской, женщины. От большинства, пожалуй, нет. Но от меньшинства — да. Автор чрезвычайно точно сумел конкретизировать мысли Гончаровой. Мне представляется, что Гончарова не переживает трагедии раздвоенности, скорее, на ней груз прошлого. Формально первая часть пьесы как-то более открыта, более пряма, вторая же часть перегружена. Боюсь, как бы конец не был принят иронически.

Товарищ Медведев (литературный критик).

Прежде всего надо говорить о литературных достоинствах пьесы. Признаемся, что за последние годы мы отвыкли видеть в драматургии блестящие стилевые особенности. Эта пьеса не только блестящее театральное представление, но и превосходное литературное произведение. Прежде всего сказывается необычайная парадоксальность сей пьесы. Вначале пьеса кажется пьесой проблемной. Кажется, что у ведущей актрисы сердце с разумом не в ладу. А вот во второй части автор переводит свою пьесу в план мелодрамный. Может быть, вся пьеса своеобразный блестящий парадокс. Упреки в случайности поступков Гончаровой, помоему, неправильны. Каждый шаг ее внутренне оправдан и логичен. Но признаюсь, я не понимаю смысла иронии автора. О формальных достоинствах пьесы следовало бы говорить очень много: по этой пьесе можно сказать, что Ю. Олеша учится у величайших драматургов — прежде всего сказывается влияние Шекспира.

(*Ю.К. Олеша* с места бросает реплику: «Учусь не у Шекспира, а у испанцев: у Кальдерона».)

Нет, детали отнюдь не испанские, самое построение именно шекспировское.

Товарищ Родов (Москва, налитпостовец).

Пьеса чрезвычайно двойственна. В первой части автор явно оправдывает интеллигенцию, оставляя «список преступлений» ничем не покрытым. Какая-то двойственная бухгалтерия. Гончарова понимает это, но, однако, «списка благодеяний» она не предъявляет. За Гончарову иностранный пролетариат перечисляет этот список.

(*Ю.К. Олеша* с места: «Совершенно верно».)

Основное преступление именно в этом и состоит, что сама она этого «списка благодеяний» советской власти не предъявляет. Но заключительная сцена, сцена своеобразного искупления, приводит к тому, что Гончарова должна была бы быть прощена, ее следовало бы покрыть красным знаменем.

(*Ю.К. Олеша*: «Может быть, ее не покрыли не потому, что не простили, а потому, что борьба началась и было не до почестей».)

Товарищ Горев (драматург, «Лен/инградская/ правда»).

Основное: интеллигенция идет к революции. Идет с большим боем. Одна часть переходит на сторону врага, другая целиком переходит на сторону революции. Но спорен вопрос: является ли путь советской интеллигенции именно путем Гончаровой, путем, который так блестяще, так талантливо очертил Олеша в своей пьесе. Пьеса построена на сугубо мучительных личных переживаниях героини. Но ведь нас в решении вопроса интересуют не субъективные переживания. Ведь вот вам пример: Рамзин и др/угие/ торгпромовцы — ведь они были блестяще обеспечены. Субъективно им было выгодно честно работать, а вот подите, дело не в личных узкосубъективных настроениях. Между тем в пьесе только личные мотивировки. Никаких социальных конфликтов нет, и только последняя сцена бурно поднимает настроение слушателя. Эта блестящая сцена глубоко волнует.

Основной порок пьесы, повторяю, — то, что пьеса не взята в социальном разрезе. Никак не обрисована эмигрантская среда, хотя дело происходит в Париже. Даны лишь жалкие осколки эмиграции. Гончаровой надо было пройти через социальные группы эмиграции. Может быть, надо доработать пьесу, на завод Гончарову отправить. Интеллигенция идет к революции не таким путем, как Гончарова. И, наконец, многое в пьесе схематично.

Товарищ Вишневский[43] (драматург).

Я подхвачу и продолжу некоторые выступления. Послушайте, Олеша, вы написали скверную пьесу. Голубчик, вы эмиграцию опишите. Вы Бриана[44] покажите. И, кстати, выбросите-ка роль Гончаровой. Там у вас говорится о Ромене Роллане[45], покажите его и кстати письмо его огласите[46]. Еще и Горького покажите. А так как у Горького были бригадники, так вы попутно и бригадников выведите. А вот револьвер, чемодан выкиньте из своей пьесы. И мой вам добрый совет — вообще поставьте крест на своей пьесе...

Это вообще, а от себя лично позвольте поблагодарить за огромное удовольствие (пожимает руку Ю.К. Олеше)[47].

Товарищ Ананьев (философ).

Я к искусству имею косвенное отношение. На меня пьеса произвела впечатление чрезвычайно полнокровного произведения. Но, может быть, эта полнокровность от болезней. Олеша в своих произведениях всегда ставит философско-психологическую проблему, поэтому его произведения чрезвычайно ценны. Но вот вопрос: в какую, собственно, эпоху происходит действие пьесы? Она могла бы происходить и в дни Великой французской революции. Главный недостаток пьесы то, что она абстрактна. Между тем мы сейчас во всем, и в теории, и в практике, требуем максимальной конкретности. В пьесе дана определенная проблема — проблема взаимоотношений личности и общества. Это — казалось бы, но в действительности, скорее, дана мистификация проблемы. У

Гончаровой не социальная мотивация поступков, а истерика. Нет внутренней необходимости тех или иных ее поступков. Отсюда сцепление целого ряда механических моментов. И несмотря на блестящие достоинства пьесы, именно эти недостатки ее дискредитируют.

Товарищ Шапиро[48].

Кто следующий? Может быть, из работников театра?

Товарищ Казико[49].

Что говорить: тов/арищ/ Вишневский хорошо и за всех ответил.

Товарищ Родов.

Список преступлений революции остается висеть. И это слабость пьесы.

Товарищ Гусман (Москва, теа/тральный/ критик).

Я не хотел говорить, но замечание Родова меня задело. В чем дело? Я вообще не уловил преступлений революции в списке Гончаровой. Ну разве что она живет рядом с нищенкой и этим недовольна. Ведь здесь важно другое, основное. Человек замечает крохоборческие вещи в самую бурную, самую великую эпоху...

Товарищ Родов.

Вы сами принадлежите к тому же миру интеллигентов и замазываете преступление Гончаровой, пытаясь этим самым замазать и свои собственные списки преступлений.

Голос с места. А вы? Тоже замазываете и тоже скрываете список преступлений?

Товарищ Родов.

Да, принадлежу к той же интеллигенции и в том же виноват.

Товарищ Гусман.

Обратите внимание: в пьесе ни слова не говорится о классовой борьбе, а между тем она целиком посвящена классовой борьбе. Мы здесь полтора часа волновались, слушая блестящее произведение Олеши, и как грустно слушать эту жалкую ничтожную критику, этот жалкий лепет тех, кто пытается критиковать Олешу.

Товарищ Майцель (лит/ературный/ критик).

Не могу согласиться с т/оварищем/ Вишневским. Безоговорочность признания несколько повредит автору. Пьеса слишком глубока, чтобы о ней сразу высказываться, поэтому лишь по мелочам, отказываясь от всяких рецептов автору. Первое, что смущает: уж слишком много философствуют. Омудрение Гончаровой чрезмерно: таких среди нас немного. Впечатление, что на всех элемент патологичности. Поэтому пьеса не выявляет типические явления, а отражает индивидуальные настроения. Политические ситуации мелководны. Хотелось бы еще отказаться от националистически звучащей нотки в заключительной сцене.

Товарищ Тверской[50].

Для театра пьеса чрезвычайно интересна. До сих пор Олеша приходил в театр через литературу. Это первая его пьеса для театра. И в ней мы видим громадный рост драматурга. Театр надеется в работе над этим материалом достигнуть высшей качественной ступени. Наконец мы получаем настоящую драматургию, которая дает возможность действительно ставить вопрос об использовании классического наследия не в смысле перепева, переписывания классических произведений, а в смысле блестящего овладения наследием. Мы давно ждем такого драматурга, и теперь он явился. С таким драматургом мы и без классики сумеем создать блестящие произведения искусства. Тут говорили относительно «списков». Конечно, «списки» эти — преступлений и благодеяний — не даны, но они показаны действенно. В каждом персонаже блестящий и благодарный материал для актера. Мы, работники театра, можем сказать, что мы чрезвычайно удовлетворены, получив такой материал для работы. Мы можем сделать только одно: от имени всех работников театра приветствовать товарища Олешу.

Товарищ Шапиро.

Просил слова товарищ Лаврентьев.

Товарищ Лаврентьев[51].

Товарищ Тверской все сказал: год тому назад на актерской конференции я говорил о необходимости театру работать на классическом материале. Меня тогда назвали реакционером, правда, за мертвых классиков. Я не хочу сейчас за живого классика прослыть революционером.

Товарищ Мазур.

Такого блестящего произведения мы давно не видели. Но о недостатках надо говорить. Главный из них — нет идейной связи. В идейной стороне пьесы — некоторая наивность. Список преступлений не разоблачен, не покрыт списком благодеяний.

Товарищ Пашковский (стажер).

Мне кажутся неправильными упреки в том, что в пьесе показаны только индивидуальные черты. Автор показал и всю гниль старого общества. Но в пьесе неприятна ее литературщина. От этого следовало бы избавиться.

Товарищ Вишневский.

Ну, поговорим серьезно. Как и всегда: критика берет дубину и начинает ею размахивать. Пора наконец осознать, что никто не может дать того, чего он не знает. Что? Список преступлений не разоблачен? Каких преступлений, товарищ Мазур? Расстрелов? Мы можем расстрелять еще 100 000 человек, и это не будет преступлением, ибо это идет на пользу революции. Преступлений? Мы ничего о них не знаем. Оправданий? Их не нужно: нам нечего и не перед кем оправдываться. Автор не разоблачил списка преступлений? Конечно, но ему нечего было разоблачать. Бросьте пустяки. Считайтесь с тем, что вы присутствуете при излучении замечательного мозга Олеши, этого мозгового интеллектуального золота. Эта пьеса — одна из замечательных пластинок, снятых с мозга Олеши. Вся эта критика — это малокалиберные замечания. Ведь это изумительное, прекрасное произведение. Что? Гончарова? Как вы не видите, что это не Гончарова, а крупная мужская фигура самого драматурга, который отдает все свои творческие силы нам, мне, классу. А тут находятся люди, которые... Олеша (товарищ Мазур, отвернитесь), позвольте снова пожать вам руку и поблагодарить[52].

Товарищ Олеша.

Похвалы Вишневского чрезвычайно ценны для меня, так как я считаю, что именно он реформатор нашего театра. Много из того, что говорили здесь, меня чрезвычайно огорчает. Я люблю эту вещь. Первый вариант пьесы был написан год тому назад в Ленинграде. Это было еще до процесса Промпартии. Тогда я защищал Гончарову, и пьеса получилась реакционная. Теперь я переписал пьесу заново и считаю, что

Вс. Мейерхольд, З. Райх, Ю. Олеша, В. Катаев и др. 1931 г.

для меня это колоссальный шаг вперед в борьбе с самим собою. Иррационально? Пустяки. Говорили: платье? Как же вы не видите, что под этими «мелочами» я вижу не эти «мелочи», а легкую промышленность, оппортунизм, но хочу это показать через конкретные вещи. Здесь речь не только об интеллигенции, одинаково это может отнестись и к той или иной рабочей прослойке. Речь идет о человеке, мечтающем о личном благополучии, это тоска по внутренней Европе, это тема одинокой судьбы. Почему — флейта? Ведь это тема голоса. Гончарова, ссылаясь на свой монолог Гамлета, возмущается — на флейте играть не умеете, как же вы смеете, чтобы на мне играть. Она думает, что здесь, в советской стране, ее голоса не слышат, что услышат в Париже. Критики говорят: случайности — украли, мол, дневник. Не случайность это. Не в том дело, что украли дневник, а в мыслях ее, в том, что она писала дневник, ибо не было бы дневника, не было бы и кражи...

Я убежден, что старая интеллигенция обречена на гибель. (Обращается к т/оварищу/ Шапиро.) Ведь мне можно иметь собственное мнение? Пока не придет новая интеллигенция, долго еще будут процессы вредителей. Гончарова не может быть прощенной. Даже самый револьвер и смерть ее — это акт индивидуальный. Основная мысль: кто не с нами, тот против нас. Нет, я не считаю пьесу совершенной, но удачной ее считаю.

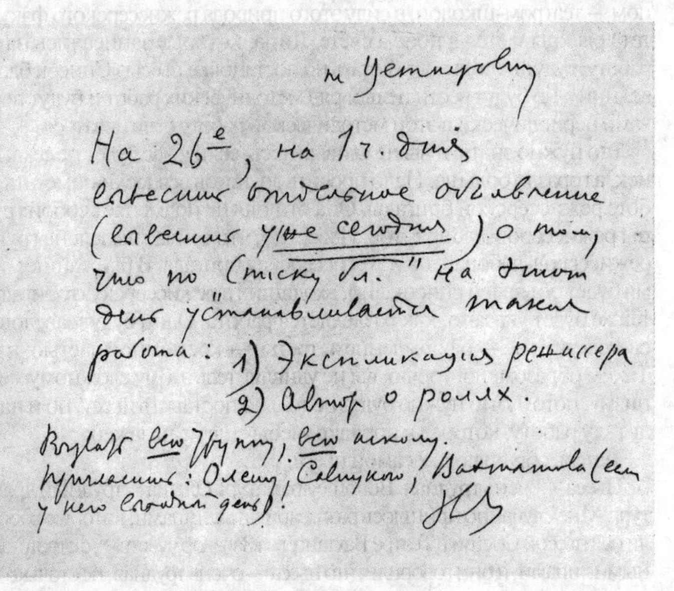

т. Цетнеровичу

На 26-е, на 1 ч. дня
вывесить отдельное объявление
(вывесить уже сегодня) о том,
что по «Списку бл.» на этот
день устанавливается такая
работа: 1) Экспликация режиссера
2) Автор о ролях.
Вызвать всю труппу, всю школу.
Пригласить: Олешу, [illegible], Вахтангова (если
у него свободный день)!
ВМ

Записка Вс.Э. Мейерхольда П.В. Цетнеровичу. Ф. 963. Оп. 1. Ед. хр. 716. Л. 1.

Вс. Мейерхольд и Ю. Олеша в беседе с артистами театра на заседании в ГосТИМе 26 марта 1931 года по поводу пьесы Юрия Олеши «Список благодеяний»

Товарищ Мейерхольд. Часть информационная: к работе нашей привлечено еще одно лицо, которое я сегодня вам представлю. Костюмами в этом спектакле будет руководить Константин Константинович Савицкий[53]. По части оформления работу взял на себя Сергей Сергеевич (так в тексте стенограммы. — *В.Г.*) Вахтангов[54], которого я вам представляю. Автором является Олеша.

Тоже в порядке информации: режиссерская бригада, которая была выделена на работу над этой пьесой[55], уже имела одно заседание. Отныне эта режиссерская бригада поглощает собою тот режиссерский факультет, организации которого нам не удалось до сих пор наладить в силу разного рода объективных условий. Теперь надо работу бригады рассматривать не только как работу применительно к данной постановке, но она будет вести и другую работу по режиссерской части, которая до сих пор велась несколько иначе. Так /как/ наш театр экспериментальный, это во-первых, во-вторых, мы являемся новым типом — театром-школой, в силу этого природа режиссерского факультета раскрывается в новом свете. Лица, которые записались на эту работу, будут не только помогать по постановке пьесы «Список благодеяний», но будут вести целый ряд методических работ и будут перед вами периодически в этой методической работе отчитываться.

Это нужно знать, и вы не удивляйтесь, если у нас будет не семь нянек, а гораздо больше. Надо просить артистов всячески помогать работе режиссерской бригады. Она отнюдь не подменяет собой группы режиссеров-лаборантов. Известно, что сейчас выделена группа режиссеров-лаборантов и режиссерская бригада. В ближайшее время будет объявлен список лиц, входящих в режиссерскую бригаду, а также будет указано, как разделяется работа. Одни будут заведовать светом, другие — оформлением, третьи — костюмной частью, и т.д. Таким образом, повторяю, вы не удивляйтесь этому сложному механизму, потому что нужно будет не только поставить пьесу, но и наладить ту работу, которая в порядке учебы еще не налажена.

Теперь обращаюсь к самой пьесе.

Пьеса -- очень трудная. Вообще драматург Олеша — трудный драматург. Мне случайно пришлось разговаривать с лицами, которые работали над пьесой Олеши в Театре Вахтангова «Заговор чувств»[56], с ответственными лицами, и они говорили, что пьеса — очень трудная, не столько для режиссера, сколько для актеров. Автор, повторяю, должен быть отнесен к разряду авторов трудных. Как будто все сделано просто, как будто материал, как говорят актеры, благодарный, есть что говорить, есть в чем разобраться, вообще интересно работать. Но интересно работать — это одно, а трудно работать — это другое. И тут трудно работать, потому что драматургическая концепция Олеши не совсем обычная. У него подход к построению пьесы обуславливается не столько типично сценическими навыками, которых, может быть, у него нет, для него сценическая ситуация не столь важна, для него важны все те мысли, которые он через эту постройку хочет проводить. Для него, как принято говорить, важна философия. Поэтому мне нужно сделать это предупреждение, потому что сегодня, когда я буду говорить об экспликации, я сознательно буду избегать этой тонкой вещи касаться, потому что если я начну касаться этого, то я могу вас запутать. Мы — работники сцены, когда речь идет о философии, мы этого мира немного боимся, потому что если начать мыслить и начать философствовать, занимая какой-то участок в пьесе, то может получиться такая неприятная история, что пьеса вдруг зазвучит абстрактно, что на сцене будут ходить наряженные и загримированные люди, а не живые. В этом-то и трудность, что эта пьеса имеет сложную философскую концепцию, она очень насыщена тем миром, который у автора очень сложен. В этот мир нужно пробраться и его воспринять. Нужно, чтобы на сцене были живые лица, а то может получиться, что мы пьесу прочитаем, и она будет очень абстрактной.

Значит, мне нужно обязательно заняться изучением всех тех элементов этого драматургического материала, который нам поможет вывести на сцене живых людей, чтобы они чувствовали, что Татаров является /не/ только агентом автора для проведения его мысли, но он такой человек, который имеет адрес, имеет биографию, у него есть прошлое, есть настоящее и он готовится к какому-то будущему.

Так что я сознательно сегодня не буду стараться раскрывать философскую сущность вещи, она сама вскроется в процессе работы, она может быть сегодня вскрыта в разговоре между вами и автором. Здесь сегодня автор поговорит о ролях. Вы будете задавать автору ряд вопросов, спросите его, что он хотел сказать этим, тем и т.д. и какая задача у него была, во имя чего он эту пьесу предложил, зачем ее написал, ради каких целей.

Теперь, подходя к раскрытию биографии, адресов действующих лиц этой пьесы, нельзя без того, чтобы не изучить материальную обстановку, которую нам автор здесь дает. Потому что если мы будем оторванно каждого актера изучать, каждую роль изучать, то опять может получиться недоразумение. Мы хорошо какую-нибудь роль изучим, но она не войдет в план, она будет чужой. Может быть такая штука: может быть, мы могли бы дать роль Татарова Качалову. Мы пошлем ее ему, и он, конечно, это реализует великолепно. У него своя техника, и он с помощью этой техники роль выстроит и придет к нам на репетицию. Он будет хорошим Татаровым, но он будет абсолютно чужим, потому что мы исходим из других принципов построения спектакля. Мы строим спектакль иначе, чем строит этот спектакль Московский Художественный театр. Поэтому, прежде чем говорить о ролях, об их биографиях, об их адресах, характерах, мыслях, намерениях и т.д., — нужно обязательно посмотреть, в какой обстановке они живут. А сценическая обстановка создается нами.

Как мне мыслится та сценическая атмосфера, которая должна быть приготовлена для того, чтобы актеру было удобно эту стройку ролей осуществить? Мы сейчас постепенно идем к тому, чтобы освобождаться даже и от конструкций, но это время еще не наступило, ибо для того, чтобы освободиться от конструкций, нужно перестроить всю сценическую площадку. Нами задумано выстроить такой театр, в котором не было бы совсем сцены. Проект сейчас составляется, но получим ли мы возможность осуществить его в ближайшее время — мы не знаем, потому что это зависит от тех средств, которых может не оказаться. Однако я вижу, что другие ухитряются строить и без средств. Театр Вахтангова перестроился, Камерный театр перестраивается, вчера я был на открытии театра Завадского — он тоже перестраивается. И когда я спросил, каким образом удалось произвести перестройку, то выясняется, что исключительно благодаря энергии коллектива. В частности, у Вахтангова были такие энергичные толкачи, которые опирались на коллектив, проталкивали этот вопрос в соответствующих инстанциях, подписывали векселя, увязывали отношения с банками и строили[57]. Мне кажется, нужно эмбрион этой мысли занести и в наш коллектив, чтобы коллектив подумал — а не от нас ли это зависит. Мы все думаем, что если куда-то подать заявление — в СТО[58], СНК[59], — то дело будет решено, что кто-то обязательно напишет — да, разрешаю. Конечно, нам везде напишут «не разрешаю», — но и другим не разрешали, однако они строили. Им тоже везде отказывали, но они все-таки возможности изыскивали. До тех пор, пока мы не будем иметь новой площадки, нам приходится говорить тем языком, которым мы говорили до сих пор, потому что у нас — театр-коробка, сцена-коробка, и это обстоятельство приходится учитывать. Для того чтобы оборудовать сценическую площадку так, чтобы мы донесли основные мысли автора, необходимо привычную точку зрения зрителя в отношении сцены сбить.

Очень неприятно, что все спектакли наши разрешаются фронтами, т.е. что всегда благополучно стоит сцена и она повернута лицом так, что вы чувствуете, что все симметрично и параллельно. Стоит сцена, актер на нее выходит, и у актера есть тяготение к симметрическому благополучию. Я заметил, что и у нас актер, когда выходит на середину, он обязательно найдет абсолютный центр, с которого он говорит, т.е. он рассчитывает налево и направо, и там и здесь у него остается одинаковая часть, он попадает в середину и жарит. Это стремление почувствовать точку такую, как в ватерпасе, где бегает пузыречек, прибежал к середине, значит, правильно. А почему это происходит? Потому что если у актера такое стремление найти абсолютный центр, то и у зрителя бывает равновесие. Такое равновесие не нужно для данной вещи. Для данной вещи, может быть, как раз нужно, чтобы не было равновесия, и нам кажется, тем, кто задумывался над оформлением этого спектакля, /нужно/ чтобы эта пьеса не воспринималась как пьеса равновесия, а воспринималась как постоянное нарушение равновесия, потому что в этой пьесе все время борются два начала, все время происходит какая-то борьба. Поэтому хочется идти по пути постоянной деформации, непривычной для нашего глаза.

Попробуем повернуть сценическую площадку таким образом, чтобы зритель занял правый сектор, и идти от левого сектора. Но мы не хотим, чтобы /зрители/ перебегали слева направо, нам это тоже неудобно, потому что это внесет беспорядок в театр и придется вызывать милицию. Значит, мы думаем: надо так построить, чтобы было удобно зрителю и в левом секторе, и в правом секторе, а актера нужно убедить, что, если на тебя смотрит человек сбоку, пусть посмотрит сбоку, зачем поворачиваться к нему лицом. Например, «Последний решительный» приятно смотреть из зрительного зала, но гораздо приятнее смотреть сбоку.

Мне сбоку смотреть интереснее, потому что лицо не на меня обращено. Вот почему мы сейчас на репетициях посадили режиссера сюда (показывает чертеж), а актера заставляем показываться режиссеру спиной. Потому что, когда актер показывает лицо, он как будто позирует, и эта привычка у него может остаться. Это одно замечание.

Второе замечание: у нас обыкновенно делается так (особенно в этом грешен Малый театр): он сказал — я понимаю, что такое конструктивизм, это чтобы не было наверху п/адуги/ и чтобы можно было на сцене показывать не целое, а часть, но показывать часть, пользуясь вращающейся сценой. То комнату, то часть комнаты, то коридор, то площадь. Это же в Московском Художественном театре мы замечаем в «Хлебе»[60]. Но когда они показывают часть, то видно, что прием натуралистический начинает довлеть, так что получается не конструкция, а обыкновенная декорация, только взят прием конструктивный, прием школы конструктивистов, и сюда как-то приложен в том смысле, что вот частичка комнаты, вот каюта и т.д., и все это тоже натуралистического порядка. Получается, в сущности говоря, невероятный эклектизм.

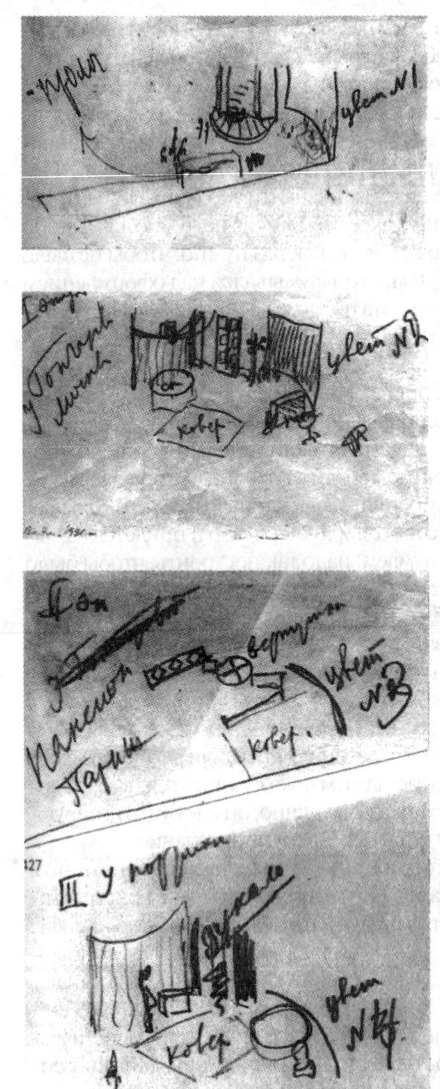

Планировочные рисунки Мейерхольда к спектаклю «Список благодеяний».

В нашем театре привыкли к тому, что нет декораций, нет конструкций. В «Последнем решительном» повешено что-то белое. Ну какой же это конструктивизм? Мы не говорим о том, хорошо ли это или плохо, мы не вдаемся в оценку этой стороны, нам важно констатировать, что оформлявшие спектакль стремились заявить зрителю, чтобы он наверх не смотрел, там висит что-то белое и больше ничего, что внизу для каждого данного случая какие-то загородочки, возвышеньица, чтобы актеру было удобнее выйти фронтально, а в другом случае немного в профиль. Ну, словом, не разберешь, что это — мостик или конвейер. Вообще такого конвейера не бывает, как у нас, потому что ящики у нас уезжают и потом опять приезжают. Получается что-то такое странное. Построят задник из картона, стучат деревянными молотками, одним словом, бутафория, ну вот как кусок угля, который повесили против Московского Совета. Милиционеру одному скучно стоять, так вот, чтобы ему не было скучно — повесили такую штучку. Мы этого не хотим. Надо на сцену дать что-то такое, что бы внесло известное беспокойство, раздражение. Если зритель запутается и сразу не разрешит, будет некоторое раздражение, как тот клей синдетикон Маринетти, который предлагал стулья для зрителей намазать клеем, для того чтобы перед началом футуристического спектакля было несколько скандалов. Дамы в парадных туалетах садятся на стулья, намазанные синдетиконом, туалеты прилипли к стульям, и скандал неизбежен. Вызывают администратора, начинаются объяснения. Те, которые беспокоятся за свои платья, не будут на спектакле, потому что, пока будет составлен протокол, потерпевшие будут отсутствовать...

И здесь есть ряд лиц, которые поднимают скандал, и в этой разодранной атмосфере они показывают свой спектакль. Я не говорю, хорошо это или плохо, но иногда человека, пришедшего на спектакль, нужно сбить с состояния покоя: занавес раскрылся, там сукно и т.д. Нет, пусть он думает, зачем такие элементы стоят на сцене. Он повернулся, насторожил-

ся, заволновался, и это дает возможность разговаривать с ним на другом языке.

Второй элемент (так можно сказать) — это приготовить сценическую площадку, чтобы она была удобна для того, чтобы, с одной стороны, режиссер уточнял мизансцены, которые являются нотами, по ко-

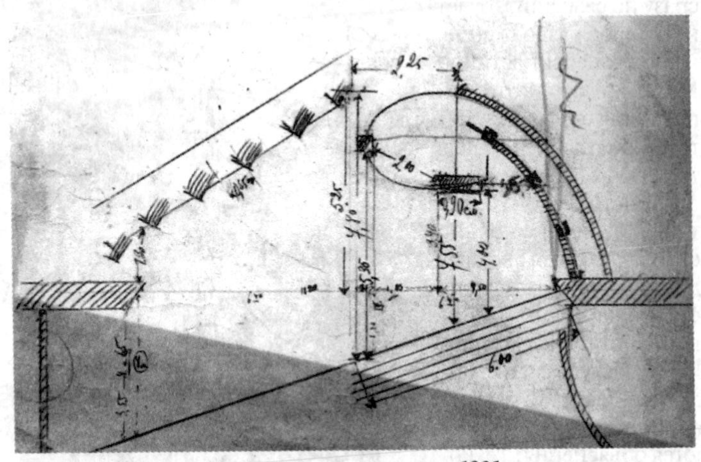

Вариант плана основной установки спектакля. 1931 г.

торым публика читает суть дела. Это аллегорические знаки, по которым публика читает то, что происходит на сцене. Например, так: Мартынов[61], Сергеев[62], когда укладывают Боголюбова[63], то касаются Бушуева[64] и делают движение. Что это означает? Это означает — будить человека. Значит, я сделал движение, а публика уже знает, что оно значит. Запас этот зритель имеет из действительности, он знает, как будят человека, что человека хлопают по голове, чтобы вытолкнуть, обнимают и т.д. Если актер это делает, зритель отлично знает, что он этим хочет сказать, и актер может не говорить слов. Мизансцены этим делом и занимаются. Так как время в спектакле очень ограничено, надо в течение двух с половиной часов показать мировые события, то мы ограничены не только тем, что сигнализируем словами, но и движениями, потому что можно не сказать большую фразу, а сделать движение, и зритель это понимает.

Вот тогда мы ускорим это дело. Это все равно, как бывают телеграммы-молнии и телеграммы, медленно идущие, телеграммы в деревню, когда их везут на подводе за шестьсот верст. Ясно, что в этом случае телеграмма перестает быть телеграммой. Поэтому мы торопимся сообщить зрителю все, что нужно, в течение двух с половиной часов словом, движением, светом, музыкой и т.д. Актер говорит серьезный монолог, а для того, чтобы он прозвучал иронически, вводят музыку. И публика говорит — а, раз музыка, то мы знаем, к чему это клонится, раз музыка — то это подозрительно. Девушка с голубем говорит печальный монолог. Если бы она просто говорила, держа голубя в руке, и не было бы музыки, публика /бы/ не поняла, что ей нужно настроиться сентиментально, а когда вводится музыка, публика начинает понимать, что тут сентиментальная нирвана разлита. Тут много имеется элементов, которые подталкивают это движение и слово. Зритель в два с половиной часа получает больше, чем нужно получить. Он получает все, что нужно, плюс многое такое, что и не должно быть внесено. Но внесением этих элементов мы уплотняем материал.

Первая наша задача заключается в том, чтобы устранить все глупейшие, идиотские ненормальности, обуславливающиеся идиотской сценой-коробкой. Все это надо упразднить. В пьесе, которая построена на словесном материале, автор так уплотняет этот словесный материал, чтобы каждая фраза била в цель, ибо «у меня каждое слово, — как говорит автор, — имеет значение». Поэтому нужно создать такую обстановку, чтобы в сценической коробке была хорошая акустика, чтобы каждое слово доходило до зрителя.

Вы знаете наш вокзал-театр. Здесь, благодаря огромной высоте, с боков устроены кулисы, малейший шаг слышен. А потом, у нас зритель сам актер. Недавно был такой случай. Прихожу в театр, стоит за кулисами человек в пальто, в шапке, в галошах и смотрит по сторонам.

«Вам что?» — спрашиваю.

«Да я получил извещение от актера, он меня пригласил сюда. — Это у них здесь дом свидания. — Вот я и пришел, ищу его». Он его ищет на самой сцене, а тот, который пригласил этого человека, играет. Вот этот человек и думает: «Будет пауза, дай подойду, чтобы время не терять». У нас так привыкли, что даже режиссеры, ведущие спектакль, не замечают, кто играет и кто свободен. У нас на сцене своя жизнь, параллельная со спектаклем. И они ничего не видят, настолько у нас все прилично...

Второе: нужно, чтобы то, чем отгораживают, те элементы, которыми отгораживаются, чтобы их не скрывать как отгораживающие. Пусть они находятся на виду.

Первый вариант, который был зачитан Олешей, он мне дал повод создать конструкцию, которую я отменил не потому, что она мне не нравится, а потому, что Олеша изменил вариант и старый вариант /конструкции/ не был созвучен элементам нового варианта. Там была героическая, если так можно выразиться, поэма, где солист поет главную мысль автора, а другие лица постольку, поскольку это нужно. Так что это была монодрама, разбитая потом на подголоски.

Для первого варианта я придумал такую конструкцию: открывается занавес какой-нибудь, световой, все равно, видит публика стену, видит дверь большую какую-то, затем какое-то место, завешенное холстом и каким-нибудь сукном, и с помощью световых обозначений, вроде вывесок, написано: дверь для выходов актеров; стена, которая предназначена для того, чтобы с этого места слова звучали лучше; стена, которая загораживала сцену от бесплатного зрителя, который все время ходит здесь и устроил проходной двор. Как на постройке написано: стройку строит такая-то организация, телефон, адрес, проходить воспрещается. И таким образом, зритель должен эти элементы воспринимать как конструкцию. Начинается спектакль. Зритель обыкновенно спрашивает, что означает, что в «Ревизоре» 14—15 дверей. Чтобы зритель не вздумал спрашивать, нужно написать. Зрителю нужно прежде всего сказать, что не нужно спрашивать, для чего это сделано.

Я отказался от этого плана потому, что там были другие задачи, нужно было разбить все стены для других надобностей. Когда героическая поэма превращается в трагедию, нужно все стены, всю обстановку до сигнализатора заменить. И пришлось от первого варианта отказаться. Но осталась дверь, или ворота, которые будут выплескивать на сцену основные ситуации, которые нужны для /того, чтобы действие/ развертывалось. Эпизодическое деление вынуждает варьировать, потому что комбинация трех иная, чем комбинация двадцати пяти /эпизодов/ на сцене.

Вследствие того, что каждый эпизод подсказывает другие математические формулы, приходится каждому эпизоду давать свои элементы. Например, семафор строится иначе, чем маяк в порту, ибо благодаря комбинации воды и суши здесь требования совершенно другие, чем для жел/езно/дорожной насыпи. Нам пришлось все эти случаи комбинировать и учитывать. Когда идет мюзик-холл — то /это/ один случай, обязывающий к определенному построению, к определенному количеству действующих лиц и к определенной ситуации. Когда идет другой спектакль — все строится по-другому, тут подсказываются новые необходимости, которые вынуждают говорить иначе, вернее, говорить по-разному.

Впоследствии драматургия, несомненно (я говорил с Юрием Карловичем, и он, по крайней мере теоретически, согласен), в построении спектакля перейдет от эпизодического к целому действию, когда оно продолжается с семи с половиной часов и до десяти без единого перерыва. В репертуаре мы знаем такие случаи. В «Царе Эдипе» Софокла мы не можем сделать ни одного антракта. Затем, последнее исследование о пушкинском «Борисе Годунове», изданное на Дальнем Востоке[64], — определенно говорит, что Пушкин писал эту пьесу с расчетом, чтобы не было ни одного антракта, потому что все так хитро сплетено, что, если резануть что-нибудь, публика потеряет нить. Все равно как прелюд Скрябина из последнего op/usa/. Там линия legato тянется с первой страницы, а конец этой легативной дуги на второй странице уже к самому концу. Это означает, что удар известного аккорда должен быть дан так, чтобы его протяж/ен/ность — с помощью ли педали, или с помощью другого фокуса, — его звучание удержать до такой степени, чтобы довести его до последней легативной линии.

Это не значит, что внутри целостного действия не будет дробления, но это дробление совершенно другое. Переброска действия при условии, что действие целостно, — одна комбинация, а эпизоды — другая, ибо это разделение на маленькие одноактные номера. Тут получается несколько механистический переход, как теперь принято говорить, от одного акта к другому. Я не хочу сказать, что эта вещь построена механистично, но я хочу подчеркнуть, что некоторое несовершенство нашей сценической техники подсказывает некоторое несовершенство построения спектакля. И поскольку мы находимся в эпохе несовершенной сценической техники, постольку над нашими новыми планами это обстоятельство довлеет, и его учесть необходимо.

Теперь мы часто, конечно, поругиваем символистов за всякие грехи. Это правильно. Но поругиваем не по линии технологической, а по линии идеологической, потому что школа символистов, она, конечно, крепко связана была с чуждым нам мировоззрением, а если это вытряхнуть и посмотреть некоторые приемы символической школы, то мы увидим, что многие приемы символической школы всецело одобрены пролетариатом. Например, какая-нибудь картина Эйзенштейна в кино, последние его работы[66]. Мы видим, что он часто оперирует символизмом. Или «Земля» Довженко[67]. Яблоки там играют роль символических знаков. Я беру грубо, аллегорически. Часто ли мы делаем это? Да, часто. В этой пьесе, для того чтобы донести мысль автора до зрителя, нужно эти приемы употреблять. Например, деление сценической площадки должно быть сделано таким образом, чтобы хоть где-нибудь было очищено пустое пространство или такое поле, куда бы действующие лица могли бы пойти, вырвавшись из тисков вещей, могли бы очутиться в опустошенном пространстве для того, чтобы там пролить слезы, или крикнуть, или затеять борьбу с самим собой или с другим лицом. Обыкновенно нет места на сцене, где можно было бы актеру оказаться в одиночестве. Нужно дать такую ладонь, как правильно выражается Олеша, на которой он в своем состоянии и мог бы себя заявить.

Вот все предварительные замечания, которые мне нужно было сделать для того, чтобы перейти к разъяснению некоторых сценических приемов.

Теперь перейдем к самому рассказу о том, как будет сделана сцена.

Я должен сказать относительно костюмов, что костюмы в этой пьесе должны, с одной стороны, показывать человека, определить человеку биографию и адрес, с другой стороны — костюм должен помочь проникнуть в рваную психологию действующего лица и в движение психики, все равно представители ли это капиталистического мира или социалистического. Они находятся на пороховом складе, который будет взорван. Они отлично понимают все дефекты (безработица, кризисы, борьба за рынки), и эти трудности обязывают их к борьбе. С другой стороны — социалистический мир. Здесь люди тоже попадают в переплет, потому что этот мир принимает не всех, и тут начинаются колебания, раздумывания. Поэтому костюм этот мир должен определять.

Как это сделать? Очень часто думают, что это можно сделать только через цвет, что цвет — основное. Приходит художник и говорит — да, в общем и целом цвет вещь прекрасная, — и он начинает щеголять запасом цветных комбинаций, за которые он отвечает и которые действительно приятны глазу и психике зрителя. Если человек вышел в черном платье, то что это означает? Говорят: он в траур нарядился. А если человек зимой пришел в летнем платье с цветочками, все немного удивляются, ну, говорят, у него недоразумение. Если зимой при двадцати градусах мороза человек пришел в летнем платье и в панаме, то все немного разведут руками, и это, несомненно, наложит отпечаток на характеристику. «А, понимаешь, -- скажут, — тут конченное дело». Вот, например, Волков всегда ходит в костюме спортсмена, а я уверен, что он не сумеет подкинуть ни одного мяча. И если нужно, как курьез, показать, что человек, ничего общего со спортом не имеющий, носит спортсменский костюм, то это в плане сценическом произведет определенное впечатление. На этом можно построить целый фильм, который будет иметь смысл дискредитации этого человека. Для Чаплина это целая тема. Чаплин — и вдруг в спортивном костюме, да это полная дискредитация спортсмена.

Идем дальше. Оркестр попал за кулисы, а сцена повернута так, что когда режиссер кончает работу, то мизансцены будут повернуты не фронтально, а в направлении бывшего режиссера...

Мы отгородились от тех людей, которые приходят с актерами на свидание. Они не могут сюда прийти, загорожено.

Затем, имеются ворота, первые ворота, о которых публика будет знать, что ворота эти являются основными, куда втекают ультрафиолетовые лучи событий. Это не значит, что это ворота. Они будут превращаться в ворота, а иногда в какой-нибудь другой элемент. В пансионе будет вставлена стеклянная вертушка, которая будет определять, что это гостиница, а не ворота улицы.

Две трети сцены не заняты никогда. Здесь ходить запрещено. Сюда только будут втекать самые страшные вещи, стрелы пьесы — например, сюда будет попадать тот, кого схватывают и бьют, как бандита, здесь его свяжут.

Затем идут те же рельсы, которые были в «Ревизоре», которые дадут возможность пускать некоторые элементы, не задерживая ход событий. Например, приедет вышка для Улялюма, поскольку Улялюма нужно показать иначе. Улялюм требует пьедестала, мы ему пьедестал дадим, но будем ему его вывозить. Или в последнем эпизоде — смерть Лели Гончаровой. Должен быть образован, как в Риме около дома бывает, какой-нибудь фонтан, и фигура, может быть, змея, изо рта которой струится вода. Что случается с водой, я потом расскажу. Затем — ступени в зрительный зал. Они важны для последнего эпизода.

Какая будет происходить деформация с ее /материальной? нрзб/ историей?

Так как скучно показывать плоскость, то мы ее деформируем, и публика забеспокоится. Когда стены гладкие, то публика успокаивается, значит, все благополучно. Здесь же — ряд колонн, только не круглых, а таких, как это обозначено на плане. Публика их будет воспринимать как стены, но тут будут тени, потому что когда упадет свет, то образуются щели. Такая комбинация, кроме того, дает возможность в последнем эпизоде создать иллюзию гостиного двора. Загороженность кончается маленьким возвышением, которое дает возможность актеру сойти с одного плана на другой, если нужно давать отчеканенные реплики, требующие, чтобы актер немного приподнялся.

Что касается пролога, то нам важно до Парижа, до заграницы, изолироваться. Деформация должна быть дана так, чтобы публика этого не видела. Лучше, чтобы в первом эпизоде это было скрыто, потому что в первом эпизоде нужно особенно сконцентрировать внимание на сцене Гамлета. Это чрезвычайно важно, потому что разговор о флейте имеет значение для философской концепции пьесы. Флейта? — это что-то подозрительно, а нельзя ли эту сцену сыграть? И актеры ее играют, потому что понимают, какое содержание вложено в флейту. Потом эта флейта деформирует основную мысль.

Стоит где-то стол (не важно где), за столом сидит Президиум. Конечно, Президиум должен быть таким, чтобы нельзя было сказать, что в Президиуме сидят люди, имеющие фамилии. Мы на читке уже определили (и это удается), что в Президиум попали люди иного направления, чем те, кто организовал сцену Гамлета. Это люди, которые не согласны, и рапповцы. /Гончарова/ не совсем понимает это направление, но она склонна считать, что Ильин, исполняющий роль /Орловского/, очень им сочувствует, что он — яростный их поклонник. Значит, они против.

Теперь вторые против — это те зрители, которые терзают ее записками. Она вроде святого Себастиана. Это не записки, а отравленные стрелы. Такая штука.

И затем — мелкие группки, которые сидят в гримах.

Следовательно: рапповцы, затем «святые себастьяновцы» и третья группка — мейерхольдовцы. И в этом треугольнике она действует.

Публика будет смотреть сюда (показывает). Нужно сделать так, чтобы зритель воспринимал профиль, три четверти, как угодно, но не фронтами. Затем — ступени. Когда Леля Гончарова сказала: «Готов спектакль», — она спускается, и публика видит ее спускающейся со ступенек. Как раньше в «Гамлете» всегда была сцена со ступеньками. В сцене, где Отелло душит Дездемону, были сделаны кроме алькова и ступени, чтобы Отелло мог после событий катиться по ступеням. Актеры старой школы очень любили колонны, ступени. Этим я всегда брал любого актера в Александринском театре, например Юрьева[68]. Выставишь колонны, и все. Юрьев из-за колонн — он идет на все. Вот Аполлонский[69] ушел, он ненавидел меня, хотя я ему восемь колонн поставил. Но это редкий случай, а то большинство на это попадались. И на ступеньки попадаются. Вчера у Завадского много раз показывали ступени.

Теперь, товарищи, почему это важно? Потому что когда Леля Гончарова проговорила свой монолог, то в следующей сцене, когда она идет из мюзик-холла, опять будут показаны те же ступени, только с той разницей, что в первый раз она была в костюме Гамлета, а во второй раз она сходит со ступенек не в костюме Гамлета, а в костюме обыкновенном, и у нее в руках маленький чемоданчик. Это прием символической школы. Мы идеологию символической школы не берем, а приемы берем.

Следующий эпизод — у Гончаровой. Он еще не разработан, поэтому я его миную.

Дальше — пансион. На площадку въезжает ряд столиков, которые закрыты настоящей стеклянной перегородкой. Через стекло видны пустые стулья, которые никем не заполнены. Это момент, когда в пансионе еще никто не ест. На второй площадке находятся трельяжи, которые отделяют столовую и образуют вход. Здесь стоят кресла, лежат коврики, ходят люди, читают газету. Благодаря этому самый важный диалог — завязка между представителем полпредства и Татаровым — очень близок зрительному залу. В этом месте (показ/ывает/) находится вертушка, которая все время работает. Где находится кабинка хозяйки гостиницы, я еще не знаю. Во всяком случае, вы видите, что разделение сделано. Выход Татарова с Трегубовой сразу ведет в главные ворота. Это — ворота для числа лиц, двигающих события. Они выйдут вместе, но один пойдет за стекло и сядет за столик, а другой дойдет сюда. Их пути разойдутся. Они будут в антагонизме, потом будут сплетаться.

Мюзик-холл. Ворота закрываются толстым сукном. За этим толстым сукном живет директор зверинца, укротитель зверей и своеобразный раздражитель. Есть такие люди, которых покой возмущает. Лежит лев спокойно и спит. Проходит этот укротитель зверей и ни с того ни с сего железной палкой тычет в морду льва, заставляя его проснуться. Укротителю зверей нужно, чтобы раскрылась громадная пасть зверя и чтобы он сам увидел, сколько в этой пасти зубов, которые его могут съесть, а увидев их, убедиться, что эти зубы могут его искрошить. Такой укротитель живет здесь, причем это сделано только для того, чтобы Маржерет, заведующий камерой пыток, не всегда был на сцене, а где-нибудь скрывался, чтобы публика думала над тем, а что же он делает. Вероятно, у него слесарная мастерская, вероятно, у него кто-то уже заперт и с ним что-то делают. Вот какое должно быть впечатление. Сбоку стоит его стол, но это не стол, а, вероятно, какая-то доска, может быть мраморная, потому что, когда бьют орехи по камням, они лучше разбиваются. Мраморный, железный стол. Но это письменный стол, ведь новейшие столы так делают, там сделаны трубы, и т.д.

Где же действующее лицо, к которому приходят? Оно гуляет здесь (показывает), потому что бобра подстреливают, не застреливают, — чтобы он седел от ужаса, а когда он седеет, тогда его убивают, тогда он дороже[70].

Затем пьедестал для Улялюма, он же является пьедесталом для всей компании.

Затем — лесенка, на которой будет танец Лели и Улялюма. Но если будет пустое пространство в сцене мюзик-холла, если оно не будет заполнено предметами, то можно было бы подумать, что Леля из мюзик-холла удирает в поле. Это собьет зрителя, поэтому сюда мы должны поставить крупный предмет. Ну, какой-нибудь самый волнующий своей несообразностью. Идеальнее всего поставить живого слона, что-нибудь большое. Ставим рояль, черный рояль с полированной поверхностью. Это даст возможность усложнить игру Лели, когда она убегает от Улялюма, и затем это даст возможность усложнить игру Улялюма, который придет вместе со своим аккомпаниатором. Бывает, у директора мюзик-холла имеется рояль и певец показывает, что он может предложить. Рояль может иметь и реалистический, служебный смысл. Когда Улялюм говорит свой монолог Леле, аккомпаниатор подыгрывает аккорды. Леля будет убегать от него в зарождающемся мире звуков. Тут нужен кинетический момент в движении элементов. Здесь имеется несколько вариантов, окончательный вариант пока еще не зафиксирован. Леля появляется в воротах, и будет впечатление, что мюзик-холл деформировался, уехал, и остался только выход из мюзик-холла, артистический подъезд мюзик-холла. Она вышла, осталась в полном одиночестве и проговорила свой монолог.

Чаплин и сцена с Фонарщиком. Детали еще не решены. Ясно, что он будет здесь, поскольку ему нужно идти улицей.

Дальше, у Полпреда. Об этом не буду говорить.

Дальше, у Татарова. Не буду говорить.

Перейду сразу к последней сцене. Последняя сцена будет поставлена по тому принципу, как и в «Последнем решительном». Нам удалось создать такую обстановку, при которой зрительный зал попадает одновременно между двух бед. Одна беда — сцена, где люди умирают, другая беда — то, что на них идут враждебные силы. Это создается очень любопытно.

Театральные сцены со временем будут строиться таким образом, что игра актера будет совершаться как бы по эллипсу. Сцена построится таким образом, что в нашем подковообразном фойе будет происходить международный бал. Отдельные части этого большого праздника будут проходить не в ресторанчике, будет снята целая территория, будет снят ряд отелей, гостиниц, как в Париже на улице Жоржа стоят в ряд пять первоклассных гостиниц. Происходит бал, но он еще не развернулся. Когда появляется /Улялюм/, то это сразу чувствуется, потому что он приехал, ищет, куда направиться, и пойдет через зрительный зал. Тут дверь (показ/ывает/). Боковая кулиса будет устроена таким образом, что эта дверь будет частью сцены, и когда тут будут происходить какие-то события, в это время весь партер будет публикой в цилиндрах, в парадных платьях. Те люди, которые кричали наверху, будут спущены вниз, и все время будет чувствоваться, что пирует буржуазия, а в это время со всех сторон собираются безработные, и тут будет происходить действие. Открытые колонны обозначены разного рода светящимися рекламами, причем эти рекламы будут поданы так, что вы почувствуете, что вы действительно можете побриться. Для того, чтобы это было еще убедительнее, скомпоновывается витрина, в этой витрине за стеклом стоит стилизованный золотой манекен, и на нем — кружевное черное платье. Он повернут боком к сцене, где умирает Леля.

А для того, чтобы дать реплику к выходу, появляется на сцене /подросток/, долго будет смотреть на золотую статую в черном платье, возьмет большой камень, бросает его в стекло, но не попадает в статую, камень пролетает мимо, получается на стекле звезда, и все. После этого начинается кавардак. Позади публики звучит фокстрот. В общем — последняя концепция, как в «Последнем решительном». На фоне выстрелов поют: «Блондинка, блондинка...» и т.д. Когда раздался выстрел, то Леля Гончарова подходит, раненная, к бассейну, и публика не понимает, что случилось. Леля нагибается и роняет голову в воду. Затем она поднимается, и вода льется с волос, с головы, смешивается с кровью, сочится кровь. А тут подходит публика, кто-то мочит платок, прикладывает, еще вода. И со всех сторон все заполняется. Чувствуется, что на эту площадь не стремятся, потому что тут будут заполнены магазины, но сюда тянутся отдельные корифеи толпы.

Вот общая концепция того, что будет основным в этом спектакле. Вот все.

(Аплодисменты.)

После перерыва.

Я забыл еще сказать, что большая арка будет срезана и срезанная часть не войдет в учет. А на линии срезанной части будет такой навес, который был задуман в «Горе уму», но не был осуществлен. Козырек будет лежать на публику. Получится рупор, который даст возможность направляться звукам.

Олеша. Для меня лично роль Лели Гончаровой понятна.

Райх. Мне кажется, что роль Гончаровой должна иметь очень большую акустику в действующих лицах, и поэтому, когда я начинаю репетировать, на меня наседает тоска, потому что у меня нет ощущения, что все действующие лица понимают внутреннюю линию совпадения Лели Гончаровой с некоторыми действующими лицами. Мне хотелось бы, чтобы Юрий Карлович сказал о внутренней линии этого совпадения, например, о некоторой повторности образа Татарова, о сущности Кизеветтера.

Олеша. В первом варианте героиня была в центре, из нее выходили персонажи, с которыми она спорила. Это был спор героини с самой собой. Теперь эти персонажи получили больше прав на существование, но цифра «два» осталась. Она проходит во всем. Две половины тетради; на диване лежит платье, отражение его в зеркале. Кизеветтер убивает Лелю из советского револьвера, т.е., иначе говоря, ее расстреливают и красные, и белые, и т.д.

Есть одна реплика, где Татаров высказывает сущность. После слов «улетучится тень» Татаров говорит: «Тень, но чья? Твоя». Татаров — европейская тема Лели. Если бы Леля стала активной вредительницей, то она была бы в СССР Татаровым.

Кизеветтер внезапно начинает говорить словами Лели: «Почему среди нас есть такая молодежь, которая тоскует о том, что молодость не удалась. И почему я должен продумывать трудные кровавые мысли...» Может быть, тут тень тени Лели. Это не противоречия, которые могут раздирать и меня, и других, это — мучительная мысль, которая хочет успокоиться.

Татаров — это поэт контрреволюции. Это очень полновесная фигура, которая очень уравновешивает Лелю. Это какой-то неудачник, ему не совсем удалась жизнь. Его называют мелким журналистом, и по своим мыслям он может быть руководителем эмигрантского движения. В России он был беден. У него есть артистизм контрреволюции. У актера, играющего Татарова, есть опасность резонерства, это надо преодолеть. В его роли есть куски длинных разговоров. В «Заговоре чувств» ходит Варвара и много говорит, начинается болтовня. Я боюсь, как бы не было этого и с Татаровым. Татаров — это злодей, негодяй, который надевает темные очки[71]. С ним бывают такие эпизоды: с ним говорили, а потом он притворяется, что этого разговора не было. Это козни эмиграции. Но он говорит хорошие мысли, которые показывают, что он хорошо, прекрасно все понимает и понимает Лелю. Когда он говорит: «Вы собираетесь на бал?» — она говорит: «Да, я предполагала». Он говорит: «В России балов не бывает». Он подсказывает то, что Леля говорит в начале пьесы. Он — двойник Лели.

Зайчиков[72]. Каково его отношение к Леле?

Олеша. Это раздраженный к другим человек, который притворяется лучшим, чем он есть. Это интеллигент, каких много среди нас, который думает, что интеллигенция — носительница эмбриона вечного. Всеволод Эмильевич верно сказал, что они должны ненавидеть друг друга, там — зависть, раздражение. Он говорит, что случилось так, что я жалкий изгнанник, а она высокомерная... Тут и мужское есть. Тут целый ряд раздражений: патриотическое, политическое и бытовое. Тут раздражение эмиграции.

Маржерет, по-моему, ясен. Те поправки, которые были сделаны, что он — укротитель зверей, директор камеры пыток, достаточны. И, может быть, золотой манекен в черном платье появился из камеры Маржерета.

Улялюм не просто пошляк, и трактовать его пошлой фигурой нельзя. Это жирок Европы. Леля позволила себя поцеловать, может быть, не только из страха. «Я считалась на родине красивой, — говорит она, — и мне не хотелось бы, чтобы у вас создалось обо мне плохое впечатление». Какое-то оправдание человеческое, кроме чисто мужского, Улялюм должен иметь.

Роль Трегубовой ясна. У Франса есть роман «Театральная история», там выведены актриса-мать и дочь. Фамилия матери Дантэ[73]. Эту вещь следовало бы прочитать. Там густая живопись.

Мухин[74]. Хорошо было бы дать указания о ряде книг, которые необходимо прочитать.

Олеша. Это будет сделано.

Общая просьба — беречь текст, чтобы все слова были слышны. Тут перестрелка реплик, и физиологичность пьесы очень полноценна.

Это первый опыт самостоятельной пьесы, а не переделки.

Очень трудная и ответственная роль первого полицейского, там есть перекличка двух допросов.

Полпред, мне кажется, ясен.

Зайчиков. Отношение Татарова к Леле в последней сцене какое?

Олеша. Реплика: красавица из страны нищих. Это совпало. Возле нее создалось облако эротичности, физиологичности, затем позор какой-то. В сцене у Татарова Леля взяла веревку, украла револьвер, стала потаскухой.

С места. Назначение сцены Фонарщика с Человечком, и каков должен быть Фонарщик и Человечек.

Олеша. Леля представляла, что Чаплин — это лучший представитель. Он одновременно склонялся к коммунистической мысли, он давал много денег на кампании. Он представляется ей лучшим человеком в мире. Чаплин очень гуманитарен, это тень Европы. И этот лучший человек мира стал вдруг безработным. Это — видение Лели. Лучшие люди того мира не имеют работы в этом мире. Я хотел вывести настоящего Чаплина, но это не вышло. Слепой случай — человек стал безработным. Фонарщик — это просто жанр.

С места. Но может совпасть, что и Леля в советской стране станет безработной. Гамлет ее оказался не нужен.

Олеша. Тем, что юноша ей приносит жасмин, это показывает, что рабочие приносили ей благодарность как актрисе. Она ошибалась.

Райх. Мне кажется, что монолог, который она читает о проституции, он труден[75] (читает). Мне бы хотелось это закрепить в большой мере, потому что и Гандурин говорил, что она была резка в СССР, а когда приезжает в Европу, то на нее падает другое. Иначе получается так, что социальная база отсутствует. Она говорит о детях.

Олеша. Она говорит об идеалистических благодеяниях.

С места. Не может интеллигент писать, что построили из дворцов фабрики-кухни, и это благодеяние.

Олеша. Это иезуитство.

Райх. Мне хотелось бы сказать следующее. Части нашей труппы пришлось быть за границей, и основное, что появляется в ощущениях, когда приезжаешь в Европу, это то, что этот список начинает наматываться чрезвычайно быстро. Мы слышали это и от наших рабочих, и от актеров. Вот мне кажется — нельзя ли эту линию, раз автор любит прием реминисценций, несколько увеличить.

Олеша. Во всей ткани пьесы?

Райх. В ткани пьесы, но не в сильной дозе. Здесь это сделано довольно поверхностно. Леля Гончарова говорит: «Я вернусь домой со списком преступлений власти капиталистов». А потом — вот хотя бы о детях. Нет даже многоточия. Она сейчас же это ассоциирует с очень личным.

Олеша. Она и гибнет от этого слишком личного.

Райх. Но она не только об этом говорит. Мне кажется, это можно сделать приемом повтора, за счет некоторых других фраз.

Олеша. Это можно сделать. Что касается Кизеветтера, то предлагалось хорошее толкование: дать его совершенно безвольным. Мне кажется, что он ясен. Это некоторый вариант Татарова. Такой человек может существовать. Он думает, что все можно исправить вот так, как это делается в тире: раз выстрелишь — и распавшиеся части снова собираются вместе. Он думает, что связь времен рассыпалась вследствие какого-то выстрела, может быть в его отца-белогвардейца, а теперь он думает, что если он выстрелит, то все соединит. Повторяю, эта фигура чрезвычайно ясная, я только боюсь, чтобы его не играли сумасшедшим. Он все-таки поэт. Он говорит о весеннем небе, о невесте, он вообще говорит хорошие вещи. Что касается того, что Леля Гончарова могла знать его в старой России, могла быть его невестой, то тут ничего невозможного нет. Они могли еще детьми дать друг другу слово, и вот теперь они встретились за границей. Все это можно было бы конкретизировать, но я считаю это ненужным, потому что это не меняет сущности. Леля идеологически его невеста.

Райх. Существует ли у Гончаровой эротическая подоплека с Федотовым?

Олеша. Это легкий обыкновенный бытовой флирт, вот такой, когда хорошо одетая женщина начинает красоваться перед любым мужчиной... Так примерно. Это просто интересная бабенка.

Если иметь в виду Форда[76], это не родовой интеллигент — плебей, слесарь.

Федотов раздваивался на ее глазах. Здесь был Федотов хороший, а там — плохой. Ее советская власть избаловала, все были по отношению к ней Федотовы-первые. Еще были Федотовы-вторые, которые следили за ней, которые появлялись, когда она совершала преступление. Федотов — воин, комбриг.

С места. Вы мало сказали о Леле. Сам Всеволод Эмильевич говорит, что мы должны знать биографию человека.

Олеша. Татаров говорил, что она — дочь директора банка или профессора, или дочь врача, скажем. Не дочь буржуа, а дочь интеллигента.

С места. Роль Лели — многогранная роль. Есть моменты интеллектуального рассуждения. Невеста, дружба, жасмин. Но через это идет интеллект. Есть и элементы женственности. Мне хочется знать, что довлеет.

Олеша. Это мужская роль, это тема пьесы, это — голос флейты. Тема этой пьесы — это тема о свободе слова. Она думала, что тут ей нельзя говорить все, что она хочет, а там ей тоже голос затыкают. Это есть мечта о голосе. Это роль мужская, но об этой роли мне трудно говорить.

С места. Когда Леля попадает в обстановку, ей враждебную, она сразу становится нашей. Это замечательно, потому что так это часто бывает. Хотя мы замечаем недостатки, жалуемся на них, но как только мы попадаем во враждебную обстановку, мы меняемся. Может быть, нужно что-нибудь еще сказать, кроме того, что она говорит о детях.

Олеша. Она оправдывает расстрелы.

С места. Какое имеет отношение к пьесе пролог? Что такое Гильденштерн?

Олеша. Это сделано для того, чтобы автор мог высказать несколько тезисов своего отношения к политике в области искусства, которая во многом, с моей точки зрения, неправильна.

Голос с места. А как вы понимаете роль Татарова?

Олеша. Во всяком случае, это человек не падший внешне. Это элегантный мужчина.

Райх. Хорошо было бы, чтобы Юрий Карлович присутствовал на трех-четырех репетициях, потому что в чтении необходимо установить некоторые интонации и внутренне раскрыть некоторые монологи. Для меня, например, совершенно ясно, что некоторые монологи (их одиннадцать) будут раскрываться вспыхивающими, а другие, наоборот, идущими вниз, на легкой лирике, но вместе с тем я могу ошибиться в трактовке.

Олеша. Я буду присутствовать в любой момент, когда это понадобится.

Здесь говорилось о мысли пьесы. Если имеются два полицейских, то это представители какого-то отношения к Европе. Это не грубые полицейские.

Мейерхольд. Артист в этом тоне и вел роль, он ее утончил.

С места. Как вы считаете, Всеволод Эмильевич, много надо эту пьесу читать, сидя за столом?

Мейерхольд. Я враг читки, но этот период нам придется посвятить читке, потому что происходит процесс пробы разных артистов, чтобы они зарегистрировали себя как работающих в этой области. Сейчас идет разговор, кто же наконец сумеет в первую очередь начать работать. Так что это не столь было нужно для Олеши, и для меня, и для спектакля, сколько для того, чтобы разные лица определили, к какой роли их больше тянет, где они чувствуют себя как в своей тарелке. Затем начнем репетировать. Мы сможем определить примерно каждое лицо, которое можно пустить в плавание. Начнут делать мизансцены, потому что надо как можно скорее роли вырвать из рук. Когда такие тонкие тексты замусоливаются, то это плохо. Большинство роль невольно читает, а не продумывает. Когда я глазами пробегаю строчку, я декламирую так, как это свойственно людям, читающим текст. Лучше выпустить роль скорее из рук, тогда начинаешь произносить. Я даже предпочитаю, чтобы говорили под суфлера, это лучше. Первую считку сделаем, чтобы Олеша прислушался, ему интересно послушать голоса, общее настроение, нет ли путаницы в темпах. Характер темпов еще не весь определен. Может быть, он отметит и скажет. Но это будет один-два дня, а потом нужны мизансцены.

Райх. Я должна признаться в одном преступлении. У меня ужасное состояние. По-моему, у нас еще никто не чувствует себя правым взять на себя роль Татарова. Мне кажется, что сейчас придется сделать еще два-три чтения только для поисков настоящего Татарова, потому что у Татарова трудная и важная роль. Мне кажется, что может произойти ошибка в театре, если мы, не найдя настоящего Татарова, начнем работать. То, что делает Мартинсон[77], это не годится.

Мейерхольд. Мне кажется, что Мартинсону не хочется над этой ролью работать. Ему, наверное, хочется играть Кизеветтера. Не нужно себя насиловать. Если вы чувствуете, что это будет напрасно потраченный труд, то лучше это оставить или уже действительно наброситься и постараться ею овладеть.

Райх. Мне неприятно констатировать одно явление в нашей работе, но я это констатирую со всегдашней своей смелостью. У нас имеются актеры первого плана, и вот они разленились внутри себя настолько, что просто не желают внутренне поднять себя. Я помню, когда я была на одном спектакле в Художественном театре, то Константин Сергеевич объяснял мне, почему у него ставилась пьеса «Две сиротки»[78]. Он говорил, что все это больные актеры и что их лечат здесь. Он показал одного актера, который страдал большой расхлябанностью в жесте, и сказал: вот он будет говорить большой монолог и не сделает ни одного жеста. Но этот актер не успел сказать две-три фразы, как до такой степени зачастил жесты, что Станиславский опустил голову: актер не вылечился. И вот мне кажется, что у нас актеры первого плана страдают внутренней ленью.

Зайчиков говорит: мне не хочется играть, у Мартинсона такое ощущение, что он способен играть только маленькие роли. Мартинсон — актер большого плана, и мне просто непонятно, что он отказывается от этой роли. Я бы назло дала эту роль Мартинсону. С моей точки зрения, у Мартинсона есть крупный недостаток: он не владеет текстом в передаче, и тут у него совершенно явные провалы. Я помню, что когда мы в Берлине работали над «Командармом», то я у Мартинсона не видела желания проделать хотя бы какую-нибудь работишку, ну хотя бы на одном монологе. Надо признаться, что у него не было ни одного просвета. Даровитость Мартинсона в том и заключается, что он провалил роль так, как не мог бы ее провалить самый посредственный актер. Я говорю это совершенно откровенно, потому что это вскрыть необходимо.

Если актер берется работать над монологом, то нужно музыкальную структуру ставить в основу. Здесь говорили о рваной психике, а у Мартинсона рваный текст. Несомненно, у Мартинсона имеется нежелание строить легативные вещи, у него все построено на staccato, например, в «Мандате». Если он поет, то владеет legato, почему же он не переносит его на текст? Мне кажется, мастер Мейерхольд должен принять меры к тому, чтобы внутренняя лень наших больших актеров не стала законом. У Зайчикова тоже такое отношение наблюдается, у Штрауха — боязнь перед ролью, Ильинский отпадает...

Мейерхольд. Старковский[79] будет включен в работу и будет роль пробовать. Мне нужно будет с ним посидеть и рассказать о тех больных вещах, которые нужно устранить. Но надо понимать, что, раз человек не хочет играть, пусть не играет. Мое заявление надо понимать так: делать так делать, а если не хочешь — ну тебя к черту.

Райх. Если Мейерхольд скажет, что вы так или иначе играете эту роль, то вы несете за это ответственность.

Мейерхольд. На здоровую критику должен ответить Мартинсон. Он должен сказать, в чем тут дело, потому что, когда Ильинский уклоняется от роли, для меня ясно. Он говорит: «Знаете, роль Маржерета неинтересная, а роль Татарова то-то и то-то». Когда он говорит это, я знаю, что он снимается в Межрабпомфильме. Так и вышло: когда я его не занял, то протелефонировал в Межрабпомфильм и спрашиваю: «У вас Ильинский снимается?» — «Да, в звуковом фильме»[80]. Это халтура. Человек ни тут, ни там. Я хотел бы, чтобы Мартинсон сказал, в чем тут дело. Может быть, у него тоже идет параллельная съемка. Олеша правильно говорит, что можно сделать вывод, что актеров его пьеса не увлекает, что не все хотят над ней работать.

Райх. Мартинсон сказал, что ему очень хочется работать над умной ролью. Но роль Татарова — умная роль. Мартинсон очень осторожен в своем мнении.

С места. Тогда разрешите сначала сказать свидетелю. Мартинсон читал только один раз, читал, не имея на руках роли. Ясно, что он ничего не мог дать.

Мейерхольд. Слово предоставляется подсудимому.

Мартинсон. Зинаида Николаевна неправильно говорит. Она говорит, что я желаю работать только над маленькими ролями. У меня как раз имеется сильное желание играть большие роли. Когда Юрий Карлович читал пьесу, мне ее не удалось услышать. Когда же Юрий Карлович прочел первый вариант и дошел до половины, меня эта роль очень заинтриговала.

Я действительно говорил об умной роли, но эта роль холодная. И то, что она в значительной степени отдает резонерством, — правда.

Зинаида Николаевна говорит о музыкальности текста. Но я не умею так работать. Это уже касается технологии. Я раньше работаю смыслово, а потом уже всякие музыкальные штучки. У меня не получается от музыки к смыслу, я ищу сначала смысл.

Затем, поскольку у меня много движения, мне хотелось бы сыграть такую роль, чтобы совершенно уничтожить движения. Может быть, в данном случае у меня и у Зинаиды Николаевны несколько различные подходы. У меня есть грех: я учился по Станиславскому, кое-что из системы Станиславского взял (я вышел, что называется, наоборот), но мне странно слышать здесь о legato, staccato и т.д. Я считаю, что я никак не должен читать. У нас есть опыт, когда актер хорошо читает, а на премьере не играет. Он legato прочел хорошо, а staccato у него и не получилось. Я как-то не умею читать, и я упорно молчу. А если спросят, то я скажу, что я никак не чувствую и не знаю, как это можно сразу почувствовать...

Бывает сильное желание играть роль. Я составил список ролей, которые я бы хотел играть в Москве. Мне захотелось играть большие роли, чтобы не только вертеть пальцем. Я всегда выбираю линию наибольшего сопротивления. Меня всегда удовлетворяет: чем тяжелее, тем лучше. Эта роль заставляет меня задуматься, я упорно думаю над ней.

Мейерхольд. Я хочу вас нагрузить, чтобы вы работали над той и над другой ролью одновременно. Условимся, что у вас имеется позиция к отступлению.

Мартинсон. У меня были большие сомнения. У меня доходило до того, что во вторник я отказывался от роли, потому что она у меня не шла, а в пятницу я играл так, как нужно. Надо принять во внимание, что на наших репетициях актеры плохо себя ведут. В этой пьесе нужно найти смысл. Тут нет штучек, тут на штучках нельзя ехать.

Мейерхольд. Кое-какие штучки я сделаю, только не комические, а трагические.

Мартинсон. На репетициях актеры начинают высказываться, и это вредно сказывается. Актеры даже высказывают одобрение, аплодируют и т.д., и это меня сбивает. Вы знаете, что тогда у актера получается полное спокойствие и равнодушие к своему дальнейшему творчеству. Аплодисменты во время читки иногда совершенно убивают у актера желание работать дальше.

Мейерхольд. Бригада должна заняться этим вопросом.

Мартинсон. Что касается Татарова, то я стараюсь раскусить эту роль, стараюсь понять, в чем там дело. Но если я начну читать полным голосом, то из этого ничего не получится.

Мейерхольд. Он берет прием школы Александра Павловича Ленского[81], который учил начинать роль совсем неслышно, а потом уже увеличивать голос. Я предложить этот метод, как правило, не могу, но хорошо, что Мартинсон об этом сказал, потому что если артист предупреждает, что он поведет роль в рамках Ленского, то я это буду учитывать. В этом отношении я предоставляю полную свободу.

Кельберер[82]. Мне непонятно, что каждый актер должен подавать режиссеру нечто вроде заявочки, по какому принципу он думает работать. Очевидно, у нас имеется недоговоренность в том смысле, что для режиссера неясно, как в отдельности актер подходит к роли и как он схватывает ее. Я считаю, что режиссер должен индивидуально подходить к каждой личности. Может быть, я не мог взять тон вследствие тонкости роли, и мне эту роль нужно продумать. Может быть, нужно работать целому ряду актеров. А может быть, надо, чтобы актер приготовил и показал продуманный кусок, на основе которого можно было бы четко судить о возможностях данного актера и о пригодности его к той или другой роли.

Сейчас положение такое, /что/ так нельзя говорить и неудобно, а в порядке самокритики нам приходится редко разговаривать. Всеволод Эмильевич говорил, что вы готовьте Татарова, а если не захотите, то будете играть Кизеветтера. А что будут делать те, которые будут играть Кизеветтера? Как будут работать Гарин, Кириллов?[83] Это будет страшно мешать актеру.

Потом относительно нежелания работать. Есть такие, которые желают работать, дайте им работать. Что это за нянченье и за призывы? Ильинский в Межрабпомфильме, и пусть, и незачем его тянуть на цепях. Не на Ильинском держится театр.

Мейерхольд. Дело в том, что как раз мы сейчас переходим на ту систему работы, когда на одну роль назначается сразу несколько исполнителей, так что о том, что актер может потерять интерес работать над ролью потому, что на эту роль еще пять человек назначено, — с этим нужно совершенно покончить. Не все ли равно, /что/ я сказал Мартинсону: «Вы можете играть еще и Кизеветтера». Сказал ли я этим, что именно он будет играть Кизеветтера? Я сказал, что он включается в то количество актеров, которые назначены. По-моему, это эгоцентрическая постановка вопроса. Только то заявление хорошо, когда оно сказано для какого-то оргвывода. Мы хотим создать обстановку для работы. Мартинсон сказал, что никакой линии у него нет, но что этой роли он боится, она для него трудна, он боится в этой роли стать резонером. Он хочет, чтобы приняли во внимание, что он будет работать по системе Ленского.

Товарищи, мы — экспериментальный театр, мы своего последнего слова по поводу системы работы не сказали, мы перетряхиваем старое. Почему нам игнорировать школу Ленского? Это неплохая школа. Ленский был великолепным актером. У Станиславского есть много параграфов, у него все основано на легендах. Он говорил: «Вот Стрепетова-актриса говорила, что во время /под/готовки роли нужно то-то и то-то делать». Учебников нет, материалов нет. Система сейчас борется. Мы осваиваем материалистическую систему, но не записали всех параграфов, но, ввиду того, что о творческом методе идет спор, мы говорим: пускай Мартинсон делает так, может быть, это даст хорошие результаты, тогда мы сделаем для себя какой-то вывод. Может быть, такого рода пьеса, как пьеса Олеши, требует такого подхода, пьеса Третьякова[84] — такого подхода, Маяковского — такого и т.д. Олеша строит свою пьесу не так, как строил пьесы Маяковский. Маяковский не хотел давать биографию действующих лиц. Когда мы спрашивали Маяковского о биографии его действующих лиц, он на нас кричал. Каждая работа требует иного подхода. Я знаю, как я буду работать над актером, но и позволяю попробовать Мартинсону

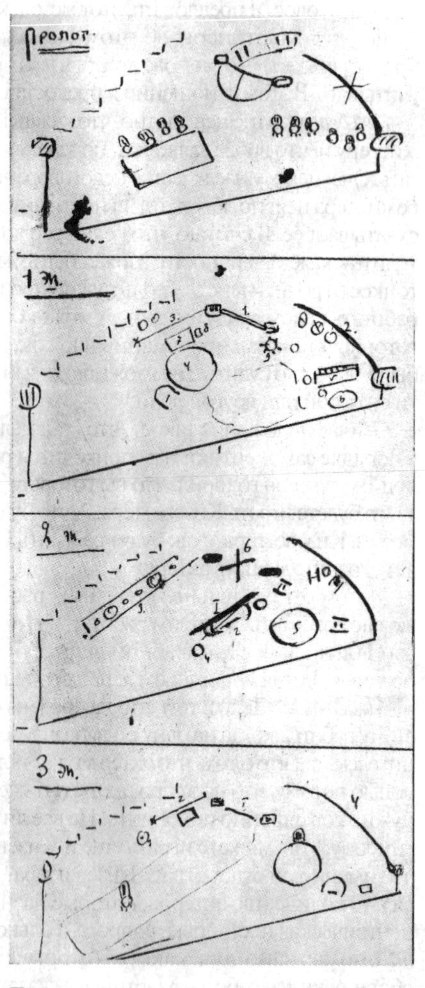

Планировочные чертежи сцен спектакля «Список благодеяний».
Ф. 963. Оп. 1. Ед. хр. 720. Л. 2. 1 июня 1931 г.

иной метод. Я говорю с полной откровенностью: я не знаю первого состава этого спектакля. Для юноши с цветами много намечено, но кто играть будет — не знаю. На первой репетиции (пропуск в стенограмме, вероятно — Финкельберг. — *В.Г.*) произнес хорошо, а может быть, есть X, который говорит лучше.

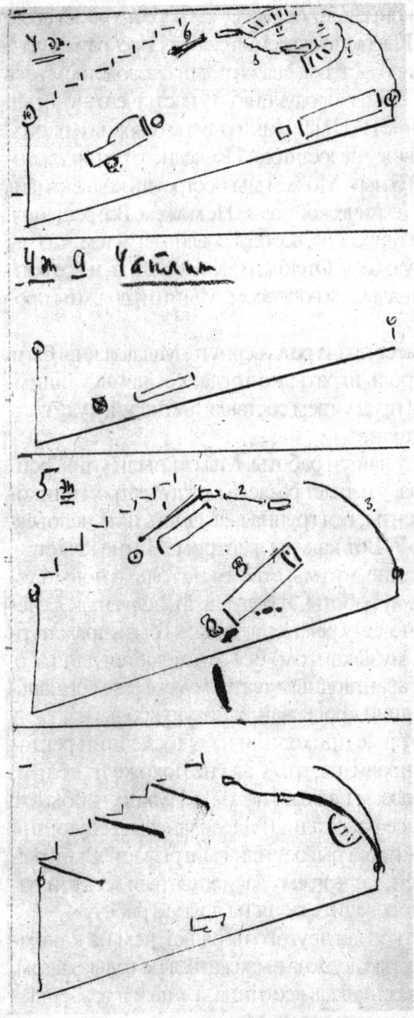

То обстоятельство, что часть труппы уедет в Ленинград, несколько помешает делу. Вы в это время не будете видеть нашей работы, но мы все запишем и вам записанное передадим. На репетиции указания будут записывать стенографистки, и вы получите полные сведения о том, как шла работа. Мои записи, записи моих бесед по «Ревизору», записанные Гариным[85], я передал Вишневскому, и Вишневский говорит, что у него создалось полное представление о том, как шла работа над «Ревизором». Когда мы вернемся из Ленинграда, мы в первую голову будем работать с тем, кто отстал.

Мы дали слово, что теперь наше производство переходит не только на создание спектаклей, но и на учебу. Мы как бы студенты университета. Я против театрального вуза, и сегодня на диспуте я буду выступать против вуза, потому что вуз — тут. Вуз, который, создавая спектакль за спектаклем, работая на репетициях, слушая замечания квалифицированного режиссера, понимает, что такое роль, что такое спектакль. Вы, кончая такой университет, должны занять командные высоты в СССР. Можно сказать: кто делает проверку театральной культуры в Москве и хочет превратить Москву в показательный город в отношении театральной культуры, тот спрашивает о кадрах, о системе, о творческом методе. В конце концов, академия перестраивает свою работу лицом к производству. Как будто академия сказала: прекратите болтологию, связывайтесь с производством, свяжите с производством весь организм для того, чтобы видно было продукцию, а у нас ничего этого нет. Возьмем театральное совещание РАПП[86]. Никто там не говорил о производстве. Бубнов[87] говорит: «Я вижу недостаток "Последнего решительного" в отсутствии технической базы». Можем мы построить коллективизацию в деревне, если не будет технической базы? Не можем. Все решения, все планы, финансовые, экономические, все обусловливается тем, что мы подводим научно-техническую базу. Отсюда и механизация, и все вопросы, связанные с этим кардинальным вопросом. Мы это и должны проводить в театре.

Мне кажется, никто не имеет права роль вернуть. Мы должны быть уверены, что вы будете эту роль играть, но тогда, когда мы увидим, что эту роль вы осилили. Мы предлагаем составлять списки, куда войдут новые и новые исполнители.

Мы вступаем в новую пору нашей работы. Мы открыли университет, у нас предприятие, школа, у нас нет раздела между театром и школой. И вновь принятые студенты, вся группа в двадцать пять человек, будут брошены в «Выстрел»[88]. Вот как мы смотрим. И мне кажется, нужно всем внедрить в сознание, что мы строим не только новый театр, мы перестраиваем систему работы. Я буду читать курс, как я сделался режиссером, затем — почему режиссер должен быть драматургом, актером, художником, музыкантом. Все это делается для того, чтобы мы стали подлинным авангардным театром в смысле социального состава, чтобы мы перелили кровь, влили новую кровь.

Много новых людей, которые приходили на «Последний решительный», говорили: «Нам нравится, что у вас не похоже на театр». Этого мало. Нужно, чтобы совсем не было похоже. Нужно, чтобы это был флот, корабль, чтобы все работали. Фадеев у нас заведующий бутафорией[89]. Что он этим — проигрывает или выигрывает? Выигрывает. Он должен быть сменен, нельзя ему засиживаться на этой работе. Тимофеев[90] заявил: «Переведите меня на другую работу».

Охрана труда должна быть у нас другого порядка, чем на каком-нибудь заводе. Охрана труда у нас должна выражаться не только в том, чтобы была уборка, чтобы освещалась лестница, а еще и в том смысле, чтобы была обстановка, о чем говорил Мартинсон. Нужно охранять труд. Нужно, чтобы когда человек говорит роль и для этого влез на пятый этаж, то чтобы ему не только была подставлена сетка.

Я кончил.

(*Аплодисменты.*)

ВС. МЕЙЕРХОЛЬД.
Доклад о макете к спектаклю «Список благодеяний» на производственном совещании ГосТИМа 3 мая 1931 года

Товарищи, мы обыкновенно в театре никогда не ставим доклада об оформлении и о смете на производственном совещании. Этот доклад является первым в практике нашего театра, причем я хотел бы, чтобы эта наша работа была примерной для будущей работы такого порядка. Мне кажется, что нельзя относиться к этому явлению как к некоей формалистике. Полагается ставить доклад — он ставится, полагается посидеть полчаса — давайте посидим. Я жду от товарищей, которые будут обсуждать нашу работу, чтобы они отнеслись к этой работе с величайшим вниманием, а то получится то, что называется — отписаться. Это неправильно. Нужно внимательно отнестись к этой работе и принести в этой работе помощь.

Прежде бывало, когда макет уже оформлен и когда уже есть определенный план, то обыкновенно самую смету составляет аппарат. Это неправильно. Почему? В конечном счете это, конечно, должно поступить в нашу административно-хозяйственную часть, но предварительная проработка должна быть сделана, во-первых, режчастью, затем производственным совещанием, поскольку здесь могут принять участие те специалисты, которые могут принести помощь, а потом это уже должно поступить в хозчасть. А то берут старые сметы, сравнивают, делают искусственные надбавки, изменения и т.д. А нам важно, чтобы режчасть, которая работает над монтировкой, в процессе работы видела все стремления к раздутию сметы уже в периоде предварительной работы. Чтобы до работы можно было бы проделать некоторые изменения, некоторые сокращения и т.д.

Сегодня не все цифры, оказывается, могут быть сообщены, потому что товарищ Нестеров[91] не смог еще получить все сведения, приблизительно он сообщит эти цифры. Я расскажу основное расположение макета и попрошу товарища Нестерова сообщить цифры, так как я с его материалом не совсем знаком.

Эта пьеса, как вам известно, уже обсуждалась в нескольких инстан-

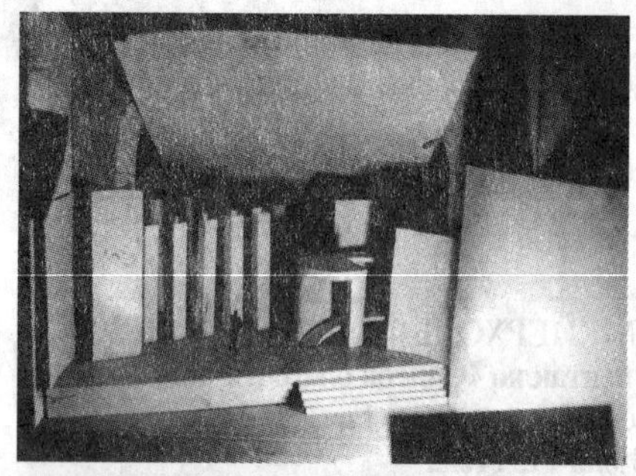

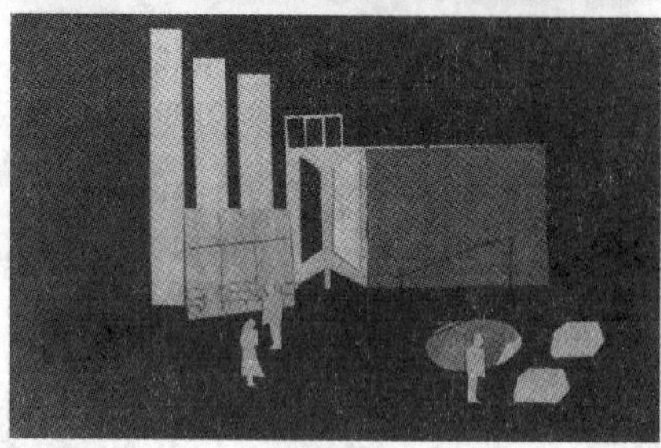

циях. Ценность ее состоит в том, что на нашем фронте ощущается (пропуск в стенограмме. — *В.Г.*), так как нам до сих пор не было времени добраться до философского фронта. Теперь партия дала определенную установку на то, чтобы наша философия диалектического материализма была разрешена[92]. Нужно отметить, что философский фронт немного подхрамывает, так что не случайно, что партия обратила на это внимание. К будущему сезону появятся три пьесы[93], которые поставят на новую ступень драматургию. До сих пор всегда говорили, что мы должны откликаться на проблемы современности, это понималось несколько узко, но это хорошо, тогда это нужно было так.

Вы, может быть, обратили внимание, что последний документ нашего Центрального органа партии[94], когда обсуждали вопрос об ошибках по поводу Эр/енбурга/, Дуб... и Кат...[95], вы обратили внимание, что в этом документе отмечалось, что мы в тех вопросах, которые мы ставили в порядок дня в нашей художественной литературе, мы слишком мало заглядывали в будущее. Что мы решали вопрос только сегодняшнего дня и что художественная литература обязана заглядывать в будущее, и, так сказать, в свете будущего вопрос сегодняшнего дня становится более значительным и на него не смотрится слишком узко. Каждый вопрос сегодняшнего дня, если он рассматривается не только с точки зрения сегодняшнего дня, но и будущего, он выразится уже в большей значимости. К осени будущего года будут три пьесы, которые ставят философские проблемы.

В пьесе «Список благодеяний» автор задумал столкнуть два мировоззрения: одно, которое выросло на почве системы капиталистической, и другое, которое выросло на почве системы социалистической. Эти две борющиеся силы показаны как две борющиеся системы, а система одухотворяется идеей.

Я уверен, что четвертый вариант[96], который представил автор, не последний. Сейчас, когда мы ставим пьесу на ноги, мы видим, что еще нам предстоит работа, предстоит еще пьесу улучшать и заострять. Теперь вопрос об интеллигенции совсем не так звучит, как это

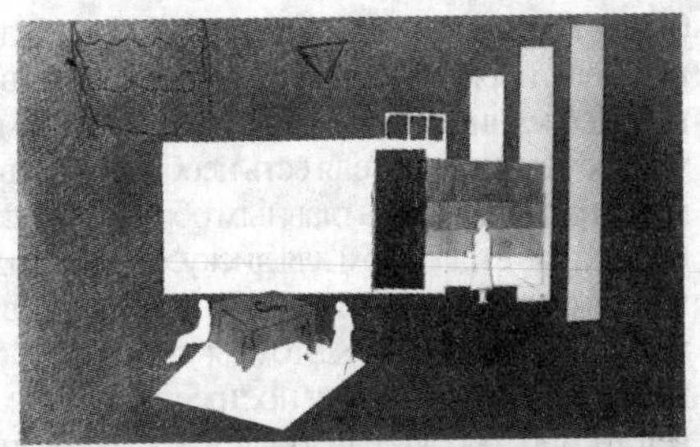

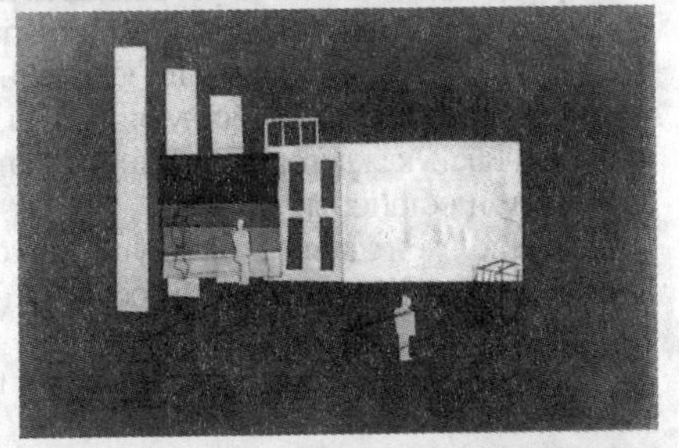

Макеты спектакля «Список благодеяний»

было в первом варианте. Эта пьеса бу/дет/ будоражить мышление зрительного зала, и зрительный зал должен вступить в дискуссию. Смотрите, каку/ю/ «Последний решительный» вызвал полемику в прессе. Это значит, что у современного зрителя есть необходимость не столько на спектакле думать и размышлять, а главным образом после спектакля. Мы хотим театр превратить в плацдарм для дискуссий. Театр должен быть в смысле помещения совсем иным, и я, конечно, не доживу до того времени, до театра, который мне нужен. К этому я уже подготовился и прошу не рассчитывать на то, что у нас будет построен новый театр. Говорю это с полной ответственностью. И если я буду выступать в дни нашего юбилея[97], я смогу в этом отношении произнести только крамольные вещи, что строят театры кому угодно, только не нам.

Макет к спектаклю «Список благодеяний» не должен восприниматься как оформление данного спектакля. Это есть только предпосылка, чтобы показать, что нам не нужно сцены, нам нужен только свет и актер. Но, поскольку мы имеем несчастье работать в этом театре, поскольку нужно все сделать к тому, чтобы публика на минуточку забыла, что это сценическая коробка, приходится делать конструкции. Должен отметить ненормальное положение, что разрушили часть конструкции «Бани». Это прекрасная конструкция, которая, например, могла пригодиться для устройства торжественных заседаний, можно было бы ее установить для юбилейного торжества, она дает возможность расположить действующих лиц по балконам, чтобы публика могла видеть каждого. Движущийся тротуар — прекрасный элемент для многих постановок.

Также должен отметить возмутительное явление: задний занавес порван, так что висят какие-то лоскутья, наверное, его рвали для починки.

Я попрошу Кустова[98] объяснить макет по эпизодам (Кустов показывает макет).

ПРИМЕЧАНИЯ

Беседа Вс. Мейерхольда с труппой ГосТИМа о пьесе Ю. Олеши «Список благодеяний» 2 марта 1931 года печатается по машинописной стенограмме: Ф. 963. Оп. 1. Ед. хр. 724. Л. 1—6.

Впервые публиковалась, с рядом разночтений и купюр, в кн.: Творческое наследие В.Э. Мейерхольда. М., 1978. С. 74—77.

Обсуждение пьесы после читки Ю. Олешей «Списка благодеяний» на труппе БГДТ (Ленинград) 18 марта 1931 года печатается по машинописной стенограмме: Ф. 358. Оп. 2. Ед. хр. 487. Л. 1—8.

Беседа Вс. Мейерхольда и Ю. Олеши с артистами театра на заседании в ГосТИМе 26 марта 1931 года по поводу пьесы Юрия Олеши «Список благодеяний» печатается по машинописной стенограмме: Ф. 963. Оп. 1. Ед. хр. 725. Л. 1—37 об.

Извлечения из стенограммы впервые опубл. в: *Мейерхольд Вс.* Статьи, письма, речи, беседы. М., 1968. Ч. II. С. 249—253.

Доклад Вс. Мейерхольда о макете к спектаклю «Список благодеяний» на производственном совещании ГосТИМа 3 мая 1931 года печатается по машинописной стенограмме: Ф. 963. Оп. 1. Ед. хр. 725. Л. 142—145.

1. Рамзин Леонид Константинович (1887—1948), лидер советской теплотехники. Участник разработки плана ГОЭЛРО. В 1930 году осужден по процессу Промпартии в числе пяти «руководителей» и приговорен к смертной казни. По всей видимости, благодаря «правильному» поведению на процессе в феврале 1936 года был амнистирован ЦИК СССР, вернул высокое положение. В 1943 году стал лауреатом Госпремии СССР (носившей тогда название Сталинской). Процесс «Промышленной партии» («Союз инженерных организаций») проходил с 25 ноября по 7 декабря 1930 года.
   После процесса, на котором были осуждены и приговорены к смертной казни Рамзин и его «группа вредителей», упоминания о «рамзинском деле» еще долго появлялись в печати, когда речь заходила о пьесе, книге, чьем-то «неверном» выступлении. Так, Вс. Вишневский писал о «рамзинском деле» в связи с возобновлением во МХАТе «Дней Турбиных», не раз напоминали о «рамзинском деле» рецензенты пьесы Н. Равича «Завтра»; даже о Большом театре, казалось бы, сравнительно аполитичном по своей природе, писалось как о «шахтинском форпосте на площади Я.М. Свердлова в Москве» (Современный театр. 1928. № 21. С. 406) и др. В этом отношении пьеса Олеши была лишь одним из многочисленных поводов публичной демонстрации своей лояльности со стороны работников идеологического фронта. Прямые политические уподобления использовались для запугивания, а при удачном повороте дела — и устранения конкурентов.
2. С инициативой «творческих командировок на производство» в 1928 году выступила «Комсомольская правда». Проблема широко дебатировалась, в том числе и при обсуждении пьесы и спектакля «Список благодеяний». В частности, не удержался от испытанного рецепта и К. Радек: «...лучше бы она (Гончарова. — *В.Г.*) съездила в Анжерку, Кузбасс, на Магнитострой» (*Радек К.* Как Всеволод Мейерхольд попал в Гамлеты и как Жирофле-Жирофля начали строить социализм // Известия. 1931. 14 июня). Метод многим представлялся весьма действенным. Прокоммунистически настроенная общественность видела свою задачу в том, чтобы «толкнуть артистический мир в пролетарские массы. Участники целого ряда бригад вернулись из этих поездок совершенно другими людьми. На три четверти эти люди стали нашими людьми» (см.: Искусство на путях социалистической реконструкции // Вечерняя Москва. 1930. 3 октября). Михаил Булгаков в ответ на аналогичное предложение съездить на Беломорский канал «томно» (ремарка свидетельницы разговора Е.С. Булгаковой) отвечает: «Вы меня отправьте лучше в Ниццу». И серьезно: «Я в Малаховку не поеду, так я устал» (см.: *Булгакова Е.С.* Дневники // ОР РГБ. Ф. 562. К. 29. Ед. хр. 5. Запись от 3 января 1934 г.).
3. В каком-то смысле в самом деле не перед кем. Ср. рискованную шутку Н. Эрдмана в «Мандате»:

«И даже тогда, когда белое воинство смешивалось кровью своих сыновей с драгоценною кровью истерзанной родины, даже тогда наши головы обливали помоями, даже тогда нас обвиняли в насильничестве, нас обвиняли в хищничестве, нас обвиняли в расстрелах. Но вот я встаю перед лицом всей России, и я смотрю ей прямо в глаза, и я говорю. Нет, я кричу ей. Где же он, тот человек, которого мы расстреляли? Пусть он выйдет и скажет. Но он никогда не выйдет, потому что его нет» (*Эрдман Н.Р.* Мандат. Рабочий экземпляр помрежа А.Е. Нестерова с разработкой сценического текста. 1925—1926 гг. Машинопись // Ф. 963. Оп. 1. Ед. хр. 440. Явл. 22. Л. 185).

4. Спустя десять дней, 28 марта 1931 года, Гарин пишет жене: «Странные вещи — видел Слепнева — помнишь, член Худсовета Сатиры, ныне вождь ЛенРАППа? Он мне рассказал о пьесе Олеши “Спи/сок/ благод/еяний”/ — совершенно восторженные рецензии всех рапповцев (там Олеша читал свою пьесу). Ничего не понятно, но убеждает меня в том, что она говно» (Ф. 2979. Оп. 1. Ед. хр. 289. Л. 11—11 об.).

5. Ср.: «Сейчас же нужно найти какую-то артерию, через которую мы бросимся в зрительный зал, — говорит Мейерхольд 22 октября 1931 года на обсуждении пьесы Вишневского. — До сих пор всякое действие, которое происходит в зрительном зале, делается механически, и публику это нервирует, и сами актеры, которые выходят в зрительный зал, ждут не дождутся, когда смогут вернуться назад» («Германия». Неосуществленная постановка // Творческое наследие В.Э. Мейерхольда. М., 1978. С. 81).

6. См.: Монтаж расстановки реквизита и бутафории на сцене в спектакле «Список благодеяний». // Ф. 963. Оп. 1. Ед. хр. 720. Л. 1.

7. Цетнерович П.В.. Режиссерские заметки и разработка отдельных сцен спектакля «Список благодеяний», записи бесед В.Э. Мейерхольда и др. Автограф. // Ф. 2411. Оп. 1. Ед. хр. 17. Л. 42.

8. Письма и записки Вс. Мейерхольда М.М. Кореневу. 1927—1931 гг. // Ф. 1476. Оп. 1. Ед. хр. 380. Л. 25.

9. Ф. 2979. Оп. 1. Ед. хр. 285. Л. 2.

10. *Аксенов И.А.* «Гамлет» и другие опыты... М., 1930.

11. Речь идет о начале работы над «Гамлетом» Н.П. Акимова. Важно, что пьеса Олеши рассматривается в ГосТИМе как некий парафраз шекспировской трагедии.

12. Ф. 2979. Оп. 1. Ед. хр. 289. Л. 9—9 об.

13. Идеология, исповедующая сугубый материализм, отрицающая представления о духовной жизни личности (см., например, цензорские претензии к лексике, используемой Станиславским в книге «Работа актера над собой»: «<...> главная опасность книги в “создании жизни человеческого духа” (о духе говорить нельзя). Другая опасность: подсознание, излучение, влучение, слово “душа”» (из письма К.С. Станиславского Л.Я. Гуревич от 23/24 декабря 1930 г. — цит. по: В плену предлагаемых обстоятельств / Публ. В. Дыбовского // Минувшее. М.; СПб., 1992. Вып. 10. С. 272) — эта идеология парадоксальным образом принуждала к самому что ни на есть идеальному существованию человека — безбытному, вне вещей. Ср. неодобрительную реплику персонажа «Списка благодеяний» Федотова в ответ на вопрос, как там, в Америке: «Неорганизованно как-то. Без карточек».

14. Ср. тезисную запись Ю. Олеши выступления А.К. Тарасенкова на читке и

обсуждении пьесы в журнале «Красная новь»:
«Путь интелл/игенции/ труден, и если бы он был легок, то был бы золотой век.
2. Корень из 2-ойки.
Уход из современности. Куда ей идти.
Вся пьеса традиционна и построена на реминисценциях.
Спор с самим собой.
Пьеса об искусстве.
Дискредитация Европы. <...>
Аналогия между любовью к вещам — и богатством духа.
Если интеллигенция должна переродиться, то она перестанет быть таковой» (Ф. 358. Оп. 2. Ед. хр. 514. Л. 1. Автограф).

15. Протоколы заседаний Художественно-политического совета ГосТИМа. Автограф З.Н. Райх // Ф. 963. Оп. 1. Ед. хр. 148. Л. 100.
16. *Мруз.* О шелестящих тараканах и юбилее МХТ первого // Новый зритель. 1928. 11 ноября. № 46. С. 2—3.
17. Премьера «Последнего решительного» по пьесе Вс. Вишневского прошла 7 февраля 1931 года, и большая часть беседы Мейерхольда посвящена этому спектаклю.
18. Бочионе — правильно: Боччони Умберто (1882—1916), итальянский скульптор-футурист.
19. Маринетти Филиппо Томмазо (1876—1944), итальянский писатель, глава и теоретик футуризма.
20. Имеются в виду приверженцы идеологии РАПП, одним из влиятельных руководителей которой был драматург В.М. Киршон.
21. Персонаж пьесы Вс. Вишневского «Последний решительный».
22. Премьера спектакля Мейерхольда по пьесе Ф. Кроммелинка прошла в 1922 году.
23. Ленский (наст. фамилия Вервициотти) Александр Павлович (1847—1908), артист, режиссер, педагог. С 1876 года и до конца жизни служил в труппе Малого театра.
24. Ярон Григорий Маркович (1893—1963), блистательный комик-буффон, эксцентрик. Один из организаторов, актер и режиссер Московского театра оперетты.
25. Речь идет о спектакле Московского мюзик-холла «Шестая мира» (обозрение А. Жарова и Н. Равича), премьера которого прошла 21 февраля 1931 года.
26. ГЭКТЕМАС — Государственные экспериментальные театральные мастерские им. Вс. Мейерхольда.
27. М.М. Штраух и И.В. Ильинский, в те годы актеры ГосТИМа, играли в «Последнем решительном» в очередь роль Анатоля-Эдуарда.
28. Сигетти — правильно: Сигети Йожеф (1892—1973), венгерский скрипач, педагог, музыкальный писатель. В 1924—1937 годах неоднократно гастролировал в СССР.
29. Кармен — прозвище персонажа пьесы Вс. Вишневского «Последний решительный» Пелагеи Четвериковой. Ее играли в очередь З.Н. Райх и Е.А. Тяпкина.
30. Жан Вальжан, Анатоль-Эдуард, Подруга — персонажи пьесы Вс. Вишнев-

ского «Последний решительный».

31. «Гадибук» — знаменитый спектакль Евг. Вахтангова в еврейском театре «Габима» по пьесе С. Ан-ского. Премьера прошла 31 января 1922 года.
32. Семенов — персонаж пьесы Вс. Вишневского «Последний решительный».
33. Бакулин Иван Федорович — актер ГосТИМа.
34. Речь идет о совещании Главреперткома, прошедшем 25 ноября 1930 года (см. об этом: наст. изд., глава 3).
35. ФОСП — Федерация объединения советских писателей. Создана в 1927 году. РАПП стремилась играть в ФОСП руководящую роль.
36. ЛАПП — Ленинградская ассоциация пролетарских писателей.
37. Гусман Борис Евсеевич (1893—1943), журналист, критик.
38. Родов Семен Абрамович (1893—1968), поэт, переводчик, критик. Один из редакторов журнала «На посту», непримиримый к попутчикам теоретик «левого» крыла РАПП. В мае 1925 года на заседании МАПП Д.Фурманов выступил со специальным докладом «О родовщине», в котором осудил деятельность журнала «На посту». Группа Родова была отстранена от руководства ВАПП, журнал стал называться «На литературном посту».
39. Упомянутым, но невыступившим (судя по стенограмме) участником диспута, скорее всего, был Стефан Стефанович Мокульский (1896—1960), будущий известный историк западного театра. Либо, что менее вероятно, в дискуссии хотел принять участие актер мейерхольдовского театра Мологин (Мочульский) Николай Константинович (1892—1951), бывший также журналистом и театральным критиком. Автор неопубликованных воспоминаний о спектаклях Мейерхольда: «Д.Е.», «Учитель Бубус», «Ревизор», «Горе уму», «Баня». (См.: Фонд Коренева М.М. // Ф. 1476. Оп. 1. Ед. хр. 893)
40. Загорский Михаил Борисович (1885—1951) — театральный критик.
41. Голубов Владимир Ильич (псевдоним: Потапов В.) (1908—1948), театральный критик. Погиб вместе с С. Михоэлсом в Минске в автокатастрофе, подготовленной МГБ по указанию Сталина.
42. Цимбал Сергей Львович (1907—1978), театральный критик.
43. Вишневский Всеволод Витальевич (1900—1951), драматург. В этот период был близок и к Мейерхольду, и к Олеше.
44. Бриан Аристид (1862—1932), французский государственный деятель. В 1909—1931 годах — неоднократно премьер-министр и министр иностранных дел.
45. Роллан Ромен (1866—1944), французский писатель, в те годы во многих печатных выступлениях активно поддерживавший политические решения советской власти.
46. См. примеч. 72 к главе 3. (Речь идет о «Письме ВОКСу», написанном Р. Ролланом в связи с процессом Промпартии в поддержку властей.)
47. В записной книжке Вс. Вишневского сохранилась полустершаяся карандашная запись: вероятно, набросок плана его выступления на обсуждении «Списка благодеяний»:
 «Не одн/им/ хл/ебом/ жив чел/овек/.
 Блест/ящая муж/ская/ роль — Гонч/аровой/.
 Мозг Олеши из /чистого/ зол/ота/.

Он срез/ает/ экон/омический/ <...> пласт.
О Ром/ене/ Ролл/ане/ говорит Мейерхольд вскользь, его надо вывести и показать. Пусть он зачтет свое письмо. Или М. Горький и ударники.
Чарли Чапл/ин/ — бурж/уазный/ мастер — выкинуть.
Горнило эмигр/ации/.
Рев/ольвер/ чемодан и дневник загружают пьесу — выкинуть их! И кр/асный/ флаг.
Но с др/угой/ стороны — учит Шексп/ир/ и Дост/оевский/. Дост/оевского/ вставить.
Бриан, торгпред»
(*Вишневский В.В.* Записная книжка с адресами, краткими записями обсуждения Ю.К. Олеши и пр. // Ф. 1038. Оп. 1. Ед. хр. 2167. Л. 6, 6 об., 7, 7 об.).

48. Шапиро Рувим Абрамович (1898—1937), театральный деятель. С 1928 по 1932 год был директором БДТ. Репрессирован.
49. См. наст. изд. примеч. 12 к главе 3.
50. Тверской (Кузьмин-Караваев) Константин Константинович (1890—1944), режиссер. В 1930-е годы возглавлял БДТ.
51. Лаврентьев Андрей Николаевич (1882—1935), драматический актер, режиссер.
52. Д.И. Золотницкий в книге «Мейерхольд: роман с советской властью» (М., 1999) пишет в связи с этим обсуждением: «Вишневский попросту сбивал Олешу с ног» (С. 261). Но стенограмма свидетельствует об обратном: Вишневский безоговорочно поддерживает Олешу, к творчеству которого в этот период времени относится с восхищенным пониманием.
53. Художник ГосТИМа, автор костюмов к «Списку благодеяний».
54. Вахтангов Сергей Евгеньевич (1907—1987), архитектор, театральный художник, сын режиссера Евг. Вахтангова.
55. Сохранилась запись М.М. Коренева о том, как распределялись функции среди членов режиссерской бригады, созданной Мейерхольдом для постановки «Списка»: А.Е. Нестерову поручалось общее организационное руководство, П.В. Цетнеровичу — работа с актерами, С.В. Козикову — контроль за изготовлением макета, наконец, З.Н. Райх и М.А. Чикулу — коррективы по драматургической части. (См.: *Коренев М.М.* Записные книжки с дневниковыми записями, расписанием спектаклей и пр. с 1 января по 20 декабря 1931 г. Автограф // Ф. 1476. Оп. 1. Ед. хр. 132. Л. 17.)
56. «Заговор чувств» — пьеса Олеши, написанная по мотивам его повести «Зависть». В 1929 году поставлена на сцене Театра им. Евг. Вахтангова.
57. Ремонт театра был больной темой последнего сезона. «<...> В этом году наш театр опять остался без того *генерального ремонта*, какой признан давно уже срочно необходимым и архитекторами, и всеми техническими комиссиями, которые периодически осматривали наш театр на протяжении последних трех-четырех лет, — возмущается Мейерхольд. — Мы вправе рассчитывать на то, что в отношении ремонта хоть в конце-то театрального сезона 1930—1931 наше здание наконец-то будет поставлено на ближайшую очередь (первый революционный театр идет в хвосте Камерного театра, театра им. Е.Б. Вахтангова в отношении ремонта).
Если так, сезон 1930—1931 должен закончиться раньше обычного, чтобы ремонт мог начаться ранней весной 1931 года.
При этих условиях молодняку (2-й группе ГосТИМа) придется работать над меньшим количеством пьес» (*Мейерхольд В.Э.* Докладная записка в Коллегию

Наркомпроса РСФСР 18 августа 1930 года об итогах гастролей ГосТИМа в Германии и Франции... Автограф // Ф. 998. Оп. 1. Ед. хр. 2826. Л. 10—11).

58. СТО — Совет труда и обороны. Орган по руководству хозяйственным строительством и обороной. Действовал с 1920 по 1936 год. Состав СТО назначался СНК.
59. СНК — Совет народных комиссаров, в 1917—1946 годах высший исполнительный и распорядительный орган государственной власти СССР. В марте 1946 года преобразован в Совет министров.
60. «Хлеб» — пьеса В.М. Киршона. Премьера во МХАТе прошла 25 января 1931 года.
61. Мартынов Сергей Васильевич (р. 1901), артист ГосТИМа, гитарист.
62. Сергеев — артист ГосТИМа.
63. Боголюбов Николай Иванович (1899—1980), актер театра и кино. В спектакле «Последний решительный» играл Бушуева.
64. См. примеч. 21.
65. Речь идет о кн.: *Архангельский К.П.* Проблемы сцены в драмах Пушкина. Владивосток, 1930.
66. Мейерхольд имеет в виду фильмы Эйзенштейна «Октябрь» (1928) и «Старое и новое. Генеральная линия» (1926—1929), первый советский фильм о коллективизации, снятый с участием крестьян в деревне бывшей Пензенской губернии, в котором демонстрировалось процветание колхоза.
67. Кинопоэма Александра Довженко «Земля», со временем ставшая классикой кинематографической метафоричности, была встречена в момент своего выхода на экраны (март 1930 г.) жестокой критикой. Режиссера обвиняли в том, что картина непонятна массам, в ней много «интеллигентского эстетизма», а ее социальные установки нечетки. Демьян Бедный в стихотворном фельетоне «Философы» назвал «Землю» «кулацкой кинокартиной». В статье, опубликованной на страницах «Правды» (9 апреля 1930 г.), три автора — В. Киршон, А. Фадеев, В. Сутырин — писали о том, что Довженко «не овладел еще пролетарским мировоззрением» и т.д.
Спустя годы, 14 апреля 1945 года, Довженко записывал в дневнике: «Сегодня пятнадцатая годовщина смерти <...> Владимира Маяковского. Вспоминаю, накануне самоубийства мы сидели с ним в садике Дома Герцена оба в тяжелом душевном состоянии, я — из-за мучительств, учиненных по отношению к моей «Земле», он — обессиленный рапповско-спекулянтско-людоедскими бездарностями и пронырами. <...> Завтра <...> я услышал страшную новость» (цит. по: *Озеров Л.* «Земля» Александра Довженко // Советский экран. 1987. № 21. С. 5).
Яблоки, омываемые дождем, о которых говорит Мейерхольд, стали хрестоматийным примером метафорического кинематографа.
68. Юрьев Юрий Михайлович (1872—1948), артист драмы, трагик, известный манерой декламационного стиля исполнения. В спектакле Александринского театра «Маскарад» в постановке Вс. Мейерхольда играл Арбенина.
69. Аполлонский Роман Борисович (1865—1928), артист драмы. С 1881 года и до конца жизни служил в труппе Александринского театра. Известно, что в самом деле артист не принимал режиссуру Мейерхольда настолько, что однажды назвал его «взбесившимся кенгуру, убежавшим из зоологического сада».

70. Сравнение с раненым, но незастреленным бобром было распространено в те годы в обиходе переживающих схожие чувства людей. Так, оно звучит в выступлении ленинградского писателя М. Козакова на расширенном пленуме Оргкомитета ССП (1932). Протестуя против методов работы РАПП, он говорил: «Мы бьем, говорили, мы будем бить, ничего, те, кто выдержит, пусть выдержат, те, кто не выдержит, — те не выдержат. <...> Мне напоминает такой воспитательный метод охоту на бобра: когда бобра хотят поймать, то его предварительно здорово загоняют для того, чтобы от страха у него появилась седина, и вот эта седина бобра чрезвычайно ценится...» Изложение выступления Козакова см.: Литературная газета. № 51 (220). 1932. 11 ноября.
71. В записях М.М. Коренева уточняется характерная олешинская ассоциация, упущенная стенографисткой: Татаров не просто «злодей и негодяй», а «диккенсовский». (См.: *Коренев М.М.* Режиссерские заметки и записи... // Ф. 1476. Оп. 1. Ед. хр. 50. Л. 5).
72. Зайчиков Василий Федорович (1888—1947), артист. Получил известность как один из героев знаменитого трио «Великодушного рогоносца» — Ильбазай (Ильинский — Бабанова — Зайчиков). Один из ведущих артистов ГосТИМа.
73. В романе Франса описана семья парижанок: практичная мать и дочь-актриса, добивающаяся успеха в театре через роман с влиятельным мужчиной.
74. Мухин Михаил Григорьевич (1885—1963), артист ГосТИМа.
75. Имеется в виду фрагмент, в котором Леля говорит Федотову, как она будет «карабкаться вверх» в Париже, заново делая театральную карьеру (сцена «В пансионе»). Позже этот монолог был снят.
«Л е л я. Я совершенно здорова. Денег у меня нет ни копейки. Я серьезно просила вас. Вернуться домой я не могу. И не хочу. Я буду нищенкой. Я не хочу быть знаменитой у вас, я хочу быть нищенкой, проституткой... с разбитыми глазами, в лохмотьях, и буду умирать в мире, который создал меня».
76. Темное место в стенограмме удалось прояснить благодаря записям М.М. Коренева, делавшимся в тот же день. Сравнение с Фордом относится, конечно, не к Федотову, а к Лепельтье-старшему: «миллионер-плебей». Имеется в виду Генри Форд (1863—1947), один из основателей автомобильной промышленности США.
77. Мартинсон Сергей Александрович (1899—1984), артист театра и кино, в те годы — артист ГосТИМа.
78. «Две сиротки» — мелодрама А.Ф. Деннери и Э. Кормон, была поставлена (в переделке В. Масса под названием «Сестры Жерар») в сезон 1927/28 г. Премьера прошла 29 октября 1927 года.
79. Старковский (Староверкин) Петр Иванович (1884—1964), артист ГосТИМа с 1924 по 1937 год.
80. Ильинский снимался в кинофильме Я. Протазанова «Праздник святого Йоргена» (1930).
81. См. примеч. 23.
82. Кельберер Алексей Викторович (1898—1963), артист ГосТИМа.
83. Э.П. Гарин и М.Ф. Кириллов были назначены на роль Кизеветтера. Но Гарина работа над ролью не заинтересовала (см. об этом подробнее: наст. изд., глава 7), и Кизеветтера играл Кириллов.

84. Третьяков Сергей Михайлович (1892—1938/1937, репрессирован), журналист, писатель, драматург. Речь идет о пьесе «Хочу ребенка».
85. Мейерхольд ошибочно называет Гарина, записи «Ревизора» делались М.М. Кореневым.
86. Театральное совещание РАПП состоялось в январе—феврале 1931 года. Основными докладчиками были А.Н. Афиногенов и С.С. Динамов. С творческой декларацией выступил и Вс. Мейерхольд. Одной из задач, обсуждаемых его участниками, стала «борьба с системой механических взглядов Мейерхольда». В постановлении секретариата «О задачах РАПП на театральном фронте», в частности, говорилось: «<...> надо дать решительный отпор утверждениям, что при требующихся темпах не может быть обеспечено необходимое качество, что отставание вытекает из природы художественного творчества, что "в эпоху быстрых темпов — художник должен думать медленно"». То есть в официальном документе РАПП была процитирована реплика персонажа «Списка благодеяний» Елены Гончаровой. (См.: О задачах РАПП на театральном фронте // Советский театр. 1931. № 10/11. С. 6; а также: Пролетарская литература. 1931. № 5/6. С. 166).
87. Бубнов Андрей Сергеевич (1884—1938, репрессирован), советский партийный и государственный деятель. С 1929 года — нарком просвещения, курирующий театральное дело.
88. «Выстрел» — пьеса А. Безыменского.
89. Фадеев Сергей Семенович (1902—1949), артист ГосТИМа.
90. Тимофеев Сергей Сергеевич (1886—1941), артист ГосТИМа.
91. Нестеров Александр Евгеньевич (1903—1943), режиссер ГосТИМа. См. примеч. 55.
92. Ср.: «Общее мнение: авторы не сумели перенести в свое творчество метода диалектического материализма. "Мы прекрасно оперируем словом "диалектика", но практически не умеем применить этого метода", — сознается т. Зиновьев» (Ж. За качество, за темпы! На пленуме Всероскомдрама // Советское искусство. 1931. 2 февраля. № 5 (77). С. 2). Речь идет о том, что «процесс проникновения диалектического материализма в совершенно новые области <...> уже начался. Завоевание позиций в области художественной литературы точно так же рано или поздно должно стать фактом» (из текста резолюции ЦК РКП (б), принятой 18 июня 1925 года: О политике партии в области художественной литературы//В тисках идеологии: Антология литературно-политических документов. 1917—1927 / Сост. К. Аймермахер. М., 1992. С. 377).
    Можно предположить, что пробуются варианты словосочетания, долженствующего обозначить творческий метод художника Страны Советов. Напомню, что термин «социалистический реализм» еще не родился.
93. По-видимому, Мейерхольд имеет в виду пьесы А. Безыменского, Вс. Вишневского и Демьяна Бедного. (Из письма Э. Гарина Х. Локшиной 30 июня 1931 года: «Приехавший мэтр сказал, что он договорился со следующими авторами: Д. Бедный, Ю. Олеша, В. Вишневский и А. Безыменский. Как видишь сама, полная беспринципность и растерянность» // Ф. 2979. Оп. 1. Ед. хр. 290. Л. 16.)
94. Речь, возможно, идет о готовящейся новой резолюции ЦК ВКП(б) в области художественной литературы, вокруг которой шла дискуссия. Предполагалось пересмотреть прежнюю резолюцию ЦК ВКП(б) 1925 года — в сто-

рону ее ужесточения.

95. Так обозначены фамилии в стенограмме. Неясно, о ком именно идет речь. Возможно, о писателях, фигурировавших в негативном контексте в проработочной статье журнала «Печать и революция» (1929. Т. 5. С. 4—5) в связи с кампанией травли против Пильняка и Замятина.
    В архиве Олеши сохранились наброски его выступления в защиту Пильняка: «Не нужно создавать атмосферу травли. Необходим беспристрастный и подробный разбор дела, и необходимо заслушать Пильняка. Сериозное обвинение предъявлено заслуженному писателю. Мне кажется, что Пильняк действовал неосмысленно, нет оснований думать, что у него был злой умысел, сознательное желание апеллировать к зарубежному мнению. Неизвестно затем, какова сама повесть, трудно судить о характере этой вещи по двум-трем цитатам, приведенным в статьях» (цит. по: *Олеша Ю.К.* Альбом со стихотворениями... // Ф. 358. Оп. 1. Ед. хр. 22. Л. 96. На листке с записью дата: август—сент. 1929 г.).
96. О четвертом варианте пьесы «Список благодеяний» см. наст. изд. глава 3.
97. Весной 1931 года готовились отметить 10-летие ГосТИМа.
98. Кустов Николай Григорьевич (1904—1976), сотрудник ГосТИМа (макетчик, актер).

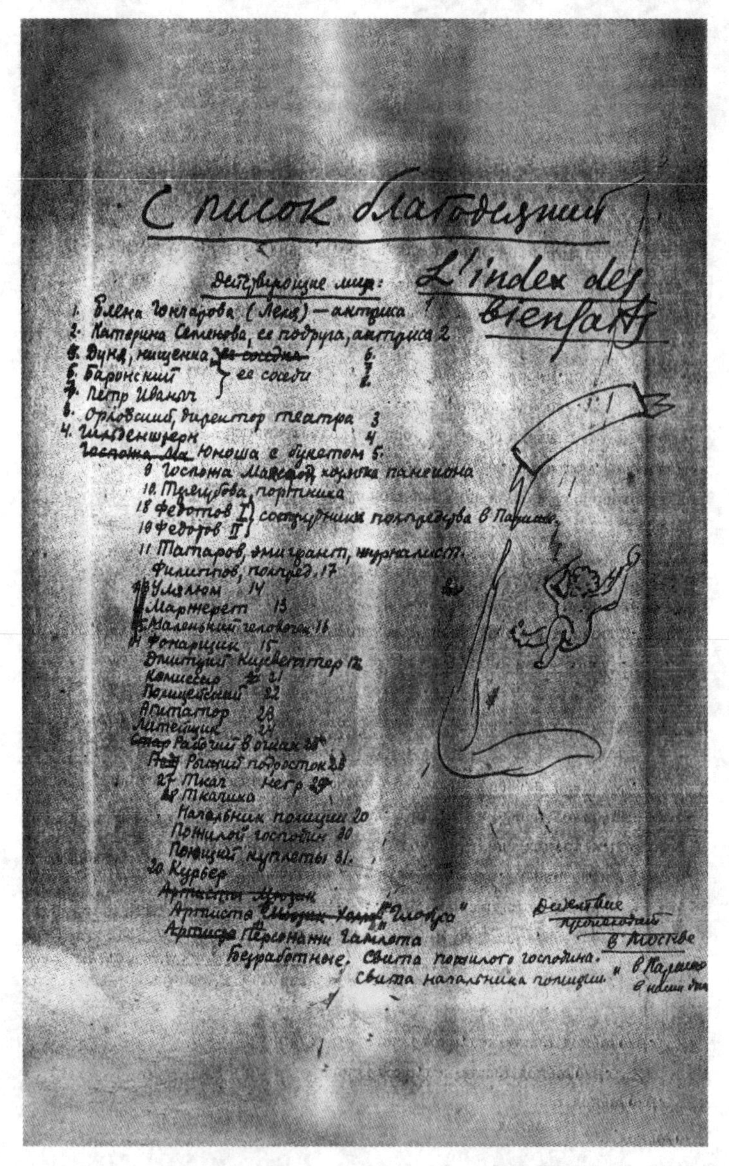

Список благодеяний

L'index des bienfaits

Действующие лица:

1. Елена Гончарова (Леля) — актриса 1
2. Катерина Семенова, ее подруга, актриса 2
5. Дуня, нищенка ~~ее соседка~~ 6.
6. Баронский } ее соседи 7
7. Петр Иваныч
8. Орловский, директор театра 3
4. Шльденштерн 4

~~Госпожа Ма~~ Юноша с букетом 5.

9 Госпожа Макродон, хозяйка пансиона

10. Трехцубова, портниха

18 Федотов I } сотрудники полпредства в Париже

19 Федоров II

11 Татаров, эмигрант, журналист.

Филиппов, полпред. 17

Улялюм 14

Маржерет 13

Маленький человечек 16

Фонарщик 15

Дмитрий Кизеветтер 12

Комиссар 21

Полицейский 22

Агитатор 23

Литейщик 24

~~Стар~~ Рабочий в очках 25

~~Ста~~ Рыжий подросток 26

27 Ткач Негр 29

28 Ткачиха

Начальник полиции 20

Пожилой господин 30

Поющий куплеты 31.

20 Курьер

~~Артисты Мюзик~~

Артисты ~~Мюзик Холл~~ "Глобус"

~~Артисты~~ Персонажи Гамлета

Безработные. Свита пожилого господина.

Свита начальника полиции.

Действие происходит в Москве и в Париже в наши дни

Ф. 358. Оп. 2. Ед. хр. 69. Л. 3

Глава 6

Ю. Олеша «Список благодеяний». Театральная редакция (1931 г.)

Напомню кратко, чем отличались друг от друга две редакции «Списка»: ранняя, авторская, отданная в цензуру осенью 1930 года, и театральная, с которой встретились зрители на премьере 4 июня 1931 года.

Структура ранней редакции:

Пролог («В театре»)

1. В комнате Гончаровой
2. Пансион в Париже
3. Мюзик-холл
4. У Татарова
5. В полпредстве
6. У Татарова
7. Сцена Фонарщика — Человечка (7 страниц)
8. Сценарий финала (17 строк)

Структура театральной редакции:

Пролог (В театре)

1. Тайна
2. Приглашение на бал
3. Серебряное платье (У Трегубовой)
4. Флейта (В Мюзик-холле «Глобус»)

с переработанной сценой Фонарщика и Человечка.

5. Голос родины (В кафе)
6. У Татарова
7. Просьба о славе

Появились две новые сцены: «Серебряное платье» и финал. Сцена из прежнего варианта пьесы «В полпредстве» заменена схожей: «В кафе». Напротив, казалось бы, уцелевший эпизод, «У Татарова» (второй), на деле резко меняет свое содержание. Принципиальная переакцентировка событий и обязательная смена заключительных реплик происходит во всех без исключения сохраненных сценах «Списка».

Переработана ключевая в символическом коде пьесы сцена Фонарщика — Маленького человечка. Теперь она утрачивает свою поэтическую сущность и функциональное назначение — ввести героиню современной пьесы в пространство высокой («шекспировской») трагедии.

В ранней редакции героиня оставалась жива. В финале Леля, седая, босая, в лохмотьях, возносилась над толпой, омываемая звуками Бетховена. Бунтующая индивидуальность брала верх над насаждаемым единообразием. В театральной же редакции, в написанном наконец финале, Леля погибает. Перед смертью — унижена и оболгана, после гибели — лишена прощения со стороны парижских безработных, олицетворяющих собой мировой пролетариат.

Во второй редакции появляются и новые герои: портниха и пласьержка Трегубова, юноша Кизеветтер, два парижских полицейских, ряд эпизодических персонажей в финале, в частности — французский коммунист Сантиллан. (А в спектакле к ним добавляются еще и настройщик рояля и «гости» Лели.)

Изъяты почти все важнейшие темы прежней пьесы (Лелины мысли об утрате родины и о том, что государство строится на основе лжи, о «вреде» исторической памяти и неисправимой вине революции перед судьбами людей и пр.) и введены новые: обличения Федотовым «кулаческих» настроений Лели и мира капитала, а также монологи героини, тоскующей по родине.

С другой стороны, обращает на себя внимание то, как Мейерхольд меняет названия эпизодов спектакля. Вместо конкретных и нейтральных обозначений места действия («В комнате Гончаровой», «Пансион в Париже», «Мюзик-холл», «В полпредстве») теперь появляются: «Тайна», «Приглашение на бал», «Флейта», «Серебряное платье». Тем самым в заголовок выносится тема эпизода, причем романтически окрашенная, предлагающая определенный эмоциональный настрой зрителю, держащему в руках программку.

Как написана пьеса?

Прежде всего, в ней отчетливо различимы три лексических слоя.

Первый, важнейший, — сюжетообразующий, закрепляющий ассоциативные планы, укорененные в традиционной культуре (общие реминисценции; конкретные, впрямую называемые имена; переосмысленные мотивы классических произведений). Насыщенность ими, крайне характерная для творчества Олеши в целом, поразительна в пьесе.

Второй лексический слой — индивидуальная метафорика Олеши. В «Списке» почти вся она сосредоточена в репликах Лели. Это она говорит о «фразах, похожих на овец» и субботнем цветении жасмина; о поездке в Европу как путешествии в детство; об отсутствии в России глаголов настоящего времени и интеллигенции как Гулливере в стране лилипутов; наконец, о революции, равняющей все головы. Блистательные поэтические строки отданы Олешей Фонарщику и Маленькому человечку. Но эта сцена сделана так, что невозможно привести «самые удачные» реплики, — пришлось бы переписать весь диалог.

Работающие рядом драматурги ревниво следят за новыми сочинениями коллег, стремясь проникнуть в секрет успеха другого, понять смысл его работы. В архиве Олеши сохранились заметки о пьесах Булгакова и Афиногенова; Булгаков в дневнике пишет об А. Толстом и Горьком; Афиногенов размышляет о необычности творчества Олеши: о нем «спорили и будут спорить <...> — он дает свое новое объяснение всем известных процессов»[1]. То есть в олешинских вещах Афиногенов прочитывает не просто поэтическую метафорику, новации стиля, а видение (оценку) современности.

Наконец, третий слой — широко распространенная, остроактуальная лексика конца 1920—1930-х годов: *ликвидаторские настроения, в порядке выдвижения, когда вы начали колебаться, лишенцы, бодрость, вредители, сплошная коллективизация, кулаки* и пр.

Как влияют бесконечные переделки текста пьесы на все эти пласты?

Происходит печальное, но объяснимое: первые два слоя теснятся, уступая место третьему, расширяющемуся. Монологи Лели сокращаются, сценка Фонарщика и Маленького человечка утрачивает свою поэтичность и сложную ассоциативность и тоже укорачивается. Напротив, увеличиваются монологи Федотова и «инженеров по тракторным делам». Центральный монолог Федотова разрастается почти до полутора страниц (что в сценическом исполнении требует не менее четырех минут).

Но так же как и пятью годами ранее это происходило с мхатовским спектаклем по пьесе М. Булгакова «Дни Турбиных», сходным образом подвергавшейся бесконечным активным переделкам, на сцене, вопреки редактуре, будто «поверх текста» проявляются общественные настроения, идеи и мысли, публичному манифестированию уже не подлежащие.

Какими средствами достигается этот результат?

И в экземпляре пьесы 1930 года, и в театральной редакции вещи авторских ремарок сравнительно немного, фиксируются лишь самые общие знаки разметки сценического пространства.

Замечу, что в черновых набросках и ранних вариантах сцен «Списка благодеяний» ремарки прописывались подробно (и представляется бесспорным, что они обсуждались в разговорах с Мейерхольдом). Но эти пространные ремарки рассказывают об эмоциональном образе сцены, а не о ее пространственно-временном решении. Например:

«Сцена первая происходит в комнате артистки Лели Гончаровой. В эту комнату вселилась некогда Гончарова по ордеру. Дом стар, густо населен, мрачен. Хозяйка, видимо, не свыклась со своим жилищем, не любит его, не обжилась в нем. Уже много лет оно кажется ей временным.

Афиша — "Гамлет".

Середина дня.

Леля и подруга ее, артистка Катя Семенова, заняты приготовлением угощения для гостей, которые придут вечером.

Бутылки, свертки, посуда»[2].

В редакции 1930 года: в прологе — вынесенный на первый план стол, покрытый кумачом; в комнате Гончаровой — дверь, не спасающая от соседей; в пансионе стеклянная дверь — для эффектно длительного появления Татарова; закулисье мюзик-холла не описано вовсе; в полпредстве упомянут стол с телефоном, а во второй сцене у Татарова отмечена кровать и «красная занавеска» (по всей вероятности, отсылающая к улицам «красных фонарей»). И единственная развернутая ремарка — это ремарка, предваряющая встречу Фонарщика и Маленького человечка. (Это и единственная сцена, происходящая в пьесе не в замкнутом помещении, а в распахнутом, неограниченном пространстве.) Наконец, ремарка сценария финала предписывает главное: Леля вознесена надо всеми (на баррикаде), и ее возгласы сопровождает «оркестр, играющий Бетховена».

Таковы же пунктирность, минимализм авторских указаний и в сценической редакции «Списка».

По-видимому, пространство игры разрабатывает режиссер, реализуя решения, которые далеко не всегда фиксируются в тексте. Оттого для анализа драматургической техники Олеши возможно использовать лишь опубликованный текст пьесы (с той существенной оговоркой, что, вполне вероятно, авторские ремарки уже вобрали в себя опыт театральной работы над «Списком»).

Рассмотрим два элемента универсума драмы: образ времени и пространства и ее предметный мир.

Образ времени и пространства

В пьесе существует антитеза: общее (официальное) — индивидуальное (приватное). «Лицо» Советской России передано через образы «собрания» и «дома».

Легкоузнаваемый («подлинный») стол заседания, покрытый красным кумачом, создает привычный образ «мероприятия». Для характеристики «домашнего» пространства Лелиной комнаты избрана единственная вещь, поясняющая индивидуальность хозяйки (ее преданность творчеству, бессребреничество, вкус): портрет Чаплина на стене. Напротив, о предметах, представляющихся обычно необходимыми, Леля говорит, что у нее «ничего нет. Ни мебели, ни платьев». Кроме того, это, казалось бы, личное, приватное пространство легко проницаемо, граница жилища может быть нарушена в любой миг — что, собственно, и происходит.

Нетрудно проследить по всему тексту пьесы, что для Гончаровой не существует ни одного дружелюбного, укрывающего, защитного пространства.

Ее комната — одна из многих в коммунальной квартире, в ней то и дело появляются соседи. Пансион — где она еще менее того вольна располагать собой, не может избавиться от пришедшего не вовремя посетителя; враждебное закулисье мюзик-холла; кафе, в котором ее обвиняют в предательстве; у Татарова, куда вламываются полицейские; наконец, баррикады, на которых, и умирая, она слышит оскорбления.

И лишь три коротких эпизода: дважды играемая шекспировская «сцена с флейтой» и предфинальная, «У канавы», где происходит ее встреча с Человечком и Фонарщиком, — демонстрируют то единственное (третье) пространство и время, когда героиня только и ощущает себя свободной, говорит «настоящими, своими словами» (М. Булгаков), — это пространство и время игры, воображения, творчества.

Предметный мир

Пьеса насыщена разнообразными предметами с метафорическими игровыми возможностями.

Перечислю основные: плащ и рапира Гамлета. Колокольчик председателя. Флейта. Портрет Чаплина. Дневник (рукопись) Лели. Письмо госпожи Македон. Серебряное платье. Котелок (цилиндр) и тросточка Чаплина. Револьвер и газета полпреда.

Эти предметы не что иное, как материализация поэтических «рифм», преобразованных в элементы драматургической структуры пьесы.

Данная особенность поэтики Олеши была замечена критикой. В «Списке благодеяний», писал И. Крути, «каждая фраза и каждое слово <...> должны, по замыслу драматурга, иметь *двойной смысл*. С одной стороны, слово — элемент сценического действия, <...> с другой — и это для Олеши важнее, — оно некое философическое высказывание, афоризм с “особым” смыслом»[3].

Все вещи, участвующие в движении сюжета пьесы и спектакля,

имеют своих символических двойников, на них возложена немалая семантическая игровая нагрузка. Вещей сугубо реального плана в пьесе, кажется, нет совсем.

О предостерегающем колокольчике ведущего собрание, означающем «красную черту», которую нельзя переступать в ответах, уже говорилось.

Лепестки акации из Лелиного монолога преображаются в клочки разорванного ею дневника.

Флейта Гамлета в руках Маржерета превращается скорее в дудку, элемент не столько мюзик-холльного, сколько балаганного представления.

Серебряное платье, лебединое оперение «гадкого утенка» («поддержанное» чаплинским цилиндром), образ «всемирного бала артистов», символ мечты, оставшейся недостижимой для Лели, в финале, как и положено в сказке о Золушке, оборачивается лохмотьями героини.

Портрет Чаплина оживает — и Леля разговаривает с самим «Чаплином».

Одна и та же вещь, переходя из рук в руки, меняет свое значение. Тетрадь в руках Лели (дневник) — не просто «личная вещь», но и физический, материальный аналог мысли, «исповеди». В руках Татарова дневник превращается в инструмент шантажа, попадая же к Федотову, он приобретает значение улики.

Револьвер Федотова (ассоциативно связанный со знаменитым чеховским ружьем) в сюжетике пьесы приобретает значение функционального современного аналога шпаги Гамлета, т.е. средства восстановления справедливости.

Реальная газета в руках полпреда в пьесе проявляет смысловое противоположение «печатного» и «массового» (тираж) — уникальному и единственному («рукопись»). Рукопись пытается спорить с газетой и проигрывает спор, так же как погибает личность, вступившая в противоборство с «массой». Интонации интимного разговора симпатизирующих Леле людей *до* чтения газеты сменяются интонациями публичного изобличения «предателя» *после* (поддержанными и резкой сменой лексики в диалогах).

Даже яблоки, купленные подругой Лели, несут в себе возможность трансформации: на вечеринке у Лели им суждено превратиться в «мутный крюшон» (в случае же, если ими завладеет нищенка Дуня, они станут компотом). И возможно, не случайно именно о кадрах с яблоками говорит в связи с символизмом будущего спектакля Мейерхольд, вспоминая фильм Довженко «Земля».

Таким образом, вычеркнутые и дописанные фрагменты текста, «нужные» реплики и «правильные» ответы героини не изменяли собственно структуры пьесы, а именно ее сюжета о «человеке между двух миров» и важнейших антитез, оставшихся жить в спектакле.

Наконец, последнее. Устойчивого текста спектакля, похоже, не существовало. Менялись сценические площадки, на которых игрался «Список» в Москве (а с этим была связана продолжительность спектакля), менялись гастрольные города (и местные цензоры могли влиять на произносимое со сцены) и т.д. Таким образом, строго говоря, возможно утверждать лишь, что данный вариант текста звучал со сцены на премьере и нескольких первых спектаклях

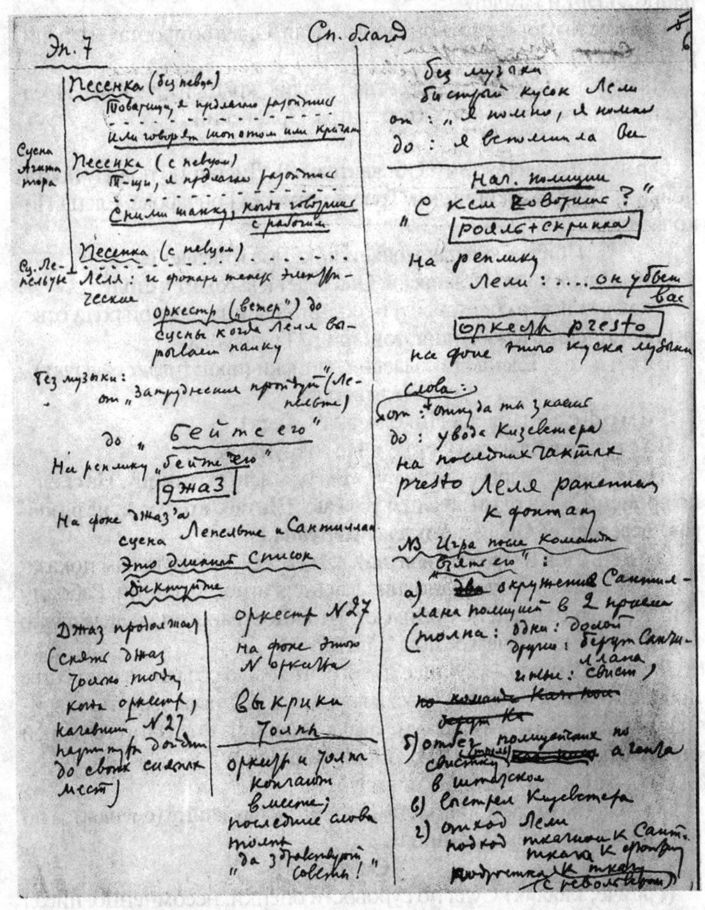

Сп. благод

Эп. 7

Песенка (без певца)
Товарищи, я предлагаю разойтись
. . . .
или говорят шепотом или кричат

Сцена Агитатора

Песенка (с певцом)
Т-щи, я предлагаю разойтись
. . . .
Снимите шапку, когда говорите с рабочим

Песенка (с певцом) . . . .

Сц. Лепельтье

Леля: и фонари теперь электрические
оркестр („ветер") до сцены когда Леля вырывает палку

Без музыки:
от „Затруднение пройдут" (Лепельтье)
до „бейте его"

На реплику „бейте его"
[джаз]

На фоне джаз'а сцена Лепельтье и Сантиллана
Это длинный список
Диктуйте

Джаз продолжает (снять джаз только тогда, когда оркестр, начавший № 27 партитуры дойдет до своих сильных мест)

оркестр № 27
на фоне этого № оркестра
выкрики толпы

оркестр и толпа кончают вместе; последние слова толпы „да здравствуют советы!"

без музыки
быстрый кусок Лели
от: „Я помню, я помню
до: Я вспомнила все

Нач. полиции
„С кем говорите?"
[рояль + скрипка]
На реплику
Лели: ....он убьет вас
[оркестр presto]
на фоне этого куска музыки
слова:
от: „откуда ты знаешь
до: увода Кизеветтера
на последних тактах
presto Леля раненая к фонтану

NB Игра после команды „бейте его":
а) ~~два~~ окружение Сантиллана полицией в 2 приема
(толпа: одни: долой
другие: берут Сантиллана
иные: свист)
~~по команде [illegible]~~
~~берут [illegible]~~
б) отбег полицейских по свистку [illegible] а толпа в [illegible]
в) выстрел Кизеветтера
г) отход Лели
подход [illegible] к Сант.
[illegible] к фонтану
~~подготовка~~ к [illegible] (с револьвером)

6

Ф. 998. Оп. 1. Ед. хр. 238. Л. 6

ЮРИЙ ОЛЕША
СПИСОК БЛАГОДЕЯНИЙ
ПРОЛОГ

В театре. Давали «Гамлета». После спектакля состоялся диспут. Диспут закончился. На сцене король Клавдий, королева Гертруда, Горацио, Лаэрт и Гамлет.

Гамлета играет Елена Гончарова, Леля. Она в ботфортах и с рапирой в руке.

На первом плане обыкновенный столик, крытый красным. Председательствующий — директор театра, Орловский.

Орловский (звонит. **Объявительно).** Диспут по поводу постановки «Гамлета» закончился. Теперь артистка Гончарова, Елена Николаевна...

Поплавский накл/оняется/ к Леле и шепчет ей,
Ильин подал ей записки. Она берет и выходит к столу.

... как режиссер спектакля и исполнительница главной роли ответит на записки. Пожалуйста, тов/арищ/ Гончарова.

Васильев. Елена Николаевна, записки **(протягивает ей пачку)**...

Леля встала.

Тимофеева. Елена Николаевна! **(Жест.)**

Васильев **(проходя к столу).** Не волнуйтесь!

Леля (читает первую записку). «Вы уезжаете за границу. На сколько времени?» На один месяц я уезжаю. **(Читает вторую и, не разобрав, передает ее Орловскому для прочтения.)**

Орловский **(громко, внятно).** «Эта пьеса, которую нам показали, — "Гамлет" — очевидно, писалась для интеллигенции. Рабочий зритель ничего в ней не понимает. Это иностранщина и дела давно минувших дней. Зачем ее показывать?»

Леля. «Гамлет» — лучшее из того, что было создано в искусстве прошлого. Так я считаю. По всей вероятности, никогда русским зрителям показывать «Гамлета» не будут. Я решила показать его нашей стране в последний раз. (Перебирает записки.)

Орловский. Дальше, пожалуйста.

Леля. «Вы играете «Гамлета», т/о/ е/сть/ мужчину **(смешок),** а по ногам видно, что вы женщина».

Смех.

(Громче, злобно.) Судя по суровости оценки, несомненно, писал театральный рецензент. **(Передала записку.)**

Гертруда. Вы правы, конечно.

Орловский (звонит. **Читает**). «Вы знаменитая артистка, хорошо зарабатываете. Чего еще вам не хватает? Почему же на фотографии у вас такое беспокойное выражение глаз?» **(Смеется.)**

Леля **(значительно, очень серьезно, несмотря на смех Орловского).** Потому что мне трудно быть гражданкой нового мира. **(Пошла к группе.)**

Орловский вскочил, звонит.

Леля **(поворот, легко).** В чем дело? Я что-нибудь сказала несуразное? **(Отрывисто, 28.III.)**

Орловский (к публике). Товарищ Гончарова выражается в духе тех монологов, которые только что декламировала, когда играла Гамлета. (К Леле.) Отвечайте проще.

Леля **(мягко, к группе окружающих ее актеров).** Каждую мою фразу вы сопровождаете звоном колокольчика. Можно подумать, что мои фразы похожи на овец. Разве я блею. Товарищи?!

Орловский **(грубовато, 28.III).** Продолжайте, пожалуйста. **(Смотрит на часы**. Летит записка. **30.III. Вытянул записку.**) Вас спрашивают, что вы будете делать за границей. **28.III**

Леля **(конфузясь, немного злясь).** Ну, что ж... По специальности... ходить в театры, знакомиться с артистами... смотреть знаменитые кинофильмы, которые мы никогда, к сожалению, не увидим здесь.

Орловский (звонит. **В публику**). Товарищ Гончарова слишком высокого мнения об иностранной кинопродукции. Наши фильмы, как, например, «Броненосец “Потемкин”», «Турксиб», «Потомок Чингиз-хана» **(Леле, гордо, независимо. 28. III),** завоевали себе полное признание в Европе.

Леля **(нервно, раздраженно, 28.III).** Можно продолжать? **(Подал эту записку актер Ильин**. Читает.) Меня здесь спрашивают, зачем ставить «Гамлета», разве нет современных пьес.

Смешок. 28.III.

Первый раз подходит близко к авансцене, и всему зрит/ельному/ залу в глаза, громко, резко, злясь.

Современные пьесы схематичны, лживы, лишены фантазии, прямолинейны. Играть в них — значит терять квалификацию. (К Орловскому.) Можете не звонить, товарищ Орловский, я знаю, что вы хотите сказать. Да, да. Это мое личное мнение.

Летит записка.

Орловский. Я и не звоню. Пожалуйста.

Цыплухин. Еще записка, Елена Николаевна.

Голос из публики. Как сделаться артистом?

Леля **(робко, тихо).** Чтобы сделаться артистом, надо родиться талантливым, товарищи. **(Рвет записку.)**

О р л о в с к и й (нервно). Сколько еще записок осталось?

Т р о ф и м о в. Немного.

О р л о в с к и й. Вот! **(Читает громко, агитационно, с большим удовольствием.)** «В эпоху реконструкции, когда бешеные темпы строительства захватили всех, противно слушать нудные самокопания вашего Гамлета».

Л е л я **(тихо, 30.III).** Товарищ Орловский, хватайтесь за колокол. Я сейчас скажу крамольную вещь. (К публике, **громко, раздельно.)** Уважаемые товарищи, я полагаю, что в эпоху быстрых темпов художник должен думать медленно.

Г е р т р у д а. Правильно!

О р л о в с к и й (звонит). Одну минуточку, товарищи. То, что высказывает тов/арищ/ Гончарова, есть ее личное мнение. Что касается театра нашего в целом, то мы не во всем согласны с артисткой Гончаровой. Это, так сказать, в дискуссионном порядке.

Н е щ и п л е н к о. Как так?

Летит записка.

О р л о в с к и й. Ну, последняя записка. (Читает.) Поступило предложение сыграть еще раз сцену из «Гамлета», где он говорит насчет флейты. Елена Николаевна...

Л е л я. Что?

О р л о в с к и й. Тут предлагают... и т.д.

Л е л я. Вот, я уже не знаю, что делать.

О р л о в с к и й. Сыграйте.

Т и м о ф е е в а. А где Ильин?

Л е л я **(радостно).** Что Ильин? Не разгримировался еще?

Г и л ь д е н ш т е р н. Я здесь.

Вход Ильина с Цыплухиным. Мимический разговор их.

Ну, что ж, сыграем по желанию публики.

Л е л я. Давай!

Г и л ь д е н ш т е р н **(бежит).** Ну, я готов.

Музыка 60—70 sec.

4 /инструмента/ — фл/ейта/ 2 кл/арнета/, фагот.

Бодр/о/, увер/енно/, задорн/о/, злобно — вес/ело/.

Skerzino 60 sec guart.

Пение флейты — solo (10 sec.)

Л е л я. «Эй, флейтщик, дай мне свою дудку. Послушайте, господа, что это вы все вертитесь возле меня, словно соломинки, брошенные в воздух, чтобы узнать, откуда дует ветер, и как будто хотите опутать меня сетями?

Г и л ь д е н ш т е р н. Если, принц, я слишком смел в усердии, то в любви я слишком надоедлив.

Леля. Я что-то не совсем понимаю. Поиграй-ка на этой флейте.

Гильденштерн **(берет).** Я не умею, принц.

Леля. Пожалуйста.

Гильденштерн. Поверьте, не умею.

Леля. Очень тебя прошу.

Гильденштерн. Я не могу взять ни одной ноты.

Леля **(берет флейту).** Это так же легко, как и лгать. Положи сюда большой палец, поставь на эти отверстия, дуй сюда, и флейта издаст самые прелестные звуки. Видишь, вот здесь.

Гильденштерн **(берет).** Но я не могу извлечь из них ни одного звука: у меня нет умения.

Леля **(переход).**

В/асильев/ сел у ног.

Ну, так видишь, каким вы меня считаете ничтожеством. Вы хотели бы показать, что умеете за меня взяться, хотели бы вырвать у меня самую душу моей тайны; хотели бы извлечь из меня звуки — от самого низкого до самого высокого. А вот в этом маленьком инструменте много нот, у него прелестный звук — и все же вы не заставите его звучать. Черт возьми! Или вы думаете, что на мне легче играть, чем на дудке? Назовите меня каким угодно инструментом. Хоть вы и можете меня расстроить, но не можете играть на мне»[4].

В/асильев/ убежал. Пауза.

Ну, вот и все. Никто не аплодирует. Ну, что ж, кончайте диспут, товарищ Орловский.

Падает к ее ногам записка.

Орловский (поднимает, читает). «Что было написано в записке, которую вы порвали?»

Леля. В этой записке был задан мне вопрос, вернусь ли я из-за границы. Отвечаю честно — вернусь.

Конец пролога.

1-й эпизод

/Сцена/ ТАЙНА

В комнате Лели Гончаровой. Вечером состоится прощальный прием друзей. Подруга Лели Катерина Семенова (актриса того же театра, старше Лели лет на десять) принесла закупленное. **Режет яблоки.** Обе хлопочут, приготовляя угощение.

Идет уборка комнаты, настройщик настраивает рояль.

Леля не одета, она только приготовляется.
Семенова принаряженная. Леля убирает комнату,
К/атерина / И/вановна/ сервирует стол.
Работа настройщика: чистить.

Леля **(развязала пакет яблок, высыпала).** Я уезжаю завтра. Ключ от комнаты передается вам, Катерина Ивановна. Заходите иногда снять паутину.

Переход к чемодану. Высыпалось море фото.
Берет фото Чаплина.

Семенова. Лампочку не забудьте.

Леля. Ах, да! (К портрету.) Чаплин, Чаплин! Маленький человечек в штанах с бахромой. Я увижу твои знаменитые фильмы! Катерина Ивановна!

Катерина Ивановна. Да!

Леля. Я увижу «Цирк», я увижу «Золотую лихорадку», весь мир восторгался ими. Прошли годы, а мы до сих пор не видели их.

Семенова **(пафосно, предвкушая).** Торопитесь. Крюшон пора делать.

Леля **(к настройщику).** Вы скоро кончите?

Настройщик. Скоро.

Леля **(переход к бра. Мягко, лирично).** Я приеду в Париж... Дождь... Я знаю: будет дождь: сверкающий вечер... Слякоть... Мопассановская слякоть! Вы представляете себе? Блестят тротуары, зонты, плащи. Париж! Париж! Великая литература! **(Кончила работу с бра, сходит со стола. У выключателя. Романтически, по-детски.)** И я пойду себе, одинокая, никому не известная, под стеночкой, под окнами, счастливая, свободная ... **(села около чемодана)** и где-нибудь на окраине, в осенний вечер, в маленьком кинотеатрике я буду смотреть тебя, Чаплин **(восторженно)**, и плакать. (Пауза.) Это путешествие в юность, Катерина Ивановна, слышите? Да. Что я возьму с собой? Этот чемодан. **(Убирает карточки. Любовно.)** И этот маленький чемоданчик. **(Села на кресло. Деловито.)** Вот тут тетрадка, о которой я вам говорила.

Семенова. Дневник?

Леля. Надо ее спрятать подальше. **(Встала к чемодану.)** Или, может быть, взять с собой за границу?

Семенова. Зачем таскать?

Леля **(идет к креслу).** А я продам ее.

Семенова. Дневник актрисы? Ха-ха-ха!!!

Леля **(значительно, 29.III).** Нет, это не дневник актрисы. Это тайна русской интеллигенции.

Семенова **(чуть иронически).** Какая тайна? Анекдоты?

Леля. Вся правда о советском мире.

Семенова. Про очереди?

Леля. Смотрите, тетрадка разделена пополам. Два списка. Вот первая половина: список преступлений революции.

Семенова **(испугалась, шепотом).** Ах, тогда лучше спрятать.

Леля. Вы думаете, это грубые жалобы на отсутствие продуктов? Это другое. Я говорю о преступлениях против личности. Есть многое в политике нашей власти, с чем я не могу примириться. Смотрите. А здесь, в другой половине, список благодеяний. Вы думаете, я не вижу и не понимаю благодеяний советской власти? Теперь сложим обе половины вместе. Это я. Это моя тревога, мой бред. Две половины одной совести, путаница, от которой я схожу с ума. Этого нельзя оставить здесь. Кто-нибудь найдет. Истолкуют вульгарно, скажут: контрреволюционерка. **(Прячет тетрадку в чемоданчик.)** Вот и все.

Юноша с вином. Плям, плям, плям, плям.

Семенова. А, наконец-то! Вино, вино! Кто не любит вина, тот недобрый человек, так сказала Элеонора Дузе[5].

Входит Никитин. Мальцева за стол.
Райх за Никитиным, потом посылает его
за хлебом. Никитин пьет воду, Райх
ему не дает пить воду и гонит его.

Никитин. [Без карточек не дают ничего!]

Леля **(берет кошелек, вынимает карточки и деньги, передает юноше).** Хлеб.

Юноша уходит.

Семенова. А в самом деле, продайте дневник за границей. **(Взяла тетрадку.)**

Леля. Что? Оторвать половину? **(Быстро, страстно.)** Катерина Ивановна, почему оторвать? Только преступления? Показать только пункты злобы, а про пункты восторга умолчать? За список благодеяний советской власти за границей не дадут ни копейки. Нет. Эта тетрадка не разрывается. **(Переносит чемодан с тетрадкой на столик.)** Я не контрреволюционерка. Я человек старого мира, который спорит сам с собой.

[Переход за кресло — нож и яблоко в руки.
К/атерина/ И/вановна/ переходит на край стола и готовит.
Сцена с мальчиком[6].
Выглядывает мальчик.

Леля. Кто?

Гертруда. Это ваш друг, ваш маленький сосед. Алеша, иди, иди!

Л е л я. А! Мой маленький сосед! Алеша! Здравствуй, Алеша. **(Ведет к ящику и дает яблоко.)** Хочешь, заведу? Этот ящик я оставлю ему.]

(Положила тетрадь на чемоданчик, подходит к патефону, заводит его.)

Патефон играет вальс.

Теперь ваша любимая.

Играет «Кармен»[7].

С е м е н о в а. В результате всего я думаю, что вы останетесь за границей навсегда.

Л е л я **(закрывает патефон).** Я вернусь очень скоро и привезу вам подарок.

С е м е н о в а. А вдруг кто-нибудь влюбится в вас и вы замуж выйдете?

Л е л я. Ерунда.

С е м е н о в а **(торжественно, 28.III).** У вас нож для консервов есть?

Л е л я. Да. Там, на столе. Ужасное у меня хозяйство.

С е м е н о в а **(резонерски, громко).** Никто вам не мешает жить по-человечески.

Л е л я **(складывает платья в чемодан).** У меня ничего нет. Платьев нет. Мебели нет.

С е м е н о в а. Купите. В чем дело?

Л е л я. А дом? **(Раздраженно. 28.III.)** Я пять лет живу в этой дыре. Я нищая.

К/онец/ музыки.

С е м е н о в а. Это у вас в натуре.

Л е л я. Что? Бездомность?

С е м е н о в а. Никто не виноват.

Д.С.П.

Л е л я **(укладывает в чемодан туфли и остальные мелочи. *Тихо, тихо, тишайше, секретно*).** Есть среди нас люди, которые носят в душе своей только один список — список преступлений. Если эти люди ненавидят советскую власть [они счастливы]. Одни из них, смелые, восстают или бегут за границу. Другие — трусы, благополучные люди, которых я ненавижу, — лгут и записывают анекдоты, о которых вы говорили. Если в человеке другой список — благодеяний, — такой человек восторженно строит новый мир. Это его родина, его дом. А во мне два списка. И я не могу ни бежать, ни восставать, ни лгать, ни строить. Я могу только понимать и молчать. Дом? Мебель? Вещи? Разве я живу?

Настройщик издает блямканье и аккорды.

Я теку... теку. Я не могу принять новый мир как новую мою родину. И потому я не умею устроиться по-человечески. Как устраивались люди на родине — это известно. Вещи. Слова. Понятия. (Пауза. **С улыбкой.**) Жасмин.

28.III. Она не грустит, не занимается самокопанием, а просто анализирует себя от ума. Быстро.

Семенова. Что?

Леля. На днях мы давали спектакль у коммунальников. Меня повели в садоводство. Я увидела в теплице кусты жасмина. И я подумала: какой странный жасмин... Нет, это был обыкновенный жасмин... Но я вдруг подумала: жасмин, находящийся в другом измерении, не вещь, а идея. Потому что это жасмин нового мира. Чей? Мой? Не знаю. Ваш? Не знаю. Нет частной собственности. Да, да, да — в этом причина причин. **(Музыка.)** Нет чужой цветущей изгороди, за которую заглядывает бедняк, мечтающий о богатстве. А это связано: значение жасмина со значением порядка, в котором он существует. Ощущение запаха и цвета жасмина становится неполноценным... Он превращается в блуждающее понятие, потому что разрушился ряд привычных ассоциаций. Многие понятия блуждают, скользят по глазам и слуху и не попадают в сознание, например: невеста, жених, гости, дружба, награда, девственность, слава.

Нач/ало/ муз/ыки/. *Вальс.*

Добиться славы — значит стать выше всех... Вот почему я буду плакать, смотря фильму Чаплина. Я буду думать о судьбе маленького человечка, о сладости быть униженным и отомстить, о славе[8].

28.III. У нее очень подвижной ум, она не резонерствует, она легкая, подвижная. Легко, быстро.

Семенова. Вам-то плакать о славе.

Леля. **(28.III. Она вспыхивает. Раздраженно, волнуясь.)** Что это за слава, которой нельзя гордиться! **(Захлопнула чемодан.)** Я не имею права чувствовать себя лучше других. Вот главнейшее преступление [советской власти] против меня.

Настройщик. Ну что ж, готово.

Леля **(дает деньги. Одевается. Подошла к столу.)**

Настройщик уходит. Стук в дверь.

Кто там?

Входит Дуня Денисова, соседка,
в худом платье, немолодая.

Дуня **(отошла в сторону)**. А... Ну, я так и знала! **(Уходит.)**

Гертруда. Кто это?

Леля **(быстро, таинственно, к Семеновой)**. Это Дуня Денисова. Вы еще не видели ее? Моя новая соседка. Нищая. Профессионалка. Говорит, что безработная. Просто сволочь какая-то.

Дуня входит.

28.III. Она вошла, шарит глазами обстановку, увидела яблоки и говорит куда-то в коридор,

не обращая внимания на присутствующих,
констатируя факт.

(К Дуне.) Что вам угодно?

Д у н я **(резко, скандальным тоном).** Яблоки-то у меня украли.

Л е л я. Какие яблоки?

Д у н я. Пять штук. (Пауза.) Принесла домой пяток яблок. Только вышла, украли.

Л е л я. Кто?

Д у н я. Почем я знаю.

С е м е н о в а. Неужели вы думаете, что мы украли у вас яблоки?

Д у н я. Я ничего не думаю. Я вижу, что яблоки лежат.

К/атерина/ И/вановна/. Какой ужас!

Дуня, разом поднявшись, уходит.

Л е л я **(немедленно).** Вы слышали? А это не преступление? **(28.III. Первая фраза — сугубо театрально, с актерской напевностью.)** Немедленно запишу. **(Зло. Достает тетрадку.)** Актриса, игравшая «Гамлета» новому человечеству, жила рядом с нищенкой, в грязном кармане дома. **(Записывает.)**

Д у н я **(за кулисами).** Петр Иванович, Петр Иванович, пожалуйте сюда.

Входят Дуня и Петр Иванович, сосед,
человек неинтеллигентный.

Вот, смотрите! Вот мои яблоки.

П е т р И в а н /о в и ч/ (к Леле, сразу, строго). Вы зачем яблоки воруете? (Пауза. К Дуне.) Вы свои яблоки узнать можете?

Д у н я. Она их на части порезала.

П е т р И в а н/о в и ч/. По частям можно узнать.

Л е л я **(переход. 28.III. Демонстративно, усугубляя скандал).** Да, я должна сознаться. Действительно, мы украли у вас яблоки.

С е м е н о в а. Елена Николаевна! Что вы говорите?

П е т р И в а н/о в и ч/. Ясно.

Д у н я. Зачем нарезали? Не имели права резать.

П е т р И в а н/о в и ч/. Ей целые нужны яблоки. Она испечь хотела.

Д у н я. Я испечь хотела.

28.III. Абсолютная повторность последней фразы
П/етра/ И/вановича/ в тоне.

Л е л я. А теперь компот сварите. **(Легко, 28.III.)**

П е т р И в а н/о в и ч/. А вы не указывайте.

К а т я **(полушепотом, возмущенно. 28.III).** Слушайте, я не понимаю, как вы смеете обвинять нас в краже яблок?

Д у н я. Дверь открыта была? Если дверь закрыта — украсть нельзя.

П е т р И в а н/о в и ч/ **(к К/атерине Иван/овне/, по-следовательски, 28.III).** Дверь открыта была?

С е м е н о в а. **(28.III, растерянно).** Не знаю.

Д у н я **(торжественно, 28.III).** Чего спрашивать? Через закрытую дверь украсть нельзя.

С е м е н о в а **(переход).** Да вы знаете, кто это? Это Елена Гончарова! Артистка. Она за границу едет.

Входят Нещипленко, Лурьи.

П е т р И в а н/о в и ч/. За границей другой порядок.

Д у н я. Она мне указывает. Компот варить! Я раз в год яблоки покупаю.

Л е л я **(резко, выкрик, 28.III.)** Убирайтесь вон! **(Здоровается с гостями.)**

Л у р ь и. Горев, идите сюда!

Г/о р е в/. Ниночка!

Стук в дверь. Врывается человек из-за стены—
Баронский — сосед. **И Ключарев — гость.**

Б а р о н с к и й (громко, крикливо, весь размахивается). Я все слышу из-за стены. Возмутительно! Барыня разговаривает с плебейкой.

С е м е н о в а **(оправдывается, к гостям).** Они говорят, что мы украли яблоки.

Б а р о н с к и й **(кричит, громко, нервничая).** Возмутительный тон! Тон возмутительный. **(К Леле, наскакивая.)** Кто вы? Кто вы? Аристократка духа, да?

Л е л я **(спокойно, 28.III).** Во-первых, вы врываетесь в комнату без разрешения.

Б а р о н с к и й. Бросьте, бросьте эти штучки! Меня не возьмете на это. Кто дал вам право так издеваться над ними?

Входит Ноженкин.

Они темные люди. Да? А вы? Актриса? Да? Чего вы кричите? Если они забиты, полузвери? Верно? Так? Вы так думаете? Полузвери? Кто вы? Артистка? Плевать! Артисты — это подлейшая форма паразитизма.

Выход двух женщин — Васильева, Збруева.

[Л е л я **(спокойно, сдержанно).** Если революция хочет сравнять все головы, я проклинаю революцию.

П е т р И в/а н о в и ч/. Ей революция не нравится.]

Мимическая игра у К.И. Семеновой. 28.III.

(*ГРК. Исправить.* **Вычеркнуто. 28.III./**

Б а р о н с к и й. Вам это не нравится? Конечно. Нет, успокойтесь. Вы ничем, слышите? Ничем не лучше, вы слышите? Перед людьми будущего вы ничем не лучше ее, Дуни Денисовой. Не бойся ее, Дуня. Она тоже пьет воду. Коммунальный водопровод. Пьете воду? А хлеб?

Хлеб потребляете? Магазин для всех? Для всех граждан продажа. Свет жжете? Дуня, не бойся ее.

28.III. Раздельно, рубит.

Потребительская заинтересованность — вот формула, равняющая все головы.

Семенова **(торжественно, 28.III).** Почему вы молчите, Елена Николаевна?

Леля. Мне совершенно все равно.

[Я уезжаю из этой страны. Он мечется передо мной. Кривляется, прыгает на меня. А мне совершенно все равно. Сквозь туман путешествий я вижу вас, Баронский, и уже не различаю ваших черт и] Сквозь туман путешествий я не слышу вашего голоса.

Баронский. Не слышите? Зато мы слышали.

Леля. Что вы слышали?

Баронский. Что вы бежать хотите за границу. (Пауза.) А-а. Испугалась.

Леля. **(28.III. Сдержанно, раздельно.)** Плюю на вас. **(Плевать.)**

Баронский. Ах, плюете? Дуня, слышишь? Дуня, беги, кричи на весь дом: артистка Гончарова бежит за границу!

Свист.

Входит Никитин с хлебом, отступает назад и бросает хлеб на стол. Аплодисменты.

Никитин. Заказ выполнен! **(Выше тон в два раза, чем Баронский. 28.III.)**

Все. Хлеба-то! Хлеба-то. **(Изумление.)**

Все режут хлеб. Никитин пьет. Ключарев играет на рояле.

Открывается дверь.

Орловский **(входит с комсомольцем, прикрывая его своим пальто. Берет Елену Николаевну за руку, выводит ее на середину сцены.** *Бравурный фокстрот 10—15 sec.***).** Вот она, артистка, Елена Николаевна Гончарова. **(Делает хлопки.)**

Юноша **(выбегает из-за вешалки. Радостно, весело, улыбаясь).** Здравствуйте, товарищ Гончарова.

Орловский. Это от коммунальников к вам. Из садоводства.

Юноша. Вам понравился жасмин? Мы хотели куст. Но вы уезжаете, куст завянет, так вот, на дорогу вам **(забегает за вешалку, берет букет жасмина).**

Все. От кого?

Юноша. От рабочих.

Все. А-а.

Ю н о ш а. Это вам за спектакль. (*Опять фокс/трот./* **Вручает ей букет.)**

Л е л я. Ну, что вы! Спасибо.

Ход обоих.

Ю н о ш а. Нюхайте и вспоминайте.

Рукопожатие.

Л е л я **(28.III).** Подождите! Я сейчас напишу несколько слов. (К юноше.) Вы передадите?

Ю н о ш а. Ладно. Передадим!

(Пауза.)

Л е л я. Только у меня хозяйство... Бумажки даже нет. **(Ищет.)**

Ю н о ш а (берет тетрадку. /Нрзб./ *Piano sec. 30—40—50—60).* Отсюда листик?

Л е л я. **(Вальс.)** Что вы, что вы! Это роль.

Ю н о ш а **(держит тетрадку).** Роль? Роль? Интересно! Интересно, как работают актрисы.

Л е л я. Да, да, это роль.

О р л о в с к и й (профессионально). Какая роль?

Ю н о ш а. Какая роль?

28.III. Одновременно.

Л е л я. Очень трудная, товарищи. Ну, ладно. На словах. Ну, скажите так: что спасибо.

Ю н о ш а. Скажем, что спасибо.

Л е л я. Что я вернусь скоро.

Ю н о ш а. Скажем, что скоро вернетесь.

Л е л я. Что я очень горжусь...

Ю н о ш а. Скажем, что гордитесь...

Л е л я. ... что я артистка Страны Советов.

Ю н о ш а. Скажем, что вы артистка Страны Советов.

Ф/инкельберг/. Счастливого пути!

Юноша уходит. Его останавливают мужчины, снимают шапку и ведут к столу. Играют марш. Леля берет букет в руки и торжественно несет его к столу.

В с е. Речь!

Ю н о ш а. Товарищи! Я знаю, что искусство вещь, конечно, трудная и...»

Звонок. Конец.

2-й эпизод

/Сцена/ ПРИГЛАШЕНИЕ НА БАЛ

В Париже. Зала в пансионе.
Муз/ыка/, вх/одят/ Трегубова и Татаров.
Мимическая сцена.

Трегубова. Здравствуйте, г/оспо/жа Македон.

Хозяйка. Вы принесли платье? Вы опоздали. Американка уехала.

Трегубова. Я имела в виду русскую.

Хозяйка. Г/оспо/жу Гончарову?

Трегубова. Да. Она молодая?

Хозяйка. Лет тридцать, тридцать пять.

Трегубова. **(Нач/ало/ инв/енции/. Рояль.)** Я видела ее портрет в газете. Но этого мало, если говорить о платье. Портрет в газете так же отдаленно напоминает оригинал, как перчатка — живую руку. Не правда ли? Цвет лица, волосы, и то, как темнеют и загораются глаза... Мой друг показывал мне газеты, о ней пишут большими буквами: «В Париж приехала артистка Гончарова». Она будет на балу?

Хозяйка. Весь город говорит о бале.

Трегубова. Он состоится в воскресенье, большой международный бал артистов. Портнихи работают не покладая рук. Такое событие! Там будут все знаменитости. Звезды всех искусств. **(Хозяйка уходит, Гончаровой.)** Это к вам.

Трегубова. Здравствуйте, госпожа Гончарова.

Леля. Здравствуйте.

Трегубова. Я с платьем.

Хозяйка. Это госпожа Трегубова. Она портниха[9], она много лет обслуживает клиентов моего пансиона.

Трегубова. Здесь моя витрина **(указывает на витрину с платьями).**

Леля. Да, но мне сейчас просто не нужно. Вы русская?

Трегубова. Да. **(Пауза.)** Что вас смущает?

Леля. Дело в том, что в Париже есть русские, с которыми...

Трегубова. Понимаю... эмигранты. Нет, я двадцать лет живу в Париже. Госпожа Македон может подтвердить это.

Хозяйка. О, да.

Трегубова. Прекрасное бальное платье.

Леля. Какая роскошь! Оно серебряное?

Трегубова. М-м... белое, белое.

Леля. Но это очень дорого, вероятно...

Трегубова. Наряд, который у Пуарэ[10] стоит десять тысяч франков, здесь вы получаете за четыре.

Леля. Нет, закройте коробку.

Трегубова. Вам не понравилось?

Леля. Нет, просто дорого.

Трегубова. Чтобы сверкнуть, недорого.

Входит Федотов. Хозяйка выходит к нему навстречу.

Леля. И я нигде не собираюсь сверкать.

Трегубова. А на балу? Международный бал артистов. Подумайте, это не простой бал. Париж устраивает торжество артистов.

Хозяйка **(возвращаясь).** Это к вам, госпожа Гончарова.

Леля. Простите.

Трегубова. Пожалуйста.

Федотов. Здравствуйте, товарищ Гончарова. Вас зовут Елена Николаевна, моя фамилия Федотов. Александр Васильевич.

Леля. Вы из Москвы?

Федотов. Нет, наоборот, я в Москву. Из Америки возвращаюсь. В Париже я проездом. Узнал, что вы здесь, и пришел приветствовать вас.

Рукопожатие.

Леля. Спасибо, садитесь. Так вы из Америки?

Федотов. Да.

Леля. А что делали в Америке?

Федотов. По тракторным делам наша комиссия ездила. Комиссия тов/арища/ Лахтина. Трое. Лахтин, Дьяконов и я. Вот, будем знакомы. Вы не заняты? Может быть, торопитесь?

Леля. Нет, что вы, что вы, я свободна.

Федотов. Я ведь большой поклонник ваш.

Леля. Да?

Федотов. Серьезно. И потому мне особенно приятно встретиться на чужбине с такой согражданкой.

Леля. Как вы узнали, что я здесь?

Федотов. Из газет. В Париже сенсация. Международный бал артистов. И, знаете, про вас пишут. Пишут, что на балу будет сверкать советская звезда Елена Гончарова. **(Смех.)**

Леля. Чепуха какая. Меня и не приглашали.

Федотов. Тем лучше. Да вы знаете, какой это бал?

Леля. Международный бал артистов.

Федотов. А кто его устраивает?

Леля. Вероятно, ложа артистов.

Федотов. Нет, кто дергает за веревочку?

Леля. Не знаю, кто дергает за веревочку.

Федотов. Так я вам объясню. Этот бал устраивает банкир Лепельтье. Тот Лепельтье, знаете, старший, текстильный. Валтасар Лепельтье. Его задавил кризис, он закрывает фабрики, но при скверной игре нужно делать хорошую мину, и вот он затеял бал, понимаете, это демонстрация мнимого благополучия. Кризис, понимаете? Вы заметили, какой кризис здесь? Это в глаза бьет, правда? Безработица, ситуация чрезвычайно напряженная. Ведь это понятно каждому, а он бал закатывает артистам. Там всякая сволочь будет, простите, пожалуйста, эмигрантские знаменитости, фашисты, между тем готовится бал посерьезнее... безработные идут на Париж.

Леля. Безработные?

Федотов. Голодный поход безработных. А вы говорите, бал.

Леля. Это не я говорю, это вы говорите.

Федотов. Да, простите, пожалуйста, я немного раскричался, давно на собраниях не выступал. Но в случае, если вы получите приглашение, советую, откажитесь и опубликуйте об этом в коммунистической прессе **(уверенно, безапелляционно).**

Пауза.

Вчера я был в полпредстве, там ждут вас.

Опять неловкое молчание.

Леля. Я все собираюсь.

Федотов. Давайте вместе поедем.

Леля. Давайте.

Федотов. Послезавтра встретимся у нас.

Леля. Где это — у вас?

Федотов. Лахтин, Дьяконов и я живем в пансионе на ул/ице/ Лантерн, это недалеко от полпредства. Я вам оставлю адрес. Послезавтра, в семь вечера. Есть?

Хорал.

Ну, что вы здесь делаете? Изучаете музеи?

Леля. Ничего не делаю. Хожу.

Федотов. Куда?

Леля. Просто хожу.

Федотов. Просто ходите?

Леля. Иногда останавливаюсь и смотрю. Вижу, лежит моя тень. Я смотрю на нее и думаю: моя тень лежит на камне Европы. Я жила в новом мире. Теперь у меня слезы выступают, когда я вижу мою тень на камне старого. Я вспоминаю, в чем состояла моя жизнь в мире, который вы называете новым. Только в том, что я думала. Революция лишила меня прошлого и не показала мне будущего, а настоящим моим стала мысль. Думать. Я думала, только думала, мыслью я хотела постигнуть то, чего не могла постигнуть ощущением. Жизнь человека естественна только тогда, когда мысль и ощущение образуют гармонию. Я была лишена этой гармонии [и оттого моя жизнь в новом мире была неестественной. Мыслью я воспринимала полностью понятие коммунизма. Мозгом я верила в то, что торжество пролетариата естественно и закономерно. Но ощущение мое было против.] (*Купюра ГРК.)*Я была разорвана пополам. Я бежала сюда от этой двойной жизни, и если бы не бежала, то сошла бы с ума. В новом мире я валялась стеклышком родины. Теперь я вернулась, и две половины соединились. Я живу естественной жизнью. Я вновь обрела глаголы настоящего времени. Я ем, трогаю, смотрю, иду. Пылинка старого мира, я осела на камне Европы. Это древний, могучий камень. Его положили римляне. И никто не сдвинет его.

Федотов (горячо). Его вырвут скоро из земли и воздвигнут из него баррикады. Вы говорите — ваша тень на камне Европы... Вы только вашу увидели тень... а я вижу другие тени на этом камне... Я вижу людей, превратившихся в тень от нищеты и лишений, людей, раздавленных камнем Европы: безработных, голодных, нищих.

Леля. Может быть, может быть. Я уже три недели отдыхаю от мыслей о революции.

Федотов. Отдыхаете от мыслей о революции? О чем же вы теперь думаете, если не думаете о революции? Можно думать либо о революции, либо о контрреволюции, других мыслей сейчас не бывает.

Леля. Каждый хочет думать только о себе.

Федотов. Не понимаю. Что это значит — о себе?

Леля. Ну, о себе, о своей жизни, о своей собственной судьбе.

Федотов. Мы были в штате Виргиния, в одном городке, как раз в тот день, когда линчевали негра. Он думал о своей собственной судьбе?

Леля. Кто?

Федотов. Негр, которого линчевали! Он думал о себе, да? А те, кто вздергивал его на сук и поджигал, о чем они думали? Тоже о себе? Но тут есть разница, не правда ли? О чем думает банкир Лепельтье в палате, о себе?

Леля. Да.

Федотов. По вашей теории — о себе.

Леля. Да, по моей теории — о себе.

Федотов. А безработные, которые часами стоят в очереди за тарелкой супа, они тоже думают о себе?

Леля. Да, по моей теории, о себе.

Федотов. А по моей теории, они думают о банкире Лепельтье, о том, чтобы банкиру Лепельтье перегрызть глотку.

Леля. Вы хотите сказать, что человека вообще нет? А есть представитель класса? Скучно, слышала, думала, продумала, неправда это. Артистка только тогда становится великой, когда она воплощает демократическую, общепонятную и волнующую всех тему.

Федотов. Эта тема — социализм.

Леля. Неправда.

Федотов. А какая же?

Леля. Тема одинокой человеческой судьбы. Тема Чаплина. Урод хочет быть красивым, нищий — богатым, лентяй хочет получить наследство, матери хочется приехать к сыну...

Федотов. Понимаю, т/о/ е/сть/, тема личного благополучия. Кулаческая тема[11].

Леля. Если угодно — кулаческая.

Федотов. Хорошо. Вы хоть понимаете.

Леля. Я все понимаю, в этом мое горе. Я не знаю, что происходит со мною. Я одна во всем мире, только я одна. Это все в душе у меня: борьба двух миров. И не с вами это я спорю, а спорю сама с собой... веду сама с собой мучительный долгий спор, от которого сохнет мозг... В день окончания гимназии цвела акация, лепестки падали на страницы, на подоконник, в сгиб локтя... Я видела свою жизнь, она была прекрасна. **(Подавать.)**

Федотов. Это все ужасно, что вы говорите. Вам нужно возвращаться в Москву.

Леля. Что?

Федотов. Я говорю, как можно скорее в Москву уезжайте.

Леля. Вы говорите официально, от имени полпредства?

Федотов. Я говорю как товарищ, просто советую.

Леля. Слушайте.

Федотов. Что? **(Мягко, с улыбкой.)**

Леля. У меня к вам просьба.

Федотов. Пожалуйста. Какая? **(Услужливо.)**

Леля. Дайте мне денег.

Молчание. Федотов — большое изумление.

Простите меня, я пошутила, конечно.

Федотов. У вас какая-то рваная психика, Елена Николаевна.

Леля. Вы только теперь заметили? Тонкий наблюдатель. А я, между прочим, серьезно просила у вас денег. Я не хочу возвращаться в Москву.

Федотов. Вы говорите глупости, Елена Николаевна. Что с вами происходит? Шатаетесь? Раздваиваетесь! Висите в воздухе, колеблетесь? Довольно, наконец. Подумайте: безработица, голод, прозревают слепые, зубы оскалены, какая здесь может быть философия? Борьба за рынки, за каучук, за нефть. Изобретаются пушки... Война, война приближается, все ясно, все просто... И вдруг вы о своей личности. Я, я, я, где я? Кто я? С кем я? Как меня зовут? Я лучше всех. Все нипочем. Только я. Хорошо мне. Плохо мне. Да ну вас, ей-богу. На что вы жалуетесь? Ваша личность подавлена? Вы думаете, что ваши интеллигентские жалобы чем-нибудь отличаются от жалоб кулака на то, что коллективизация лишила его хутора? Ничем, это одно и то же. О чем вы говорите? Не хотите возвращаться домой, не нравится быть советской гражданкой. Хотите остаться здесь? Да? Вы, которая уже была там, в советской стране, уже вместе с пролетариатом укладывала первые камни нового мира? Уже поднимала на плечи такую огромную славу, славу советской революции. Унижаетесь до мысли о том, чтобы остаться здесь, бежать из самого лучшего мира, из самой умной, самой передовой, единственно мыслящей среды — среды трудящихся нашего Союза. Это сон, бред. Париж, Париж!.. Вот мы стоим в Париже, да. Но тот Париж, который в мечтах у вас, — этого Парижа нет теперь: он уже призрак. Культура обречена на смерть. Вы думаете, что буржуазная Европа так же молода, как и вы. Это развалившийся храм, а вы поклоняетесь обломкам его колонн[12]. Другая Европа встает. Если вы хотите остаться здесь, тогда будьте последовательны... Если хотите остаться в лагере лавочников, кулаков, мелких собственников, тогда идите и стреляйте в безработных вместе с полицией. Да, да, да! Это одно и то же. Кто жалуется на Советскую власть, тот сочувствует полиции, которая расстреливает безработных в Европе. А вы думаете, вы сверхчеловек, Елена Гончарова, интеллигентка! Нечего притворяться, нечего прикрываться философией, ваша изысканная философия есть просто философия лавочника или полицейского. Значит, вы с ними. Поймите, что не может быть положения, которое занимаете вы — или здесь, или там. Где же вы? С нами или с ними?

Леля. Поцелуйте меня в лоб, официально, от имени полпредства.

Федотов **(изумлен. Целует деловито).** Ну, вот видите, и отлично. А вам очень хочется на бал?

Леля. Только не говорите вашим товарищам. Хочется.

Федотов **(смеясь).** Тщеславие?

Слово «тщеславие» должно быть дискредитировано.

Леля. Да.

Федотов. Тем интереснее вызвать злобу. Они вас на бал, а вы откажитесь.

Леля. Федотов, вы симпатяга.

Федотов. Вы тоже (**серьезно, деловито. Надевает пальто и** перекладывает револьвер).

Леля. Что это?

Федотов. Боевая привычка, револьвер поближе к руке. Ну, до свидания. **(Уходит.)**

Входит Татаров.

Татаров. Если я не ошибаюсь, вы госпожа Гончарова?

11. В. Гудкова.

Леля. Да, это я.

Татаров. Здравствуйте.

Федотов **(задерживаясь).** Елена Николаевна. **(Подходит к Татарову.)** Что вам угодно?

Татаров. Простите, я пришел поговорить с артисткой Гончаровой, бежавшей из Москвы.

Леля. Я вас не знаю.

Татаров. Это ваш муж? Вы бежали вместе?

Леля. Я вовсе не бежала.

Федотов. Кто вы такой?

Татаров. Моя фамилия Татаров.

Федотов. А, это редактор эмигрантской газеты «Россия». Зачем вы пришли сюда?

Татаров. Борьба за душу. Вы ангел, я, конечно, дьявол, а госпожа Гончарова — праведница.

Федотов. Уходите отсюда немедленно.

Татаров. Милостивый государь...

Федотов. Вам хочется спровоцировать нашу артистку?

Татаров. Я пришел разговаривать не с вами.

Федотов **(спокойно).** Уходите отсюда, или я...

Татаров **(постоянно убыстряя).** Застрелите? Не думаю. Не рискнете. Здесь не любят убийц. Здесь человеческая жизнь не отвлеченное, а весьма конкретное понятие. Прежде всего явятся полицейские, два полицейских с усиками, в черных пелеринках, они схватят вас за руки, возьмут небольшой разгон и ударят вас спиной о стенку несколько раз, пока не отобьют вам почки. Потом, с отбитыми почками, харкающего кровью, поведут вас...

Федотов. Ей-богу, у меня чешутся руки. **(Леле, таинственно, по секрету.)** Я когда-то был комбригом, Елена Николаевна.

Леля **(женственно, кокетливо).** А вы знаете, Федотов, интересно. Живой эмигрант. **(Шутя, к Федотову.)** Пусть говорит. Я потом буду рассказывать в Москве. Живого эмигранта... видела... Я близорукая, жаль. А ну, повернитесь. Какой вы сзади? Или пройдитесь. Вы карикатура. Я часто видела вас на первой странице «Известий». Вы — нарисованный плоскостной человечек. Как же вы смели протянуть мне руку? Вы — человек двух измерений. Вы тень, я — скульптура. Пожать вам руку — это антифизический акт.

Пауза. Татаров неподвижен.

Федотов. Елена Николаевна!

Леля. Идемте, Федотов. Я провожу вас. Пусть он улетучится, как тень.

Уходят.

Т а т а р о в (один). Тень. Хорошо. Но чья тень? Твоя.

Х о з я й к а. Г/осподи/н Татаров, добрый вечер, г/осподи/н Татаров. **(Встревоженно.)** Что с вами?

Татаров молчит.

(Улыбаясь.) Ваша подруга, г/оспо/жа Трегубова только что была здесь. Она приносила платья. Вы пришли за ней? Она ушла минут десять тому назад. Вы поссорились с ней?

Татаров молчит.

Вх/одит/ посыльн/ый/.

П о с ы л ь н ы й. Г/оспо/жа Гончарова живет у вас?

Х о з я й к а. Да.

П о с ы л ь н ы й. Пакет.

Х о з я й к а. Международная ложа артистов. Это приглашение на бал. Ах, г/осподи/н Татаров! Русская. Если бы вы видели ее. У меня поселилась приезжая русская. Она в вашем вкусе. Г/оспожа/ Трегубова говорила мне, что вы любите шатенок.

Т а т а р о в. Дайте мне конверт, я вручу его русской, и это будет повод познакомиться.

Ушла. Пошел к дивану.

Х о з я й к а **(вернувшись).** Бедная мадам Трегубова. **(Смеется.)** Вы, наверное **(смеется)**, изменяете ей **(смеется)** на каждом шагу. **(Уходит.)**

Входит Леля.

Т а т а р о в **(кладет шляпу на тумбу).** Итак, Елена Николаевна, этот юноша помешал мне исполнить поручение, данное мне международной ложей артистов. Я пришел, чтобы передать вам приглашение на бал.

Л е л я (берет конверт, рвет). И уходите вон.

3-й эпизод

/Сцена/ СЕРЕБРЯНОЕ ПЛАТЬЕ

Вечер. Татаров. Трегубова.

Трегубова отступает от манекенши. Пауза.

[Подходит, вырезывает декольте.]

Т а т а р о в **(пальто на руке).** Я вошел к ней вскоре после вас **(Ремизова пошла)**, но оказалось, что советское посольство уже приставило к ней чекиста. **(Ремизова повернулась.)** Я не успел сказать двух слов, как он стал угрожать мне. Выхватил револьвер.

Трегубова всплескивает руками.

Переход Ремизовой. Раздевает Мартинсона.

(Оскорбленный, с возмущением и одновременно с некоторой завистью.) Бандит!

Трегубова. Господи. Вы пугаете меня. **(Отходит к работе.)**

Татаров **(отход вправо и ходит по диагонали. Раздраженно).** Я ушел ни с чем. Но если бы при ней не было бы чекиста, я заставил бы ее разговориться.

Трегубова. Она очень горда. **(Поворот манекена. 28.III.)** Она сказала, что не со всеми русскими в Париже ей хотелось бы разговаривать.

Татаров. С эмигрантами?

Трегубова. Да.

Татаров. Этой гордости хватит на неделю. Видели мы много праведников из советского рая, которые, подышав воздухом Парижа, отказывались, и навсегда, от своей веры.

Трегубова. Мне показалось, что она очень горда.

Татаров. **(Ремизова пошла за ним.)** Святая в стране соблазнов. Не верю. Не верю. Мы ее скрутим.

Трегубова. Николай Иванович!

Татаров. Что? Вы думаете, не удастся? Или — что? Я не понимаю, не понимаю ваших остановившихся глаз. Почему вы на меня так смотрите? Не удастся? Поверните к черту эту тускнеющую бирюзу!

Трегубова. Я подумала о другом.

Татаров. О чем?

Трегубова. Если вы в состоянии так ненавидеть, это значит, что вы можете очень сильно любить.

Татаров молчит.

Ремизова два шага — руку на Татарова.

Николай Иванович, а меня вы не любите и никогда не любили.

Татаров молчит.

Ну, не надо, не сердитесь. Я не буду говорить об этом.

Татаров **(к столу, пересматривает книги).** Чтобы читать у нее в душе, к ней приставили ангела с револьвером. **(Газету берет, читает.)** Приставьте меня к ней, а не чекиста, и тогда обнаружатся все ее тайны.

Трегубова. Она была юной девушкой, когда вы бежали из России. Разве вы ее знали на родине?

Татаров **(у стола).** Знал!

Трегубова. Все может быть. Ваше прошлое мне неизвестно, Николай Иванович. **(К манекенщице.)** Вы свободны.

Манекенщица ушла. Рем/изова/ на кресло села.

Ответьте мне, скажите мне: может быть, эта актриса ваша дочь?

Пауза.

Татаров **(ходит).** Может быть, может быть.

Трегубова (с чувством большого волнения). Это правда?

Татаров. А может быть, племянница.

Трегубова. Ваша племянница?

Татаров. А может быть, и не моя, а другого адвоката, похожего на меня.

Трегубова. Какого адвоката?

Татаров. Или не адвоката. Может быть, директора банка, или члена земской управы, или профессора. Не все ли равно. **(Подход/ит/ к ней.)** Чего тут не понимать? Русские интеллигенты, мы из одного племени с ней. Но случилось так, что я жалкий изгнанник, а она — высокомерная гостья с моей родины. Я не верю в ее высокомерность. Я знаю, что она несчастна. И пусть она будет немая, как... вот это зеркало, но я все-таки услышу ее голос. Я заставлю ее кричать о своей тоске.

Трегубова. Может оказаться, что ваше подозрение неправильно. **(Разрезает.)**

Татаров **(встал около нее).** Вам кажется, что она честна?

Трегубова. Да. Вы сами читали мне статьи о ней. Как ее ценят большевики.

Татаров. И все-таки она лжет им. Я докажу это.

Трегубова. Она была в фаворе.

Татаров. Тем интереснее опыт. [Да, она была в фаворе. Ей разрешалось многое. Она ставила «Гамлета». Подумайте, «Гамлета» — в стране, где искусство низведено до агитации за разведение свиней, за рытье силосных ям... Советская власть избаловала ее. И все-таки я утверждаю, что, несмотря ни на что, самым пылким ее желанием было бежать сюда.] Знаменитая актриса из страны рабов закричит миру: не верьте, не верьте моей славе! Я получила ее за отказ мыслить. Не верьте моей свободе: я была рабом, несмотря ни на что.

Трегубова **(переносит материю).** Разве рабы такие? Это счастливая женщина по виду.

Татаров. Счастливая? Гордая? Неподкупная?

Трегубова. Да. Мне так кажется.

Татаров. Праведница? Без греха?

Трегубова. Да.

Татаров. Я убежден, что грех у нее есть. А если его нет, то я его выдумаю.

Пауза.

Ее пригласили на этот пресловутый бал. Это уже большой козырь.

Трегубова. Она отказалась от платья.

Татаров **(у стола).** Потому что сперва пришло платье, потом приглашение. Если бы наоборот...

Трегубова. У нее нет денег.

Татаров. А! Это второй козырь[13]. Придумал! Гениальная мысль! Дайте ей платье в кредит. В платье, которое обшито кредитом, очень легко можно запутаться и упасть...

Трегубова **(подходит к Татарову, медленно).** Вы знаете, что вам я ни в чем не могу отказать. Но я боюсь.

Татаров. Чего? **(6.IV.31 г.)**

Трегубова. Вы сказали о ней: красавица из страны нищих. Ответьте мне: вы влюбились в нее?

Татаров. А! **(Швырнул книгу.)**

Входит Дмитрий Кизеветтер, молодой худощавый блондин, лет двадцати пяти. **Сел.**

Трегубова **(переход к Кизеветтеру с материей).** Зачем вы пришли, Дмитрий?

Кизеветтер. Я ищу тебя, Николай.

Трегубова **(идя за зеркало).** Я вас просила, Николай Иванович, не назначать этому человеку свиданий у меня в доме.

Татаров. Он живет со мной, потому что он сирота и нищий. Вы же знаете, его отец, Павел Кизеветтер, был моим другом. Он с отцом бежал сюда, когда ему было двенадцать лет.

Трегубова. У вас есть свой дом.

Татаров. А в вашем доме? Я не могу принимать того, кто мне мил? А?

Трегубова. Я его боюсь **(переход к креслу).**

Татаров. Понимаю. Вы отказываетесь от дружбы со мной.

Трегубова **(вышла к креслу).** Вы меня измучили.

Башк/атов/ встает.

Кизеветтер. Тетушка боится меня. Ха-ха! Почему она боится меня?

Трегубова (к Татарову). Разве вы не видите, что он безумный?

Татаров. Глупости.

Кизеветтер. В чем же безумие мое?

Трегубова **(тихо).** Я не хочу, чтобы вы бывали здесь.

Кизеветтер. В чем же безумие мое?

Трегубова. Оставьте меня (плачет).

Молчание.

Татаров. Тише. Лидочка, бросьте. Ну, дайте руку. (Берет ее руку, целует. Поднимает ее голову и целует в губы.) Ну, успокойтесь, успокойтесь. **(Посадил Р/емизову/ на кресло.)** Отнеситесь к Диме ласковей. Он безработный. Думаете ли вы об этом? Ведь их рассчитали пять тысяч.

Кизеветтер. В кого мне стрелять за то, что меня рассчитали?

Татаров. В советского посла.

Трегубова **(переход за кресло).** Зачем вы говорите безумному такие вещи?

Татаров **(пафосно, страстно, позируя).** Европа ослепла. Дайте мне трибуну. Я закричу в глаза Европы: большевизм вторгается в тебя. Дешевый хлеб...[14] Каждое зерно советской пшеницы — бацилла рака. [Каждое зерно — новый безработный.] Европа, ты слышишь? Он съест тебя изнутри, рак безработицы. Дайте мне трибуну! Римский папа! Хм... Наденьте на меня тиару и далматик Римского папы... А? Я — я, а не он, жирный итальянец в очках, должен призывать ее на борьбу с большевиками.

Кизеветтер **(смех).** Ты бы хорош был в тиаре!

Татаров медленно уходит и садится за стол.

А тетушка смотрит на меня с ужасом. Она удивляется: Дима шутит. **(С ненавистью самобичевания.)** Я ведь ребенок, тетушка, совсем ребенок, воспитанник кадетского корпуса. И главное, добрый, очень добрый. Я никого не хочу убивать. Честное слово. И почему это я такие серьезные мысли должен продумывать, а?

Молчание.

Слышишь, Николай Иванович?

Татаров. Ну... **(9.IV.)**

Кизеветтер. Молодость — а?

Татаров. Ну...

Кизеветтер. Неужели молодым всегда приходилось продумывать такие трудные, кровавые мысли. А? Молодость. Всегда так бывало с молодыми, или бывало иначе? Шопен. Молодой Шопен, он тоже так странно жил? **(9.IV.)**

Татаров. Молодой Шопен жил на острове Майорка. У него была чахотка.

Кизеветтер **(встал).** Чудно. Чудно. Чудно. Своя кровь льется из своего горла. **(Сильно, нервно, яростно, рвя воротник.)** А почему я [должен] не могу лить чужую кровь из чужого горла? А?

Трегубова **(переходя к Татарову).** Он бредит. Разве вы не слышите?

Кизеветтер. Я, например, ни разу в жизни не видел звездного неба в телескоп. Почему? Почему моей молодости не положено было смотреть в телескоп?

Трегубова. Я не могу слушать его.

Кизеветтер. А? А? У меня нет галстука. А галстуков сколько

угодно. Денег у меня нет! А у кого деньги? Раздайте всем деньги! А? Слишком много населения, и слишком мало денег. Если население увеличивается, его надо уничтожать. Делайте войну! **(Сел. Молчание.)** Или, например, у меня никогда не было невесты. А? Я хочу, чтобы у меня была невеста.

Татаров **(встал — к креслу).** У тебя никогда не будет невесты.

Кизеветтер. Что? Почему? **(Подход/ит/ к Татарову.)** Почему? Почему? Почему?

Татаров. Потому что распалась связь времен[15].

Кизеветтер **(кричит сухо, нервно).** В кого мне стрелять, оттого что распалась связь времен? В кого стрелять?

Татаров. В себя.

Трегубова. Уходите. Вы слышите? Уходите. **(9.IV.31.)**

Татаров. Ну, успокойтесь! Дима. Ступай. **(Кизеветтер — к стулу.)** Подожди меня на скамье.

Кизеветтер **(берет шляпу, бумажник, идет, пугает Трегубову).** А тетушка боится меня!

Большая сцена ухода.

Кизеветтер уходит. Молчание.

Трегубова. Вы собираетесь уходить? Я думала, что вы переночуете.

Татаров **(диктуя).** Выслушайте меня внимательно. Завтра вы отправитесь в пансион. Возьмете с собой лучшие платья.

Трегубова. Я ей показала одно, которое она назвала серебряным. (Вытаскивает на середину сцены коробку.)

Татаров. Это магическая коробка. Вы не умеете мыслить символами, Лида. Эти блестки и нити, этот мерцающий воздух — знаете ли вы, что это такое? Это то, о чем запрещено думать в России. Это желание жить для самого себя, для своего богатства и славы, это человечно, и называется это — легкая промышленность... Это вальс, звучащий за чужими окнами, это бал, на который очень хочется попасть. Это — сказка о Золушке[16].

Трегубова. Вы так нежно меня поцеловали давеча. Я хочу вернуть вам долг. (Целует его.)

Татаров. Вы говорите: праведница, честность, преданность, неподкупность. Вы увидели на ней нити и блестки, которых на самом деле нет. И большевики, которым это выгодно, видят на ней этот наряд честности и неподкупности. А мне ведь ясно: королева-то голая[17]. И только теперь мы ее покажем миру в ее истинном виде, когда наденем на нее ваше платье. Ваше серебряное платье!

Трегубова. Вы меня очень нежно поцеловали, и я хочу вам вернуть долг с процентами. (Целует его.)

Т а т а р о в. Впустите ее в вашу коробку еще раз, скажите, что все это даром, и она сойдет с ума.

Стук в дверь.

Т р е г у б о в а. Войдите.

Входит прислуга.

Г о р н и ч н а я. Мадам, к вам кто-то.

Т р е г у б о в а. Просите.

Входит Леля и становится на пороге.

Татаров выходит на передний план. Садится в кресло спиной к сцене. Надевает очки.

А... Прошу.

Л е л я. Вы узнаете меня?

Т р е г у б о в а. Да! Г/оспо/жа Гончарова. Пожалуйста, прошу вас. **(28.III.)**

Л е л я. Я узнала ваш адрес у хозяйки пансиона.

Т р е г у б о в а. Садитесь, будьте любезны. **(К столу боль/шому/.)**

Л е л я. Мне нужно платье.

Т р е г у б о в а. Я рада вам служить, мадам. **(Переход к Леле.)**

Л е л я. Но дело в том, что (замялась)... хозяйка говорила мне, что вы допускаете кредит.

Т р е г у б о в а. Да, мадам.

Л е л я. Я бы хотела то... **(переход к кубу. Мнется.)**

Т р е г у б о в а. Серебряное?

Л е л я. Да.

Т а т а р о в. С кем вы говорите, Лида?

Леля привстала. Насторожилась.

Т р е г у б о в а. Дама пришла за платьем.

Т а т а р о в. Я дремал.

Леля смущена присутствием постороннего.

Т р е г у б о в а (успокоительно). Это мой муж.

Леля повернулась к кубу. Трегубова зажгла свет.

Т а т а р о в. Простите, пожалуйста, что я сижу к вам спиной. Но вы расположились среди яркого света, а свет вредит моему зрению.

Л е л я. Пожалуйста.

Пауза.

Т р е г у б о в а. Итак, мадам, померяем.

Л е л я. Давайте.

Т р е г у б о в а. Вот сюда. **(Указывает на комод.)**

Леля, унося чемоданчик, и Трегубова уходят в отгороженное место, где начинается примерка.

Вальс.

Вы собираетесь на бал, мадам?

Л е л я. Да, я предполагала.

Т р е г у б о в а. В России балов не бывает?

Л е л я. Нет! Не бывает.

Т р е г у б о в а. Теперь вы побываете на балу.

Пауза.

Т а т а р о в **(встал, подходит к зеркалу).** Когда вальс звенит за чужими окнами, человек думает о своей жизни.

Пауза. **Уходит на место.**

Ремизова выбег/ает/ к Мартинсону.

Л е л я. Чем занимается ваш супруг?

Т а т а р о в. Я? Пишу сказки.

Л е л я. Вы давно покинули Россию?

Т а т а р о в (врет). Еще до войны, когда мир был чрезвычайно велик и доступен[18]. (Пауза.) Советские дети читают сказки?

Рем/изова/ вых/одит/ с материей.

Л е л я. Смотря какие.

Т а т а р о в. Например, о гадком утенке.

Л е л я. О гадком утенке? Не читают.

Т а т а р о в. Почему? Прекрасная сказка. Помните, его клевали — он молчал. Помните? Его унижали — он надеялся. У него была тайна. Он знал, что он лучше всех. Он ждал: наступит срок — и я буду отомщен.

Ремизова выходит и повертывает зеркало, уходит за Лелей и выводит ее на сцену.

И оказалось, что он был лебедем, этот одинокий гордый утенок. И когда прилетели лебеди, он улетел вместе с ними, сверкая серебряными крыльями.

Р е м и з о в а. Пожалуйста.

Л е л я. Это типичная агитка мелкой буржуазии.

Т а т а р о в **(переход к стулу налево).** Как вы говорите?

Л е л я. Мелкий буржуа Андерсен воплотил мечту мелких буржуа. Сделаться лебедем — это значит разбогатеть. Не правда ли? Подняться надо всеми. Это и есть мечта мелкого буржуа. Терпеть лишения, копить денежки, таиться, хитрить и потом, разбогатев, приобрести могущество и власть и стать капиталистом. Это сказка капиталистической Европы. **(28.III. Чуть-чуть демонстративно.)**

Ремизова показывает, чтобы она прошлась.

Т р е г у б о в а. Пройдитесь, пожалуйста.

Райх — переход к столу.

Т а т а р о в. В Европе каждый гадкий утенок может превратиться в лебедя. А что делается с русскими гадкими утятами?

Л е л я. В России стараются, во-первых, чтобы не было утят гадких. Их тщательно выхаживают. В лебедей они не превращаются. Наоборот, они превращаются в прекрасных толстых уток. И тогда их экспортируют. А тут уже начинается новая сказка капиталистического мира. **(28.III. То же, что в первый раз.)**

Татаров. Какая?

Леля **(перемещение).** Сказка о советском экспорте. **(Села на стул.)**

Татаров молчит.

Трегубова **(обошла, встала. Загородила Мартинсона, Атьясова — к манекену. Громче, о фраке — быстрее).** Какие платья теперь шьют в России? Короткие или длинные?

Леля. По-моему, какие-то средние.

Трегубова. А какой материал в моде?

Леля. Где?

Трегубова. В России, мадам.

Леля. В России? Чугун в моде.

Молчание.

Р/емизова/ — переход к /нрзб/.

Леля встала, идет за кулисы. Переодевается.

Через зеркало.

Трегубова. А какие платья носят по вечерам?

Леля. Кажется, утренние.

Трегубова. А в театр?

Леля. В театр ходят и в валенках.

Трегубова. Как? Во фраке и в валенках?

Леля. Нет. Только в валенках.

Трегубова. Почему? Потому что не любят фраков?

Леля. Нет. Потому что любят театр.

Татаров **(встал).** Это правда, что в России уничтожают интеллигенцию?

Леля. Как — уничтожают?

Татаров. Физически.

Леля. Расстреливают?

Татаров. Да. **(Кашне бросает на стол.)**

Леля **(тоже громче).** Расстреливают тех, кто мешает строить социализм. А иногда прощают даже прямых врагов.

Татаров. Я стою в стороне от политических споров, но говорят, что большевики расстреливают лучших людей России.

Леля. Теперь ведь России нет.

Татаров. Как — нет России?

Леля. Есть Союз Советских Социалистических Республик.

Татаров. Ну, да. Новое название.

Леля. Нет, это иначе. Если завтра произойдет революция в Европе. Скажем, в Польше или в Германии. Тогда эта часть войдет в состав Союза. Какая же это Россия, если это Польша или Германия? Таким образом, советская территория не есть понятие географическое.

Татаров. А какое же? **(Снял пальто на авансцене.)**

Леля. Диалектическое. Поэтому и качества людей надо расценивать диалектически. Вы понимаете? А с диалектической точки зрения самый хороший человек может оказаться негодяем.

Татаров. Так, я удовлетворен. Следовательно, некоторые расстрелы вы оправдываете?

Леля. Да. **(28.III. «Безусловно!»)**

Татаров. И не считаете их преступлениями советской власти?

Леля **(выходя).** Я вообще не знаю преступлений советской власти. Наоборот, я могу вам прочесть длинный список ее благодеяний.

Татаров. Назовите хотя бы одно.

Леля. Только приехав сюда, я поняла многое. Я вернусь домой со списком преступлений власти капиталистов. Вот хотя бы о детях, о которых мы только что говорили. Знаете ли вы, что в России разбит камень брачных законов? Ведь мы, русские, уже привыкли к этому, как-то не думаем об этом. А у вас существуют незаконные дети! Т/о/е/сть/ религия и власть казнят ребенка, зачатого любимой от любимого, но без помощи церкви. Вот почему у вас так много гадких утят! У нас гадких утят нет. Все наши дети — лебеди!

Татаров молчит.

Входит горничная Атьясова с пакетом.

(К Трегубовой.) По-моему, все в порядке. Платье мне очень нравится. Но теперь самое главное: это стоит...

Трегубова. Четыре тысячи франков.

Леля. Я заплачу вам на днях.

Татаров. Вы ждете денег из России?

Леля. Да. Кроме того, я думаю выступить один раз в мюзик-холле «Глобус».

Татаров. В каком жанре?

Леля. Я сыграю сцену из «Гамлета».

Трегубова. Будьте любезны, маленькую расписочку.

Леля **(пудрится).** Да, да. Конечно...

Татаров. У вас нет бумаги, Лида? У вас плохо поставлена канцелярия. Вот вам листок. (Вынимает из кармана блокнот, отрывает листок, передает Трегубовой.) Пишите. На той стороне. (Диктует. Трегубова пишет.) «Получила от портнихи, госпожи Трегубовой, платье ценою в 4000 франков...» Вставьте: бальное. «...бальное платье ценою в 4000 франков. Означенную сумму обязуюсь уплатить...» Когда?

Леля. Дня через три.

Татаров. Ну, пишите: «...в среду, восьмого сентября». Год и подпись.

Леля подходит. Р/емизова/ сажает Л/елю/ на стул. Леля подписывается.

Трегубова. Благодарю вас.

Леля. Ну, вот. До свидания.

Трегубова. До свидания, мадам.

Татаров. Приветствую русскую.

Леля уходит со свертком, но без чемодана.

Вальс.

Трегубова. Ну, что ж, мой друг. Вы ошиблись в расчетах. Как видите, она патриотка своей новой родины. Она даже оправдывает расстрелы...

Татаров. И разглаживает при этом складки парижского платья.

Трегубова. У нее разгорелись щеки, когда она говорила о незаконных детях.

Татаров. Если гражданка советской страны громит буржуазию и в то же время мечтает попасть на бал буржуазии, я не слишком верю в ее искренность.

Трегубова. В этом платье у нее божественный вид.

Татаров. Это лебединое оперение появилось на утенке.

Трегубова. И он улетел.

Татаров. Оставив у вас в руке небольшое перышко. **(Встает к столу.)** Посмотрите, что напечатано на обратной стороне ее расписки.

Трегубова берет расписку, смотрит. Она в громадном изумлении. Читает.

«Россия. Ежедневная газета. Орган объединенного комитета русских промышленников».

Татаров. Следовательно, ваша неподкупная расписалась на бланке эмигрантской газеты в получении бального платья. Это пикантно, не правда ли? Во всяком случае, неплохая сенсация для завтрашнего выпуска газеты. «Святая собирается на бал». **(Снял газету с чемодана.)**

Трегубова. А! Она забыла!

Татаров. Как вы говорите?

Трегубова. Сундучок забыла.

Татаров **(переход к чемоданчику).** Интересно. **(Берет чемоданчик.)**

Трегубова. Она сейчас вернется!!

Татаров раскрывает чемоданчик, роется в нем поспешно. Нашел тетрадку, перелистал. Стук в дверь. Пауза. Татаров прячет тетрадку за борт пиджака,

возвращается к креслу.
Трегубова захлопывает чемодан.

Войдите.

Леля (входит). Простите, пожалуйста.

Трегубова. Вы забыли чемодан?

Леля. Да.

Трегубова. Не стоило беспокоиться, я бы прислала.

Леля. Ну, что вы. Спасибо. **(Рукопожатие.)** До свидания. (Уходит.)

Леля — к выходу. И выходя,
встречается на пороге с Кизеветтером.
На одно мгновение они задерживаются друг против друга.
Она отброшена его стремительностью.
Он столбенеет, потрясенный ее возникновением.
И тотчас же она исчезает. Молчание.

Татаров (с тетрадкой). Я открыл ее тайну, Лида.

Трегубова. Это дневник?

Татаров. Вот грех, о котором я говорил.

К/онец/ м/узыки/.

Кизеветтер (твердо, **к Мартинсону).** Я прошу мне ответить, кто эта женщина, которая выбежала отсюда.

Татаров. Красавица из страны нищих.

Кизеветтер. Я еще раз прошу ответить — кто эта женщина?

Татаров. Твоя невеста.

Кизеветтер — переход под лампу,
поворот к окну.
Вальс.

Мартинсон **(перелистывает тетрадку.)** А-а-а?! Список преступлений.

Звонок. Конец.

4-й эпизод

/Сцена/ ФЛЕЙТА
(СЦЕНА В МЮЗИК-ХОЛЛЕ)

За кулисами мюзик-холла «Глобус».
Вечер. Маржерет, Леля в костюме Гамлета.
На столе Маржерета стакан с молоком и булка.
Музыка. Цветы.
Вх/одит/ Штраух. На переходе поет.
Концовка raga.

М/а р ж е р е т/ **(бросил книгу). Черт! (Мотается у телефона. В телефон.)**

Да. Это ты, Улялюм! Великий Улялюм! Что же ты медлишь? Приезжай немедленно. Через десять минут твое выступление. Скорей! Скорей! Скорей!

Выбегают артисты. Маржерет загоняет их.

С о к о л о в а. Ах, стерва! Уже целуются.

Ш т р а у х. Пошла вон!

При появлении двух негров Штраух (орет) . Пошли вон!

Маржерета играть не стариком. Он спортсмен — он цирковой. Наверное, быв/ший/ наездник.

После Костомолоцкого[19], опоздавшего:

«Черт вас возьми! Что это вы, сволочи, не идете!»

Сцена с плащом[20]. Японцы добиваются таких эффектов.

На сцене длина хода /Штрауха/ — длинная.

Входит Леля.

Л е л я **(ходит в костюме Гамлета, надевает цепь, шляпу, берет зеркальце).** Я проведу сцену в костюме, чтобы вы получили полное впечатление.

Маржерет направился к занавеси.

Может быть, вы заняты?

М а р ж е р е т. Почему занят?

Л е л я. Ну, так.... Ведь у вас такое большое дело.

М а р ж е р е т. Почему большое?

Л е л я **(нач/инает/ планировать сцену).** Ну, как же... Мюзик-холл... Выступают знаменитые артисты... Трудно...

М а р ж е р е т **(выходит из портьеры).** Почему трудно? **(Поставил стакан молока.)**

Л е л я. Как вы смешно разговариваете.

М а р ж е р е т. Почему смешно? **(Пошел на /Лелю/.)**

Л е л я. Вы все время спрашиваете: почему.

М а р ж е р е т. Потому что я занят.

Л е л я. Может быть, мне уйти?

М а р ж е р е т. Уходите.

Пауза.

Л е л я. Вы не хотите меня посмотреть?

Маржерет (сел на кресло). Хочу.

Н/ачало/ м/узыки/. *Бостон.*

Леля **(вышла на середину сцены).** Я покажу сцену из «Гамлета».

Маржерет. Почему из «Гамлета»?

Леля. **(Сцена с плащом. Отходит.)** Я предполагала сделать так. «Известная русская актриса». На афише: «Елена Гончарова... сцены из "Гамлета"».

Маржерет бежит к занавеси.

Подождите! Я начинаю! **(Подходит к роялю, берет флейту.)** Сцена с флейтой. Гамлет — Гильденштерн.

Играет. Переходит с места на место, изображая двоих.
Без музыки.

«Эй, флейтщик, дай мне свою дудку. Послушайте, господа, что это вы все вертитесь возле меня, словно соломинки, брошенные в воздух, чтобы узнать, откуда дует ветер, как будто хотите опутать меня сетями». — Тут говорит Гильденштерн. Ведь вы знаете эту сцену. Я не буду объяснять. «Если, принц, я слишком смел в усердии, то в любви я слишком настойчив».

Гамлет: «Я что-то не совсем понимаю. Поиграй-ка на этой флейте».

— Я не умею, принц.

— Пожалуйста.

— Поверьте, не умею.

— Я очень тебя прошу.

— Я не могу взять ни одной ноты.

— Но это так же легко, как лгать. Наложи сюда большой палец, остальные вот на эти отверстия, дуй сюда, и флейта запоет».

Маржерет (машет рукой. **Опять сорвался уйти).** Не годится!

Леля (скандализованная). Почему?

Маржерет. Неинтересно. Флейта, да. Вы флейтистка?

Rag громко.

Леля. Почему флейтистка?

Маржерет. Теперь вы начинаете спрашивать, почему. Словом, не годится. Что это — эксцентрика на флейте? Тут надо удивить. Понимаете? Флейта запоет, это нам мало.

Леля **(снимает шляпу, направляется к роялю.)**

Rag продолжается тихо.

Вы же не слушали.

Штраух ворчит.

Вы же не поняли.

Штраух ворчит.

Это другое.

Маржерет. Ну, если другое, тогда расскажите. Что такое — другое? Другое, может быть, интересное. Интересная работа с флейтой может быть такая. Сперва вы играете на флейте...

Леля. Да я не умею...

Маржерет. А вы сами говорили, что это очень легко.

Леля. Да это не я говорила. Вы не слушали, вы заняты.

Маржерет. Видите, я занят, я даже не имею времени выпить стакан молока, а вы отнимаете у меня время. Кончим разговор. **(Берет флейту.)** Так вот, интересной работа с флейтой может быть такая. Сперва вы играете на флейте... Какой-нибудь менуэт... Чтобы публика настроилась на грустный лад. Затем вы флейту проглатываете **(делает вид, что проглатывает).** А-а-а! Публика ахает. Да, да, ахает. Все обалдевают. Потом переключение настроения: удивление, тревога. Затем вы поворачиваетесь спиной, и оказывается, что флейта торчит у вас из того места, откуда никогда не торчат флейты. Это замечательно! Это тем пикантнее, что вы женщина. Затем вы начинаете дуть во флейту, так сказать, противоположной стороной, и тут уже не менуэт, а что-нибудь веселое: «Томми, Томми, встретимся во вторник». Вот это сцена! А вы с «Гамлетом»!

Телефонный звонок. **Маржерет бежит к телефону.**

Громко rag.

Приехал Улялюм. Великий Улялюм. Исполнитель песенок. Принц Европы. Чемпион сексуальности! Бог! Бог! Бог. (Бросает трубку, **бегает по сцене.)**

Леля **(подходит к лестнице и властно протягивает руку).** Я прошу выслушать меня, серьезно. **(Усилить.)**

Маржерет (возвращается, увидя как бы впервые Лелю). А! Что? Кто вы? Когда? Ах! Что? Да... Да, да, простите. Я ведь разговаривал с вами? Флейтистка! Но у меня ужасная особенность. Когда у меня мысли заняты, я слушаю и ...ничего не понимаю. Дайте мне освободить мысли от того, чем они заняты. **(Игра с занавеской.)** Да. Готово! Так это они вами заняты, черт вас возьми! Что вам нужно от меня? Что вы хотите? Вы флейтистка?

С негрским оскалом, exspressivno.

Чередование громкости и прозрачности негритянской.

Леля. Я **(тихо)** — трагическая актриса.

Маржерет. Почему — трагическая?

Леля. Вы опять спрашиваете, почему.

Маржерет. Верно, верно. Останавливайте меня. У меня опять заняты мысли.

Леля **(мрачно).** *Я пришла к вам в театр по делу. Я думала, что это* *театр, а это комната пыток. Как вы смеете так говорить со мной? Вы — европейский импресарио. Почему вы издеваетесь так над иностранной артисткой?* **(Пошла.)** Мне понадобились деньги. Это может случиться с каждым. Я унижалась там, где могла бы главенствовать.

Конец негр/итянской/ музыки.

Штраух. Не годится! Неинтересно! (Звонок телефона.) Улялюм идет сюда. Вот он!

Шум. Аплодисменты. Звонки и музыка.

Входит Улялюм. Артисты со всех сторон.

Улялюм смотрит на Лелю.

Улялюм. Кто это, Маржерет?

Маржерет. Я приготовил ее для тебя.

Улялюм. Кто ты?

Леля молчит.

Я Улялюм.

Леля. Не знаю.

Улялюм. Кто же ты? Негр? Нет, ты не негр. У тебя каштановые волосы, у тебя лицо персидской белизны. Кто же ты? Галл? Ты древний галл?

Леля. Я не знаю вас.

Улялюм. Как не знаешь? Я — Улялюм.

Леля. Не знаю.

Маржерет. Она притворяется, чтобы поразвлечь тебя.

Улялюм **(просто).** Зачем ты штаны надела? (Сходит.) Сегодня я видел во сне свое детство. Сад. Деревянные перила. Я спускался по старой лестнице, скользя рукой по перилам, слегка нагретым солнечными лучами. Ты воплощенная метафора. Сними куртку, умоляю тебя. У тебя руки круглые, как перила. Люди сделали меня богом. Я тоже был мальчик. Зеленые холмы были. Ты пришла из детства? Где был город Ним? Построенный римлянами? Иди сюда.

Пианист идет к роялю. Нач/ало/ музыки. Улялюм поет.

Леля **(выходит на середину).** С некоторых пор жизнь мне кажется похожей на сон.

Маржерет. Идите. Вам улыбнулось счастье.

Улялюм. Подойди ко мне. Ах, не хочешь? Ну, я сам подойду к тебе.

Поет. Музыка.

Леля. Я вспомнила. Я знаю. Я слышала эту песенку... В Москве, зимой... когда я мечтала о Европе... **(Подходит к столу.)**

Улялюм (подбегает к ней). Можно мне поцеловать тебя?

Сцена с палочкой.

Леля наклоняет голову. Улялюм целует Лелю.

Пауза. **Сцена с руками.**

Общее восторженное молчание.

Кто ты? (К Маржерету.) Где ты достал ее, Маржерет? Где ты достал? **(Логическое ударение на слове «где».)**

Маржерет. Она дует прямой кишкой во флейту.

Улялюм. А вдруг она, не помывши флейту, стала дуть в нее губами?

Смех.

Леля **(направляется к роялю).** Боже мой, боже мой, какой ужас.

Пом реж. Улялюм. Ваш выход.

Улялюм. Как, уже мой выход?

Пианист **(Цыплухин).** Улялюм, не опоздайте.

Маржерет. Ты должен лететь как молния!

Леля. Господин Улялюм, вы оскорбили меня!

Улялюм **(подбегает).** Чем я тебя оскорбил, деточка?

Леля. Я так мечтала о Европе! Я думала, что здесь прозвучит свободно и чисто голос искусства... Флейта Гамлета. Что же вы сделали с флейтой моей?

Улялюм. Поедем на бал вместе. Хочешь? Я приглашаю тебя на бал артистов...

Леля. Я схожу с ума. **(Садится на стул. Музыка. Переход за Суханову и 2-й раз фраза.)** Я схожу с ума.

Маржерет (с трубкой телефона в руке). Улялюм. Улялюм! Уже. Твой выход.

Н/ачало/ м/узыки/.

Оркестр + пение. Септ/ет/ № 1.

Улялюм бежит к столу, берет шапку и палочку.

Вбегает на лестницу. Посылает воздушный поцелуй.

Бежит за кулисы. Поет.

Кончилась песенка.

Леля. Я хочу домой... Друзья мои, где вы...

Дать знак орк/естру/. Н/ачало/ м/узыки/.

Новый мир... Молодость моя... Я хотела продать свою молодость... Чего я хотела? Бального платья. Зачем оно мне? Разве я не была красивой в платье, сшитом из тряпочек. Я хочу домой. Родина, я хочу слышать шум твоих диспутов. Рабочий, только теперь я понимаю твою мудрость и великодушие. Я смотрела на тебя исподлобья. Я боялась тебя, как глупая птица боится того, кто ей дает корм... Каждая женщина, мать детей, рожденных в новом мире, согбенная в очереди, сияет большей славой, чем все звезды Европы...

Оркестр, пение. Септет 1.

Конец /музыки/.

Я мечтала о тебе, Париж. Я искала славы твоей. Ведь я же знала. Как же я могла забыть, что славы нет выше, чем слава тех, кто перестраивает мир. Прости меня, Страна Советов, я иду к тебе. Я не хочу на бал. Я хочу домой. Я хочу стоять в очереди и плакать...

Сцена ухода.

СЦЕНА У ФОНАРЩИКА

Увозят рояль. Стол. Ставят скамью.

На скамье человечек, похожий на Чаплина.

Фонарщик. Эй, человечек, что делаешь?

Человечек. Ужинаю.

Фонарщик. Во сне?

Человечек. Нет, во сне я пообедал. Хотел оставить немного на ужин лукового супу, но, понимаешь ли, не успел. Проснулся.

Фонарщик. Вот как. Ты, я вижу, безработный.

Человечек. Тебе нельзя отказать в сообразительности.

Фонарщик. Я бы тебе дал на ужин.

Человечек. Не беспокойся, пожалуйста, разве ты не видишь, что я ужинаю?

Фонарщик. Веселый человечек. Что же ты ешь?

Человечек. Дерево. Вон там, видишь, стоит дерево. Я его ем. В конце концов, оно похоже на миногу. Если бы не листья.

Фонарщик. Вот чудак. Если мне придется есть дерево, я его обязательно съем с листьями. Разве плохо, если к миногам подают салат?

Человечек. Ты прав. Но я уже наелся. Теперь я хочу сладкого. Я буду есть решетку. Вон там. Видишь? Очень вкусно. Напоминает вафлю. Только, черт возьми, что-то попало в мою еду.

Н/ачало/ м/узыки/. Септет.

Приближается Леля.

Это артистка из Мюзик-холла.

Фонарщик. Мадам, вы ему испортили десерт.

Человечек. Маржерет выгнал меня. Скажите ему, что безработные сожгут его театр.

Леля. За что он вас выгнал?

Человечек. За сочувствие безработным. Кроме того, он не любит членов профсоюза. Я флейтист из оркестра. А вы?

Леля. Я тоже член профсоюза.

Фонарщик. Дайте ему на ужин. А то ему захочется свинины и он съест полицейского.

Леля. Конечно, конечно. Я знаю. (Дает ему деньги.)

Человечек. Скажите ваш адрес, и я верну вам деньги.

Леля. Я завтра уезжаю.

Леля удаляется.

Фонарщик. Только ты, смотри, не проснись.

Человечек. Я ошибся. Это актриса не нашего театра.

Фонарщик. Ты лучше подсчитай, хватит на тарелку супа?

Человечек. Темно.

Фонарщик. Я зажгу фонарь.

Поднимает шест, зажигается фонарь над их головами. И в свете его обнаруживается большое сходство Человечка с Чаплином. Фонарщик помогает ему считать, заглядывая в его ладонь.

Ого-го, это целый океан супа.

Человечек. Я мечтал только о маленькой луковице, величиной с гланду.

Фонарщик. Ну, теперь ты сможешь съесть луковицу величиной, по крайней мере, в этот фонарь.

Тушит фонарь.

До конца музыка.

5-й эпизод

/Сцена/ ГОЛОС РОДИНЫ
«КАФЕ»

Лахтин (читая газету). В белогвардейской газете «Россия» помещена статейка, где сказано, что вчера, в некоем пансионе, ты, советский гражданин Федотов, выстрелом из револьвера убил сотрудника газеты «Россия» Татарова. Принимая во внимание, что сия статья напечатана в газете белогвардейской, допускаю, что ты вышеуказанного Татарникова...

Федотов. Татарова.

Лахтин. Неважно. Я допускаю, что ты этого Татарникова не убил. Я даже предполагаю, что ты не ранил его. Я готов думать, что ты в него и не стрелял вовсе. Можно даже утверждать, что ты в него стрелять и не собирался. Я верю даже, что у тебя и в мыслях не было стрелять в этого Татарниковского.

Федотов. Ну, конечно, белогвардейская газета нагло наврала.

Лахтин. Неужели ты размахивал револьвером в этом притоне?

Федотов. Это неправда, врут все.

Входит официант.

Лакей. Дама вас спрашивает.

Федотов. Это Гончарова.

Встал, ушел, возвращается с Гончаровой,
дает ей стул. Лахтин — поклон.

Леля. Здравствуйте.

Лахтин. Я очень рад. (Рукопожатие.) Сергей Михайловичем прошу величать.

Федотов. Надо что-то заказать.

Лахтин. Чаю.

Федотов. Цейлонского.

Лахтин. Лучше индийского.

Федотов. Бисквитов.

Лахтин. Варенья принесите.

Федотов. Может быть, покушаем?

Лахтин. Ростбиф!

Федотов. И вина.

Лахтин. Да, да, вина.

Федотов. Покушаем и отправимся в полпредство, Дьяконов сейчас находится там, он позвонит нам и скажет, когда выезжать.

Леля. Очень хорошо.

Лахтин. А вы помните меня? Нет? Нас уже знакомили в Москве однажды, на спектакле. В вашем же театре. Не помните? А, понимаю, я тогда баки носил.

Федотов. Неужели баки носил?

Лахтин. Да, продолговатые такие бакенбарды. Или нет, не продолговатые. А такие, как котлеты.

Федотов. Зачем?

Лахтин. Не знаю зачем. Сдуру завел.

Федотов. Для смеху. Вот как, значит, мы познакомились с вами. В Париже. Что вы теперь играете?

Леля. Гамлета.

Лахтин. То есть Офелию?

Леля. Нет, самого Гамлета.

Федотов. Да что вы? Женщина играет мужчину?

Леля. Ну да.

Федотов. Но ведь по ногам-то видно, что вы женщина.

Леля. Теперь женщина должна думать по-мужски. Революция. Сводятся мужские счеты.

Федотов. Чего, чего сводятся?

Леля. Сводятся мужские счеты.

Лахтин. Чепуха.

Федотов. На постном масле.

Входит официант.

Лахтин. Я вам чаю налью.

Леля. Мне, право, стыдно, что вы так беспокоитесь. Как вы жизнерадостны.

Лахтин. Вы знаете, у меня, кажется, подагра.

Федотов. А может быть, и не подагра.

Лахтин. А может быть, и не подагра. Тоска по родине.

Федотов. Или, вернее всего, насморк хронический.

Лахтин. Да, да, не смейся, я запустил грипп. (К Леле.) Ну слушайте, пейте, ешьте, бутерброды берите — сандвичи. Вы в первый раз в Париже?

Леля. Да.

Лахтин. Надолго?

Леля. Я хочу уезжать.

Лахтин. Куда — в Ниццу поедете?

Леля. Нет, я хочу домой, в Москву.

Лахтин. Да что вы, когда?

Леля. Как можно скорее.

Федотов. Давайте вместе поедем.

Леля. Спасибо. Я с удовольствием.

Лахтин. Ну и чудно.

Леля. Ну, расскажите, как там, в Америке.

Федотов. Да ничего, всего много... только неорганизованно както. Без карточек. Елена Николаевна на бал собирается.

Лахтин. Куда?

Федотов. На бал.

Леля. Оставьте, Федотов, я никуда не собираюсь.

Лахтин. На какой бал?

Федотов. Международный бал артистов.

Лахтин. Вас пригласили?

Леля. Да.

Лахтин. Наглость какая. Приглашать советскую актрису на бал дрессированных обезьян. Вы, конечно, отказались?

Леля. Да.

Лахтин. Еще бы. Вы подумайте, что бы сказали ваши товарищи, там в Москве, если бы вдруг стало известно, что вы согласились плясать на балу Валтасара Лепельтье. Того самого Лепельтье, который обрекает на голодную смерть своих рабочих. А, Дьяконов.

Входит Дьяконов. **Просит стул.**

Официант приносит стул.

Федотов. Познакомьтесь. Дьяконов. Елена Николаевна Гончарова.

Дьяконов. Кто?

Федотов. Что с тобой?

Дьяконов. Кто?

Федотов. Что с тобой?

Дьяконов. Вы Гончарова?

Леля. Да.

Дьяконов. Зачем вы пришли сюда?

Федотов. Ты пьян?

Дьяконов. Подожди. Вы просмотрели сегодняшние газеты, Сергей Михайлович?

Лахтин. Нет, не успел, а что такое?

Дьяконов (подсаживаясь к нему). Я только что был в полпредстве, я сообщил, что мы собираемся прийти на прием вместе с артисткой Гончаровой. Тогда мне вручили эти газеты, чтобы информировать нас. Вот три французские газеты и две белогвардейские. «Россия» и «Возвращение».

Лахтин. То, что отмечено синим?

Дьяконов. Да.

Лахтин. «Россию» я начал читать. Так, так. О вас тут, о вас.

Леля. Обо мне, что именно?

Лахтин. Вот сволочная заметка, едва приедет человек из Москвы...

Дьяконов. Читайте, Сергей Михайлович.

Лахтин. Здесь напечатано так: «Бежавшая из советского рая актриса Гончарова беседовала с сотрудником газеты "Россия". На руках у нее имеется разоблачительный материал, имеющий совершенно своеобразное культурно-историческое значение...»

Федотов. Да вы не волнуйтесь, Елена Николаевна, они специалисты по клеветничеству. Они еще не такое напишут.

Дьяконов. На этот раз они написали правду.

Леля. Что вы говорите?

Лахтин. Давайте тише.

Федотов. Дьяконов, не скандаль.

Дьяконов. Ну а это, Сергей Михайлович?

Лахтин. Это вы писали?

Леля. Не вижу. Да, это расписка насчет платья.

Лахтин. Каким образом к вам попал бланк эмигрантской газеты?

Леля. Не знаю.

Лахтин. Это хуже.

Дьяконов. Теперь прочтите в газете «Возвращение» и во французских газетах кое-что.

Леля. Какая чепуха.

Лахтин. Тише, тише. Так. Статья носит следующее название: «Тайна советской интеллигенции в обмен на парижское платье». Вы продали свой дневник эмигрантам?

Леля. Какой дневник?

Лахтин. «Каждая строчка этого документа омыта слезами. Это исповедь несчастного существа, высокоодаренной натуры, изнемогающей под игом большевистского рабства. Это сверкающая правда о том, как диктатура пролетариата расправляется с тем, что мы считаем величайшим сокровищем мира, — человеческой свободной мыслью. На первой странице читаем: "Список преступлений советской власти"».

Федотов. Это правда?

Леля. Да. Но это не так. У меня есть тетрадь, она состоит из двух частей. Выслушайте меня, ах, это ужасно. Я сейчас вам объясню. В этой тетради два списка. Один — преступлений, другой — благодеяний.

Лахтин. Ничего не понимаю.

Леля. И я не продавала. Это какая-то сплетня. Я не знаю, как это проникло в печать. Знаете что? Пойдемте в мой пансион, я покажу вам эту тетрадь, и вы поймете. Я сейчас принесу, хорошо?

Дьяконов. Эта тетрадь?

Леля. Да.

Лахтин. Откуда она у тебя, Дьяконов?

Дьяконов. Этот дневник и расписку с сопроводительным наглым письмом прислал в полпредство эмигрантский журналист Татаров, с которым г/оспо/жа Гончарова имела дело.

Федотов. Как, это тот самый Татаров, который был у вас утром тогда, в пансионе? Вы, значит, все же... Я же вас предупреждал.

Лахтин. Дайте сюда. «Список преступлений».

Леля. Дальше, дальше смотрите, там список благодеяний.

Лахтин. Нет, никакого другого списка нет.

Леля. Как, половина оторвана, кто же оторвал?

Дьяконов. Вы же сами оторвали, чтобы выгоднее продать.

Леля. Я не продавала.

Лахтин. Подожди, Дьяконов. Как все это было, расскажите.

Леля. Я хотела пойти на бал, да, да, это так. Я пошла к портнихе, взяла платье, расписку потребовали. Я расписалась, а ее муж, я не знала, ее муж оказался этим самым Татаровым. Он подсунул мне бланк.

Дьяконов. Платье стоит четыре тысячи франков. Где вы надеялись взять такую сумму?

Леля. Я хотела заработать.

Дьяконов. Где? Ясно. Эти четыре тысячи франков вы получили

за дневник, это написано во французской газете.

Лахтин. Подожди, Дьяконов, газеты могут врать, я не верю газетам.

Леля. Товарищи, честное слово, я никому ничего не продавала.

Лахтин. Да, я вам верю, вам захотелось потанцевать на балу.

Леля. Да, захотелось потанцевать, сверкнуть, разве это страшное преступление?

Лахтин. Но вы знали, что этот бал носит неясно выраженный, но все-таки фашистский характер.

Леля. Я ведь еще не решила, пойду я или не пойду. Я колебалась.

Лахтин. Так, но платье все-таки купили? Погоня за платьем привела вас к эмигрантам.

Леля. В страшную ловушку.

Лахтин. Да, и коготок увяз.

Дьяконов. Но коготок-то был?

Лахтин. Я верю, что дневник у вас украли и без вашего ведома напечатали, но если /бы/ его не было, то его нельзя было бы украсть. Ваше преступление в том, что вы тайно ненавидели нас, может быть за то, что у нас нет балов и роскошных платьев.

Леля. Я вас любила, клянусь вам.

Дьяконов. Не верю.

Леля. Как вам доказать, не знаю.

Дьяконов. Поскольку клевета ваша обнародована, надо доказывать не нам, а Парижу и Москве. Мы можем вам поверить, а пролетариат нет.

Леля. Да, я понимаю, что же мне делать?

Федотов. Необходимо сейчас же к полпреду.

Дьяконов. Не знаю, захочет ли полпред принять ее. Здесь действует общее правило. Советский гражданин, перешедший в лагерь эмиграции, ставит себя вне закона.

Лахтин. Это не твое дело. В Москве разберутся.

Леля. Я вне закона?

Дьяконов. Юридически, да..

Леля. Предательница? Тогда все интеллигенты предатели! Всех надо расстрелять!

Лахтин. Зачем вы клевещете на интеллигенцию?

Федотов. Успокойтесь, Елена Николаевна.

Лахтин. Я сейчас позвоню в полпредство.

Направляются к выходу. **У выхода останавливаются.**

Дьяконов. Я бы к стенке поставил эту сволочь.

Уходят. **Входит официант, собирает посуду. Федотов расплачивается с ним.**

Л е л я. Федотов, как же теперь быть, голубчик вы мой?

Ф е д о т о в. Елена Николаевна, давайте спокойно.

Л е л я. Если я пойду пешком, через всю Европу, с непокрытой головой, приду на Триумфальную площадь, в театр, к общему собранию, стану на колени...

Ф е д о т о в. Не надо пешком, не надо через всю Европу, поедем в поезде, по определенному маршруту, через всю Европу не надо, поедем Париж, Берлин, Варшава, Негорелое... Ну, теперь довольно философствовать. Вот видите, что получилось? Кому сыграла на руку ваша философия? Но это неважно, черт с ним, вы не преступница, это Дьяконов порет горячку. Спокойно, отложим все до Москвы, а в Москве — обсудим. Москва прощала более серьезных преступников, прямых врагов.

Л е л я. Судить меня будут... я ведь сама судья себе. Я уж давно осудила себя. Разве я живу? Федотов, голубчик, сердце, дурно.

Ф е д о т о в. Сейчас, сейчас.

Ушел.

Сцена выкрадывания револьвера.

Леля ушла. Входит официант, за ним, одновременно, с двух сторон, Лахтин и Федотов.

Л а х т и н. Полпред принимает нас.

Ф е д о т о в. А где же Елена Николаевна?

Л а х т и н. Дама.

Л а к е й. Села в такси и уехала.

Л а х т и н. Что это значит?

Ф е д о т о в. Не знаю.

Л а х т и н. Ты что?

Ф е д о т о в. Да так, неприятно все это.

Л а х т и н. Ты веришь ей?

Ф е д о т о в. Я боюсь, она наделает глупостей.

Л а х т и н. Почему она скрылась? Что мы скажем полпреду?

Ф е д о т о в. Ты отправляйся в полпредство, а я пойду за ней. Я думаю, что она наша, правда?

Л а х т и н. Если ты увидишь ее, скажи, что ерунда.

Ф е д о т о в. Скажу, что ерунда.

Л а х т и н. Скажи, что все устроится.

Ф е д о т о в. Скажу, что все устроится.

Л а х т и н. Скажи, что в Москву поедем вместе.

Ф е д о т о в. Ладно, скажу, что вместе.

Л а х т и н. Скажи в ее стиле, что пролетариат великодушен.

Ф е д о т о в. Скажу в ее стиле, что пролетариат великодушен.

Боголюбов берется за пальто.
Темно.

Конец.

6-й эпизод

СЦЕНА У ТАТАРОВА

Лежит в развернувшейся упаковке серебряное платье.

Татаров. Если вы пришли только затем, чтобы возвратить платье, то вы обратились не туда, куда следовало. Здесь живу я. Госпожа Трегубова живет в другом месте. Но вы узнавали мой адрес, следовательно, вы хотели меня видеть. Теперь вы молчите. Не понимаю. Вы обижены на меня?

Леля молчит.

А я думаю, что вы должны быть благодарны мне. Тем, что я украл ваш дневник, я оказал вам большую услугу.

Леля молчит.

Советский режим недолговечен. Его уничтожит война, которая разразится не сегодня завтра. Образуется правительство научной, технической и гуманитарной интеллигенции. Ни для кого не секрет, что начнутся репрессии. Преследования коммунистов и тех, кто им служил наиболее рьяно. Ну, что ж. Возмездие. Конечно, новая власть проявит великодушие. Но на первых порах — военная диктатура. Маршал, который вступит в Москву, будет действовать сурово — как русский патриот, как солдат. Тут ничего не поделаешь. Гуманисты в белых жилетах потупят на некоторое время взоры. И вот, представьте себе... если бы не случилось того, что случилось, если бы дневник ваш остался при вас, — скажем, вы вернулись бы обратно в Москву и продолжали бы притворяться большевичкой... И вот произошел бы переворот. Тогда в один прекрасный день, на рассвете, вас привели бы в комендатуру в числе прочих... Тут уже поздно было бы доказывать и разбираться в дневниках. Вас бы расстреляли, как любую чекистку. Ведь так?

Леля молчит.

Теперь вы чисты. Ваш дневник напечатан. Его читают Милюков[21], генерал Лукомский, русские финансисты, помещики и, главное, та молодежь, которая мечтает, ворвавшись в Россию, отомстить **(жестоко)** за своих расстрелянных отцов и братьев, за молодость свою, не видевшую родины. Они читают вашу исповедь и думают: она была в плену, ее мучили, ее вынуждали служить власти, которую она ненавидела. Она была душою с нами. Следовательно, я помог вам оправдаться перед теми, кто будет устанавливать порядок в России.

Леля молчит.

Ведь это ясно: где-то в подсознании вашем жила вечная тревога **(запер дверь)**, мысль об ответственности... за кровь, которую при вашем молчаливом согласии проливали большевики. Теперь вам бояться нечего. Я был врачом вашего страха.

Леля молчит.

А теперь вы можете быть спокойны. Родина простит вас. И вознаградит. Недолго ждать. У вас будет особняк, автомобили, яхта. В серебряном платье вы будете блистать на балах. Мы встретимся **(подходит к Леле).** Я стану во главе большой газеты. Я приеду к вам в театр, неся розы в папиросной бумаге; мы посмотрим друг другу в глаза, и вы очень крепко пожмете мне руку.

Леля. Стань к стенке, сволочь.

Она резко встает. В руке у нее браунинг.

Татаров бросается на нее. Происходит борьба.

Леля роняет браунинг.

Из-за занавески выходит спавший до того Кизеветтер.

Он поднимает браунинг.

Леля в растерзанной одежде лежит,

брошенная на диван.

Тишина. Кизеветтер с браунингом.

Татаров. Отдай револьвер.

Кизеветтер молчит. **Пауза.**

Я говорю: отдай револьвер.

Леля движется.

Кизеветтер **(приближается к Леле** *и присажив/ается/ на ручку дивана)*. Не бойтесь меня! Я буду вашей собакой!

Леля молчит.

Я вас не знаю. Я видел вас только один раз в жизни.

Движение Лели.

Вы слушаете меня? Мы встретились на пороге — помните? И вы прошли через все мои железы.

Татаров. Ты можешь вести эту сцену без револьвера?

Кизеветтер **(шаг вперед).** Я нищий. У меня нет галстука. Но если вы продаетесь за деньги, я сделаюсь вором и убийцей.

Леля (к выходу, с криком). Пустите меня! Пустите меня!

Кизеветтер (бросается за ней, к ногам ее, обнимает ее колени). Не уходи, не уходи...

Леля. Пустите меня!.. **(Все время.)**

Кизеветтер. Мир страшен... **(Диктует.)** Черная ночь стоит над миром... ничего не надо... только двое... мужчина и женщина должны обнять друг друга...

Татаров. Пусти ее.

Р/айх/ за статую.

Кизеветтер. Не подходи!

Стреляет в него, промах. Тишина.

Сел, заплакал, упал револьвер.

Выходит Мартинсон. Закуривает.

Татаров. Эпилептик.

Кизеветтер плачет — лицом на столе.

Шум за дверью. Стук.

Татаров (подходит к дверям). В чем дело?

Голос за дверью **(Ключарев)**. Открой, русский.

Кириллов сел на /нрзб/.

Татаров. Случайный выстрел. (Стихает за дверью.) Ну, вот. Они пошли за полицией.

Кизеветтер неподвижен. Молчание.

Татаров **(вынимает обойму).** Где вы достали револьвер?

Леля молчит.

На нем гравировка: «Александру Федотову, комбригу». Вы получили его в посольстве? Какая неосторожность. Если вам поручили меня убить, то следовало снабдить вас другим оружием.

Леля *(выходит)*. Меня никто не посылал. Я сама решила убить вас.

Татаров. Из револьвера, принадлежащего комбригу...

Леля. Я его украла. **(Села на стул.)**

Татаров. А... Ну, это естественней. Но полиции выгоднее вам не поверить. На основании этой семизарядной улики будет создана версия, что советское посольство инспирирует своих агентов на террористические акты против эмиграции.

Леля молчит.

Это повод для ответных актов с нашей стороны. Скажем, для покушения на советского посла.

Леля. Да, я понимаю.

Татаров. Вы хотели свести со мной личные счеты, а в результате может погибнуть советский посол. Вы понимаете? А дальше? Дальше может начаться война. Порох готов. И в России скажут, что вы бросили в него искру.

Леля молчит.

Вы действительно запутались... Ладно, я еще раз окажу вам услугу.

Стук в дверь.

(У двери.) Кто?

Голос за дверью. Именем закона.

Татаров (к Леле). Спрячьтесь.

Леля уходит за занавеску.

Татаров открывает дверь.

Входят два полицейских в черных пелеринках, с усиками. Молчание.

Первый. Что здесь было, расскажите, будьте любезны.

Татаров. Нечаянный выстрел.

Первый. В воздух?

Татаров. Да.

Второй. В потолок?

Татаров. Я думаю, что в косяк.

Первый. Кто стрелял?

Второй. Да, кто стрелял?

Татаров **(молча показывает.** ***Жест).***

Первый. Кто вы, будьте любезны?

Кизеветтер. Дмитрий Кизеветтер.

Второй. Почему вы стреляете в воздух? Вы именинник сегодня?

Молчание.

Первый. Чем вы занимаетесь?

Татаров. Он безработный.

Первый. Ага... откуда у вас оружие?

Кизеветтер. Не знаю.

Второй. Дай ему в морду, Жан.

Первый. Ш-ш! Это ваш револьвер?

Кизеветтер. Нет.

Первый. А! Это русский револьвер. Интересно. Русские снабжают безработных оружием.

Леля. Это неправда.

Ход к Леле вдвоем.

Второй. Мадам, красивые женщины не должны вмешиваться в политику.

Кизеветтер. Я стрелял в него из-за женщины.

Первый **(ход).** Из-за вас?

Леля молчит.

Кизеветтер. Да, из-за нее.

Первый (к Татарову.) Это правда?

Татаров. Да **(ход).**

Первый **(ход к Кизеветтеру).** Вы подтверждаете, что вы произвели покушение на убийство?

Кизеветтер. Да.

Первый. За это полагается каторга... (Молчание.) Вы хотите на каторгу?

Кизеветтер молчит.

Второй. Дай ему в морду, Жан.

Первый. Чш... Если вы не хотите на каторгу, то лучше не настаивайте на версии о покушении.

Кизеветтер. Хорошо.

Первый. Идите сюда! Садитесь. Условимся, что вы просто выстрелили в воздух... **(Тоном констатации, как бы подсказывая лжепоказания.)**

Кизеветтер. Хорошо.

Первый. ...но из русского револьвера. Если безработный стреляет из русского револьвера во французский воздух, значит, его руку держат большевики. Следовательно, этот безработный хочет сделать революцию при помощи иностранцев. Значит, он изменник. За это полагается гильотина. Вы хотите на гильотину?

Кизеветтер. Нет.

Первый. Так что же нам делать?

Пауза.

Леля. Этот человек ни при чем... вы слышите? Во всем виновата я...

Первый. В чем?

Леля. Этот револьвер принесла я!

Первый (к Татарову). Что? Кто это?

Татаров. Актриса.

Первый. Откуда у вас русский револьвер?

Леля. Я его украла.

[Первый. Где?

Второй. Очевидно, в советском посольстве.

Первый. Французская полиция охраняет советское посольство. Это известно вам? Таково международное правило. Красть вообще нехорошо. А красть в посольстве иностранной державы к тому же невежливо. Если вы произвели кражу в посольстве, я должен вас арестовать как воровку. За это полагается тюрьма. Вы хотите в тюрьму за ограбление советского посольства?

Леля молчит.]

Татаров **(подходит к Бочар/никову/).** Она испугалась выстрела и сама не знает, что говорит.

Второй. Ваша любовница?

Татаров. Да.

Первый — к столу.

Второй **(М/артинсон/ — отход/ит/).** Мне тоже нравятся шатенки.

Пауза.

Первый **(встает).** Итак, случай разучен. Что мы имеем? Если забыть о выстреле? Безработного труса и большевистский револьвер. Кроме того, мы знаем, что приближается поход безработных. (Пауза.) Если вы любите стрелять, почему бы вам не выстрелить еще раз?

Кизеветтер. В кого?

Первый. Во многих сразу.

Второй. Я думаю, что комиссар одобрит это предложение.

Первый. Мы попросим вас выстрелить в безработных.

Второй. Из большевистского револьвера.

Первый. Они ответят, и тогда драгуны получат законное право на то, чтобы /их/ разгромить, а вы благополучно избегнете и каторги, и гильотины.

Второй. А вы, мадам, тюрьмы.

Леля. Негодяй! Негодяй! Вы негодяй!

Первый. Спрячь ее за занавеску, Гастон.

Второй. Я боюсь, она, наверное, царапается.

Первый. Ну, ладно. Она успокоится в объятиях у своего милого. **(Возвращается.)** Идемте, молодой человек.

Кизеветтер неподвижен.

Первый. Ну.

Кизеветтер неподвижен.

Второй. Дай ему в морду, Жан.

Кизеветтер идет.

Первый. Вы впереди, а мы несколько сзади.

Уходят. Тишина.

Татаров **(подходит к Леле).** Итак, вместо того чтобы шагать под дождем в неуютный комиссариат, вы остались в теплой комнате.

Леля тихо идет к дверям мимо Мартинсона.

Куда вы?

Леля **(поворот).** Я пойду домой.

Татаров. В пансион? У вас нет денег.

Леля **(поворот).** В Москву.

Татаров. Как?

Леля **(на пороге).** Пешком.

Конец.

Между 6 и 7 эп/изодами/
музык/альная/ прослойка, секунд 30.

7-й эпизод

/Сцена/ ПРОСЬБА О СЛАВЕ

Ночь. Улица. Рабочие.

Раскрыть боковой портал, на нем —
б/елое/ платье.
Начало «Ветра». Певица.

П ш е н и н[22]. Товарищи, я предлагаю разойтись.

Н о ж е н к и н. Трус!

П ш е н и н. Запальчивость — не значит храбрость. Дерзость – обезьяна отваги.

К р ю к о в. Сам обезьяна.

С е р г е е в. Говори проще.

П ш е н и н. Ночью нельзя говорить проще. Ночью говорят или шепотом, или кричат.

Нар/одное/ трио.

Начинается песенка:

Посередине рынка
стоит твоя корзинка.
Блондинка, блондинка,
красотка моя.

П ш е н и н. Товарищи, предлагаю разойтись.

К о н с о в с к и й **(бежит).** Убирайся вон, полицейская маска. Убирайся вон!

П ш е н и н. Что ты орешь, парень? Рыжий парень, глупый Жак. Ну, что ты орешь? **(Толкнул его ногой.)**

К о н с о в с к и й. Да здравствует Москва!

П ш е н и н. Дубина! Ты читаешь газеты?

С е р г е е в. Он не умеет читать.

П ш е н и н. Как ты смеешь мечтать о переустройстве мира, если ты неграмотен? Москва, Москва... Рыба. Глупая рыба. Вас обманывают! Они верят Москве. А ты был в Москве?

Подросток молчит.

Ф р о л о в. *Он не был в Москве.*

П ш е н и н. А, не был? Ну и молчи. Кто-нибудь из вас был в Москве?

Л е л я **(появляясь рядом с агитатором).** Я была в Москве!

П ш е н и н. Очень приятно. Ну, что ж, расскажи этим невеж/д/ам о советском рае.

Л е л я. Когда говоришь с рабочим, сними шляпу (сбрасывает с него шляпу).

Гул одобрения, смех, рукоплескания.
Народное трио 2-й раз.
Веселый голос продолжает:

Сегодня после рынка
приди ко мне, блондинка,
блондинка, блондинка,
красотка моя.

Пшенин **(на фоне песенки).** Ах ты, дрянь! Я оттаскаю тебя за кос/м/ы!

Подросток дает агитатору пинка в зад. Тот падает. Замешательство. Появляется пожилой господин со свитой (Лепельтье-отец, Лепельтье-сын, дочь Лепельтье и ее жених). Они видят опрокинутого агитатора и возбужденную Лелю.

Лепельтье-отец. Революция еще не началась, господа.

Леля. Поэтому он отделался только шляпой. А когда начнется революция, за шляпой полетит и голова.

Лепельтье-отец. Кто эта фурия?

Пшенин. Пьяная потаскуха.

Молчание.

Лепельтье-отец. Ты думаешь, мы живем в восемнадцатом веке?

Леля. Да, мне снятся маркизы, висящие на фонарях.

Лепельтье-отец. Ты политически неразвита. В наши дни миром правят не маркизы и не короли, а машина, изобретенная демократией и носящая имя капитала.

Леля. Ну, что ж. И фонари-то теперь другие — электрические.

Начало муз/ыки/ «Ветер».

Лепельтье-сын. Можно подумать, что она актриса, которую наняли в эту ночь играть одну из ведьм Французской революции.

Лепельтье-отец. Чего ты бесишься? Она воображает меня аристократом. Дитя мое, я сын метельщицы, я был бедняком, был в юношестве помощником кузнеца, потом стал слесарем.

Лепельтье-дочь. Ночь слишком сырая, чтобы затягивать беседу. И так мы приезжаем на бал последними.

Лепельтье-отец. Я пролетарий по крови и могу говорить с вами на общем языке. Чего вы хотите?

Ноженкин. Хлеба.

Леля. Ах, только хлеба? Почему вы боитесь его?

Лепельтье-отец. Ты мне мешаешь (поднимает трость и упирает ее перпендикулярно в грудь Лели).

Леля. Он причиняет мне боль своей тростью.

Лепельтье-отец. Ты провоцируешь своих товарищей. Она не похожа на женщину с фабрики. Я думаю, что она служит в полиции.

Леля **(вырывает палку).** Что вы боитесь его?

Лепельтье-сын **(отнимает трость у Лели).** Но-но-но. Тише, тише, голубка.

Кон/ец/ муз/ыки/ «Ветер».

Без музыки.

Лепельтье-отец. Затруднения пройдут. Нужно подождать.

Ткач (Васильев А.). Голодая?

Лепельтье-отец. Ты ежедневно получаешь тарелку супа.

Ткачиха. А наши дети?

Лепельтье-отец. Не рожайте детей в такое время. Скажи твоему мужу, чтобы он сдерживал себя. Я не могу отвечать за экстаз твоего мужа.

Леля. Бейте, бейте его!

Нач/ало/ муз/ыки/ «Джаз». 37-40 / sec./

Появляется группа рабочих.

Сантиллан. Как ты попала к нам?

Лепельтье-отец. А, Анри Сантиллан! Член коммунистической партии, бывший депутат, здравствуйте. Вас уже выпустили из тюрьмы? Они вас уважают, вы должны предупредить их. Смотрите, они заняли улицу. Они мешают городу отдыхать. Правительство может вызвать драгун.

Сантиллан. Они разойдутся только после того, как правительство выслушает их требования.

Лепельтье-отец. Пусть говорят, я передам.

Сантиллан. Это длинный список.

Лепельтье-отец. Диктуйте.

Музыка безработных. Партитура № 27.

Леля приходит в себя, слушает.

Никитин (голос из зрительного зала). Мы требуем...

Сергеев. Прекратить безработицу.

Ноженкин. Мы требуем... семичасовой рабочий день.

Марков. Фабрики рабочим.

Фролов. Заводы рабочим.

Сергеев. Землю отнять у помещиков.

Никитин. Мы требуем...

Высочан. Детям ясли.

Ключарев. Зеленые города.

Васильев. Мы живем в лачугах.

Ноженкин. Требуем дома построить рабочим.

Марков. Дворцы культуры.

Крюков. Больных рабочих лечить на курортах.

Фролов. Курорты трудящимся.

Марков. Охрана труда.

Высочан. Отдых беременным.

Ключарев. Прекратить эксплуатацию подростков.

Сергеев. Науку на службу пролетариата.

Ноженкин. Всю власть трудящимся.

Вся толпа. Всю власть трудящимся.

Конец музыки.

Леля. Браво, браво! Читайте, читайте список благодеяний!

Лепельтье-отец. Чтобы провести этот список в жизнь...

Сантиллан. ... нужна социальная революция!

Толпа. Нужна социальная революция!

Лепельтье-отец. Какая жалкая утопия!

Толпа. Долой, долой. Да здравствует Москва. Да здравствуют Советы.

Кричат до тех пор, пока не будет сигнала от дирижера.

Без музыки.

Леля. Я помню... Я помню, я вспомнила... Сады...

Пожилой господин. Идемте, господа.

Пожилой господин со свитой уходит.

Леля. ... театры, искусство рабочим. Я видела глобус в руках пастуха. Я видела Красную армию. Я видела знание в глазах пролетариата. Я слышала лозунг: «Долой войну». Я вспомнила все.

Входит начальник полиции со свитой.

Тишина.

Начальник полиции (у витрины с манекеном. Сантиллану). С кем говорить?

Сантиллан молчит.

Нач/ало/ муз/ыки/. Скрипка.

Ход Сантиллана.

Вы должны покинуть город по следующему маршруту...

Толпа. Долой, долой!

Выход Кизеветтера до выстрела — 1 минута.

Сантиллан. Эти люди не уйдут из города.

Леля (увидела появившегося Кизеветтера, **становится с левой стороны /от/ Сантиллана).** Этот человек... осторожней... Умоляю вас.

Толпа. Осторожно, Сантиллан.

Леля. Полицейские поручили ему... он убьет вас...

Нач/ало/ муз/ыки/.

Скрипка возникла. Presto.

Сантиллан. Откуда ты знаешь? Ты разве служишь в полиции?
Толпа. Она служит в полиции!
Нач/альник/полиции. Итак, мы ждем.
Сантиллан. Чего ты ждешь, палач?
Толпа. Палач, долой!
Нач/альник/пол/иции/. Взять его!

Выходит полицейский.

Протяните руки!

Полицейский вынимает наручники.

Руки!

Сантиллан неподвижен.

Силой!

Борьба. Presto.

Полицейский с наручниками делает движение.

Сантиллан ударяет его по руке.

Наручники успевают надеть.

Толпа. Сантиллана берут! Сантиллана берут!

Происходит борьба, во время которой Сантиллан кричит: «Да здравствует социальная революция!»

Толпа. Да здравствует социальная революция!

Кизеветтер стреляет в него.

Леля успевает закрыть Сантиллана собой.

Кизеветтер, выстрелив, бросает револьвер.

С выстрела до конца — 2 м/инуты/ 20 /секунд/.

Паника. Гнев.

Толпа хлынула на выстрел вон.

Леля. Не поддавайтесь провокации. Не отвечайте! Не стреляйте. **(Падает.)**

Голоса. Она воровка!
Он ее из ревности...
Любовник ее!
Она служила в полиции.
Предательница!
Потаскуха!

Крики: Убили русскую! Смерть! Смерть!

Леля от фонтана идет на авансцену.

а) сц/ена/ с наручниками
б) выстрел
в) ранение
г) «убили русскую», «смерть»
д) уход полиции, Сантиллана и Кизеветтера
е) Леля=

Кизеветтер, выстрелив, бросает револьвер.
Подросток подн/имает/ револьвер
и несет к маг/азину/, где Леля.

N.B. Около Лели некая группа + Ткачиха

Музыка. Скрипка.

Л е л я **(увидела револьвер).** Это я украла у товарища... **(Падает на руки Ткачихи.)** Простите меня. Простите меня... Жизнь... Жизнь... Кончается жизнь... Товарищи, я все поняла. **(Ложится.)** Я умираю за революцию... на камне Европы. Париж, Париж! Вот слава твоя, Париж!.. **(Обхватывает Ткачиху и шепчет ей на ухо.)**

Ткачиха наклоняется над ней.

Т к а ч и х а. Не слышу, не слышу... Она просит накрыть ее тело красным флагом. Подымите флаги. Мы пройдем по улицам города. Мы прокричим правительству список наших бед.

Леля лежит мертвая, непокрытая.
Толпа двинулась вперед со знаменами.
Выход драгун. Выстрелы. Темнота.

Конец

1931 г.

ПРИМЕЧАНИЯ

1. *Афиногенов А.* Дневники и записные книжки. М., 1960. С. 65—66.
2. *Олеша Ю.* Список благодеяний. Сцена «В комнате артистки Лели Гончаровой». Наброски. Автограф// Ф. 358. Оп. 2. Ед. хр. 77. Л. 1.
3. *Крути И.* «Список благодеяний» (Театр им. Вс. Мейерхольда) // Советское искусство. 1931. 3 июня. № 28. С. 3.
4. Перевод фрагмента сцены с флейтой из «Гамлета», сделанный великим князем К. Р., по-видимому, теперь, в 1931 году, использованным быть уже не мог, и Мейерхольд заменяет его. Теперь первая фраза Гамлета дана по переводу Н. Кетчера (см.: Драматические сочинения Шекспира /Пер. с англ. Н. Кетчера по найденному Пэн Колльером старому экземпляру in folio 1632 года. М., 1873. С. 168—169).
5. Дузе Элеонора (1858—1924), итальянская актриса. На самом ли деле ей принадлежит приписываемая фраза, либо это шутка Олеши, выяснить не удалось. В архиве Вс. Мейерхольда (Ф. 998. Оп. 1. Ед. хр. 3658) хранятся листки с выписками З. Н. Райх из книг о Саре Бернар и Э. Дузе (вместе с выписками из работ Сталина), но цитируемой фразы Дузе в записях нет.

6. Эпизод с мальчиком-соседом в спектакль не вошел.
7. Вводя упоминание о своей недавней работе, Мейерхольд создает тем самым метатекст режиссерского творчества.
8. Ср.: «Счастье на свете одно — это быть самим собой. <...> Быть самим собой — значит и быть победителем. Но ведь есть и сладость, и счастье быть жертвой, побеждать страданием» (*Пришвин М.* Указ. соч // Октябрь. 1989. № 7. С. 175).
9. Точнее, Трегубова — парижская пласьержка, торгующая модельными платьями вразнос, из чемодана, в отелях Парижа.
10. Пуарэ Поль (1879—1944), французский кутюрье. Творчество его имело налет театральности, сказочности (он много работал с театром). Вероятно, поэтому именно его имя звучит в пьесе, хотя ко времени написания «Списка» реальное влияние Пуарэ на развитие моды резко уменьшилось, в 1927 году его предприятие пришлось закрыть. См.: Иллюстрированная энциклопедия моды. Прага, 1966 (пер. на рус. яз. 1986).
11. Ср.: «Долго не понимал значения ожесточенной травли “кулаков” и ненависти к ним в то время, когда государственная власть, можно сказать, испепелила все их достояние. Теперь только ясно понял причину злости: все они даровитые люди и единственные организаторы прежнего производства, которым до сих пор, через двенадцать лет, мы живем в значительной степени» (запись 6 февраля 1930 г.). И далее, 8 августа: «До сих пор наш социализм еще ничего не творил, он прозябает, как паразит, на остатках капитализма: “кулак” никогда не может быть раскулачен, потому что капитал не в вещах, а в душе» (*Пришвин М.* Указ. соч. С. 144, 166).
12. Ср. в письме Горького к А. И. Свидерскому от 3 января 1929 года: «Вероятно, я с Вами разойдусь в оценке “громадного художественного богатства западнобуржуазной культуры”. Мне кажется, что богатство это “все в прошлом”, а в наши дни литература Запада интересна только как зеркало именно “разложения буржуазии”» (ГАРФ. Ф. 4359. Оп. 1. Ед. хр. 236. Л. 3).
13. Мотив искушения женщины с помощью наряда сказочной роскоши был использован в пьесе М. Булгакова «Зойкина квартира», спектакль по которой с шумным успехом шел в 1928—1931 годах в Театре им. Евг. Вахтангова (и который, конечно же, видел Олеша). Ср. диалог Аметистова и Зойки Пельц о красавице Алле, которую хотят залучить к себе организаторы борделя:
« — Она тебе сколько задолжала?
— Около пятисот рублей.
— Ну вот и козырек».
14. Татаров в спектакле говорил о «дешевом хлебе», который экспортируют большевики, а в Москве хлеб на прощальную вечеринку гости приносят, «отоваривая» карточки. (Хлебные карточки в СССР были введены в 1929 году.)
15. Прямая цитата из «Гамлета» Шекспира.
16. Позже, вспоминая о времени совместной работы над «Списком благодеяний», Олеша писал, что именно Мейерхольдом была замечена (а может быть, и развита) тема Золушки в образе главной героини: «Во время репетиций он вдруг сказал мне шепотом на ухо: «Это — Золушка». То есть он увидел в моем замысле то, что ускользало от меня самого, — увидел то, что я хотел вложить в замысел, но не смог» (*Олеша Ю.* Любовь к Мейерхольду // Встречи с Мейерхольдом. М., 1967. С. 362).
17. Реминисценция сказки Андерсена «Голый король».

18. Буквальное повторение фразы из дневника писателя: «Мир до войны был чрезвычайно велик и доступен» (*Олеша Ю.* Книга прощания. С. 26).

19. Костомолоцкий в эпизоде «Мюзик-холл» играл Эксцентрика.
Костомолоцкий Александр Иосифович (1897—1971), артист Театральной мастерской в Ростове-на-Дону, затем Театра им. Мейерхольда, театральный художник. Евг. Шварц вспоминал о нем: «Вот входит в репетиционную комнату Костомолоцкий, костлявый и старообразный, и на пороге колеблется, выбирая, с какой ноги войти... Голос у него был жестковатый, неподатливый, но владел своим тощим телом он удивительно.Это был прирожденный эксцентрический артист.Этот вид актерского мастерства чрезвычайно ценился в те дни» (*Шварц Е.* Живу беспокойно: Из дневников. Л., 1990. С. 349—350).

20. См. подробно о том, как Мейерхольд репетировал сцену с плащом в ст.: *Суханова М.* Искусство преображения // Встречи с Мейерхольдом. С. 436—438.

21. Милюков Павел Николаевич (1859—1943), русский политический деятель, историк, публицист. Один из организаторов партии кадетов, с 1907 года — председатель ее ЦК, редактор газеты «Речь». В 1917 году министр иностранных дел Временного правительства 1-го состава (до 2/15 мая). После Октябрьского переворота в эмиграции. Имя Милюкова не раз упоминалось в обвинительных речах Н. В. Крыленко на процессе Промпартии осенью 1930 года, тогда как именно Милюков декларировал необходимость для эмигрантов «убить в себе психологию гражданской войны», выступал за отказ от свержения власти Советов вооруженным путем — в сочетании с «моральным неприятием большевизма» (см. об этом, в частности, в ст.: *Бирман М. А.* М. М. Карпович и «Новый журнал» // Отечественная история. 1999. № 5. С. 126). Олеша предлагает Татарову ссылаться именно на Милюкова (и дает имя Милюкова — Павел — отцу Кизеветтера).

22. В публикуемом экземпляре, имена персонажей пьесы даны вперемежку с фамилиями актеров ГосТИМа, занятых в спектакле. (Пшенин, Ноженкин, Крюков и пр.)

Вс. Мейерхольд. Конец 1920-х годов.

Глава 7

«Здесь Мейер тряхнет стариной...» Мейерхольд на репетициях «Списка благодеяний»

«Я был в гостях у Мейерхольда, — еще раз вернусь к записи в дневнике Ю. Олеши 10 декабря 1930 года. — <...> Он будет ставить мою пьесу “Список благодеяний” . Вот как далеко шагнул я! <...> Главную роль — роль Лели Гончаровой, актрисы, бежавшей за границу, — будет играть Зинаида Райх.

Они ссорились вчера. Она боится, что он выхолостит “лирику”; она убеждает себя, что из всей пьесы ему нравится только сцена в мюзик-холле, потому что в ней он может развернуть любимое: акробатику, негритянское... Она волнуется за “лирику”.

Зиночка, будем верить Мейерхольду»[1].

Полтора месяца, январь и первая половина февраля 1931 года, в ГосТИМе заняты «Последним решительным», спорами вокруг пьесы и спектакля, окончившимися болезнью Мейерхольда (17 февраля он пишет о том, что болен, Вс. Вишневскому). Но уже с начала года Мейерхольд возвращается к пьесе Олеши. «Как говорят, по вечерам у него на дому идет работа над Алешой (так. — *В.Г.*), там уж роли распределяют...» — пишет Э. Гарин Х. Локшиной 6 января 1931 года[2]. Спустя еще два дня, 8 января: «Последние дни репетирует Тяпа[3], очень слабо (речь идет пока о «Последнем решительном». — *В.Г.*), но сама хозяйка, очевидно, занята не будет, ибо готовится к актрисе»[4]. В эти же дни Гарин пытается посмотреть фильм о процессе Промпартии: «Вчера вечером дошел до того, что в очереди в 1-ый Союзкинотеатр на процесс промпартии простоял час, и так и не попал»[5].

Начиная с первых дней марта последовательность работы над «Списком благодеяний» возможно проследить почти день за днем.

«2 марта с.г. в 12 часов дня вызывается вся труппа и студенты ГЭК-

ТЕМАСа. Беседу ведет Мастер.

3 марта с.г. в 12 часов дня вызывается вся труппа и студенты ГЭКТЕМАСа. Беседу ведут Мастер и Автор»[6].

Судя по письму Гарина к Локшиной, 3 марта состоялась не беседа с автором, а читка пьесы[7] на труппе.

Еще одна читка «Списка благодеяний», которую Гарин называет первой[8], проходит 7 марта.

14 марта автор вновь читает пьесу труппе.

«Читка происходила в темном зале, на сцене. Стол был освещен сбоку прожектором, который озеленил лицо Мейерхольда. <...> Мейерхольд писал на листках, производя распределение ролей. Комбинировал. Он

Ю. Олеша и Вс. Мейерхольд на читке пьесы в ГосТИМЕ. 1931 г.

в очках. Сказочен. Доктор. Тетушка из сказки. Замечателен. <...>

После чтения пьесы Мейерхольд огласил распределение ролей. Выслушали в тишине. Он тактичен. Чтобы не обидеть никого, он предложил делать заявки на исполнение той или иной роли в дальнейшем. <...>

Роли распределены. Пьеса сдана в машинку. Послезавтра, т.е. шестнадцатого, — каждый исполнитель получит свою тетрадку»[9], — записывал Олеша на следующий день в дневник.

Машинописный режиссерский экземпляр «Списка» датирован, напомню, 17 марта 1931 года[10].

Для работы над постановкой Мейерхольд создает специальную режиссерскую бригаду[11]. 24 марта проходит ее первое заседание, записи о котором сохранились и у П.В. Цетнеровича и у М.М. Коренева[12]. Важно, что именно в связи с подготовкой спектакля «Список благодеяний» и параллельно этому Мейерхольд намерен вести разговор о режиссуре как профессии, о своем опыте в ней. Режиссер сообщает: «Наш “Путь создания спектакля” устарел. <...> Ближайшая задача — создание двух учебников: по биомеханике и по режиссуре. Это вам дается очень легко, а мне трудно, потому что у меня будет возникать соблазн уклоняться в “высшую математику”. <...> Темы: изокультура, композиция (сочинение)». Мейерхольд убеждает труппу: только тренинг рождает высокое мастерство: «Ничего от вдохновения не приходит. Оно может быть помощником, это лишь состояние (состояние лошади на бегах зависит от корма, подготовки и пр.)». Вновь и вновь повторяет: «Нет никакого вдохновения, есть только учеба и техника»[13].

Реальным рабочим экземпляром, по которому идут репетиции, становится текст пьесы, полученный М.М. Кореневым (963.1.712). Это второй экземпляр той же самой машинописной перепечатки, что и у Мейерхольда. В кореневском экземпляре спустя какое-то время появятся новые варианты трех сцен («В пансионе», «Кафе» и «Финал»). Именно этот текст донесет до нас и многочисленные режиссерские пометки, сопровождающиеся датами, т.е. станет, по сути, аналогом стенографических записей репетиций. Пометки делаются М.М. Кореневым, ассистирующим Мейерхольду во время репетиций[14].

Мейерхольдовский же экземпляр сохранит следы работы режиссера лишь над тремя сценами: «Мюзик-холлом», второй сценой «У Татарова» и «Финалом».

Репетиции, начавшиеся 18 марта, продолжаются два с половиной месяца. Записи репетиций ведутся с 31 марта по 31 мая 1931 года. В апреле 1931 года часть труппы ГосТИМа уезжает на двухнедельные гастроли в Ленинград, и Мейерхольд продолжает работу над спектаклем там.

Напомню, что в экспликации, рассказанной труппе 26 марта, Мейерхольд планировал максимальное сближение зала и сцены, он хотел окунуть зрителя в события пьесы, обещал, что уже в фойе театра начнется роскошный бал, действие будет перетекать в зал и партер украсит праздничная публика: дамы в вечерних туалетах, мужчины во фраках и цилиндрах; намечал и необычное размещение музыкантов (в заключительной сцене спектакля фокстрот должен был звучать «позади публики») и т.д. Но многое из задуманного в спектакле не воплотится: не будет ни «роскошного бала», ни театрального, по-европейски нарядного партера, да и музыканты разместятся традиционным образом, часть же музыкальных номеров прозвучит просто в записи. Изображение Европы утратит романтически-ликующее освещение, а героине будет не до бальных празднеств.

Что же было самым существенным из того, что происходило на репетициях «Списка»?

Мейерхольд получает адекватного ему автора и с готовностью погружается в поиск театрального эквивалента драматургической поэтике Олеши. Авторы спектакля очень сближаются в эти месяцы. Уже в самом начале работы Мейерхольд осторожно, но внятно говорит о стиле, в русле которого он намерен создавать будущий спектакль, — о символизме. Репетируется поэтический спектакль, и режиссер увлеченно рифмует интонации героев, отыскивает параллелизм жестов, строит перекликающиеся, подобно эху, ходы.

В сцене «В кафе» Леля восклицает: «Как — половина оторвана?» — в той же тональности, что и в начале спектакля, когда говорит подруге: «Как, оторвать половину?» И далее: «Ответная игра игре в комнате Гончаровой. <...> Та же нервность. <...> Абсолютно симметричная игра». Либо: Кизеветтер расстегивает воротник на реплике: «У меня нет галстука» — и затем на фразе «Я нищий...» Татаров листает дневник — потом его же листает Лахтин. Сначала Леле руку трясет комсомолец — затем безвольную Лелину руку пожимает Татаров и т.д. – все это выявляется как повторы, «отражения».

Специально отмечает Мейерхольд и появление зеркальной поверхности, т.е. той же рифмы, умножающей жесты, вещи, лица. Театральными средствами воплощается метафорика Олеши, важные драматургу-лирику темы теней и света, зеркальных отражений, удваивающих явь, мешающих ее с «видениями Лели». Режиссер неединожды говорит о переходе живого в мертвое: «Этот человек должен быть одновременно живым организмом и вместе с тем мертвым» (о манекене), либо (о нем же): «Должна быть ассоциация живого существа, закутанного в материю».

Мейерхольд настаивает на укрупнении тем, образов («Нужно Олешу превратить в Достоевского»), говорит о «трагическом нагромождении» событий и решений. Особое внимание режиссер уделяет выстраиванию образа центральной героини (это хорошо видно из сохранившихся материалов репетиций). З. Райх пишет в дни репетиций подруге: «Я работаю, как дьявол, над новой своей ролью — грандиозной, точно Гамлет, — и волнуюсь безумно»[15].

В сцене Лели с Маржеретом Мейерхольд предлагает увидеть «жесты античной трагедии»: «<...> заломила руки. Тут нужно, чтобы косточки застучали». «Кажется, что она сейчас выбежит вон, на воздух, или головой разобьет стекло и просунет голову. Это то, что в античной трагедии — шли, ломали руки: “Боже мой!..”» Еще параллели,

З. Райх в сцене с Чаплином и Фонарщиком. 1931 г.

называемые Мейерхольдом при работе с актрисой над ролью Гончаровой: святой Себастиан, Жанна д'Арк, ибсеновская Нора, тень Гамлета. Одна из самых важных и, казалось бы, неожиданных ассоциаций: в финале должна возникнуть «тень Маяковского», то есть гибель

Вс. Мейерхольд и З. Райх на репетиции. 1931 г.

Лели должна быть воспринята как самоубийство.

Поражает прозрачная ясность и одновременно глубина метафоричности мизансценического языка режиссера, достигаемая простейшими театральными приемами.

Семантика сцены обыгрывается Мейерхольдом с уверенной свободой зрелого мастера. Произнося поэтические реплики о дождливом осеннем Париже, ее мечте, героиня «вворачивает лампочку в бра», для чего забирается на стол, то есть она поднята над планшетом сцены, вознесена над приземленной собеседницей. В сцене примерки серебряного платья Лелю, преображенную и победительную, предъявляет, выводя за руку из-за ширм к зеркалу, Трегубова — на реплике о том, что «он был лебедем, этот одинокий гордый утенок». Татаров произносит будничные слова о «свете, который вредит его зрению», сидя спиной к публике, прячась в тени. Но свет ассоциируется с истиной, точно так же, как тень — с ложью, и т.д.

Разминая роли, Мейерхольд предлагает и множество конкретных, биографических подробностей, неизменно выводя актеров к обобщению, символу.

Татаров — крупный журналист, «вы можете вдруг выскочить в премьер-министры», «такие тузы, Юденичи, которые могли Ленинград взять», он принимает «позу Наполеона». Но еще и исчадие ада, монстр (параллели и ассоциации, предлагаемые режиссером актеру для этого образа: Муссолини, кабан, «свинья с иголками как у ежа», подлый интриган — «как Яго»), не поэт, а циник и пр.

Федотов, напротив, «солнечен». Эпитет «солнечный» пришел в литературу 1920—1930-х годов из утопии Кампанеллы, его мечтаний о «солнечном городе» и был призван объяснить привлекательность энергии, динамичности, способности к действию «нового человека». Продуманной и выношенной мысли прежних, «бывших» людей, теперь представлявшихся, пожалуй, и лишними, противопоставлялось ощущение — но ощущение радости, исторического оптимизма, которое будто бы излучали «новые люди». «Солнечными» в литературе 1920-х годов нередко были, например, чекисты. (В скобках замечу, что в связи с ролью Федотова Мейерхольд говорит о появлении у Боголюбова «новой социальной маски» и оказывается прав. В дальнейшем и в театре, и в кино Боголюбов сыграет не одну роль безусловно положительного и обаятельного советского героя.)

Даты нескольких репетиционных дней отмечены на полях режиссерского экземпляра[16] рукой М.М. Коренева: 28, 29, 30, 31 марта. (По-видимому, все же сохранились не все стенограммы репетиций. Система-

З. Райх на репетиции. Сцена «В комнате Гончаровой». 1931 г.

тические записи репетиций начаты лишь с 31 марта, причем и в них есть пропуски. Так, в письмах Гарина упоминаются репетиции 18, 23 и 30 марта; 15, 23 и 28 апреля, но их стенограммы разыскать не удалось.)

28 и 30 марта репетируется Пролог. Режиссерские ремарки, предложенные Леле, указывают: Леля говорит «мягко», «конфузясь», «робко, тихо». 28 и 29 марта фиксируются интонации в сцене «Тайна». Леля говорит «мягко, лирично», «романтически, по-детски»: «пойду себе под стеночкой...» На полях запись: «У нее очень подвижной ум, она не резонерствует, она легкая, подвижная».

Над 3-м эпизодом, «Приглашение на бал», работают 28 марта. Федотов произносит: «Почему вы не явились в полпредство?» — «чуть с налетом следователя», говорит «уверенно, безапелляционно». Позже, на репетиции 16 мая 1931 года, Мейерхольд объяснит: «Это не сцена допроса, она не говорит все это следователю, вам задали вопрос, вы отвечаете, и между прочим говорит то, что полагается говорить следователю». Далее, в сцене «У Татарова» ситуация допроса повторится и один из полицейских (Бочарников) сядет писать протокол, задавая вопросы Леле.

«Теплые краски», отнимаемые у Улялюма, Кизеветтера, Татарова, ложатся теперь на образы Федотова, Лахтина и «цветочного» комсомольца.

Репетиции смягчают, утепляют пьесу теперь уже собственно театральными, сценическими средствами. Жесткий литературный скелет пьесы обрастает конкретностями, порой, кажется, вовсе не обязательными деталями и штрихами.

Вводятся, между прочим, и новые фигуры.

У Олеши первая сцена объясняет, что выталкивает героиню из страны: острый конфликт между Лелей и средой (соседями и «рабочим с подшефного завода Тихомировым», вынуждающим Лелю солгать о готовности отправиться вместо вымечтанной поездки в Париж — в подшефный колхоз). В эпизоде «В комнате Гончаровой» гостей нет, в неуютной комнате лишь два человека: прозаичная и не способная понять Лелю подруга — и Леля, в возбуждении от скорого отъезда открывающая свою тайну.

У Мейерхольда сцена наполняется людьми: появляется рояль, а за роялем — настройщик; гости расставляют столы, идет праздничная оживленная суета, уродливая, запущенная комната превращается в гостеприимный и хлебосольный дом. Резкость конфликта приглушается, так как скандал с Дуней и Баронским смазан общим фоном приподнятого ожидания, царящего на сцене, обрывками фраз (некоторые из них дописываются на репетициях), приходом новых гостей и т.д. В результате Леля бежит не из склоки и отчужденности, непонимания и одиночества, а оставляет тепло дружелюбного дома, куда приходят друзья («<...> нужно, чтобы эта сцена имела приятное впечатление», — отмечает Мейерхольд на репетиции 18 апреля).

Так как это единственная «московская» сцена пьесы (все прочие происходят в Париже), понятно, насколько важную роль играют интонации и атмосфера данного эпизода в общем звучании спектакля.

3 мая Мейерхольд расскажет труппе о макете спектакля[17]. 9 мая — появится запись его рукой о «группе безработных (колич/ество/ ориентировочно /человек/ тридцать)»[18].

20 мая будет намечено четырехчастное деление спектакля, и пройдет хронометраж эпизодов[19]:

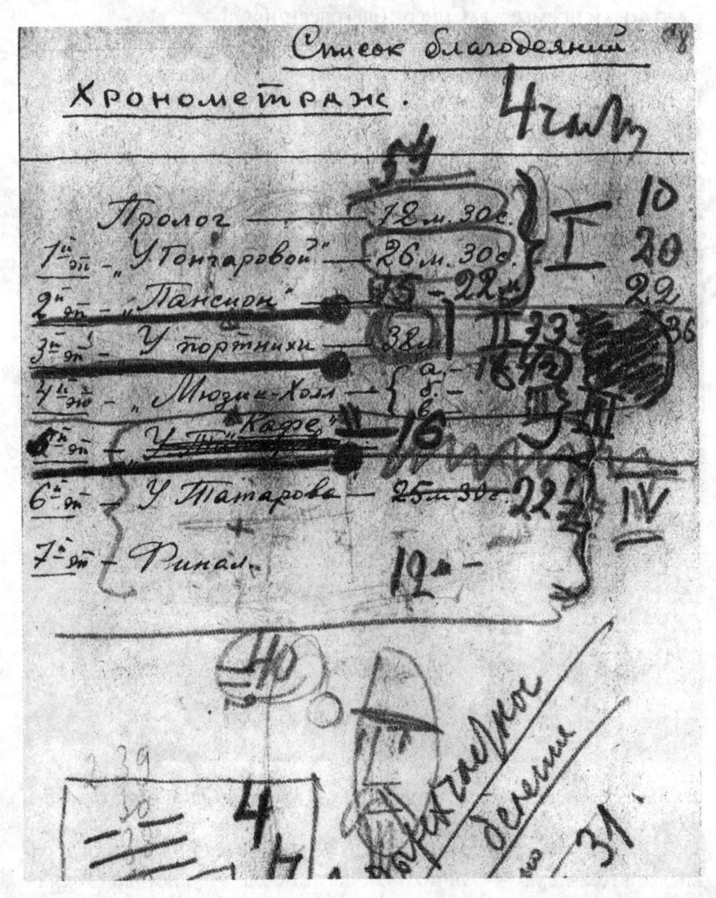

Список благодеяний

Хронометраж.

Пролог — 18 м. 30 с.

1-й эп. — „У Гончаровой" — 26 м. 30 с.

2-й эп. — „Пансион" — 22 м

3-й эп. — У портнихи — 38 м.

4-й эп. — „Мюзик-Холл" — а. б. в.

„Кафе" — 16

6-й эп. — У Татарова — 25 м. 30 с.

7-й эп. — Финал — 12 м —

четырехчастное деление

Ф. 998. Оп. 1. Ед. хр. 238. Л.2

Пролог — 12,5 минут
1. У Гончаровой — 26,5 минут
2. Пансион — 22 минут
3. У портнихи — 38 минут
4. Мюзик-холл — 16 минут
5. Кафе — 16 минут
6. У Татарова — 22,5 минут
Финал — 12 минут

22 мая в 3 часа дня назначается техническое совещание по поводу подготовки премьеры «Список благодеяний»[20].

Наконец, устанавливается количество антрактов (три) и появляется запись: двадцать пятого мая в пять часов «фракция смотрит»[21]. Первого июня генеральную репетицию «Списка» смотрят рабочие Электрозавода.

Репетиции «Списка» проходят в противоборстве не только с сугубо внешними обстоятельствами за стенами театрального дома, но и в противостоянии настроениям труппы.

Вс. Мейерхольд и Ю. Олеша с режиссерской группой «Списка благодеяний». 1931 г.

З. Райх на обсуждении «Списка» 26 марта говорит о лучших, самых ярких актерах — Зайчикове, Мартинсоне, — уклоняющихся от работы в спектакле. На той же беседе Мейерхольд сообщает, что не хочет работать над «Списком» и Ильинский. Гарин в письмах к жене не скрывает своей неприязни к режиссеру и его планам. Если еще осенью 1930 года Гарин с любопытством относится к пьесе и готов играть в ней, то позже, зимой 1931-го, настроен резко и делает все, чтобы бывать в театре как можно меньше. Главным же и неопровержимым аргументом отсутствия интереса к работе Мейерхольда становится отказ Гарина от роли.

Сегодня бесспорны и масштаб художественного дарования Гарина, и та огромная роль, которую сыграл режиссер Мейерхольд в его жизни. Известна и нежная привязанность и бесспорный пиетет актера к Учителю. Но то, что станет очевидным десятилетия спустя (что именно роли, созданные Гариным в мейерхольдовских спектаклях, — Гулячкин в «Мандате», Хлестаков в «Ревизоре», Чацкий в «Горе уму» — останутся вершинными его достижениями), в начале 1930-х актер еще не знает. В эти месяцы Гарин молод, скептичен и, самое главное, — скорее всего, выражает не только свои собственные настроения.

В письмах Э. Гарина к жене (к удаче сегодняшнего исследователя жившей в те месяцы в Ленинграде в связи с работой на кинофабрике) отыскались драгоценные штрихи и характеристики тогдашнего восприятия актером и пути театра в целом, и его понимания Мейерхольда, и места олешинской пьесы в культурно-политическом контексте России начала 1930-х. Приведу выдержки из почти ежедневных писем Э. Гарина, дающие возможность почувствовать ситуацию в ГосТИМе этих месяцев, настроения, по крайней мере части труппы, ее отношение к режиссеру и драматургу.

11 августа 1930 года: «<...> раз и навсегда бросить вождистские настроения. Это осталось от Мейера и так крепко потому, что мы были щенята, а он матерый волк. У кого можно сейчас учиться, когда все плавают, как говно в проруби. <...> Семь лет мы уясняли систему Мейера, оказалось, что это блеф»[22]. 18 октября 1930 года: «<...> я очень горжусь твоей большевистской душой. Мой приход (в ГосТИМ. — *В.Г.*) это явно выраженный меньшевизм, идеализм и интеллигентщина. Глупо же ждать о/т/ дупла, да притом прогнившего насквозь — зелени»[23]. 21 октября 1930 года: «В театре Мейер начал выходить из равновесья и вчера, как встарь, репетировал "Мандата" 3-й акт. Только постарел здорово и одышка. Побегает, а потом, как лошадь, высовывает язык. Вечером вчера Олеша и Вишневский читали свои пьесы. Я слышал только Олешу. Мне не понравилось. Сплошь философствует истерическая баба. Ежели вообразить, /что/ изображать оную будет сама, то номеруля получится интересненький»[24]. На следующий день: «<...> черт боднул каких-то идиотов восстанавливать "Д.Е." к Октябрьской

Э.П. Гарин.

революции в новом варианте: вместо туннеля — пятилетка. Вчера на вечернем заседании Худ.-полит. Совета выяснилось лицо сезона, ибо приняли к постановке две пьесы: 1. Вишневский “Последний и решительный” <...> 2. Олеша “Список благодеяний”. Там есть несколько довольно выгодных мужских ролей. <...> При театре непрерывно идут скандалы, отголоски коих доходят и до меня. Недавно была баня в ЦК Союза Рабиса, где Всеволоду намылили здорово. Все эти встряски, по-моему, гальванизируют его, ибо он ведет себя очень энергично, и можно думать, что и постановки будут все же выше “Бани”»[25].

23 октября 1930 года: «В Олешиной пьесе я бы с удовольствием сыграл бы рольку. У меня почему-то предчувствие, что здесь Мейер тряхнет своей стариной. И очень необычен материал для ГосТИМа — это во всяком случае — интересно»[26]. 5 ноября 1930 года: «Всеволод, конечно, удавил всю оппозицию, и теперь началось бегство в кусты. <...> Нового в театре ничего. Некоторые ненавидят Всеволода прямо по-звериному и страшно, напр/имер/, такие, как Логинов. Даже Варвара Федоровна[27], эта испытанная энтузиастка, и та холодна. Театр стал совсем другой, настоящий, заправский профессиональный академический»[28].

1 декабря 1930 года: «В театре по-прежнему болотце и уже никто не заинтересован в деле». 24 декабря: «Всеволод все куда-то бегает, как будто его греют за Париж <...>»[29]. 6 января 1931 года: «Как говорят, по вечерам у него на дому идет работа над Алешой (так. — *В.Г.*), там уж роли распределяют, и т.п., и будто бы роль Татаринова (так. — *В.Г.*) предложили Игорю[30]. Он, конечно, отказался. Если меня не займут, то я не горюю ни в какой степени. Подработаю в какой-нибудь другой области, как радио или кино»[31]. 3 марта: «Нынче утром чита-

ли вновь переделанную пьесу Олеши. Она мне окончательно не понравилась. Трактует проблему, которая абсолютно никому не интересна, и вообще в повестке дня стоит только у поклонников промпартии. Проблема интеллигенции, причем главный персонаж списан с З. Райх. Какая это интеллигенция и кого она может интересовать. Да и вообще, этот вопрос о пупе Земли, какое высокомерие и гнусность для наших дней. Говорят, дают играть какого-то сумасшедшего белогвардейца (Кизеветтера. — *В.Г.*). Руководство в ГосТИМе тупеет, это совершенно очевидно»[32].

7 марта: «Сегодня будет первая читка Олеши. Как я уже излагал, никакого энтузиазма пьеса эта у меня не вызывает». 16 марта: «Рольку в новой пьесе мне вручили. Она во мне вызывает омерзенье, да и вся пьеса в целом такая трухлявая, говенная интеллигентщина, что даже мне противно до черт знает чего. Позавчера труппочка приняла новый вариант гробовым молчаньем». 17 марта: «Завтра первая репетиция “Списка благодеяний”, но я не пойду: выходной день-с, ничего не придерешься». 19 марта: «Вечером же, возвращаясь из кино <...> нарвался на Мастера. Он говорит: Где же ты пропадаешь? Я говорю: Накапливаю оптимизм на лыжах. <...> Пока что я ни на одной репетиции не присутствовал. <...> Ну его, Мастера, в болото <...> Несмотря на то, что отношения у нас очень приличные, никакой симпатии к нему вблизи не питаю <...> За последнее время очень большевизировался. Попутнический курс ГосТИМа стал для меня явно тесен <...> Читай хорошие книги, вроде Уленшпигеля или Пантагрюэля. <...> Не читай интеллигентщину»[33].

25 марта: «Говорил с Олешей и очень его обидел, сказав, что роль мне совсем не нравится. Между прочим, читал я ее позавчера очень неплохо (судя по вниманию, так сказать, зрительного зала)». 30 марта: «Я сомневаюсь, чтобы Олешина пьеса пошла в этом сезоне, уж больно она репетируется в загробных темпах. Я на репетиции хожу очень редко, и пока никаких скандалов нет: на мою роль назначена целая армия. Раз я прочитал, и теперь читают по очереди Кельберер, Кириллов, Сибиряк, Мартинсон, Цыплухин (есть такой, из студентов) и Фролов. Зина себе выбрала надежную дублершу — Суханову, и все идет, как по маслу». 31 марта: «В театре своем что-то давно не был. Както проспал репетицию». 15 апреля: «Как только я ввалился в дом — звонки по телефону: просят на репетицию в театр. <...> На репетиции был около часу и злонамеренно хвалил работу Мейера». 17 апреля: «Директор Белиловский говорит о том, что Мейер будет ставить Олешу и конец. Затем будут ставить молодые, а сам должен на год засесть за “Гамлета”. Театр пришел в полный упадок, течет крыша и капает в зрительный зал. Думаю о том, чтобы сыграть Татарова в Олеше, мне ка-

жется, в этом есть смысл. Кизеветтера же играть глупо». 21 апреля: «Вчера, как говорят, приехал Всеволод. Говорят, что он очень много поставил в Лен/инград/де. Может быть, мои кусты с Кизеветтером будут легки и органически, ибо Кириллов уже насобачился». 22 апреля: «<...> опасаются за то, что “Список благодеяний” не будет готов в этом сезоне. Я тебе уже писал, что директор Белиловский хочет, чтобы после Олеши Мастер ставил только “Гамлета”, года полтора, а все очередные работы будет делать молодежь и будто бы Грипич, который входит в театр с пятнадцатью своими молодцами».

24 апреля 1931 года: «Вчера просидел всю репетицию на галерке с таким расчетом, чтобы меня не заставили самого изображать Кизеветтера, и, во-вторых, в подробностях посмотреть, что навернул гений за ленинградские гастроли. Все мои ожидания на дерьмовость были перевыполнены. <...> Вечером на спектакле “Д.Е.” произошел у меня разговор с Мастером, и я прибег к трюку. Он, как полагается, вначале спрашивал, я, как полагается, по уставу внутритимовой службы, говорил, что хорошо. Когда же дело дошло до Кизеветтера, то попросил Мастера переключиться на другую роль, т.е. Татарова, на что он согласился с необычайной охотой. Конечно, играть ее я не буду, но на первое время хоть окончательно сбросить себя с Кизеветтера». 27 апреля: «Вчера очень честно просидел всю репетицию “Списка”. Кизеветтера играть окончательно не хочется...» 29 апреля: «Вчера внимательно смотрел репетицию. Идет все довольно туго, и осложняется все это стычками между Мастерами. <...> Настроение в театре очень нервное». 30 апреля: «В театре, оказывается, кажинный день скандалы. Хорошо, что я не прихожу...» 4 мая: «Кизеветтер пока проходит хорошо — ничего не делаю. В театре вообще, как всегда весной, чрезвычайно нервно и бестолково. <...> Итак, пока со “Списком благодеяний” у меня лично все обстоит благополучно». 6 мая: «В театре явный антракт. Барыня заболела, и, естественно, вся работа остановилась. Ведет и изводится на репетициях Павел Цетнерович, и они не двигаются с места. <...> Мастер не заседает по болезни барыни»[34].

Райх заболевает в разгар репетиций (и три недели Гончарову репетирует М. Суханова).

Все усиливающееся одиночество Мейерхольда в театре.

Юрий Елагин, оценивая обстановку в труппе ГосТИМа этого времени, писал: «<...> дистанция между его (Мейерхольда. — *В.Г.*) художественной квалификацией и таковой у среднего актера ТИМа тридцатых годов была действительно огромной. Вряд ли теперь рядовой мейерхольдовец мог вообще даже понять идеи своего мастера, слишком уже необъятна была пропасть между их культурными уровнями, слишком различны были теперь их мысли и даже язык, на котором они говорили...»[35]

Гарин рассказывает жене о скандале, разыгравшемся после выступления Мейерхольда на диспуте в связи со спектаклем «Последний решительный», и комментирует: «Мое впечатление от всего произошедшего: старый баран совершенно выжил из ума и к тому же болен манией преследования и авансов. Перед постановкой бездарнейшей и салонной /пьесы/ Олеши вопит, что его зарезали. Тогда как после Олеши его уж наверняка стукнут по башке»[36].

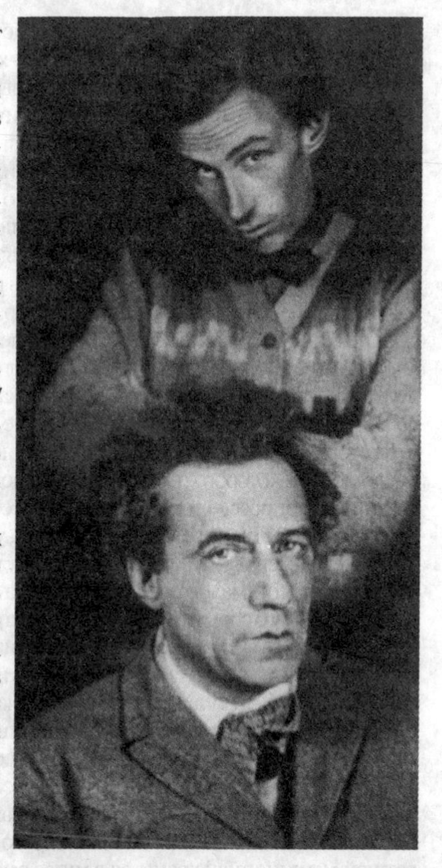

Вс. Мейерхольд и Э. Гарин. 1926 г.

Из личных нерешенных проблем и вопросов вырастает этот камерный, психологический, очень важный для Мейерхольда спектакль. Он делает его в отчужденной труппе, дерется за него, находя в себе энергию и силы, утверждая свое следование запретному символизму. Несмотря ни на что, драматург и режиссер отстаивают смысл будущего спектакля — пусть усеченный, пусть деформированный. Отступая шаг за шагом, стремятся, чтобы этот шаг оказался последним.

К концу работы Мейерхольд все-таки одерживает (относительную) победу. Над труппой в том числе. Гарин начинает сожалеть, что не он играет Татарова. 18 апреля он пишет жене: «Из Ленинграда приходят вести, что Мейер превзошел самого себя, так все замечательно делает...» 9 мая: «Из репетиционных зал поступают сведения, что получается очень интересно, поэтому собираюсь сегодня посмотреть репетицию»[37]. 12 мая: «В театре Всеволод поставил один эпизод очень хорошо, но играть мне в нем некого. Эпизод этот в Мюзик-холле»[38].

(Мнение актера уже через несколько недель подтвердят рецензенты, которые напишут, что сцена в «Мюзик-холле» поставлена замечательно, а актерские работы в спектакле выше всяческих похвал.)

Сказанное не означает, что отношения с труппой стали идиллическими, — разрыв не зарастает. «Сам ходит один, как прокаженный. Эти два “Последних решительн/ых/” приходил и смотрел, и никто к нему не приближается, и он один мрачно уходит»[39], — пишет Гарин жене во время харьковских гастролей 8 июля 1931 года.

Пьеса о невозвращенке, осмелившейся вслух выговорить свои сомнения в правоте революции, упрекнуть власти в том, «что они сделали с людьми», все-таки вышла на театральные подмостки и была, судя по бурным диспутам, понята зрителем.

В режиссерских ремарках к «Списку благодеяний» появляются слова о «лжепоказаниях» — свидетельство понимания механики арестов, допросов и пыток. Не обязательно тех, которые происходят, — возможно, и тех, которых стремятся избегнуть. На репетициях произносятся реплики о седом бобре, которого травят, о том, как подсказывают фальшивые показания на допросе, о том, как чувствует себя человек, которому лишь показали орудие пытки, и он, трепещущий, уже ощущает боль.

Т. Есенина свидетельствовала: «Когда ставился “Список благодеяний”, я была еще маловата, но чувствовала атмосферу совершающегося значительного события. У матери — центральная роль в современной пьесе. И пусть сюжет высосан из пальца (а иной тогда уже, пожалуй, был бы и невозможен), но в тексте были стиль и интонации Олеши. <...> А самое главное — в подтексте пьесы содержался хоть какой-то протест. Так волновались — допустят ли вообще, чтобы со сцены прозвучала такая крамола, как “список преступлений” советской власти»[40].

Во время ленинградских гастролей осени 1931 года Мейерхольд заходит в Казанский собор и отчего-то находит необходимым иметь в архиве театра слова отречения Галилео Галилея. Два листка выцветшей машинописи хранятся в музее вместе с материалами к спектаклю «Список благодеяний»[41]:

«Я, Галилео Галилей, сын покойного Винченцо Галилея из Флоренции, семидесяти лет от роду, самолично поставленный перед судом, здесь, на коленях перед вами, высокопресвященными кардиналами, генералами и инквизиторами всемирной христианской общины против всякого еретического растления, перед Евангелием, которое вижу собственными глазами и до которого касаюсь собственными руками, клянусь, что я всегда веровал и с помощью божиею буду веровать всему, что святая католическая и апостольская римская церковь за истину приемлет, что проповедует и чему учит, но так как священное судилище приказало мне совершенно оставить ложное мне-

З. Райх на репетиции. Сцена «Пролог». 1931 г.

ние, будто солнце есть неподвижный центр мира, земля же не центр и движется, и запретило под каким бы то ни было видом придерживаться, защищать или распространять упомянутое ложное учение...»

«Список благодеяний» стал для Мейерхольда спектаклем предчувствий.

Вс. Мейерхольд.
Замечания на репетициях ГосТИМа
пьесы Ю.Олеши «Список благодеяний»

31 марта 1931 года

/*«Пролог»*.
Орловский — Башкатов, Гертруда — Твердынская,
Гильденштерн — Ильин. На репетиции заняты также
актеры: Богарышков, Поплавский, Цыплухин, Тимофеева,
Бузанов, Егорычев, Лурьи, Трофимов, Мологин/

При словах: «Т/оварищ/ Орловский, хватайте колокол...» — не надо уходить, надо отступить, это будет гораздо эффектнее. Отступление дает экспрессию.

Когда Твердынская сказала: «Правильно», — Орловский сейчас же прерывает ее. Он боится, что эта орава подымется и будет чего-то голосить.

«Где Ильин?» — не должно быть ожидания, должна быть суета приготовления.

«Коля!» — надо сказать несколько раз. Должна быть беспрерывность реплик и ходов.

Ильин энергично группирует записки, незаметно перетасовывает их, откидывает записки одного порядка, некоторые прячет в карман. Когда он идет и утешает Лелю, часть записок передает ей в руку. Он подтасовывает часть записок, потому что они (в президиуме) некоторые термины, чисто театральные, не знают.

Башкатову не надо закапывать лицо в стол. Ты привычный председатель, который держит в руках собрание. Председатель, кот/орый/ закапывает лицо в стол, не кончает ни одного собрания. Вы должны все время гипнотизировать зрительный зал. Чем лучше председатель, тем он больше смотрит в зрительный зал, он все время настороже, чтобы не было скандалов.

Когда председатель говорит: «Елена Николаевна!» — изумительно хорошо, точно сделал Цыплухин. Этот мимолетный вздерг решает участь этой группы. Раз, раз — реакция, и дальше идет соединение.

Когда Богарышков сказал: «Ел/ена/ Ник/олаевна/!» — Поплавский положит руку /ей/ на плечо. Вся вздрагивает. Тимофеевой, кот/орая/ писала в книгу, не надо много играть. Всплеск! Дальше. Это японцы.

«Записки готовы» — не надо. Лучше просто: «Записки!»

После слов при чтении записки: «...мужчину?» — пауза. Изумление, а потом «ха-ха-ха!».

«Продолжайте, пожалуйста!» — волево, а не крикливо.

«Вас спрашивают...» — тоном выше. Это начало нового этапа. Леля в этом сложном эпизоде тормозит, вы же должны все время вздергивать. Должны держать диспут в руках.

Пред/седатель/: «Тов/арищ/ Гончарова слишком большого мнения об иностранной кинопродукции» — когда он позвонил, у Лели, естественно, должен быть такой же тон, как раньше, /она/ как бы говорит: вот видите — опять звонит!

Когда Леля спрашивает, сколько еще осталось записок, Бузанов тоже должен их перебирать. Записок много, целое море.

«Как так?» — надо разыграть эту сцену. Цыплухин подходит к Егорычеву, разговаривают. Лурьи — к Тимофеевой, также шепчутся.

Тимофеева встала и с места говорит: «А где Ильин?» Цыплухин проходит позади Лурьи, потом бежит по авансцене, говорит: «Ильин, он не разгримировался?» Поплавский отошел, говорит: «Коля». Мологин идет по заднему плану, подходит к Леле и говорит: «Ну что ж, сыграем?»

Последняя записка адски неразборчива. Председатель раздражен. Тогда Трофимов /обрыв стенограммы. — *В.Г.*/.

Ф. 963. Оп. 1. Ед. хр. 724

6 апреля 1931 года

«Пролог»

/Актеры Бузанов, Поплавский/

Председатель держит в руках собрание. Он главенствует. У него сразу тон директивы. Он констатирует факт. У него должна быть какая-то волевая пружина, энергия.

После того как Леля передала записку от «рецензента» — не должно быть паузы: председатель шутливо читает неразборчивую записку, кот/орую/ раньше передала Леля.

Записку о рецензенте Леля передает группе машинально. Бросила записку, они схватили и облюбовали ее для игры.

Звонок председателя должен быть только после слова «Правильно!».

Бузанов передает часть записок Леле, а часть — барахло, кот/орое/ решился не показывать, — передает председателю (передает левой рукой), подходит к Леле и просто говорит: «Не волнуйтесь».

Повторение.

Буз/анов/. В этой /молчаливой/ группе самые энергичные руки у Бузанова, кот/орый/ суетится с записками, перебирает их, откладывает, которые не нужны, и собирает те, кот/орые/ нужны.

Поплавский сидит, наклонившись к Леле, шепчет ей губами что-то.

Сцена «У Трегубовой»
/Трегубова — Ремизова, Татаров — Мартинсон,
Кизеветтер — Гарин, модель — Высочан/

Зеркало, тумба, на кот/орую/ бросают платья для примерки. Манекен. Стоит помощница портнихи, на кот/орой/ иногда примеряют. На ней бумажное платье (выкройка).

Ремизова режет его ножницами. Становится на колени, вырезает.

Манекен тоже стоит, чтобы показать, что это не какая-нибудь заказчица, а помощница. Входит Мартинсон в пальто, шляпе и как будто только что будет раздеваться. Из кармана вынимает журналы, стоит, просматривает, снимает пальто, шляпу. Видно, что не то он только что пришел, или идет куда-то.

У Ремизовой не должно быть лишних жестов. Несколько решительных смелых жестов, чтобы видно было, что она мастерица своего дела. Идет резать — прицелилась — так без промаха.

Оба совершенно не стесняются девушки, все при ней говорят. Она не слушает, она не тем занята.

Когда Мартинсон сказал: «...револьвер», она должна подойти ближе и говорить: «Вы меня пугаете».

Мартинсон сказал свою фразу, перешел к креслу, снимает пальто, бросает его, повернулся, и тогда Ремизова говорит: «Вы пугаете меня».

Ремизова перед первой фразой подходит к (выкройке), вырезает. После «чекист» — остановилась, повернулась медленно, с ножницами в руках идет к Мартинсону, тот бросает пальто, она говорит: «Вы пугаете меня». Она делает отступление, потом ринулась. Тогда будет скупо и вместе с тем остро.

Вначале портниха стоит спиной до первой фразы. Ремизова ее поворачивает, отступила, смотрит, потом переход, слова Мартинсона — Ремизова режет.

Чтобы просто не начинать, нужно, чтобы публика присмотрелась, глазами облизала всю обстановку, потом она будет воспринимать начало.

Когда Ремизова пришла резать, начинается текст Мартинсона.

После: «Вы пугаете меня» — Мартинсон отходит и начинает ходить по диагонали, ходит, как часовой маятник. В этом хождении вы должны обрести громадную энергию, кот/орая/ будет расти, расти, расти, отмечаться походкой, ходьбой. Ремизова не сводит глаз с него, она все время следит за ним, смотря то на него, то на портниху. Работа у нее поэтому не клеится, она в большом беспокойстве.

«Я вошел к ней...» — выпаливает так же, как там, в прологе: «Диспут закончился». Это очень быстро начатый эпизод.

Ремизова не должна суетиться. Ход у нее решительный с наскоком.

Повторение.

Когда Мартинсон снимает шляпу, то в этом броске уже должно быть раздражение.

Ходит он по самой длинной диагонали. Иногда делает короче диагональ.

Когда Ремизова мешает ему своей психологией, он ее ненавидит.

Он смотрит на нее, она чувствует, от этого взгляда немного потухла, сконфузилась. Она отошла и закопалась в работу.

После: «Мы ее скрутим» — Ремизова идет за ним. Он поворачивается, видит ее и говорит: «...что, не удастся?» Ремизова то наклонилась, то встала, отступила, смотрит на Высочан. Это не есть облюбование деталей. Это момент, когда кладутся основные композиции, а то нехорошо, что все вкопались в какую-то деталь. Это кройка в основных линиях.

«Она очень горда» — двигает (Высочан). Этот человек должен быть одновременно живым организмом и вместе с тем мертвым.

Ремизова неслышно идет за ним, так, чтобы он ее не видел. Идет на носках, не стучит каблуками.

«Не верю, не верю, мы ее скрутим» — безапелляционно.

«Святая в стране соблазнов» — с жестом.

Ремизова застыла — взгляд укора и привязанности. У него желание от нее освободиться.

Ремизова останавливает его рукой, кладет руку на спину, это только толчок, чтобы его остановить. Потом она кладет правую руку, задерживает его, а левой рукой гладит сзади по затылку. Когда Мартинсон отходит, она не остается, а сейчас же идет работать.

Мартинсон останавливается, облокотясь на стол, и там кончает текст.

Ремизова трогает плечо портнихи и говорит: «Вы свободны».

Мартинсон сорвался с места и начал ходить. Говорит: «Может быть». Ходит с гораздо большим темпом и раздражением. Ходит по той же линии, но ходьба более стремительная и более раздраженно. Эта сцена стремительная, настроение нервное. Она видит, что он кипит. Там он бросает суровый взгляд, потом: «потускневшая бирюза», теперь она ждет, что /он/ опять охамеет. Подходит к нему осторожно, мягко и боязливо. Идет, смотрит, смотрит и уже не решается положить ему руку на плечо. Она боится его, это лев теперь. Мартинсон ходит, иногда подходит, но с тем, чтобы опять ходить. Темп будет ломаться, он поразному быстро ходит, то задерживается, тормозит.

После монолога Ремизова берет материи, кот/орые/ она получила от своей заказчицы, рассматривает, примеряет их, т.к. через полчаса она будет кроить их. Надо, чтобы она не бросала своей работы.

Мартинсон вынимает какие-то журналы, кот/орые/ он на ходу купил, перелистывает их. Она ушла в свою работу, набрасывает материи на манекен. «Вы влюбились» — говорит фразу, продуманную еще раньше. Подозрение было еще раньше.

Она идет с фразой: «Вы сказали о ней...» — Мартинсон закопался в книгу и улыбается. Эта сцена сорвана входом Гарина.

Гарин входит и сразу идет к стулу. Он их (Рем/изову/ и Март/инсона/) видит, не смотря на них.

Ремизова, чтобы показать презрение, спрашивая, зачем он пришел, — идет к нему, не дошла, возвращается и снова начинает работать с материалами.

После фразы: «...не назначать свидания в /моем/ доме» — Мартинсон идет, садится к столу, предчувствует, что она может целую семейную сцену создать. Он ушел, закопался, на время ликвидировал неприятную сцену.

Ремизова уходит за зеркало и оттуда говорит. «Не назначать свидания...» — проходит мимо и идет за зеркало.

«Вы отказываетесь от дружбы со мной» — пауза. Она выходит из-за зеркала, говорит: «Вы измучили меня». Эта фраза уже эмбрион возможного семейного скандала, кот/орых/ Мартинсон ужасно не любит.

После фразы: «Вы отказываетесь от дружбы...» — море слез за кулисами.

После: «Оставьте меня» — уходит за кулисы.

«Ну, дайте руку» — протягивает руку, она возвращается. Он ее ведет ласково, уговаривает. Посадил ее в кресло.

Повторение.

«Уберите к черту эту тускнеющую бирюзу» — с жестом. Ремизова недовольна приходом Гарина. Ее вообще раздражает его бытие в этой атмосфере. Пришел человек, бухнулся на стул, все равно как сомнамбула, какой-то человек не из мира сего, приходит, приносит с собой какую-то загадочность. Сидит не как все люди, плюхнулся на забытый посреди комнаты стул. Ее раздражает, что он не по-человечески себя держит. «Я не хочу, чтобы вы бывали здесь» — говорит взволнованно, но медленно, сосредоточенно и сдержанно.

«В чем безумие мое?» — этой фразой Гарин разрезает фразы Ремизовой.

«Оставьте меня» — Ремизова боится расплескать слезы здесь, потому что Мартинсон не выносит ее слез. Она уносит слезы в другую комнату.

Сцена превращается в сильно драматическую, даже трагическую, и вдруг возникает монолог, возникает помпезный монолог Царя Эдипа.

Ф. 998. Оп. 1. Ед. хр. 239

8 апреля 1931 года

«У Трегубовой»

(Трегубова — Ремизова, Татаров — Март/инсон/)

/Кизеветтер — Гарин/

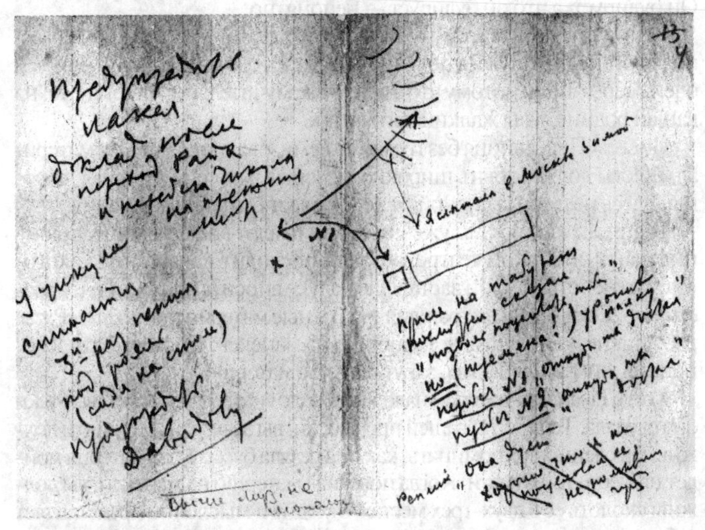

Набросок Вс. Мейерхольда на репетиции. Ф. 998. Оп. 1. Ед. хр. 238. Л. 4.

«Не верит, не верит...» — пауза. Мысль о том, что мы ее скрутим, не сразу приходит, а после некоторого раздумья. Это не шлейф к фразе: «Не верю, не верю...». «Мы ее скрутим» — более подъемно. Потом будет спадение.

Когда Ремизова удерживает Мартинсона, у него тенденция к отходу, но не сам отход, только легкий поворот плечом, движение плечом, ногами не уходит.

Когда /Кизеветтер/ ушел, не нужно переходить на первый план, а переходит к столу. После этой сцены взял книгу и просматривает не внутри книги, а всю пачку. Должно быть три, четыре томика, кот/орые/ вы просматриваете. Он это делает, чтобы от нее освободиться, чтобы она не лезла к нему с любовной сценой. Когда же он работает— она к нему не пристает. Просмотрел томики, и опять пришла мысль о ней (Леле), и опять начал ходить, т.е. вернулся в то состояние, в кот/ором/ он был. «Приставьте меня /к ней/...» — нервно швырнул книгу — это толчок к шагу.

Мартинсон именно потому говорит: «Может быть», что она при-

13. В. Гудкова.

няла такую позу, кот/орая/ обещает неприятный разговор, видно, что она затевает канитель на час. Его это раздражает, она видит контрнаступление, и он, чтобы освободиться, бомбардирует из тяжелых орудий. Его фразы имеют не смысловое, а какое-то другое значение. Он будирует, а что он будирует — непонятно.

«Что тут не понимать?» — подходит к столу и уже начинает серьезно говорить. Тут нужна повышенность. Это кусочек доходчивый и очень серьезный, потому что это для вас мучительно, что она там, на вашей родине, а вы жалкий изгнанник.

После: «Праведница без греха» — Ремизова раскладывает материал. Жесты должны быть широкие, плавные, материя хорошая, дорогая. Здесь не суета, а спокойствие — делает большие движения.

Ткани играют роль служебную, они имеют впечатляющее значение, как в японском театре, когда происходит нарастание какого-нибудь действия. Они заставляют слугу вносить материи и их расстилать. Если большая трагедия — красные материи приносят. «Разве рабы такие?» — расстилает материю на манекен. Должна быть ассоциация живого существа, закутанного в материю.

Когда Ремизова материи наложила, надо знать, для чего это все-таки она сделала. Теперь, по вашей профессии, вы завязали материю и должны мысленно припоминать, как она резала бумагу, эта материя пойдет на место той бумаги. Когда повесила материю на манекен, вы должны сколоть ее в двух-трех местах, отходит и мысленно представляет себе это платье реализованным в каком-то покрое. Этот отход должен быть, как художник, кот/орый/ приготовил холст и отходит, смотря, как он расположит будущий свой рисунок на этом полотне. Вы даже должны отходить, критикуя, хорошо бы смотреть в маленький лорнет, в кот/орый/ вы будете потом смотреть на Лелю Гончарову в серебряном платье. Значит, издали смотрит в лорнет и воображает платье в определенном покрое, а то у вас получается, будто бы вы ждете реплики. Вы, конечно, погружены в его реплики, но также погружены в работу. Эти два состояния дадут вам хорошую планировку движений, естественные ответы, и т.д. Она ходит, обходит с разных сторон, приглядывается, как художник, покупающий дорогую вещь. Должно быть много дорогой материи, кот/орую/ вы потом превратите в великолепное платье, в кот/ором/ кто-то будет сверкать. Она не должна торопиться, она дома. Эта медленность свяжет вас с ним.

«Праведница без греха» — садится на стол, бросает фразу через плечо — это будет острее.

«Грех у нее есть» — пауза. Парадоксально. Нужно менять интонацию.

При фразе: «Дайте ей платье в кредит» — у Ремизовой эмбрион ревности, кот/орая/ может обратиться в целое море слез. Она сразу почуяла — он так заботится, он адвокат ее (Лели) интересов.

«Платье, которое обшито кредитом» — Ремизова медленно идет к нему, /нрзб./ мы чувствуем, что это чем-то задело ее, что тут какое-то беспокойство есть.

«Вы знаете, что я...» — надо все время идти на него, она хочет читать у него в глазах. Мартинсон не должен смотреть на нее, поглядывает на нее критически.

Гарин идет, сел, машинально закуривает, сто спичек портит, наконец закуривает, тут есть на чем показать нервное состояние. Он как пьяный шофер, кот/орый/ пять дней не спал и наконец добрался до дома. Публика должна запомнить, что это за личность, кот/орая/ не может закурить, и тогда: «Зачем пришел этот человек?» — будет понятно. Кизевет/тер/ сидит как будто на угольях, сидит — и неизвестно, что дальше будет.

Кизевет/тер/ говорит: «Я ищу тебя» — через голову Ремизовой, он совершенно игнорирует ее.

Сцена на полном разряде, жди недоразумений, — и молчаливая фигура Татарова. Это дает сложную ситуацию всей сцены.

Ремизовой. Вы ходите не походкой хозяйки, хозяйка вещи более уверенно ходит, а вы немножко суетитесь, походка определяет вашу позицию: владелица этого ателье.

«Я его боюсь» — та интонация, кот/орая/ дает переход к будущим слезам.

«Она боится меня» — смеется. Издевается над ней. Демонстративно держит себя.

«Вы не видите, что он безумный?» — интонация: я плачу, нужно на цыпочках ходить, уйти из дому, он бестактен.

Татаров вывел Трегубову, посадил ее и не намерен оставаться здесь, он тоже в таком настроении, что ему хочется бежать из этого ада.

«Большевизм вторгается в массы» — уходит. Уходя, он скажет весь монолог. Пальто полуоденет — часть фразы скажет, набросит — опять часть фразы скажет. Он нарочно вывел ее отсюда, потому что знает, что она будет плакать два дня. Он вывел ее сюда и бросит.

Ремизова как села — плачет.

Кизеветтер страшно нервозен. Он нахал. Он выкрикивает фразы. Смех у него дерзкий. Это хулиган, снимающий шляпу и показывающий, что он — блондин-красавец. То он хулиган, алкоголик-шофер, не спавший три ночи, то вдруг — хоть на французской сцене играть любовников. Одновременно видно, что он из кадетского корпуса, ловкач.

Я нарочно рассадил всех на далеком расстоянии, чтобы вся сцена была на крикливости.

«Распалась связь времен» — Татаров подходит к столу, запихивает по карманам те книги, кот/орые/ он принес.

«В кого мне стрелять за то, что распалась связь времен?» — впечатление, что будто вынимает револьвер и будет стрелять. Левая рука твердо на кресле, правой рукой нервно вынимает револьвер из кармана.

«/В себя!/» — только сейчас Ремизова увидела, что он в пальто и шляпе, до этого она ничего не видела, она была в таком трансе. Теперь она увидела, что он собирается уходить.

«Это то, о чем запрещено думать в России» — машет перчатками.

Татаров говорит, все время жестикулируя шляпой. На стуле лежит, выпрямился, закрывается шляпой, переходит к креслу, поворачивает кресло, садится.

Ф. 963. Оп. 1. Ед. хр. 724

9 апреля 1931 года

«У Трегубовой»

(Тат/аров — Мартинсон/, Трегубова — Ремизова)

/Кизеветтер — Кириллов/

«Я ушел ни с чем» — говорит, вынося фразу, а то вы задумываетесь, и получается раздумье какое-то.

Татаров ходит тяжело, резко, более громко.

Перед словами: «Ответьте мне, может быть, эта актриса ваша дочь?» — Трегубова не сводит глаз с него.

«Может быть» — вы (Мартинсон) внутри раздражены, но это на поверхности не видно. В интонации же видно, что вы над ней издеваетесь. Он возит текст издевательским тоном.

После нагромождения образуется пауза, постепенный подход к ней, и только тогда: «Что тут не понимать?» Тут впадение в серьезный, искренний тон. Там дурака валял, а теперь набрел на тему, о кот/орой/ будет говорить серьезно. «Чего тут не понимать!» — с раздражением. Какая дура!

«Я жалкий изгнанник» — больше горечи, желчи.

Ремизова ходит, лорнирует. Когда вы будете ходить, видно, что вы и материей заняты, и слушаете о том, что он говорит.

«Дайте ей платье в кредит» — новая мысль. Это инспирация. Это есть мысль, кот/орую/ он ей внушает. Он как бы подсказывает ей преступную мысль. Жестко говорит — как начальник штаба говорит: «Отпустите столько-то фуражу». Это как бы распоряжение по телефону. А потом сладострастно: «В платье, кот/орое/ обшито кредитом, можно очень легко запутаться».

«А это второй козырь» — мысль пронзила мозг, поэтому на это вы отпускаете новую краску.

Ремизова, когда подходит к нему, складывает лорнет и играет /им/

или рукой, нервно перебирает руками какой-то предмет, если же сложите руки, то вы испуганно идете.

«Красавица из страны нищих!» — любуется метафорой, но не надо декламировать.

Выход Кизеветтера.

Татаров услышал шаги, стоит спиной к публике, смотрит на Кизеветтера, провожает его глазами.

Когда Ремизова вышла и плачет, Мартинсон выражает: «опять начинает обычную историю, как ужасно в этом доме».

При словах: «Она боится меня, почему?» — Мартинсон встал, отошел к манекену, ушел за него.

Кизеветтер бросит фразу и не смотрит ни на кого.

«Она боится меня» — утверждение.

«Чего она боится?» — вопрос.

Мартинсон направляется к Кизеветтеру, напарывается на фразу: «Она боится меня», — раздраженно уходит в глубину.

«Разве вы не видите, что он безумный?» — порыв к Мартинсону, но не доходит, он выходит и говорит: «Глупости».

Когда она направляется к Кизеветтеру и говорит: «Оставьте меня», — Мартинсон выпроваживает ее. Смотрит на Кизеветтера с укором: скандалист пришел и все испортил — вот смысл взгляда.

«В советского посла!» — страстность ужасающая.

Татаров в общем ненавидит женщин, берет, но они дорого стоят.

«/В советского посла!/» — эффектно брошенная вами фраза повисла в воздухе, вы ею любуетесь, это есть призыв фашиста. Вы в упоении от этой фразы.

«Вы безработный» — говорит немножко как педагог, успокаивает. После этого спокойный тон прерывается. «В советского посла!» — выкрикивает.

«Отнеситесь к Диме ласково» — жест.

«Вы же безработный!» — жест.

«В советского посла!» — выше. Как крышку на кипящую кастрюлю бросают – раз, и готово!

«В советского посла!» — любуется эффектом своей гениальной выдумки, стоит, он ослеплен своей эффектной выдумкой.

Абсолютно серьезный вид — это инспирация на убийство посла. Здесь дискредитация фашизма происходит. Это в политическом смысле острый момент в пьесе.

«Большевизм вторгается» — самое большое раздражение, и «большевизм» — это самое ненавистное для него слово.

«Дайте мне трибуну» — пауза. Окончание фразы. «Римский папа» —

новая мысль.

«У тебя никогда не будет невесты!» — раздражение.

Стук. Но не сразу входит Леля. Она там, на лестнице, с адресом запуталась. Одна из портних, кот/орая/ у вас шьет, ее провожает. Вот сначала портниха и скажет, что к вам кто-то пришел. Мартинсон через голову увидел Лелю и узнал ее, и тогда идет его сцена.

Садится в кресло.

Повторение.

Кизеветтер (Кириллов): «Чудно, чудно...» — встает, держится левой рукой за стул и произносит монолог. В позах крикливая неприязненность, какое-то извращение позы, так не садятся на стул.

«Я его боюсь!» — выносит фразу к нему, но без слез.

«Я никогда не видел звездного неба» — с озлоблением. Вздерг, стоит, опирается на стул.

«Делайте войну!» — ход, показывает спину.

«Это сказка о Золушке» — Татаров аккомпанирует шляпой.

У Татарова сосредоточенная ходьба сумрачно настроенного человека.

Ф. 963. Оп. 1. Ед. хр. 724

11 апреля 1931 года

/Сцена «У Трегубовой»

Татаров — Башкатов , Трегубова — Ремизова,
Кизеветтер — Кириллов/

При ходьбе не должно быть суетливости, как перед отходом поезда. Ходьба от напряженного мышления, а не от суеты. Мысль должна преобладать, а то фат получается, как-то легко начинает суетиться. Это человек, кот/орый/ ворочает тяжелые жернова мышления.

Перед словами: «Святая в стране соблазнов» — возвращается до конца диагонали. Поворачивается и оттуда говорит: «Святая...»

Перед: «Может быть» — Башкатов берет не кепку, а газету, кот/орую/ он не читал. В Париже масса газет издается, он так небрежно перелистывает газету, ищет какой-то отдел, кот/орый/ его наиболее интересует. Газету лучше раскрыть и закрыться ею совсем, а Ремизова в это время садится.

«Эта актриса — ваша дочь?» — отшвырнул газету. — «Может быть». Начинает опять ходить тяжелой походкой, кот/орая/ выдает в нем тяжелый характер. «А может быть, племянница» — на сильном звуке.

«Но случилось так, что я жалкий изгнанник...» — раздраженно. Он раздражен вдвойне на то, что она задает идиотские вопросы. Она в ваше политическое бытие вплетает какие-то будничные, мелкие темы: ревность, племянниц. Для него это целая проблема, что он здесь, а та (Леля) там. Он раздражен против Лели и против Трегубовой, вы сразу двух женщин ненавидите, Трегубову за ее куриную тупость, а ту (Лелю) – что она там осталась.

Книга не разрезана. Нужно положить разрезной нож, и вы (Башкатов) разрезаете книгу. Разрезает не подряд, а где-то в середине книги, там ряд статей, он открывает страницу и где-то в середине режет. Для чего это делается? Потому что на разрезании книги можно больше показать нюансов вашего раздражения по поводу ее реплики. Некоторые страницы режет медленно, некоторые быстро разрезает, некоторые прямо рванул ножом. Это вы распланируете сами. Нож, играющий по книге, будет показывать ваше состояние.

«Ее пригласили на этот пресловутый бал» — Ремизова смотрит. Татаров вдруг резко подходит.

На кубике лежит небольшая металлическая чашечка с булавками, море булавок в этой чашечке. Ремизова берет их оттуда.

«Дайте ей платье в кредит» — Ремизова насторожилась. — Ага, значит, он влюблен в нее, — уже мелькнуло подозрение. «Платье, кот/орое/ обшито кредитом...» — она уже насторожилась на следующую фразу.

Выход Кизеветтера.

Выходит с папиросой в руке, кот/орая/ на одну треть уже откурена, и в ней только две трети, папироса уже потухла. Идет с папиросой в зубах, кот/орая/ уже на лестнице потухла. Идет, жует ее во рту и уже берет коробку. Когда сел, начинает закуривать, а то видно, что нарочно пришел.

«Я его боюсь» — смотрит на Кизеветтера, переход.

Когда Татаров увидел Трегубову, идущую к слезам, у него уже возникло раздражение. Он швырнул книгу и более резко говорит: «Понимаю, вы отказываетесь от дружбы со мной». Тогда ее слезы получают нужную реплику для разрешения. Слезы еще не готовы, но она на лезвии ножа, они вот-вот соскочат, получив эту реплику, они разрешаются.

Ремизова плачет, Татаров встает, идет на Кизеветтера, потому что он (Кизеветтер) виновник этой сцены. Вы (Татаров) должны его выругать про себя. Татаров делает проход мимо них, потому что он хочет разъединить их — говорит: «глупости». Вы рычаг, кот/орый/ не дает этому кипению разрядиться.

«Разве вы не видите, что он безумный?» — без слез. Можно высморкаться, вытереть лицо. Запас слез уже вышел. Будет некоторое время бесслезье.

«Лида, успокойтесь!» — вытянул за руку, грохнул на стул. Все движения у Татарова порывисты, мужественны, у нее же движения слабые. А у вас получается — два человека хоронят кого-то и идут к могиле, два старичка идут и плачут.

«Дайте мне трибуну» — берет шляпу и говорит. Все время в ходу. Слова тонут в ходах. Мимолетные остановки, где, еще не известно, это будет зависеть от вашей экспрессии. Бросил шляпу потому, что будет надевать рукав.

После: «бацилла рака», — ушел и потом вспомнил, что он без шляпы, идет за шляпой и продолжает говорить дальше. Вот почему он ушел и вернулся, а то немножко немотивированно это хождение взад и вперед. Надев шляпу, говорит: «Он съест тебя изнутри», — все движения должны быть мощно-кровожадны.

«Дайте мне трибуну» — оттолкнулся от Кизеветтера. Это хорошо соединить с ним, а потом это даст толчок. «Трибуну!» — никто не отвечает. Пауза. Потом: «Римский папа!» Застегивает пальто на четыре пуговицы в четыре приема, застегивает, говорит текст, а то вы сразу застегнулись и вам нечего больше делать.

Кизеветтер смеется, Татаров смотрит на него как на маньяка, на идиота.

Кизеветтер злится, он у него в доме живет, так он вас не кормит по три дня.

После: «Хорош бы ты был в тиаре» — закуривает и весь уходит в папиросу. «А тетушка смотрит...» — Ремизова идет и смотрит.

У Кизевет/тера/ мысли возникают как счастливые экспромты и в напряженной повышенности. Новая мысль, новая экспрессия. Он сказал и смотрит по сторонам, как бы говоря: «Ну говорите, ну говорите мне». Все время ожидает «ответа» из публики, отсюда, оттуда.

«Чудно» повторяет несколько раз: «Чудно, я согласен» — нервно, но не танцевально.

«Или, например, у меня нет невесты» — хотя полуспальная поза, но все же напряжение должно быть.

«Дима, ступай» — пауза, во время кот/орой/ Кизевет/тер/ делает переход. Потом говорит: «подождешь...» Когда Ремизова шарахнулась, Кизевет/тер/ повторяет ту же фразу: «А тетушка боится...», — Кизевет/тер/ уходит медленно, пряча бумажник и надевая шляпу, не торопится, расправляет шляпу, надевает как следует.

Стук. «Мадам, вас спрашивают». Татаров смотрит, кто там идет.

Ф. 963. Оп. 1. Ед. хр. 724

12 апреля 1931 г.

/«У Трегубовой»/

(Трегубова — Ремизова, Татаров — Башкатов)

/Кизеветтер — Кириллов/

Перед: «Я ушел ни с чем» — Ремизова смотрит на Башкатова.

Татаров закуривает папиросу. Не следует спичку зажигать в кулаке, как закуривают обыкновенно извозчики, т.к. они на ветру. Если вы будете так закуривать, это выдаст, что это не европеец. Огонек надо держать вверх. Медленно закуривает. Он томит публику: закурит или не закурит. Спичка горит, она отчеканивает ремизовскую игру.

Всякая тормозность на сцене дает возможность многое сделать. Всякая тормозность на сцене благоприятствует. Татаров стоит не потому, что он слушает, а потому, что он закуривает.

«Приставили меня, а не чекиста» — мысль, кот/орая/ возникает внезапно и парадоксально. Эта тема есть один из элементов его страстной игры. Он сейчас игрок, кот/орый/ ставит на лошадь, лошадью является Гончарова. Все мысли, касающиеся ее, должны быть подогреты страстностью. Если же этого не будет, то получится резонер. Резонер — это человек, кот/орый/ не участвует в игре, а только констатирует, чтец. Это же не резонер, он страстно участвует в игре. Нельзя поэтому резонирующе произносить фразы. Он раздражен, волнуется, его страстность накаляется.

Перед тем как взяться за книгу, он пошел к столу, положил спичку. Он не может остаться на месте, а обязательно с места сдвинется. Он берет книгу машинально. Это автоматизм, с кот/орым/ он любит обращаться с книгами. Книгу взял машинально, но пришел не машинально.

Автоматизм включился благодаря страстности.

«Ваше прошлое мне неизвестно» — она его укоряет: я с вами пять лет якшаюсь, а ваше прошлое, ваше происхождение мне неизвестны. Она хочет вскрыть всю его биографию. Сперва она говорит: «Ник/олай/ Иванович, ответьте!» Потом подходит и говорит: «Может быть, эта актриса...» Чем больше подступов, тем фраза покажется значительнее.

Она не должна усаживаться, а лишь слегка садится.

«Мы из одного племени...» Там же Башкатов резонировал («Директор ли банка, адвокат...»), то тут он перешел на субъективную тему, тут серьезно.

«Пусть она будет нема, как это зеркало» — показывает на зеркало.

«С моей родины...» — жест в пространство.

В отношении жестикуляции — сильное напряжение воли.

«Я его боюсь» — Ремизова идет, опираясь рукой об стол.

«Оставьте меня» — быстро уходит. Слез нет, но более истерично.

После: «Ведь их рассчитали... В кого мне стрелять?» — без паузы.

Ремизова смотрит на Кизеветтера не с ужасом, а так, чтобы сказать: «Пошел вон». Но она еще бережет эту фразу, она еще не скажет, но у публики должно быть впечатление, что она его зарежет. Игра, она должна быть скупой.

Кизеветтер же настоящий хулиган. Он эту тетушку изводит ежедневно. «А тетушка...» — вульгарный жест в нос.

«Неужели молодым всегда приходится продумывать такие кровавые мысли?» — много больше страстности.

«Молодой Шопен...» — Татаров прикрыл книгу. Смысл интонации: «У того чахотка, а у тебя, ничтожество...»

«...делайте войну!» — жест кулаком.

«Уходите, слышите, уходите». Сухо, удар грома в грозу без дождя. Это сухой выстрел. Вы бросаетесь, как кошка, на Кизеветтера, не замечая Башкатова.

«Это бал, на кот/орый/ очень хочется попасть...» — сплошная ирония. Весь в издевательском настроении. Не поэт, а циник. Все это не поэтического характера, а цинического, если можно так выразиться.

Поэт — Олеша, а он циник. Ремизова же будет снижать.

Ф. 963. Оп. 1. Ед. хр. 724

13 апреля 1931 года

«У Трегубовой»

(Трег/убова/ — Ремизова, Татар/ов/ — Башкатов, Кизеветтер — Кириллов)

Татаров когда кончил: «...заставлю кричать о своей тоске» — сейчас же садится, берет книгу, нож. Разрезает. Нужно так натренироваться, чтобы это механически было. Для того, чтобы это не казалось фигурой, идущей именно сесть на этот стул, актер должен идти с другой мыслью, а не с мыслью сесть. У него папироса потухла, и он шарит во всех карманах, ища спички, тем, что он шарит по карманам, он закрывает белые нитки режиссуры.

Татаров надел пальто на одну руку, но он в такой экспрессии, что не видит этого, потом надевает на вторую руку, потом шляпу. Должно быть впечатление растрепанности. Эта мизансцена может быть возможна только тогда, когда такая экспрессия. Он безумный.

«У тебя никогда не будет невесты!» — этой фразой он хочет ликвидировать его истерию. Смысл: у такого идиота, истерика, эпилептика не может быть невесты.

«Потому что распалась связь времен» — как врач, который успокаивает, дающий какую-то сложную мысль, которую тот будет разжевывать пять минут. Он хочет воткнуть ему в рот пищу, которую тот никогда не разжует, не проглотит. Говорит это цинически.

«А тетушка боится меня!» — ирония, немножко подсмеивается.

«Тайна»

В статическом положении сидит Гертруда, а она (Леля) должна

показывать движения хозяйских хлопот, потом она устраивается с чемоданчиком.

Начинается с того, что Леля рассыпала яблоки на столе, которые Гертруда берет и режет для крюшона, нужно, чтобы яблоки вошли в основную тему эпизода.

Настройщик сидит у пианино, тянет оттуда, точно из колодца, струны. Наматывает.

«/Ключ/ будет передан вам...» — более театрально. Кончила с яблоками, моментально переходит, садится. Леля встает на стол, ввинчивает лампочку, говорит: «Я приеду в Париж...» — Настройщик блямкает. Леля говорит фразу и поворачивает каждый раз голову к Катерине Ивановне. «Вы представляете себе...» — она забыла, что она стоит на столе. Слезает, идет к двери, к выключателю, проверяет лампочку, пробует, какой будет свет, когда придут гости, идет вперед, хочет сложить высыпавшие/ся/ карточки, когда идет, говорит: «Под стеночкой, под оградою...»

«Я буду смотреть Чаплина» — опять смотрит на карточку.

«И этот маленький чемоданчик» — понесла, показывает Ек/атерине/ Ив/ановне/.

Показывает дневник. Держит его в одной руке, а чемоданчик опустила.

Екатерина Ивановна сидит, режет яблоки. На столе масса бараxла, еще не приготовленного. Стоит ваза для крюшона. Следующий процесс: вы грохнули все яблоки в вазу. Прежде можно вазу перетирать полотенцем. Вина еще не принесли, его принесет молодой человек, которого вы послали.

Ф. 963. Оп. 1. Ед. хр. 724

16 апреля 1931 г.
«У Гончаровой» / «Тайна»/
(Леля — Райх, Семенова — Мальцева)
/Баронский — Малюгин, комсомолец с букетом — Финкельберг; гости Лели: актеры Никитин, Ноженкин, Лурьи, Нещипленко, Ключарев; а также актеры, играющие Дуню Денисову, Петра Ивановича и директора театра Орловского/

Никитин выходит, несет мешок с продуктами, в другой руке мешок с апельсинами. Входит навьюченный, запыхавшийся. Когда он вошел, Леля не сразу встала. Кат/ерина/ Ив/ановна/ — «А!» Леля — «А!»

Кат/ерина/ Ив/ановна/ встала, берет один пакет за другим, вынимает вино, ищет пробочник. Леля тоже бежит к столу, они обе обрадовались приходу Никитина. Молчаливая сцена вынимания продук-

Вс.Э. Мейерхольд и З.Н. Райх на репетиции. 1931 г.

тов, можно смех давать.

После «А!» Кат/ерины/ Ив/ановны/ Леля повернулась, увидела стоящего — и только тогда ее «А!».

Никитин запыхался, он сконфуженно смеется.

Леля идет в сторону, берет деньги и опять его посылает.

Никитин бежит к графину, пьет, такие люди, которые запыхаются, они много пьют воды.

Леля не дает ему выпить второй стакан и говорит: «Скорее, скорее!»

Семенова, выкладывая вино, говорит: «Вино, вино, кто не любит вина, тот недобрый человек, так сказала Элеонора Дузе».

Выход Дуни Денисовой. Вошла без стука, подошла к столу, увидела яблоки: «Ну, я так и знала» — ушла.

«А, это Дуня Денисова!» — встает, присела на стул.

Петр Иванович не должен войти без зова Дуни.

В этой сцене доминирующий момент должен быть у Дуни. Это ее сцена. У нее назойливость, настойчивость, резкость. Вход ее должен быть без промаха, как будто она знала место, где лежат яблоки. Быстрый вход с прицелом и быстрый уход, она как будто бы в щелочку высмотрела. Вы в щелочку изучили всю обстановку, а теперь пришли для скандала. «А, я так и знала» — на ходу. «Яблоки у меня украли» — как будто «сознавайтесь», как будто она всегда ворует и сейчас украла.

«А разве это не преступление?» — через голову Дуни.

Пока Леля говорит, Семенова аккомпанирует ее монологу: «Какой ужас!»

Выход Лурьи и Нещипленко. Снимают пальто. Скандал их удивляет, полуразделись, стоят и смотрят. Леля подходит к ним навстречу, хочет как бы замять скандал.

Вошли какие-то люди, но Дуня не обращает внимания.

Леля оторвалась немного от Лурьи и Нещипленко, подходит, говорит, убирает что-то.

Лурьи изумлена: пришла на празднество, а тут скандал.

Лурьи и Нещипленко как вошли, сразу к вешалке. Вы расположение комнаты знаете, подошли к вешалке, хотят снять пальто, изумление. А то нарочно выходит.

Леля будет от этого скандала закапываться тем, что она будет гостей принимать, этим она хочет помешать скандалу.

Лурьи идет к Мальцевой, берет на себя инициативу, прибирает, готовит стол. Здесь идет своя жизнь, а они (Дуня, Баронский) стоят сзади, стреляют в пустоту.

Леля зовет Нещипленко помочь ей отнести чемодан, Лурьи тоже к ней подходит, но ее отзывает Мальцева помочь откупорить бутылки.

Входит Ноженкин, раздевается.

Процесс раздвигания стола, накрывание стола... и полное игнорирование Дуни и Баронского, это привычное дело в коммунальной квартире. Куда ни придешь — всюду скандал.

«Ворвались в комнату без разрешения» — Ключарев подходит и смотрит на Баронского в упор. Баронский кричит через его голову.

«Артисты — это подлейшая форма паразитизма» — Ноженкин, Ключарев подходят и оба смотрят на него, он кричит через их голову, отступает под их взглядом. Леля подходит к Ноженкину и Ключареву и отводит их.

Ключарев, идя по зову Лели, проходит мимо Малюгина, тот зло смотрит на него.

У Ноженкина смысл игры: «Позвольте дать ему в морду». Видно, что он даст ему в морду, если хозяйка позволит.

Баронский — это адвокат Дуни. Она жертва, подсудимая.

Никитин использовал все карточки. Несет груду хлеба. Его встречают: «А, Никитин! — сколько хлеба!» — все режут. Он использовал весь паек до декабря.

Уход Дуни и Баронского под аплодисменты. При выходе Никитина с хлебом аплодисменты переключить сильнее.

Когда Никитин пошел пить воду, Ключарев идет к пианино и играет какую-то бравурную вещь, чтобы была прокладка к выходу юноши с жасмином.

Никитин стоит с грудой хлеба, смеется, смотрит то на Лелю, то на группу, сконфуженно улыбается.

Никитин идет снимать пальто — входит Финкельберг.

«Здравствуйте, товарищ Гончарова!» — Леля шарахнулась от удивления.

После того, как перешла Леля, Ключарев меняет музыку с бравурной на более лирическую.

Когда Леля отошла, входит Орловский и говорит: «Вот она».

У Финкельберга должно быть страшное оживление, но на очень прочных основах. Здесь все время, во всей сцене очень ритмические жесты. И у Финкельберга, и у Лели.

Финкельберг хочет уходить — трое его задерживают. Леля подходит, ведет его к столу, говорит: «С нами, с нами...»

«Нюхайте и вспоминайте» — говорит, идя к ней.

(«...что я артистка Страны Советов» — Леля переходит к столу, кладет книгу).

Все быстро садятся, только двое (Леля и Финк/ельберг/) не садятся, потом Леля садится, один только Финкельберг еще смущенно стоит.

Гертруда садится рядом с Орловским, Леля с Финкельбергом, три девушки с тремя парнями.

Ф. 963. Оп. 1. Ед. хр. 724

17 апреля 1931 года

/«У Гончаровой»/

Первый эпизод (Выход Дуни)
(Леля — Суханова,
Гертруда /т.е. Екатерина Семенова/ — Мальцева)
/Баронский — Мологин, Наташа — Лурьи,
Горев — Нещипленко, комсомолец — Финкельберг,
актеры, репетирующие Дуню Денисову, Петра Ивановича,
Орловского; Ключарев, Ноженкин, Бузанов, Никитин,
Атьясова, Туржанская/

«А, ну я так и знала» — легкий акцент остановки нужно сделать.

«А!» — она их подсчитает, это те пять, кот/орые/ ей принадлежат.

«Это Дуня Денисова» — тут демонстративно. Она невольно поддалась влиянию мещанского быта. Она на одну секунду берет такую тональность. С волками жить — по-волчьи выть. Пусть публика — ну, она из такого же теста сделана. Но это не будет поставлено ей в вину.

«Сволочь какая-то» — чтобы не оказалось декламационно. Здесь она должна сделать что-то, машинально делает что-то, увидела что-то, взяла, что-то неопределенное делает.

«Просто сволочь какая-то» — небрежно.

Чтобы попасть в план ее (Дуни) разговора, когда Леля отошла от стола, она сейчас же вернулась, чтобы наткнуться на Дуню. Леля думала, что она уже ушла, нет, она опять здесь. «Что вам угодно?» — результат хода.

«У меня украли...» — жест в сторону яблок.

Леля имеет тенденцию, чтобы прибираться, увидела какую-то шаль: «Что вам угодно?» — несет шаль, вешает. Это будет лучше, чем стоять, тогда и вопрос будет легче.

После: «Кто?» — Леля возвращается.

«Ну вот, отлично, я так и запишу» — в два приема. Первый толчок — остановилась и говорит: «Вы слышали, а это не преступление?» — порыв, а не резонирование. Второй ход — «Актриса, игравшая Гамлета». Двинулась: «Немедленно запишу». Это будет обозначать, что вы идете писать.

«Это не преступление?» — жест. Показать на Дуню. «Актриса, игравшая Гамлета...» — порывисто, скоро. Открывает дневник на столе и берет перо и чернила и начинает писать.

Выходит П/етр/ И/ванович/. Леля кончила писать, отходит от стола вперед. Ее мысль: она (Дуня), кажется, затевает скандал, позовет людей. Леле нужно встревожиться. Она боится, что она позвала П/етра/ И/вановича/, позовет Баронского и других.

После: «...по частям узнать можно» — Леля быстро идет к Мальцевой. Тоже порыв. Экспромт, кот/орый/ чем вы скорее скажете, тем он будет безответственнее. Демонстративный выкрик здесь объяснит, что вы это нарочно сказали.

Плохо, что группа слева (Мальцева, Суханова) как-то успокоилась. Вы не должны успокоиться, особенно Гертруда. Леля спокойнее, она нашла ноту с ними разговаривать, напр/имер/, это: «Да, я украла!» Гертруда же наоборот: она не знает, как быть в этой обстановке.

Вы (Мальцевой) из тех, кто в таких условиях очень растериваются и начинают убеждать идиотов. Поэтому у нее больше состояния волнения, чем у Лели. Леля быстро пошла: «Да, я должна сознаться...» — «Что вы, что вы», — говорит Гертруда, она поднимается и идет за Лелей.

«Можете компот сделать!» — Гертр/уда/ идет за ней.

Повторение

Выходит Ноженкин, смотрит, стоя сзади Мологина, смотрит на него, потом на Дуню, потом проходит. Когда Ноженкин здоровается с Лелей, мимика: «Что это такое?» — а то теряется связь с Мологиным.

«Артист — это подлейшая форма паразитизма» — четыре глаза на него, а сзади выход еще двух женщин. Их увидела Гертруда.

Ход Ключарева не стремительный, идет, как бы говоря: «Что вы сказали?»

У Мологина остановки в монологе в местах, где остановки мизансцен.

Ход Гертруды к Атьясовой и Туржанской. Леля отвлекает Ноженкина: «Молодые люди, не обращайте внимания», — потом переход к девушкам.

Ноженкин, подходя к Леле, как бы говорит: «Ел/ена/ Ник/олаевна/! Надо прекратить это безобразие». — Ход к Мологину.

Нужно все ходы четко знать и переложить их на фразы, напр/имер/: «Разрешите в морду дать, вы очень добрая, Ел/ена/ Ник/олаевна/!»

На реплику: «...подлейшая форма паразитизма!» — две паразитки вошли. На эту реплику входят две женщины и не похожи на паразиток.

«Вам это не нравится?» — говорит Леле. «И вам тоже, молодые люди».

«...заинтересованность» — Гертруда переходит к Леле. Мологин на эту же реплику уводит Дуню. Гертруда остается около Лели. Тут до такой степени накалилось, что, если вы (Мальцева) тут не будете, — вы покинули ее в полном одиночестве.

«А я плюю на вас!» — Мологин должен ринуться к двери, как будто милиции хочет жаловаться.

Выход Никитина с грудой хлеба.

Ключарев по поводу того, что Никит/ин/ принес хлеб, сразу садится и нажаривает на рояле. Как только Никитин пришел, он (Ключарев) уже бежит к роялю.

Выходит Никитин как герой этой секунды, он уже встал в позу фигляра, как на театре играют. Он больше актер, чем персонаж в быту: он уже в коридоре эту сцену придумал. Она дала одну карточку, по кот/орой/ он получил булочку, он же пошел к товарищам, отобрал карточки и на все карточки принес хлеба больше, чем того требовалось. Он с инициативой парень.

Никитин пьет воду, Леля снимает с него пальто, говорит: «Спасибо». Он пьет, потом подходит к пианино, стоит, машет в такт кулаком.

Приход Финкельберга таинственен. Орловский его загородил.

Никитин сперва отходит, танцуя и припевая, а потом такой же ход вперед. После того как Ник/итин/ положил хлеб, садится, вытирает пот. Видно, что он устал. Входит — шляпа у него сбита.

Орловский входит, снимает пальто, закрывает им Финкельберга, кот/орый/ прячется за вешалку. Потом Орл/овский/ вешает пальто, выходит, вытаскивает Лелю за руку и говорит: «Вот она».

Выход Орловского параллельно с моментом, когда Никитин пьет, после того как Леля повесила пальто. Никитин должен пить легче.

Выход Финкельберга. Срывает кепку.

«Так вот на дорогу вам... — пауза (убегает за вешалку, неся оттуда букет), — жасмин!»

Леля взяла букет, идет. Медленно, медленно идет. Тогда Финкельберг вслед: «Нюхайте и вспоминайте».

Финкельберг сперва картуз сбросил с головы, потом опять надевает. Он всегда в картузе и спит в картузе.

«За спектакль!» — жест пионера.

«Спасибо» — музыка. Леля и Финкельберг долго жмут руки. Так вытрясывается музыка.

Видно, что она /Семенова/ от нее /Дуни/ ничего не может добиться, тогда она: «Я так не могу» — и «Слушайте, неужели вы думаете...» — поэтому нельзя остаться там на месте. «Да вы знаете, кто мы?» — уже двигается.

Леля стоит немного с усмешкой. Насколько Гертруда волнуется, настолько эта не волнуется. Но когда пришли новые лица (входят Нещипленко и Лурьи), Леля: «А, Горев, Наташа! Ну, раздевайтесь!» — и уже забыла о них (Баронском и Дуне). Леля обрадовалась, что пришли люди, она с ними будет говорить, они будут помогать комнату устраивать, Гончарова должна выручить пришедших из их положения.

Лурьи смотрит прямо на Д/уню/ Денисову. Никитин смотрит то на Денисову, то на Лурьи. Леля обнимает Лурьи: «Ах, Наташа!» — должна ее повертеть, расцеловать: «Ну, раздевайтесь, раздевайтесь!» Потом проходит мимо Дуни и говорит: «Убирайтесь вон!» — нужно, чтобы в этом была страшная мягкость.

Когда Леля устраивает гостей, Дуня чуть-чуть вышла вперед, она немного обнаглела. Обстановка изменилась с появлением людей. Объект, с кот/орым/ вы дискуссировали, вышел из поля битвы.

Леля говорит: «Идите сюда, Горев» (Нещипл/енко/). Нещипл/енко/ берет чемодан, отволакивает его. Лурьи идет к Мальцевой. Они (Лурьи, Нещипл/енко/) понимают, что нужно помочь. Инициатива должна быть не только у Мальцевой, тем, что она ее (Лурьи) позвала. Когда она ее позвала, у вас (Лурьи) инициатива готова. Сознание, что нужна помощь. Ход Нещипленко (к чемодану) раньше, чем у Лурьи. Она бежит к нему для работы, а ее отвлекают в тот участок (Мальцева).

Немного непонятно, почему они не слушают Баронского.

Мы можем не обращать внимания, но нужно концентрировать какое-то отношение: — «Так, черт с ними, сейчас уйдут».

Монолог Мологина в нарастании. Монолог человека, на кот/орого/

не обращают внимания. Нарастание все больше и больше, но не сразу.

Лелей каждое действующее лицо отмечается. Вошло новое лицо — несмотря на то, что вы работаете, вы должны обязательно на мгновение оторваться от работы. Стоит Ключарев — она сейчас же на него обращает внимание, и опять за работу. Это свои, друзья, она не очень их как гостей принимает, но все-таки — здоровается, вовлекает этих гостей сюда — и отвлекается от них. У всех должно быть успокоение, что это (скандал) ликвидируется сейчас.

Ключарев и Нещипленко помогают пианино повернуть. Но оба, поворачивающие пианино, должны ухом слушать его (Мологина). Поэтому вдруг они повернулись. Нещипленко подходит к Мологину и смотрит на него. Леля подходит, входит между Нещипл/енко/ и Молог/иным/. Отводит Нещипл/енко/. «Не обращайте внимания». (Нещипл/енко/): «Мы у себя дома, у нас гости, а вы мешаете».

Входит Ноженкин, это будет новое смазывание. Ноженкин /нрзб./ вешает пальто, потом с картузом подходит, смотрит опять на Мологина, потом опять отходит. После выхода Ноженкина Мологин подвигается к Дуне. Он адвокат Дуни Денисовой. Ноженкин ходит, это демонстрация человека, способного дать в физиономию.

«Форма паразитизма» — Леля уже отошла, двигает стол, что-то переставляет.

Ф. 963. Оп. 1. Ед. хр. 724

18 апреля 1931 года

/«У Гончаровой»/

Сцена проводов Лели

(Леля — Суханова, Гертруда — Мальцева,
Баронский — Мологин, / Комсомолец — Финкельберг.)
/Кроме них заняты актеры Лурьи, Ключарев, Никитин, Ноженкин,
Атьясова, Туржанская, Бузанов, Нещипленко/

Выход Дуни. Она озабочена, поэтому она не будет так торопиться. Это бытовая роль, бытовая ситуация.

Леля бросается к дневнику, но не будет записывать. Не оказалось ни чернил, ни пера, поэтому она идет к Мальцевой. Она (Леля) не стоит, нужно искать чернила, а то фальшиво идет. Леля сказала фразу и продолжает машинально искать чернила, ей они уже не нужны, но она продолжает искать. Это характерная черта для ищущего.

Фраза: «Убирайтесь вон!» — должна быть в движении. Вы (Суханова) должны ее игнорировать.

Когда Гертруда говорит: «Они думают, что мы украли яблоки», — Лурьи и Ключарев смеются. Эта тема продолжается, когда Бузанов и

Нещипленко смеются, они не смеются, они хохочут. Так как после смеха у него (Мологина) не вызвано никакой реакции, у Гончаровой возникает все-таки какое-то беспокойство. То в шутку, то всерьез. Идя навстречу девицам, Леля говорит: «Уходите вон!»

Финкельбергу. «Роль, роль!» — у тебя крик, а не энтузиазм. Это восторг удивления: никогда в жизни он не видел роли. А у тебя нет радости, а есть только крик. Он крутится с ролью для того, чтобы показать ее Орловскому. Ты не понимаешь, что Орловский сам тысячу ролей видел. Ты его (Орловского) как актера не знаешь, ты знаешь его как общественного работника, как председателя месткома[42]. Он (Финкельберг) думает, что тут написано, как живут актрисы, он думает, что они по ролям живут.

Проводы Баронского на свисте и улюлюканье.

Когда Никитин, припевая, танцует, Лурьи тоже напевает. Они впадают в танцевальный тон: очевидно, они после ужина будут танцевать, недаром они пригласили Ключарева, кот/орый/ будет тапером.

Как только Никит/ин/ грохнул булки, Ноженкин и Бузанов начинают резать их, как бы соревнуясь, а Гертруда смотрит, как бы говоря: «Что вы, что вы! не надо все!»

Когда входит Никитин, надо поразиться количеству принесенного хлеба: «Хлеба сколько!» — мягче.

Чтобы сцена резанья была заметнее, нужно, как только Никитин отходит, пританцовывая, — три грации (Атъясова, Туржанская, Лурьи) уходят в глубину и оттуда следят за ним.

Несет хлеб — сцена жонглерства.

Эта сцена очень трудная, т.е. хорошо сыграть трудно, но надо сыграть легко, а по-нашему — трудно.

Эта сцена важна потому, что она (Леля) в конце пьесы будет вспоминать ее. Поэтому нужно, чтобы эта сцена имела приятное впечатление. Она вспоминает, хотя там и голодают — но как мы вспоминаем гражданскую войну: хотя и трудно было, но во многом хорошо было, была хорошая революционная закалка.

Когда Никитин танцует, не надо ему прихлопывать, а то Армения получается.

На пении Бузанов вкомпоновывается между Ноженкиным и Туржанской.

Никитин, он устал, его всюду посылали, надо показать усталость. Когда он входит, говорит: «Заказ выполнен».

Никитин бросил хлеб, грохнулся на стул, вытирает пот, потом переходит к графину. Когда Никитин стоит с хлебом, за его спиной входят Орловский и Финкельберг. Девушки следят за игрой Никитина, они все немножко влюблены в него.

«От кого?» — зв/учат/ женские голоса.

«Вот она, артистка, Ел/ена/ Ник/олаевна/ Гончарова» — пауза. Публика даже не знает, кому это говорится, и вдруг оттуда юноша выскакивает.

После: «от рабочих» — Орловский делает жест: «Ел/ена/ Ник/олаевна/! Пожалуйста, пожалуйста» — вы режиссер. Финкельберг — актер, исполняющий волю режиссера (Орловского).

Леля делает только начало приглашения, потом Финкельберга ведут к столу трое.

Когда Финкельберг с букетом, у него порыв дать ей букет. Орловский не дает: «Подожди, подожди».

«Нюхайте и вспоминайте» — без жеста.

«Что вы, это роль!» — порыв, вырвала.

«Роль, роль?» — на веселых нотах.

«Вот артистка, Е/лена/ Н/иколаевна/ Гонч/арова/» — никто не выходит.

Орловский подходит к вешалке его вытаскивать.

Леля цветы поставила, идет по первому плану, берет Туржанскую и ведет ее к юноше, потом идет и садится на место Туржанской.

Ф. 963. Оп. 1. Ед. хр. 724

19 апреля 1931 года

«У Трегубовой»

(Татаров — Башкатов, Трегубова — Ремизова,
Кизеветтер — Кириллов) /Помощница Ремизовой — Лурьи/

При уходе Кизеветтер, проходя мимо Тат/арова/ и Трег/убовой/, держит руку как бы на револьвере. Когда Ремизова ринется — он смеется и говорит: «А тетушка боится меня» — опять смеется.

(Татаров — Мартинсон.)

После «Мы ее скрутим» — Ремизова должна сказать: «Николай Иванович!» — и смотрит на него. Он говорит: «Что?» — а то очень искусственная пауза.

«Русская интеллигенция» — курсивом. Начиная с этой фразы, все краски должны быть более сгущенными, идет такое трагическое нагромождение, ненависть к ней, говорит сумрачно и жестко. «...В стране, где искусство...» — вы должны здесь сгустить все краски, если вы будете скользить, то не будет никакой дискуссии, вижу ужасную природу до конца. Вы должны так говорить, чтобы я мог вас действительно ненавидеть, вы должны дать сверх-Муссолини, это должно быть и в наружности, внешность должна быть очень решительная, вы должны все краски найти, чтобы я мог сказать: «Ох, стерва какая». Вы своей внешностью похожи на кабана, именно на кабана, вся внешность свиньи, да еще клыки торчат, да еще у кабана, у которого, как у ежа, иголки есть.

«Адвокат, директор банка...» — вы хотите этим показать, что это все равно, что речь идет о людях одного порядка, о русской интеллигенции, и чего тут не понимать. «Профессор, директор банка...» — курсивом. Вы тем заведуете в пьесе, что вы подготовляете почву для будущего спора с Лелей Гончаровой, спора двух представителей разного мира, ее, артистки страны Советов, и вы, с вашими упадочностью, разложением, установкой на фашизм. Если не удастся это вам сделать, то следующее звено не получится. Тут два мира. Кизеветтер противопоставлен Финкельбергу, которого мы любим, а этого ненавидим.

Если вы будете скользить по тексту, не давать кабана — ничего не получится. Надо относиться к этим фигурам как к крупным людям. У Корша[43] играют все маленьких людей, бурю в стакане воды, а мы не можем так играть, потому что мы обобщение играем. Когда мы играем какого-нибудь героя, то или любим его, или ненавидим. Финкельберг любит комсомольца, которого он изображает. Мартинсон же ненавидит Татарова, и вот это-то должно роль Татарова вздыбить. «С моей родины...» — как будто она вам кровно принадлежит, а вы скользите, поэтому получается только литературное выражение.

Нужно Олешу превратить в Достоевского. Нужно реакционное начало в Татарове дать.

Больше внимания слову. «Я жалкий изгнанник...» — «Я» — с желчью, оскорбленное самолюбие: такие тузы, Юденичи, которые могли Ленинград взять, такие крупные фигуры, и вдруг жалкие изгнанники. Вы крупный журналист, вы можете вдруг выскочить в премьер-министры, так что вы должны играть человека, который в списке на министерский пост.

«Знаменитая актриса» — тише, «из страны рабов» — сильнее.

«...так я его выдумаю» — кажется, что вы режиссер, способный на инсценировку. Есть фокусники, способные из цилиндра вынуть ящерицу. Он как бы говорит: я способен выдумать грех.

«Дайте ей платье в кредит...» — у него такая гениальная композиция: дать ей платье в кредит, в котором она запутается. После этой фразы — грохнулся в кресло. «Дайте ей платье в кредит» — чтобы эта сцена играла, нужна вздыбленность. Как в сцене Финкельберга — начали с крика, теперь перешли на внутреннюю экспрессию. Так легче, чем из каких-то акварельных красочек. Тут нужно все растормошить.

Татаров после слез Ремизовой ведет ее и бросает в кресло, тут он занят серьезными темами, а приходится вот с бабами путаться, валерьянку давать.

«Дайте мне трибуну!» — это есть концовка. Кончив монолог, переходит к Кизеветтеру, фашисту in futurum, молодому человеку, который тоже несет в себе все корни разложения. Здесь не надо снижать, сцена опять должна крепнуть.

Только Ремизова подошла к Кизевет/теру/ — узел завязывается в смехе Кизевет/тера/. Она его так ненавидит, что ей хочется его вышвырнуть вон, может быть, она его схватит за руки и выгонит.

«Всегда было так с молодыми?» — вопроснее. Вопрос должен выпаливаться, а не декламироваться.

«Делайте войну!» — стоит.

Выход Лели Гончаровой.

Татаров сидит в кресле, закопался в книгу, он чувствует, что это Гончарова.

Услышав голос Мартинсона, Леля насторожилась, она не знала, что тут кто-то есть.

«Дама пришла за платьем» — Ремизова подошла к лампе, зажигает.

Когда Леля вышла в платье, Ремизова повернула зеркало, обхаживает Лелю, поправляет платье. Леля все время ходит, осматривая себя со всех сторон.

«В Европе каждый гадкий утенок...» — Леля идет, Ремизова усаживает ее на стул, следит за тем, как упадет платье, когда та сядет.

После: «Чугун» — Леля встала, облокотилась на стул, стоит и смотрит.

«Да, я удовлетворена» — Ремизова звонит, выходит Лурьи, стоит за спиной Лели, показывает ей, что надо сделать.

При входе Кизеветтера Ремизова должна шарахнуться.

В то время как Мартинсон сидел, он успел просмотреть дневник.

Ф. 963. Оп. 1. Ед. хр. 724

25 апреля 1931 года

«Тайна»

(Леля — З. Райх, Ек/атерина/ Ив/ановна/, /Гертруда/ — Твердынская), /гость — Никитин,комсомолец — Финкельберг, подруга — Лурьи/

Никитин идет, хочет снять шляпу — Леля идет к сумочке, дает ему деньги и говорит: «Хлеба еще». Он хочет уже остаться, а она опять его посылает.

Никитин входит, что-то напевает, кладет продукты, замолкает, потом опять, когда ему дают деньги — он уходит, опять напевая, он не поет, а мурлычет что-то. Только он выбросил все пакеты, она ему говорит: «Подождите...» — и он остается в таком растерянном состоянии.

Когда Леля возвращается после /нрзб./, Гертруда говорит: «В результате всего я думаю, что вы останетесь за границей навсегда».

Когда Леля несет маленький чемоданчик, по пути она его раскрывает, когда открыла — увидела, что там лежит дневник, она забыла, что она его туда положила.

Никитин выходит с вином — обе оставляют работу и говорят: «А-а». Они узнают его приход по пению, он всегда напевает какую-то мелодию.

Когда Леля посылает Никитина за хлебом, он недоволен. Не/у/довольствие выражено пением и взглядом.

Настройщик надевает пальто, в это время входит Дуня Денисова, чтобы было: он не ушел, другая вошла.

Когда приготовляют стол, то мужчины заведуют столом (передвигают его), а женщины расставляют посуду.

После сцены с хлебом Никитин стоит, пьет, Леля снимает с него пальто, он на это должен как-то реагировать, он смеется, все время пьет, замаялся, так сказать.

Все уселись к столу — смотрят, хозяйки нет, все полупривстали: пожалуйста, что же вы не садитесь?

Когда Леля ведет Лурьи к Финкельбергу, это вызывает смех тем, что ему назначают даму. Леля привела самую шуструю, самую хорошенькую. Он смотрит, немножко конфузится, вы не умеете с женщинами обращаться.

26 апреля 1931 года (Утро)

«У Гончаровой»

(Леля — Райх, Ек/атерина/ Ив/ановна/
— Твердынская) /Гость — Никитин/

«Чаплин, Чаплин... весь мир...» — карточку оставляет и говорит в пространство.

«Это путешествие в юность...» — ирония над собой.

Вдруг она переламывает внезапно и быстро говорит: «Ах да, что я возьму с собой...»

«Нет, нет, нет, это не дневник актрисы» — очень неудобный переход. (Изменение перехода.)

«А я его продам». Твердынская делает паузу, большое изумление: «Вот дура, продает дневник». У Лели бравада, на браваде легче переход сделать. У Твердынской изумление, она оставит работу и глупо смотрит на Лелю. Для нее это громадная тема, а для вас пустяковина. Продавать дневник актрисы, да что за него дадут. Анекдоты, да что за это дадут.

«Про очереди» — нужно сильно отчеканить, так как это сложная в смысле звучания фраза.

Так как переход («Нет, это не дневник актрисы») на браваде, т.е. бравада и мизансцена в браваде: «Это не тайна...», — потом всерьез, чтобы публика даже не ожидала, что этот дневник окажется столь значительным в пьесе.

Здесь очень большая бравада, даже какая-то шалость, как говорят, ход на канате, на лезвии ножа. Она так сбравировала, что даже трагично. «Нет, нет, это не дневник актрисы...» — без улыбки.

«Про очереди» — метнет глазами к ней в сторону.

«Путаница, от которой я схожу с ума» — пауза. Тень Гамлета звучит в этом монологе. Твердынская в это время сосредоточенно следит за монологом.

«Тогда лучше спрятать» — пальцем показать на дно корзины.

Приход Никитина.

Надо следить, чтобы приход Никитина был как раз в тот момент, как Леля сказала: «Я положу сюда...»

«Подождите еще». Пока она говорит: «Подождите», Никитин еще никак не реагирует, только после «еще» — неудовольствие. Олеша «еще» предопределяет будущую сцену. Никитин должен про себя сказать «еще». Если не скажете это про себя — мимика не получится. Надевает картуз, переходит за корзинкой и опять напевает, он всегда напевает одну и ту же фразу из увертюры «Евгений Онегин». В этом весь комизм. Надел картуз и напевает, в этом какая-то безысходность положения.

Когда он входит, обе говорят: «Ах», а фраза: «Вино, вино...» — звучит на фоне прихода бутылок.

Когда заиграла музыка (Тореадор: «Ах, это не Кармен») — весь этот кусок надо вести быстро, мы его пока условно планируем.

«А вдруг вы в кого-нибудь влюбитесь...» — все время на оживлении, здесь не должно быть никакого настроения. Вдруг все настроение к чертовой матери исчезло.

«В том...» — показывает, расправив руки.

Бросает вещи в чемодан — вот барахло.

«Что — бездомность?» — вопрос. Потом немного умолкла, потому что нужно сделать модуляцию к следующему монологу.

«Никто не виноват...» — вдруг отвечает голос какой-то судьбы. Вдруг сентенция /фило/софического характера. Музыкальный ящик вдруг перестает играть на словах: «Я нищая...»

«Вот главнейшее преступление против меня» — не грозно, а более торжественно.

Повторение

Никитин должен двинуться к вешалке только после: «Добрый человек». У него должен быть промежуток между двумя мелодиями. Хорошо было бы, если бы он пел сквозь папиросу, тогда было бы заглушенное пение, тогда будет, что /он/ напевает про себя, а не то, что пришел пропеть публике. Есть курильщики, которые больше сосут папиросу, чем курят, и вот через такую обсосанную папиросу он напевает.

«Вот главнейшее преступление против меня» — переход, легкий шлейф к сцене.

Очень интересно, что Леля попала между бытом и абстракцией.

«У Трегубовой»
(Трегубова — Ремизова, Татаров — Мартинсон)

Приходится освободиться Татарову от папиросы, потому что она мешает работать с книгой. Когда сел, папиросу положил в пепельницу.

Весь кусок по напряжению, по нервному напряжению нужно ровно вдвое срезать, иначе следующая сцена, когда вы будете кричать: «Европа, Европа!» — не будет выделена.

«Вам кажется, что она честна?» — тише. Смысл: а мне не кажется, что она честная.

«Да, да, она была в фаворе» — с желчью. Тут зависть, она там была в фаворе, а с вами во французском правительстве не считаются. Тут должна быть зависть и отсюда желчь.

«Она ставила Гамлета» — жест вверх.

«...за рытье силосных ям...» — показывает где-то на полу.

«Платье, которое обшито кредитом...» — говорит не ей, а публике.

Это — грандиозная авантюра, которую вы только что выдумали. На это мы ее подловим, она придет сюда, мы ей подсунем расписочку на бланке эмигрантской газеты. Здесь должен быть замысел фашиста, который настоящие козни устраивает, чтобы это публике очень запомнилось, тогда все дальнейшее будет ясно. Это толчок для авантюры. Тут узел новой интриги в пьесе.

«Послушайте, дайте ей платье в кредит» — Яго, который нашептывает Кассио известные действия.

«...запутаться и упасть...» — сладострастно.

Ремизова сначала выходит с необычайным укором оттого, как он грубо с ней заговорил. Вначале никакой злости, она выходит, становится спиной перед ним, смотрит, поворачивается, потом говорит: «Я боюсь его!» — смысл: как вы не понимаете, я просто боюсь его. Сказала, плачет.

Татаров: ах, опять истерики, опять начинается, опять валерьянка! У Ремизовой опять во взгляде «тускнеющая бирюза». Но этого взгляда публика не видит, мы эту «бирюзу» видим по вашим (Татарова) глазам.

«Вы меня измучили!» — Мартинсон ерзает на месте. Пошел, посмотрел на Диму, который всегда является виновником этих мерзостей.

Ремизова медленно, сдерживая слезы, уходит.

Переход только после: «Дайте мне трибуну!» — нельзя эти фразы разрывать. Идет, потом поворачивается к Диме и говорит: «Римский Папа!» Неожиданная экспрессия должна быть из сосредоточенного стояния. Вы стоите, томите себя, а потом: «Римский...»

26 апреля 1931 года (Веч/ер/)

«Тайна»

(Леля — Суханова, Семенова — Твердынская)

/Сухановой./ «Я уезжаю» — не надо отделять «я» от «уезжаю», а то получается, что кто-то еще уезжает.

«Блестят тротуары» — нужно показывать внизу.

С момента, как она садится, должно быть обязательно оживление. Это не мистическое углубление, а сокровенный рассказ того, что ее волнует и интересует. У нее внезапное стремительное оживление должно быть, а то вяло. Не возражаю, чтобы начать тихо. Держит в руках дневник, страстно рассказывает. Весь рисунок остается прежний, но торопливость, а не спокойствие. Как Нора у Ибсена легко украшает елку для детей. Как только вы пошли, я должен чувствовать, что вы живая, живая, что рассказ о чем-то волнующем.

Как только Семенова спросила: «Это дневник?» — Леля тут же: «Нет, это не дневник». Опять оживление, потому что она к этому относится трепетно.

«Какая тайна?» — /Семенова/ улыбается, она думает, что если это дневник, то это значит, что там рассказывается, как это бывает в плохих дневниках, Медведа[44], например. Там рассказывается, что вот в Твери что-то было, такой-то дал такому-то в морду, и всякая ерунда. Но это не просто дневник актрисы. Она написала очень сложный, большой документ личности, которая спорит сама с собой, это что-то другое.

«Про очереди?» — здесь важно задержать, нельзя сразу отвечать. «Ну ладно, я вам объясню» — она раздумывает, рассказать или не рассказать. Она перед отъездом вдруг самую тайну раскрывает.

«Нет, это другое» — она отмахивает мещанские установки.

Она прижимает к сердцу дневник и говорит кому-то в пространство. Трепетность — вот что должно быть. Она смело говорит, как только заговорит, сейчас же — Жанна д'Арк.

Дневник берет и держит наискосок, а то публика скажет — актриса хорошая, а вот руки держит некрасиво.

«Нет, нет, эта тетрадка не разрывается!» — страстный порыв к сундучку, и кладет тетрадку туда.

Ребенок входил, он просовывал голову, но не решился войти. Леля идет его оттуда извлекать, чтобы было впечатление, что она его, сконфуженного, приводит, дает ему яблоко, заводит музыкальный ящик. Специального танца под музыку нет.

«Я подарю ему этот ящик» — подходит к мальчику, нагибается, потом переход к настройщику, просит помочь ей отнести ящик. Возвращается после того, как отнесла ящик, открывает чемодан — начало новой сцены.

«У Трегубовой» («Серебряное платье»)

/Леля — Суханова, портниха, помощница Трегубовой, — Атьясова, Татаров — Мартинсони актеры, репетирующие роли Трегубовой и Кизеветтера/

Леля вошла, чуть-чуть задержалась, просматривает журналы, которые она еще не видела. Она интересуется модами. Мимоходом просмотрела листы, потом говорит: «Мне нужно... Мне говорила хозяйка...» — конфузится, это щекотливая тема, чтобы было понятно, что эта тема ей неприятна, она просматривает листы.

«С кем вы говорите, Лида?» — Она немножко вздрогнет, она как на лезвии ножа.

Когда она удостоверилась, что это ее муж, — она сразу заинтересовалась какой-то блестящей материей.

Диалог Лели и Татарова. Тут все вздергивающие интонации, как у человека, говорящего из одной комнаты в другую.

Вальс ворвался в окно, вальс, доносящийся из другого дома. Татаров осмелился встать, он знает, сколько понадобится, чтобы переодеться. Как только Татаров встал и приближается к столу, Трегубова с ужасом вышла и делает ему знак: «Тсс». Вы как в античной трагедии появляетесь.

Мартинсону. Легче эту сцену вести с закрытыми глазами.

«Человек думает о своей жизни...» — вернулся, он расхрабрился, он рискует.

«Тсс» — показывает на место, где она, Леля, должна сесть, Трегубова убеждена, что она сейчас же войдет.

Тут уже двойная игра. Не успел он произнести: «Советские дети...» — Трегубова выходит, выносит кусок материи и раздраженно бросает. Здесь цвет имеет громадное значение. Как в японском театре.

Трегубова перевернула зеркало, это означает, что ровно через минуту она здесь будет примерять платье. Удостоверившись, что он сел, она уверенно и спокойно сказала: «Пожалуйста».

Здесь сыграет эффект зеркало, появляется зеркальная поверхность, ваше внимание сосредоточено на новом выходе. Японцы, японцы, чистые японцы!

Когда Леля двинулась, Атьясова помялась на пороге, но не решилась войти, потом выйдет и ждет приказа, когда ей нужно будет поправлять.

Трегубова сказала: «Пожалуйста», — повернула зеркало и должна зло стрельнуть в сторону Татарова. Вся дальнейшая сцена должна идти на прихорашивании туалета и постоянной стрельбе в сторону Татарова.

Когда Леля только пришла, она скромна. Как только она вышла в туалете, она выходит... она все время купается в зеркале, помните, как японцы выходили, три часа выходили, что-то ногами делали, тут тоже должен быть танец перед зеркалом, плавный танец. Купается в зеркале, любуясь собой.

Трегубова все время поглядывает на Татарова: заглядывает он или не заглядывает.

Положение Атьясовой. Она привыкла, что, когда приходят, ей говорят: «Мари, то-то и то-то». Здесь же — никакого распоряжения. Она удивлена, она ничего не понимает, она видит, что хозяйка дуется.

Леля идет по диагонали, произносит монолог, такой торжественный выход, она актриса. Когда она возвращается, она имеет тяготение к зеркалу.

Леля смотрит в зеркальце (перед уходом) и стреляет в сторону Мартинсона. Чувствуется недоверие.

Пакет с платьем лежит на стуле. Это отвлекает ее от чемоданчика.

Татаров один из тех людей, которые банк ограбить могут днем, а не ночью. Стук. Вы нагло несете дневник и не прячете, вы ничего не боитесь.

Кизеветтер шарахнулся, она его сразу огорошила.

После: «Невеста!» — сразу отход и страшный испуг.

Порывистый ход Кизеветтера напомнит Трегубовой его жест с револьвером.

Поворот Лели и его (Кизеветтера) остановка совпадают. Оба смотрят друг на друга. Маленькая луфт-пауза. Два каменных человека.

«Я прошу ответить, кто эта женщина». У него /Кизеветтера/ более лирический план и его /Татарова/ циничный ответ. «Я еще раз прошу ответить мне...»

Мы вас /Кизеветтера/ абсолютно понимаем как человека, способного стихийно вовлечься в мир Эроса, поэтому тут максимум влюбленности.

29 апреля 1931 года

«У Гончаровой»
/Гостья Лели — Лурьи/

Крик вытягивал нам новую ритмику. Крикливость можно смягчить, но нельзя изменять ритмический рисунок. Все смягчилось как-то вообще, все приобрело характер смягченности коршевского театра. Если все мизансцены перепланируются по-коршевски, тогда нужно будет все снова перепланировать.

Игра у стола. Лурьи как стояла три репетиции тому назад, так и сейчас стоит. Убирать стол — значит вокруг стола ходить, танец вокруг стола, здесь должна быть импровизационная игра. Посуда есть, надо ее брать, расставлять, это ведь совсем просто, как бывает в каждом доме, вы же не год живете.

30 апреля 1931 года

«У Трегубовой».

/Татаров — Мартинсон, Трегубова — Ремизова,
и актер, репетирующий Кизеветтера/

После «/Приветствую русскую/» Мартинсон поворачивает кресло и садится в него. Это нужно для того, чтобы, когда она скажет вам про чемоданчик, у вас было резкое движение. И, кстати, мы откроем большой план, где находится чемоданчик.

После всех разговоров Мартинсона Ремизова должна понять всю махинацию, которую он здесь устраивает. Вы поняли, что он ее топит. Тут повторяется ее взгляд «бирюзовый», который он не выносит. Он берет газету для того, чтобы от нее закрыться. Она замечает чемоданчик — пауза, потом говорит: «Она забыла чемоданчик».

Она укоряюще смотрит на Мартинсона, тот закрывается, она увидела чемоданчик. Первый шорох — на себя газету, второй шорох — от себя швырнул, потом порыв к чемодану, тогда эта сцена сильно оттенится.

Мартинсон встал не для того, чтобы слушать, а чтобы устраивать новую планировку кресла, а кстати слушать. Рассеянно слушает, впечатление: повернулся спиной, отошел к спинке кресла, отодвинул его — вот, укладывается текст и работа параллельно. Поэтому текст звучит рассеянно, это нужно для того, чтобы оттенить следующую сцену.

Мартинсон сидит в три четверти, чтобы говорить больше к зрителю, чем к ней, вы хотите дискредитировать ее в глазах зрителя. Это вроде «a pàrt».

Когда Ремизова увидела чемоданчик, она не сразу сказала, у нее захватило дыхание, потому что она сейчас подскажет ему преступление.

Когда Татаров берет дневник из чемодана, он идет на спинку кресла, держит в левой руке и шляпой закрывает его.

Когда ушла Гончарова, Ремизова должна сделать движение под лампу и смотреть на нее, ушедшую.

Как только Кизеветтер сказал: «Кто эта женщина?» — Ремизова

сделала круг и идет к себе в комнату. Она боится, что он опять может вдруг вынуть револьвер и выстрелить. Для вас эта фраза: «Ну, опять начинается». Она, как мышь, убегает в свою комнату.

После: «Твоя невеста!» — Мартинсон идет под лампу, идет спиной к зрителю, стоит спиной, смотрит в дневник. Легкое движение Кизеветтера к Мартинсону, идет, идет, правое плечо вперед, проходит мимо него, поворачивает лицо и смотрит вслед ушедшей. Чтобы тема ее, ушедшей, была у вас в глазах.

Мартинсон быстро перелистывает дневник, видно, что он выискивает какую-то цитату, которую он пустит по свету. И опять в конце вальс, опять должна звучать музыка, которая была раньше.

Мартинсон должен сделать концовку: «А!» — восторг. Он торжествует.

«У Гончаровой»

/Гости Гончаровой: юноша с хлебом — Никитин,
комсомолец — Финкельберг, Орловский — Ключарев/

Когда Никитин вошел и говорит: «Заказ выполнен», — то четко должна идти сцена Орловского позади. Т.е. публика должна переключить внимание с Никитина на ту сцену. Потом опять публика переключит внимание с этой сцены и опять включится, когда будет сцена с Финкельбергом.

Когда вошел Никитин, все вскрикнули: «Ах, Никитин!» — а потом смотрят, как кто-то странно вешает пальто. Нужно сделать так, чтобы фигура Никитина подменивалась фигурой Орловского. Падения на стул делать не надо. Графин также не надо. Когда Никитин стоит, Ключарев сразу шмыгнул. Никитин подтанцовывает.

/2/ мая 1931 года

«Пансион»

/Госпожа Македон — Говоркова, Федотов — Боголюбов и актеры,
репетирующие роли Гончаровой, Татарова, Трегубовой/

Хозяйка входит, все время занята своим делом, у вас должны быть простые движения, вы продолжаете свою работу: журналы раскладываете, кое-что поправляете.

Трегубова: «Здесь моя витрина» — обязательно показать в сторону витрины.

Гончарова: «Какая роскошь!» — отошла назад, ее ослепило серебро.

Федотов вошел, на пороге говорит: «Здравствуйте!» — он немного на пороге застрял.

Вместо «поклонник ваш» лучше сказать: «поклонник вашего театра», этим сказано также, что он и ее поклонник: она главные роли играет.

«Запишу адрес» — маленькая подвижка вперед.

Играет музыка. Леля слушает пианиста.

«Ничего не делаю» — встала, идет. «Хожу» — идет, поворачивается, говорит: «Просто хожу».

Федотов проходит мимо Татарова, Татаров мимикой выражает ход Боголюбова, он изучает обстановку: что будет, что такое будет? Это человек в окружении, они как будто хотят его арестовать.

После того как Леля проводила Федотова, она проходит мимо Татарова, не подходит к нему, а идет прямо к себе в номер.

Повторение.

Говоркова очень оживлена, это самая оживленная роль в пьесе, она на все очень быстро реагирует, хлопотунья, всех устраивает.

«Всякая сволочь!» — Федотов немного смутился и извиняется.

«А вы получите приглашение и откажитесь» — хороший товарищеский совет, тогда никто не поймет, что это предосторожность со стороны полпредства.

«Кафе»

/Актеры, репетирующие роли Лели, Лахтина и Дьяконова/

Когда Лахтин получил от Дьяконова расписку, он сразу посмотрит на обороте и сразу определит преступность в том, что она написана на бланке эмигрантской газеты.

Лахтин перелистывает дневник, а Леля говорит: «Дальше, дальше смотрите, там список благодеяний». Это перелистывание должно ответить перелистыванию Татарова. Это эффектно, что два человека листают.

3 мая 1931 года

«У Татарова»

(Леля — Райх, Кизеветтер — Кириллов, Татаров — Мартинсон), /Трегубова — Ремизова, Второй Полицейский — Бочарников/

Кизевет/тер/ вырвал револьвер: «Я буду вашей /собакой/...» После: «...убийцей...» — она встает, он хватает за ноги ее. Леля: «Пустите!» — Мартинсон врывается между ними и оттягивает их. Кизеветтер поднимает револьвер, Мартинсон пятится назад, закрывает лицо руками, в это время Кизеветтер встает, прицеливается, стреляет, попадает в лампу, разбивает ее. Мартинсон прячется. Публика подумает, что он его убил, а он выходит.

Прицел — Мартинсон скользит, если публика не увидит это — скольжение пропадает.

После выстрела Кириллов падает на диван, роняет револьвер.

Мартинсон скользит, по дороге делает падение, как будто споткнулся. У публики впечатление: разбито стекло и убит Татаров, а потом выходит оттуда — неуязвимый.

Кизеветтер падает на диван, заплакал, уронил револьвер — Татаров выходит.

Как только вышла женщина, полицейские повернулись, оба вышли, подходят к ней, смотрят на нее. Они думают, что это публичная женщина, для них это целая авантюра, для них этот протокол очень интересен.

После слов: «Из-за женщины?» — Бочарников делает ход к Кизеветтеру, возвращается, смотрит на Лелю, говорит: «Из-за вас?»

Бочарников инспирирует Кизеветтера, делает его героем. Монолог Бочарникова должен прозвучать пышным монологом на всю сцену.

«Ваша любовница?» — скабрезно. Интимная сцена.

Когда Леля крикнула: «Негодяи, негодяи!» — она незаметно для публики делает ход назад, чтобы был длинный ход.

После: «Пешком» — Мартинсон бежит к ней и удерживает ее.

Ремизова пришла, говорит. Он /Татаров/ зашагал, он не ожидал, что она придет, он боится, что она заглянет туда, где Леля. Ходит по диагонали от лампы до статуи.

Ремизова берет платье опытными руками, бросает на круглый стол, говорит: /«Я принесла вам цветы»/. Берет букет жасмина, несет за занавеску. Когда Ремизова побежала к Леле, он боится, что опять начнется черт-те что и опять будут вламываться коридорные.

Леля убегает, мечется, мечется. Ремизова за ней. Ремизова падает на диван — устала.

Ремизова: «...а, гадкий утенок...» — лицемерно-ласково.

После ударов у нее некоторая реакция, она хотела дать третий удар, но бросает букет.

4 мая 1931 года

«У Татарова»

(Леля — Райх, Татаров — Мартинсон,
Кизеветтер — Кириллов)
/Полицейские — Бочарников, Карликовский/

Монолог Татарова должен быть очень стремительным.

Пьеса тем трудна, что везде есть у актеров стремление, свойственное самому Олеше, к замедлению. Эта природа к замедлению мешает.

Татаров все время сыплет. Эта сцена должна производить впечатление бурлящей сцены. Выгодно было бы, чтобы вы не курили — и начали курить.

Леля вошла, идет сцена, Татаров идет, после: «Вы обижены на меня?» — берет папиросу и закуривает.

«Приведут в комендатуру...» — у него цинизм Аксенова[45]: Татаров весело говорит страшные вещи. На лице должна быть улыбка, и вся поза веселая. Вы рассказываете о том, что у вас перспектива сидения на коне власти. У вас должна быть поза мании величия. Как он курит, как он смеется — он у себя дома. Она пришла к нему, вы не ошиблись. «Я лягу на диване...» — мы знаем, что это значит. У вас должно быть многообразие игры — и то, что вы получите портфель, и, кроме того, вы перед женщиной позируете. Он хочет из себя разыграть некоторую величину. Вы котируетесь на бирже высоко. Говорит он, не сгибаясь, принимает позу Наполеона.

«Теперь вы...» — через плечо говорит (тушит в пепельнице папиросу). Это такая игра с папиросой, он давно ее потушил.

Леля тоже идет, делает большой круг. Идет, потом на какой-то фразе опускается, берет тормоз.

Идет мимо двери, она (Леля) останется у вас ночевать. Вы спокойны, запер дверь на ключ, тогда страшнее будет револьвер.

«...пожмете руку» — эта сцена напоминает ту, когда она дает руку Финкельбергу и /они/ долго жмут руки. Татаров тоже трясет руку, тогда эта сцена перекликнется с той.

«...неся розы в папиросной бумаге...» — чем пышнее будет эта сцена, тем неожиданнее будет: «Стань к стенке, сволочь!»

«Стань к стенке, сволочь!» И — прежде она должна увидеть его в глаза, а потом револьвер.

Татаров сперва хватает за руку с револьвером, а потом старается вырвать револьвер.

У Кизеветтера, когда он говорит: «/Я сделаюсь вором и убийцей/», должна быть тональность, как тогда: «Делайте войну!» Это типичный Достоевский.

Мартинсон крадется к Леле и Кизеветтеру, который держит ее за ноги, он боится, что Кизеветтер выстрелит. Сперва он крадется, а потом оттягивает Кизеветтера. Когда Мартинсон изолировал их, Леля бежит к дивану, а потом к фигуре. Она растерянна, она мечется, как бывает — во время пожара лезут в печку, а не в дверь.

Хорошо было бы, чтобы вы (Кириллов), когда говорите: «Я нищий», — одной рукой расстегнули воротник, это напомнит сцену: «У меня нет галстука».

После выстрела у него (Кизеветтера) реакция, /он/ рыдает.

После выстрела Мартинсон выдвинулся, как будто вас на колесиках выдвинули. Потом папироса, спички и: «Эпилептик». У него руки трясутся, а говорит просто.

Кизеветтер постоял, уже готовится всхлипывать, после «Эпилептик» — всхлипывает. Здесь главное — техника. Чем меньше чувства, тем лучше выходит. У него истерика от того, что он не попал. Досадная ошибка. Эта сцена истерики требует техники. Если эту сцену провести мастерски технически, то она дойдет. Нам нужно показать, что вы абсолютно не способны на истерику, но вы ее умеете показать.

После стука Татаров ликвидирует его истерику, стукнув Кизеветтера по спине.

Татаров показывает ей револьвер, спрашивает: «Откуда?» — потом замечает гравировку, говорит: «На нем гравировка», — подходит к свету, читает.

Когда Мартинсон идет класть револьвер, она уже направляется к двери: «Меня никто не посылал». И хочет уже уйти. Леля стоит около двери и пробует ручку двери. Татаров идет вдоль стола, немножко издали, потому что боится ее напряжения. Леля посмотрела на одного, на другого, потом идет, руки держит впереди, садится на стул, холодно смотрит и говорит, как Святой Себастиан. Поэтому нужно холодно. Странное напряжение, без спадов.

«Из револьвера, принадлежащего...» — как бы «a pàrt». Она неподвижна, у нее скованность, а у вас — раз, раз!..

Выход полицейских.

Первый выходит Бочарников, немного позже Карликовский. Бочарников жесток и вместе с тем сердоболен. Он видит, что Кизеветтер лежит в позе больного, и сам подходит к нему, осматривает его, трогает его за плечо.

У полицейских свой мир взяток, в морду давать, у нас главное деньги, протокол — это вопрос формальности.

«Вы именинник?» — это остряк, он сам засмеется первым.

Бочарников, когда сел протокол писать, беря ручку, заметил револьвер.

«За это полагается каторга» — идет, держа в руке перо.

После того, как Бочарников инспирировал Кизеветтера, Карликовский подошел к нему и хочет сказать: «Дай ему в морду, Жан».

«Во всем виновата я» — большое изумление.

«Красть вообще нехорошо...» — наглая нотация, несмотря на то, что это женщина. С Кизеветтером он был любезен, а с ней сугубо груб.

Когда Леля перешла на диван, Кизеветтер бросает место, проходит за стол, наливает стакан с водой и жадно пьет воду. Потом он присоединяется к полицейским, он ими уже куплен, он их агент.

«Итак, случай разучен...» — встает, раскланивается.

«Этот револьвер из советского посольства» — чтобы этот револьвер имел значение «письма Зиновьева»[46]. Так что необходимо положить его в портфель на глазах у публики, это имеет громадное значение.

4 мая 1931 года (Утро)

«У Татарова»

/Кизеветтер — Кириллов, Татаров — Мартинсон,
Трегубова — Ремизова, Леля — Райх/

Кизеветтер вошел, смотрит, эта сцена — концовка к сцене.

Леля делает свое движение после второго раза: «Отдай револьвер».

Мартинсон в борьбе с Лелей не должен расставлять ноги. Вся сила в руках должна быть.

Кизеветтер им мрачно говорит. Не надо Ромео и Юлии. Он мрачно и тяжело говорит, и никакой сентиментальности.

Кизеветтер стоит, вырвав револьвер, у дивана, говорит. Публика не должна заметить, как он пододвинулся, она должна так сосредоточенно вас слушать, что не замечает, когда вы придвинулись к Леле.

Пока Кизеветтер держит Лелю, пока он говорит, она все время: «Пустите, пустите меня...» — он заглушенно говорит: «Мир страшен...»

Когда он первый раз ее схватил, у нее крик испуга: «А-а, пустите...»

Кизеветтер оттого ее отпустит, что он вошел в такой раж, что не видит, как его руки отпустили ее.

«Я сделаюсь вором...» — срывает шляпу и бросает ее. Этот срыв шляпы Леля ощутит.

После: «Эпилептик» — Мартинсон сразу закуривает. Папироса механически в рот влезла, и спичка механически зажглась. В руке спичка, которая падает вниз, падает, как звездочка.

«Откуда у вас оружие?» — в это время осматривает стол и видит револьвер.

Кизеветтер, как только сказал свою фразу: «Да, из-за нее...» — опустился на стул.

Ремизова берет жасмин, делает движение. Мартинсон проходит мимо и хочет ее задержать, она быстро выскользнула, как кошка.

«Мюзик-холл»

(Леля — Райх, Маржерет — Штраух)
/Пианист — Цыплухин
и актер, репетирующий роль Улялюма/

Леля говорит с Маржеретом, а сама примеряется к сцене, которую она будет играть. Она планирует участок, на кот/ором/ будет играть. Она располагает свои мизансцены.

«Я могу сыграть сцену из "Гамлета"...» — новая сцена.

«Хочу» — Маржерет выходит и садится.

Он сел, у нее сразу появляется энергия. «Я могу показать сцену из "Гамлета"» — сразу оживленно. Там она робела, а тут она очень оживлена.

«Почему из "Гамлета"?» — огорошил.

«Я предполагала сделать так...» — подходит к нему.

Когда она вышла на сценическую площадку, он вдруг срывается, чтобы было впечатление, что он бросает ее и уходит. Тогда она: «Я начинаю».

Он дразнит ее тем, что вот-вот уйдет. Это своего рода издевательство. Он вдруг срывается, ходит, у него в голове Улялюм, который не едет. Поэтому броски фраз должны быть энергичными.

Когда он ушел, Леля: «Даже не слушали, не поняли...»

«Я расскажу ему...» — монолог настоящий, драматичный.

Цыплухин выходит с Улялюмом, подходит к роялю, бочком присаживается, наигрывает. После: «Иди сюда...» — Цыплухин наигрывает.

«Идите, вам улыбается счастье» — нужно, чтобы Леля машинально, как бы подстегнутая этой фразой, сделала еще два шага и застыла.

Когда Леля говорит: «Не надо», — она попадает: с одной стороны, Улялюм, с другой — Маржерет.

Улялюм первый раз поет быстро, когда он ее целует — он поет с разным выражением. Он только прижался, но не целует, а поет, она же в это время говорит: «Я вспомнила...» Щека к щеке, а в это время ее монолог, и он поет.

«Можно поцеловать тебя?» — реалистически.

«Кто ты?» — восторженно.

«Она дует прямой кишкой во флейту» — сразу разрядил.

Последний раз песенку поет опять оживленно.

«Где ты достал ее?» — смотрит на Маржерета. Потом отбегает и смотрит на Лелю.

Улялюм повернулся, не обращает на нее внимания, вдруг она идет и говорит: «Господин Улялюм...» Он бежит к ней: «Чем, чем я тебя обидел?»

Маржерет перешел к столу, смотрит на Улялюма, нетерпеливо ждет, когда он подымется.

Улялюм помахивает тросточкой, бросает: «Нет...» Потом: «Приди завтра» — шепчет на ухо.

«Как одуванчик...» — отходит, типичный жест фата, настоящая сцена Дон Жуана.

7 мая 1931 года

«Мюзик-холл»
(Леля — Суханова, Маржерет — Штраух)
/секретарь Улялюма — Нещипленко
и актер, репетирующий роль Улялюма/

Надо найти более резкую тональность для Маржерета. Вот как было с Татаровым — приходилось вздыбить крик. Теперь характер тесно связан с мизансценами, одно с другим связано. Когда придет другая тональность, все это не будет... Тут нужно рискнуть, пусть сперва не выходит, но чтобы был характер крикуна. Надо играть укротителя львов, который бегает и дразнит. Он приступом берет кресло, приступом берет занавеску, он как будто хочет кого-то криком взять, он берет крикливостью и великой рассеянностью, а то не получится, если мягко будет. Здесь все до такой степени одно связано с другим, что может получиться, что теперь выходит, а потом не выйдет. Нужно уже примеряться.

Вы (Штраух) говорите: «Почему занят?» — полутоном, а надо громко. Он внезапен, порывист, безапелляционен. Для Маржерета всякая интимность, всякие полутона исключены. Он льет густые краски. У него реакция секундная, он громко выпаливает, это грубая фигура, выпаливает, как будто бы у него в голове все уже сложено, он не обдумывает, у него все экспромты, как, напр/имер/, насчет флейты. У него кавардак в голове, но на этот кавардак у него готова планировка. «Понимаю...» — уже жарит.

Всякому администратору режиссура кажется очень легким делом. Я убежден, что Сахновскому[47] кажется режиссура легкой. Вот был такой Неволин[48], он был администратором и стал режиссером. Маржерет администратор, но он сейчас «Гамлета» готов ставить. У него нет никакого обдумывания, если бы он был режиссером, он бы осторожничал, для режиссера это тонкое дело, а для этого человека — не тонкое. Это вроде Пельше[49]. Вы читали его тезисы в Комакадемии? Он все знает, знает, как относился к искусству Ленин, Маркс, Энгельс... Но если его прослушать, то можно сказать, что это круглый идиот. Для такой большой проблемы нужно сто лет. Дарвин над одной проблемочкой о происхождении человека — поседел, полысел и всего только одну проблемочку решил, а он (Пельше) все проблемы в семи листах включил — и искусство, и музыку, и архитектуру, и механическое, и идеалистическое, и диалектическое[50]. Но что это? — Маржерет.

Маржерет пришел, подошел к телефону, стоит, не должно быть впечатления, что вы знаете, зачем вы пришли. Надо сыграть, что телефон не действует, он раздражен, стучит рукой по столу, чтобы было впечатление, как там в отношении броска книги за занавеску. У вас не должно быть ни на минутку остановки, у вас должно быть сквозное действие, действие не должно прерываться. Должно быть впечатление, что вы сейчас уйдете.

Маржерет вошел, обернулся, что-то бросил, потом ушел, при/шел/, чтобы было впечатление, что это выход циркача, показывающего фокусы. У публики должно быть впечатление: черт, это что такое, может быть, это и есть мюзик-холл и Маржерет есть какой-то номер. Это все делается для того, чтобы Маржерета показать в какой-то динамике. Музыка играет за кулисами, потом концовка, /там/ номер кончился, этот конец совпадает с его игрой.

Маржерет не должен рассесться и слушать телефон, он должен танцевать на шнурке, не останавливаться, он все время должен что-то делать, его энергия столь велика, что она не уменьшается, вы должны обязательно все время куда-то метаться.

Как только Леля вошла, он положил трубку.

«Я проведу сцену в костюме...» — Маржерет не останавливается и идет за занавеску. «Почему занят?» — и т.д., будет все время менять место.

Маржерет подает руку Нещипленко как шантрапе, маленькой сошке. Нещипленко уверен был, что он даже с ним не поздоровается.

Когда Улялюм говорит: «Я поцелую тебя», — отклоняется, как бы дразня, а когда кончает петь — целует. Это дразнящий тормоз. Эротоман какой-то. Нужно, чтобы было впечатление, что он сознательно задерживает. После слов «Можно?..» — Леля почувствовала себя немножко оскорбленной: она сказала «можно», а он не целует ее, а поет. Улялюм напевает еще мягче, чем раньше. Когда Леля плачет — Улялюм делает обход, любование ею, и потом убегает.

Маржерет очень грубый циник, он бьет людей, он страшен, а не комичен. Маржерета мы не высмеиваем. Автор его взял как некую грубую силу, этого представителя грубой силы, топчущего ценности искусства. Это представитель капиталистического мира. Он директор артистической организации, притом он на них смотрит как на рабов, он их просто бьет. Это настоящий эксплуататор на фронте искусства. Он должен производить впечатление жестокого человека. Жалко, вы не видели «Цирк» Чаплина. Там как раз такой человек, девушка у него служит. Он ее не кормит и т.д.

Выходит Улялюм — скромно, сжато.

«У тебя золотые волосы» — показывает палочкой. «/У тебя лицо/ персидской белизны» — опять показывает. Он ее рисует, как будто бы шпагой или рапирой описывает воздух.

«Я Улялюм» — выпрямляется как струнка. Каблучками немножко играет. Чтобы чувствовалось, что вы танцуете, что ваш номер не просто пение, а вы поете и пританцовываете.

«Я сегодня видел сон» — переход на биографические интимности, а там был красавец, который позировал.

Сон рассказывает, облокотясь. Там лирика, а тут: «Ты воплощенная метафора...» — скоро бросает.

«Иди сюда...» — зовет, обеими руками вытягивает, как деточку зовет, как Ромео, зовущий Юлию.

Улялюм смотрит на Лелю, а Нещипленко своим жестом (просит спеть) прерывает его.

Улялюм поет, немножко дирижирует, показывает темп пианисту, который играет наизусть и все время посматривает на Улялюма, он (Улялюм) его тоже бьет.

Когда он поет, он на минутку должен забыть о Леле. Только к концу слов Лели он прижимается к ее щеке.

«Да идите же...» — Маржерет рад, что при выходе у Улялюма эта сцена с Лелей вызывает хорошее настроение, а то он всегда перед выходом сердится.

«Где ты достал ее, Маржерет?» — на легких ногах, чтобы было легкое покруживание, а то получается шарканье наше советское. Немного танцует, как в менуэте.

«А вдруг она, не помывши флейту...» — задав вопрос, он, естественно, поворачивается в сторону идущей Лели. У всех своя по-своему растерянность.

Нещипленко бежит быстро наверх. Он своего рода помреж, он сговаривается с аккомпаниаторами, он сам тоже иногда аккомпанирует, он и секретарь.

Улялюм не слышит, что она говорит: «Схожу с ума» — и второй раз говорит: «Приди завтра».

Улялюм с Маржеретом держит себя с высоты своего величия. Он — Шаляпин, а этот — платящий ему большой гонорар.

Улялюм поет, улыбаясь, поет, потому что его подтолкнули распеться немножко, но когда вы начинаете петь, то вы делаете профессиональную улыбочку, свойственную этому куску, вы технически все это делаете. Улыбка появляется потому, что мотив пришел, но глаза нужно оставить на сцене.

Поет, палочкой чертит. Палочка делает легкой фигуру, палочка делает сцену прозрачной. Делает немного негритянские жесты, хотя вы и в европейском костюме.

После поцелуя отходит зачарованный.

8 мая 1931 года

«Мюзик-холл»

(Маржерет — Темерин, Штраух; Леля — Суханова)

«Подождите, я начинаю» — /Леля/ бежит к какому-то аксессуару, его она застает и задерживает на полдороге.

У Маржерета важен момент на стоянии у занавеса — это отмечает в нем рассеянного человека и дрессировщика в клетке.

«Я покажу сцену из "Гамлета"» — она артистка, владеющая своим мастерством, у нее в показе есть своя техника.

Маржерет обдает ее вопросами, которые мешают ей в ее ритме. Постепенно у вас (у Лели) должно возникать раздражение, а то впечатление гимназистки. Нужно, чтобы была техника, вам мешают, вы раздражаетесь. Помните, вы потом говорите: «Это комната пыток». А то нет пыток.

Почему трудна роль Маржерета? Потому что сыграть /роль/ Маржерета отдельно легко, но сыграть ее как /роль/ директора комнаты пыток — это трудно. Поэтому многие мизансцены еще приблизительны, это только начало, мы не знаем, во что еще эта роль разовьется, но я должен наметить ее тематику. Нужно все так придумать, чтобы все ее раздражало. — Пел, ушел. — «Подождите...» Его поведение надо так строить, чтобы оно ее раздражало. Вы (Леля) там плачете. Он — один из элементов капиталистического мира, который даже на участке искусства — эксплуатирует. Это есть эксплуатация. Это полное игнорирование. У вас есть целая проблема, он ее подрывает, он хочет, чтобы вы в флейту дули другим местом. Нужно обязательно показать одного из элементов кап/италистического/ мира, а то — ситуация водевильчика. Что нужно? Заострить в такой степени, чтобы не было впечатления водевильчика. Вот почему в спектакле самая трудная роль — роль Маржерета. Если спустить ее до водевиля, то теряется весь ее интерес. Это — страшная сцена, это одна из самых страшных сцен. Она должна производить впечатление ужасающей. Тут Леле наносится последний решительный удар, вы тут сломаны. Поэтому вы пойдете ночью в кафе и там будете красть револьвер и убивать Татарова, но вы не Татарова будете убивать, вы будете убивать Муссолини.

Сейчас Лелю Гончарову очень трудно играть, если нет грандиозного накала. Это один из труднейших участков.

«...чтобы вы получили полное впечатление...» — она вся в движении, она планирует, где она будет сидеть и т.д. Она тоже рассеянна, потому что она вся в планировке. Она артистична. Это все-таки ее мир, она не должна в грязь лицом ударить. У нее по-своему все шикарно выходит, не так, как ему хотелось, но по-своему очень здорово выходит.

Для того чтобы эта сцена не казалась опустошенной по игре, т.к. нет разных предметов, нужны: плащ, шпага, шляпа, кот/орую/ она еще не надела, — «...полное представление...» — вдевает шпагу. «Мюзик-холл» — надевает плащ. «Как вы смешно говорите» — надевает шляпу.

Главная работа Лели — подготовка. Тогда реплики должны быть в три раза громче.

Маржерет кричит, а Леля вполголоса.

Он все время ее поражает интонациями, выкриками, внезапностью переходов. А она свое дело делает, иногда только — большие глаза: почему так резко? почему переход? почему ее не слушают? почему слово «почему»?

Тут проходной двор, проходят люди, мальчик какой-то пробежит, музыка доносится из зала, там антракт, играют бостон. Лелю все это будет раздражать. Где-то во время монолога будет вставлена фраза: «Ах, как музыка мешает». Тогда получится впечатление, что это ад. Тогда будет комната пыток.

Эта сцена нарочно показана на крупных планах, чтобы было впечатление комнаты пыток. Если маленькие движения делать, то какие же это пытки? Маленькие движения Маржерета не будут ей мешать. Тут нужен поэтому крупный план, нужно создавать сквозняк ходов. Если сделать маленький переход — это ей не помешает, если же от телефона я сделаю крупный ход за занавеску, то это уже ей помешает. Он своими ходами сквозняк делает, он ей мешает, он наваливается на нее, мамонт такой.

Те мизансцены, которые я устанавливаю, они являются лишь отправными точками, теперь их надо развивать в сторону больших ухищрений, должна быть установка помешать Леле, сорвать ее сцену. Она ищет медленности, уюта, сосредоточения.

Если он сидит у телефона, он ей не мешает. Если же он будет ходить на корде, то он уже мешает. Он, в общем, только возмущен, что телефон не действует.

«Нет, нет, нет, это не годится...» — я должен чувствовать в исполнителе Маржерета, что если он говорит: «Не годится!» — то это безапелляционно. Чтобы я чувствовал, что он вдруг сошел с ума. — «Еще в мюзик-холле не было такого случая, это же скучно!» Ему надо, чтобы люди голые ходили, выходили вверх ногами, чтобы люди с трапеций бросались, чтобы люди с зажженными факелами ходили или лезли, как факиры, в бассейн с водой на полчаса и выходили оттуда как ни в чем не бывало или закапывались в песок.

«Нет, не годится!» — как мы на экзамене: прочитали две строчки — «Довольно!» И это «довольно» так сказано, что читающему и в голову не придет попросить дочитать.

Когда она говорит: «Сейчас, начинаю...» — она уже торопится, а вдруг он опять выскочит.

Маржерет внимательно смотрит сцену из «Гамлета». Это будет очень хорошо — внимательно смотрит, а потом сразу: «Не годится!»

Если же вы рассеянно будете смотреть, то от этого «Не годится!» не получится такого впечатления.

Это страшно кровавая сцена, бурная. Это кровью насыщенная сцена.

«Неинтересно!» — исчезает. А Леля хочет на минуту его еще задержать.

Когда Маржерет объясняет номер с флейтой, он уже о Леле забыл, он фантазирует, вы уже мизансценируете как режиссер, здесь самовлюбленность должна быть.

Есть вещи, которые математически сознательно мы не устанавливаем, есть ряд сцен, зависимых от разного накала и разного состояния вашего. Если будет математически рассчитано, то вдруг накал будет меньше, тогда уже не получится, что нужно. На сотом спектакле установится какая-то средняя. Самое страшное для актера, когда какой-нибудь участок не вышел, это сразу его на пять минут выбьет из состояния равновесия. Для актера важно все время быть в состоянии равновесия. Я часто так строю мизансцены, чтобы временны́е и пространственные единицы совпадали, ничего, если немножко меньше или немножко больше, на сотом спектакле это сойдется.

У Маржерета не должно быть в походке ничего водевильного, здесь установка не на комическое, а на трагическое.

Должна быть сила в руках. Когда чувствуется сила в руке, она дает хороший рефлекс на выходе.

После: «Словом, не годится!» — легкая пауза. Мы сыграли кусок, который получил хорошее начало, хорошее развитие и хорошее завершение. После начинается новая сцена.

Маржерет вырвал флейту. Все время крупный план, завладевает комнатой пыток как хозяин этой камеры пыток, а она — маленькая птичка.

«Что это, эксцентрика на флейте?» — смотрит на флейту, вырывает ее. Теперь вы маньяк флейты, потом вы сделаетесь маньяком режиссером. Обязательно нужно смотреть на флейту, тогда это вырывание получит акцентировку. Потом сам с собой говорит, ее он уже забыл.

Объясняя игру на флейте, Маржерет относится страшно раздраженно к ее репликам. С момента, когда схватил флейту, в противоположность всему предыдущему появляется более стремительный темп, он загорелся мыслью, которая ему пришла в голову, об эксцентрическом номере. Там все было громоздко, теперь он быстр и легок в построении фраз.

Техника мизансцены

Чтобы был правильно показан всякий кусок мизансцены, нужно отметить для себя точку ее начала. Если я возьму просто флейту и расплывусь в пространстве — я не начну. Тем, что он ее стукнет, он определит начало хода. Это техника. Если вы расплыветесь, то вы не попадете. Вот Мартинсон пальто берет, чтобы набросить. Он делает так: прежде чем взять — он отмечает стуком. В японском театре стук делает режиссер. Он сидит на сцене и стучит по дощечке. Вот линейки в нотах (разделение на такты) определяют /начало и конец такта/, — следовательно, и ритм.

«Приехал, приехал!..» — очень восторженно, должна быть действительная радость.

(Штрауху.) Вы должны войти в ритм игры не с Лелей, а с занавесом. Фразы не имеют никакого значения. Это мотня. Он должен надоесть публике, когда он уходит, публика радуется, ну, слава богу, а то надоел, но он снова появляется, снова мечется, публика думает: опять начинает, черт возьми.

После: «Опять занят мыслью» — пошел.

«Дайте мне освободить...» — жест: вынимает из мозга мысль и швырнул в помойку.

(Разговор об Улялюме.) Она задает вопрос, она говорит о нем, вы (Штраух) весь в нем, вам эта тема очень интересна, вы имеете собеседника, здесь он внимателен, потому что это об Улялюме.

«Как трудно с вами разговаривать» — Леля хватается за голову, тут вы оскорбились, там вы считали, что «мели, мели, Емеля...», — а тут вы боитесь, потому что вы попались, вас, может быть, еще сейчас заставят...

«Когда он придет, я ему расскажу...»[51] — встреча двух миров, давайте тут все напряжение вашей советской линии. Это главное место роли Лели в этой сцене. В эту минуту вы должны играть не Лелю Гончарову, а Гамлета, где он бичует, мужская энергия должна быть.

«За флейту, черт возьми» — смотрит на нее.

«Как вам не стыдно!» — заломила руки. Тут нужно, чтобы косточки застучали, с ней делается что-то ужасное, у нее здесь протест против капиталистического мира со всем укладом, со всем бытом.

(Выход Улялюма.) «Сегодня я видел сон...» — внезапно переключение: «Сними куртку» — снижение лирики, совершенно просто. Внезапность выразится в интонации. Там кусок лирики, а здесь лирика прозаическая, но не стихотворная. Все время композиционные интонации.

«Иди, иди сюда...» — прозаически, а то получается ростановщина.

Поет и постукивает по ноготкам, нужно, чтобы он шиковал, он репетирует, а сам палочкой играет, знаменитость вполголоса репетирует, ее вы этим очаровываете. Вовсю он будет там петь, там он будет и приплясывать, а здесь человек, поющий полутончиком.

«Идите, идите...» — Маржерет толкает Лелю в объятия. Это пакостник. В этой сцене, по существу, три пакостника, но по-разному, и только при таких условиях ее положение покажется трагическим, она теряет почву из-под ног.

«Идите, идите...» — Маржерет делает вид для Улялюма, что он уходит. Должен быть поворот головы, чтобы был глаз, но никакой мимики.

«Где это, где это, Маржерет, ты ее достал?» — он очарован. Маржерет выходит довольный, счастливый, как будто это он ее ему достал.

10 мая 1931 года

«Мюзик-холл»

(Леля — Суханова, Маржерет — Башкатов, Улялюм — Чикул)

(Башкатову.) Когда вы идете, по вашей фигуре видно, что вы идете и боитесь, что она вас остановит. Возьмите себе задачей — полное игнорирование. Потом исполнительница роли Лели приладится к вашим ходам, пока же они очень приблизительны и партнерша не знает их точно, может так получиться, что вы уйдете, а он не ушел. Лучше, что вы уйдете, чем чтобы было впечатление, что вы ждете.

Не должно быть игнорирования по отношению к Леле, когда она задает вопросы. Когда ему задают вопрос, он дает полный ответ, а потом продолжает свою работу, чтобы не было впечатления, что вы бросаете мимоходом, тогда энергия ваша потеряется. У вас должна быть динамика в вашей работе, но и динамика в ответе. Если вы ходите энергично, а бросаете слова неэнергично — это не годится, это не в его характере.

Прежняя редакция, что телефон не работает, не годится. Видно, что вы что-то слушаете. Вам нужно ходить на цепочке телефона и говорить: «Да, да, да же», — а потом застывает, и она скажет свою фразу. В телефоне как будто кто-то оправдывается в чем-то, а вы ему говорите одно и то же: «Да, да, да же» — и все с возрастающей энергией. При последнем сильном нарастании вашего «да» вы стукнете по книге, потом отмахнетесь, и тогда ее выход. Ваш последний накал и стук, и тогда выход Лели. И уже Маржерет слушает, уже кто-то сдал свои позиции, и вы уже слушаете. Маржерет кладет трубку, когда она начинает говорить: «Я проведу сцену в костюме...», — Маржерет отвернулся от нее. Она вам помешала, поэтому вы сразу от телефона метнетесь в пространство. Хотел освободиться от нее, потом: нет, пойду прямо за занавеску. Тем временем она окончит свое, и тогда вы (Маржерет) влип в ее вопрос.

Когда Леля ходит и говорит Маржерету, он не должен быть за занавесом, там густая занавеска, и публика не поверит, что он ее слышит. Он должен — раз — и за занавеску, и сейчас же обратно.

«Почему занят?» — ей бросает. Полный поворот к ней. Тут важен полный поворот головы через плечо для того, чтобы показать энергию. Больше никакой задачи нет. А энергия нужна для того, чтобы мы уверовали, что вы бьете людей хлыстом, как лошадей, что вы изверг, директор камеры пыток. Когда она скажет: «Ведь это камера пыток», — мы отлично в это поверим. Вот это, и больше ничего не нужно.

(Маржерету.) Все, что вы говорите ей, — обязательно надо на нее смотреть. Чтобы был верный ракурс, а ракурс выражается силой экспрессии. Ракурс плюс напряжение голосовое дают то, что нужно.

«Что это, что это такое?» — сразу делает большой круг. Большой, крупный ход, а не как раньше, в два приема. Идет туда (показывает куда), потом возвращается, с тем чтобы («А, это другое?») ее фраза застала вас проходящим.

«Флейта запоет, этого мало» — с флейтой поиграть должен, тогда значимость ее в сцене будет показана.

Леля: «Это совсем другое», — беречь эту фразу, пока она не скажет за занавеску. Этой фразой она подстегнет его на большой монолог.

«Флейта запоет, этого мало» — в публику, как бы говоря: «Милостивые государи...» Потом уходит винтом и потом получает завершение ухода. Может быть, даже лучше так: застыл, потом заговорил: «А, другое!» — и новая сцена. Это надо рассматривать как отдельный кусок, трудный кусок.

У вас начало трудное, потом вы отдыхаете, потом опять пойдет трудный. Это нужно понимать, если же брать в одно, то будет снижение.

«Что, что это, эксцентрика на флейте?» — ходит, ходит, потом — отдых, отдых, потом: «А, другое! А если другое, то говорите, что другое...» — нервно, нервные движения, нервный наскок.

Вдруг он ушел, и ему пришла в голову мысль — и он стремительно бежит на флейту, хватает сразу. Прибегает: «Слушайте меня внимательно, да слушайте же...» — чтобы она повернулась, это делается для того, что/бы/ этот рассказ принял форму монолога. Он прибежал, встал в позу: «Слушайте меня внимательно...» Она его прервала, но потом он продолжает: «Потом вы ее проглатываете» — композиционно держит фразу на устах. В момент, когда она его прервала, он: «Черт ее возьми!» Он должен безумно разозлиться. Тогда у вас выйдет монолог: «У меня нет даже времени выпить молоко» — по этим словам надо скользнуть, а потом продолжает монолог. Он про молоко сказал и запнулся, потом: «Ах, да, флейта!» — и опять то же самое.

«Публика ахает...» — бежит по прямой, потом по отношению к этой прямой делает перпендикуляр, у вас образовался угол, и маленькие две фразы вы умещаете на возвращении в прежнее место.

«И затем вы поворачиваетесь спиной» — бежит за занавеску, выходит, становится спиной и говорит эту фразу. Он служил в балаганах. В балаганах всегда из-за занавески выходят. Вы в балагане служили, а теперь выбились по недоразумению в директора мюзик-холла.

Пауз никаких делать не надо, все подряд, беспрерывные хода, и в них надо уложить текст. Он быстер, почти акробат, жонглер.

«А затем... — бежит к Леле, — оказывается, что флейта торчит у вас из того места, откуда она никогда не торчит» — сильный подъем, это самый пушистый хвост этой сцены.

«Томми, Томми, встретимся во вторник» — приплясывает.

Звонок телефона. Маржерет бежит: «А-а-а!» — вы знаете, что это тот, давно жданный звонок. Тогда понятен ваш экстаз, когда приедет Улялюм.

«А-а! У меня порок сердца» — падает. Кричит: «Приехал, приехал, ура!» Когда он проходит мимо Лели, она его крепко схватывает обеими руками. Говорит. Он в это время отдыхает. Когда он говорит: «Ну, говорите!» — садится спиной к публике, на этой сцене тоже надо отдыхать.

Когда Леля начинает опять говорить, останавливая его руками у занавески, Маржерет должен безумие показать. Комната пыток. Он испугался, как будто увидел тень отца Гамлета, говорит: «Кто это, кто это, откуда взялся?» — публике говорит.

«А, превосходно...» — говоря этот монолог, бежит не к занавеске, а по лестнице, откуда потом появится Улялюм, чтобы публика потом вспомнила, почему именно этот монолог был при такой мизансцене. Бежит наверх и весь монолог говорит сверху, тем более что она не видит. Жестами он показывает, где будет выход Улялюма.

«Как вам не стыдно?!» — ломая руки.

«Когда он придет сюда, я ему скажу...» — сила не в голосе, сила внутренняя.

Публика /не/ должна понять, что вы говорите все время об Улялюме. Она его жесты не понимает, она думает, что это о Чаплине речь.

«Он жалкий, ничтожный...» — это не просто характеристика, а насыщенная ненавистью характеристика.

«Почему Чаплин?» — аплодисменты. Все застыло в пространстве. Маржерет бежит навстречу Улялюму, только что он говорил зрительному залу, что он жалкий, ничтожный, а теперь он восторженно встречает его. Это тоже очень хорошо подчеркнет Маржерета.

Когда Улялюм поет, Леля отходит к столу и говорит: «Я вспомнила...» Улялюм тянется рукой за ней, потом тоже идет, садится на стул. А то сцена там застряла, нет рельефности.

«Вам улыбнулось счастье...» — очень важно, чтобы Леля здесь вздрогнула, когда же он кончит, она скажет: «/Я слышала эту песенку/».

«Я поцелую тебя...» — поет, он еще не привлек ее пением.

«Можно поцеловать тебя?» — она не говорит «можно», но вся вдруг опустилась, опустила голову, смотрит вниз. Он поет, уже без движений, сладость, неприятная сладость должна быть.

13 мая 1931 года

«Финал»

Актеры, репетирующие роли Лели, Кизеветтера, Лепельтье и Сантиллана. /Кроме них Никитин, Консовский и актеры, занятые в массовых сценах/

Сцена распланирована так: большая арка справа, после этой арки бассейн, потом витрина магазина, из-за этой витрины потом выходят полицейские.

Агитатор стоит около лестницы и говорит: «Товарищи, я предлагаю разойтись...» На эту реплику три голоса: «Трус» и т.д.

Впереди группа: скрипач, гармонист, барабанщик и певица. Певица поет, а те ей аккомпанируют: «Посередине рынка стоит твоя корзинка...» — кругом стоящие горожане куплет: «Блондинка, блондинка, красотка моя» — припевают. Только после этого агитатор говорит: «Предлагаю разойтись». Подросток (Консовский) выбегает из двери справа, бежит спиной к публике на лестницу и кричит: «Убирайся вон, полицейская маска!»

Леля тоже из двери справа подымается наверх и говорит: «Я была в Москве», — после этого певица поет второй куплет. В это время Леля и агитатор ведут сцену.

Подросток дает агитатору пинка, тот как-то рванулся в сторону. В это время входят Ле/пельтье/ — отец, сын, дочь и молодой человек, ухаживающий за дочерью. Они направляются в сторону лестницы, чтобы сойти в партер, но, увидев группу, стоящую в дверях, и конец сцены Лели и Агитатора, они немножко боятся идти. Идет сцена: «Революция не началась...»

Появляется Сантиллан, который сразу после появления направляется в сторону пожилого господина.

Все голоса толпы должны совпадать с ведением музыкальной партитуры. Они будут соревноваться.

«Как ты попала сюда?» — входят полицейские и агент тайной полиции. Комиссар полиции только выдвинулся из-за витрины, как уже говорит: «С кем говорить?» Леля стоит спиной к публике. Кизеветтер бежит через весь зрительный зал, через партер. Он бежит на ступеньки одновременно с появлением полиции. Вбежал на ступеньки, задевает Лелю, но не замечает, что это Леля Гончарова.

Сантиллан, как только ему задал вопрос начальник полиции, сейчас же (пропуск в стенограмме. — *В.Г.*). Начальник полиции становится против него и прямо говорит ему.

Когда Сантиллан подошел к нач/альнику/ полиции, Леля увидела Кизеветтера. Она движется к Сантиллану и говорит ему на ухо.

Сантиллан оборачивается, подозрительно спрашивает: «Откуда ты знаешь, ты служишь в полиции?..»

Как только Кизеветтер поднимает руку, чтобы выстрелить, Леля становится здесь и загораживает дорогу. Леля после выстрела метнулась к бассейну, а толпа говорит: «Убили русскую». Группа безработных застыла в ужасе, а некоторые выделились из толпы и подходят к ней.

После выстрела уход полиции, которая схватывает и уводит Сантиллана.

Кизеветтер выстрелит, потом выждет момент, когда Сантиллана забрали, потом незаметно отступает, бросает револьвер и бежит в сторону полицейских.

Подросток, как только револьвер упал, берет револьвер и несет его в сторону тех, кто окружил Лелю, и показывает револьвер.

Леля поднялась, собрала все силы и говорит три фразы: «Не поддавайтесь, не стреляйте...»

Когда подросток показывает револьвер, она его увидела и говорит: «Это я его украла...» После этого Леля, поддерживаемая ткачом и ткачихой, направляется к авансцене, на авансцене лежит камень, ее кладут на этот камень. Монолог Лели. Потом ткачиха нагибается к Леле и говорит: «Не слышу, не слышу... Она просит накрыть ее тело красным флагом...»

Концовка очень ответственна. Масса проходит на сцену. Выходит Никитин и говорит: «Поднимите флаги...» Эта фраза заканчивает эпизод. Толпа поднимает знамена, лозунги и направляется по лестнице, в этот момент из-за колонн выходят девять драгунов в золотых касках с черными конскими хвостами и сразу грохнут в толпу.

Консовский бежит, кричит, потом продолжает размахивать руками.

«Рыжий парень...» — Пшенин сталкивает Консовского ногой. Консовский немного поднялся, возвращается и кричит, обернувшись в публику: «Да здравствует Москва!»

После: «А ты был в Москве?» — Консовский просто переходит в сторону и скрылся. После этого выйдет Леля. Когда вышла Леля, Консовский бежит за ней.

Как только подросток идет вправо, так Леля выходит: «Я была в Москве...»

«Сними шапку, когда разговариваешь с рабочими» — сбрасывает с головы шапку. Чтобы шапка так вкусно слетела. Когда она сорвала шапку, он должен немножко податься вперед, подросток подходит к агитатору, говорит: «Ах ты, дрянь!»

Пение певица начинает сейчас же после «Ах ты, дрянь!».

Как только подросток грохнул агитатора и Леля сбрасывает шапку, входят Лепельтье и уже видят эту сцену. Леля свое дело сделала и обязательно пойдет вправо.

Леля: «/А когда начнется революция, за шляпой полетит и голова/», — штампованная революционная фраза. Бравада, взятая напрокат из арсенала Французской революции.

Когда вошли Лепельтье, Пшенин направляется наверх, смотрит в сторону Лели... Фраза /Лепельтье-отца/: «Кто эта фурия?» — Пшенин уже на сцене.

Леля схватывает трость, вырывает ее. Она говорит: «Мне больно», — она знает, что она будет вырывать. У нее злость в глазах. Вырвала трость. По ее напряжению чувствуется, что будет такая сцена.

Когда полицейские схватывают Сантиллана, у него не испуг, а бросок от них, брезгливый бросок.

Не надо забывать, что действие происходит в Париже, у них у всех галльская вспыльчивость, а у вас Замоскворечье сплошное.

Сантиллан идет, не смотрит на Лепельтье, он, может быть, собирался речь сказать, он поднялся, и вдруг реплика справа.

Консовский переходит с револьвером за спину к Васильеву и показывает его. Леля видит эту сцену, и она поэтому говорит: «Я его украла у товарища».

«Подымите флаги!» — толпа идет торжественно, не торопится, вы не знаете, что драгуны выскочат, чем спокойнее, сдержаннее, тем эффектнее выход с выстрелами.

Толпа идет двумя потоками. Надо так растянуться, чтобы не видно было, что толпа кончается. После: «Подымите флаги» — пауза. Немного в духе античной трагедии: «Мы пройдем по улицам города».

Толпа идет двумя потоками. Кто идет по правому первому плану, идут медленнее, по левому — быстрее.

Ф. 963. Оп. 1. Ед. хр. 724

15 мая 1931 года

«Мюзик-холл»

(Маржерет — Башкатов, Леля — Суханова)

Монолог Маржерета должен быть очень стремительным. Это сплошной восторг, сплошная гениальная выдумка. Должен быть темп, темп, темп... Тогда это легко, а то приходится вас слушать. Публика должна обалдеть от этого рассказа.

Неожиданность: «Он хороший человек?» Только что: «Он приехал! Приехал!» — здесь масса красок.

«Приехал! приехал!» — Маржерет платит ему большой гонорар, но он тоже много на нем выручит.

«Как трудно с вами разговаривать!» — очень важно на это перестроиться. Леля должна переключиться на другое настроение.

16 мая 1931 года

«Кафе»

(Дьяконов — Бузанов, Федотов — Боголюбов,
Лахтин — Блажевич, Леля — Суханова, официант — Логинов)

Блажевич сидит за столом, дочитывает газету. Это должно быть все очень непринужденно.

Отдача оружия — шутя. Идет игра довольно интимная: «Ну, давай, давай». Федотов колеблется, потом дает, оглядываясь, а то неудобно, могут увидеть, что два человека, русских, передают револьвер.

Идет к столу Логинов, ставит на подносе какие-то вещи, которые он уносит. Очевидно, здесь еще кто-то сидел. Он /расставит/ и тем временем что-то уберет.

Федотов: «А, это Гончарова», — и уходит, он там где-то в глубине поздоровался с ней и потом уже возвращается. Федотов проталкивается вперед, Леля идет за ним, Блажевич привстает. Потом оба заказывают что-то.

Лахтин закурил, а потом предложил Леле, он вдруг вспомнил предложить ей. Федотов берет тоже папиросу, когда он отказывается, он уже курит. Леля тоже берет папиросу, закурила, а потом ее быстро ликвидировала. Вы (Леля) должны производить впечатление немного на иголках, она не очень хорошо себя чувствует.

«В Ниццу поедете?» — актриса, куда ей ехать. Немножко с насмешкой.

Когда Бузанов идет, оба говорят ему, идущему: «А, Дьяконов».

После: «Познакомьтесь, это Елена Николаевна Гончарова!» — сразу у него остановка.

Дьяконов — тип /фамилия в стенограмме не дописана. — *В.Г.*/ человека, не терпящего никаких компромиссов, он резок, он прямолинеен. Поэтому сразу, как он вошел, чувствуется, что этот человек в пьесе сыграет большого вестника, который все опрокинет.

«Вы просмотрели сегодняшние газеты?» — берет газету. Тем временем Федотов угощает Лелю.

Когда идет сцена Блажевича и Бузанова, Боголюбов перешел к ним, как бы за папиросой, посмотрел в газету и опять перешел к Леле.

Дьяконов свое дело сделал (дал газеты), возвращается, демонстративно садится спиной к Леле, кстати, и к Боголюбову — он там путается с бабами!

После: «Читайте, читайте» — Дьяконов надевает пальто. Он вошел без пальто, он бежал, вспотел, а теперь ему стало холодно. Потом стоя закуривает. У него взгляды укора на Федотова, потом взгляды на Лелю.

Когда Блажевич читает вторую газету, Федотов переходит к нему и заглядывает в газету. Дьяконов сидит спиной к Леле и все время бросает на нее злые взгляды. Он нервно курит.

«К полпреду, к полпреду...» — Федотов проходит по первому плану, а Леля всем трем говорит: «Неправда...»

Блажевич и Бузанов уйдут вовнутрь кафе, а Боголюбов побежит в аптеку. В Париже на каждом углу аптеки.

Когда Леля ушла с револьвером — Федотов вернулся с пузырьком.

Повторение

Боголюбов и Блажевич заказывают лакею массу блюд. Русские всегда заказывают больше, чем могут съесть. Они любят, чтобы было обилие.

Все про баки Боголюбов особенно воспринимает. Его это убийственно рассмешило. «Как баки, вот ерунда, когда же ты баки носил, ты мне ничего не говорил!» Нужно, чтобы эта сцена была очень веселой, а то мало смеха. Чем больше здесь благодушия, тем с прихода Дьяконова будет трагичнее.

После прихода Бузанова Леля встревожена, она смотрит по сторонам, не знает, что будет дальше.

«Дорогие товарищи...» — Федотов сидит, думает, как ее выручить.

«Как, половина оторвана?» — в той же тональности, как тогда в сцене «У Гончаровой»: «Как, оторвать половину?»

«Кто же оторвал?» — сама себе говорит. Встала. Вот тут вам ничего не остается делать, как бежать. Это страшная сцена. Она о чем-то думает, что-то видит перед собой. «Мальчики кровавые в глазах».

Леля: «Я хотела пойти на бал...» — сосредоточенно. Это не сцена допроса, она не говорит все это следователю, вам задали вопрос, вы отвечаете, и между прочим говорит то, что полагается говорить следователю.

«Пойдемте в пансион» — порыв идти. Федотов удерживает ее.

«Чтобы выгоднее продать?» — Блажевич и Боголюбов сдерживают Бузанова.

Перед уходом Блажевич задерживается, думает, не забыл ли он что-то. У него беспокойство, что он что-то забыл, потом увидел палку — ах, да, палка! берет палку и уходит. Палка вытеснила револьвер.

Леля положила руку на газету, под которой лежит револьвер. Она конвульсивно сжала револьвер рукой.

Дьяконов, уходя, говорит: «Я бы эту сволочь поставил к стенке». Федотов загораживает Лелю, чтобы она не слышала, бормочет: «Вот скандалист!» Федотов садится, начинает пить, Леля говорит ему, он перестает пить, говорит ей: «Успокойтесь...» — кладет свою руку на ее руку. Что ужасно — револьвер зажат, а ты тоже свою руку кладешь. «Успокойтесь, успокойтесь» — и опять пьет, снимает руку, а то влюбленность. Влюбленность — in futurum. Сейчас же переключения на любовную сцену не должно быть.

«Разве я живу?» — падает головой на стол. Плачет, чтобы его угнать за водой, — актриса.

20 мая 1931 года

«Мюзик-холл»

/Костомолоцкий, Евсеева, Генина, Кустов, Соколова — артисты в мюзик-холле Маржерета/

Выход Костомолоцкого. На ходу проделал упражнение. Музыку вы можете разрезать полифонически. Идет сперва пешком. Идет независимо — он артист высокой квалификации. Потом — эксцентрика, потом опять пешком. Смысл танца: я тебя не боюсь.

Евсеева. Как только началась музыка, вы уже идете.

Генина. Вы любовница Маржерета. Вы знаете, что вам не достанется за опоздание.

У Маржерета нетерпение. В номере двенадцать человек, а появилось три. Кустов попадает как раз на его сердце. Для Маржерета это не люди, а звери. На Костомолоцкого Маржерет даже не смотрит, тот тоже смело идет, ему гнев Маржерета не страшен.

Генина выходит задом, кому-то посылает воздушный поцелуй, у нее там в уборной еще флирт завелся.

Соколова налетела на поцелуй Гениной. Тема: ах, стерва, уже целуется. У Соколовой изысканное платье, а кухаркины жесты. Костюм деформировался. Там, на эстраде, вы будете не такой, здесь же кухаркины жесты. Когда Маржерет стучит по столу хлыстом, у Соколовой игра, тема: в чем дело, я никогда не опаздываю. Надо всегда в пантомиме иметь слова, а то пантомима получается абстрактной, вроде Камерного театра. Надо знать, что делаешь.

Костомолоцкий, когда поет на лестнице... /пропуск в стенограмме. — *В.Г.*/

При выходе Лели музыка играет пианиссимо и медленно, телефонный звонок должен быть также на музыке. Маржерет бежит к телефону. Наконец-то он зазвонил: «А, это ты, Улялюм...» — на тормозе. Весь разговор должен быть на музыке. Помните «Смерть Изольды» Вагнера? Он (пропуск в стенограмме. — *В.Г.*) заканчивает петь, а оркестр играет, кораблики идут...[52]

Вы должны быть в мелодии. Это не просто монолог, это должно быть эффектнее. Тут и начинает публика слушать музыку, когда ты будешь верно ее сопровождать. Тут-то и начнется зарождение новой оперы. Революция в опере будет производиться не в опере, а в драматическом театре. Это уже решено Бергом[53], Хиндемитом[54], Прокофьевым[55], а Малиновская[56] юбкой прикрыла Большой театр, и будет прикрывать, пока не зач/ахн/ет театр или Малиновская. Вот новую оперу будет делать Михайловский театр, Кшенек[57], Хиндемит, Берг, вот кто, а не ВАПМ[58]. И вот это будет настоящий оперный пролетарский театр, а не то что в Большом театре: фижмы новые шьют, возобновляют «Пиковую даму»[59] и строят «народный театр».

/Стенографистке./ Записали? Записали, вот благодарю, первый раз толковую речь записали.

Маржерету: звонок телефона совпадает с музыкой. Вы должны все время слушать музыку, иначе монолог не получится. Вы в хорошем расположении духа, вы распеваете и налетаете на звонок Улялюма, а это вам еще усилило настроение. Мы уложим ваш монолог в первый кусок фокстрота. В определенный фрагмент с началом и концом, потом будет детализация.

Маржерет поет, потому что счастлив.

Маржерет вошел, скользнул по Леле, он рассеянным взглядом увидел ее, но ему нет дела до нее.

«Я покажу сцену из “Гамлета”» — идет спиной, волочит плащ, чтобы было пренебрежение к плащу. Не плащ она показывает, а чтобы плащ небрежно падал, чтобы не было искусственно.

«... сцену из “Гамлета”» — луфт-пауза, потом: «Подождите». Она нервно останавливает его, потом его бегство от «Гамлета». Этой паузой сцена ломается.

«Подождите» — маленькие ходы легато.

«Гамлет». Передала на левую ногу.

«Гильденштерн». Передала на правую ногу.

Переход на: «Что это, эксцентрика?» — очень важен. У Лели негодование, но она свой гнев все копит, копит для роста той сцены (следующей сцены). Здесь встреча двух негодований. Публика должна думать, что тут еще произойдет диалог между ними, зуб за зуб. Она копит, копит эмбрионы гнева и разражается в монологе: «Вы европейский импресарио...» Пока же она стоит, чувствуется, что глаза у нее горят, ноги горят, она стоит на угольях. Она должна быть гневной, волнительной.

«А, это другое!» — форсированно, энергически, он новое наступление делает. Тут сарказм большой.

«Я не умею», «Вы не слушали», «Вы не поняли» — она не отчитывается, а снимает аксессуары. Идет, становится сзади рояля. Стоит, задумавшись стоит в позе Гамлета. Гамлетовские переживания.

«Улялюм, приехал, приехал...» — нервно, на тормозе, он ищет с кем поделиться.

«... /чемпион/ сексуальности...» — Леля идет, становится, как бы загораживая путь. Он хотел уйти, а она уже здесь. Он всегда ее видел издали, а теперь, когда увидел ее в упор, когда увидел нос, рот, тогда: «Кто это?» А когда шлейф увидел — а это шлейф женщины...

Когда он мечется, лучше ей делать ходы медленно.

Маржерет мечется и говорит монолог: «Приехал, приехал...» — сам себе. От радости он врос в стену. У него /волнение/. Он плещется волной о ступени лестницы. «Улялюм приехал» — бежит к лестнице. «/Великий Улялюм!/» — бежит к лестнице. «/Бог! Бог!/» — опять к лестнице.

Увидев Лелю, у Маржерета сцена испуга. «Кто вы?» — она поникла головой, она сумрачна, мрачна. Опять начинается.

Улялюм рассказывает сон не Леле, а Маржерету. Тогда это понятнее до нее дойдет.

«Ну, подойди ко мне» — на ее отказ: «Ах, так!..»

«Я схожу с ума...» — луфт-пауза, потом: «Улялюм, твой выход!» Точка на этой сцене. Эту фразу Маржерет как будто барбос на цепи лает.

Первый порыв: «Я мечтала о тебе, Париж!»

Второй порыв: «Что нет славы выше...» — это экстаз советской власти, потом — спад, потом: «Я забыла...» — это самое кульминационное место.

Финал

Фразу «Я была в Москве» надо подогнать так, чтобы она пришлась как раз во время его вопроса.

Пока Леля делает свои /повороты/ на сцене, Консовский бежит на сцену, дает тумака Пшенину.

У Лепельтье-сына ходы европейца из «Последнего решительного». Он поглядывает на Лелю в лорнет, она для него «красотка, красотка», он эротически относится к ней.

«Да, да, мне снятся маркизы...» — в глазах светится огонь революционерки.

«Фонари электрические...» — тут тон Маяковского. Смысл: ток тоже может быть пущен в /ход/.

Когда она это говорит, Лепельтье-сын: «Ого, смелая девушка!» Для вас она только предмет любования.

Агитатор убегает, стоит в том месте, откуда должна появиться полиция, и показывает кулак. Он ведь тоже агент полиции.

Леля, поскольку она актриса, должна с чувством актрисы сказать:

«Он причиняет мне боль своей тростью!»

Леля бежит к толпе, кричит: «Бейте, бейте!» Она сама не хочет бить его. Она хочет, чтобы толпа разорвала его.

«Нужна социальная революция!» — Сантиллан подбегает к Леле, закрывает ее спиной, тот же вздерг рук. Объединение происходит. Это все должно прозвучать немножко в стиле традиций Французской революции.

«Я помню, я помню...» — Сантиллан переходит вниз, разговаривает с ткачом, закуривает.

Выход Кизеветтера. Впереди идет Сантиллан, Кизеветтер скользнул за ним, как мышь, он не должен идти по музыке, это прошел человек, /у которого/ никакой значимости нет.

Когда Леля говорит Сантиллану: «Осторожно...», — Сантиллан сразу охотно: «В чем дело?»

После выстрела Кизеветтера тоже арестовывают. Так что все удовлетворены, и Кизеветтер взят...

После выстрела Леля переходит к бассейну, ложится, чтобы окунуться головой в таз. Должно быть это очень буднично. Овечка, пьющая воду из источника. Когда она подошла к бассейну, все одновременно бегут к ней.

20 мая 1931 года. Вечер.

«Кафе»

/официант — Логинов, Лахтин — Блажевич,
Дьяконов — Бузанов/

Федотов и Лахтин сидят, ничего не едят, они будут пить, когда придет Гончарова.

Федотов сидит вполоборота, все время смотрит туда, откуда должна прийти Гончарова, он ее ждет. Все внимание должно быть устремлено туда, тогда будет легко. Как только она войдет — она его увидит.

Блажевич, говоря: «Татарников», не ошибается, а нарочно говорит. Ему противна фамилия Татаров, он ненавидит эмигрантов, и поэтому ему и противна эта фамилия. Федотов легко поправляет: «Татаров».

Федотов не фат, он не прочь поухаживать, но он не фат, он мужик, он простой, он сын крестьянина.

Чтобы была хорошая занятость, Блажевич помогает Логинову. Когда тот убирает посуду, он (Блажевич) сплавляет то, что не нужно. До прихода Гончаровой они пили что-то, вот и сифон стоит. А после ее прихода они будут что-то кушать. До ее прихода была сцена ожидания, а после они начнут заказывать разные вещи — чай, еду. Вина не надо, а то Реперткомскажет, вот, затащили в притон какой-то, пьют, и начнет резать, так что ничего не останется. Для цензуры вот что можно сделать — принесут ром, а Лахтин от него откажется.

Когда Лахтин говорит про баки, он меньше всего смеется. Все остряки — они меньше всех смеются. Блажевич только улыбается, чтобы публика поняла, что это он говорит для вызова смеха.

Они здорово все едят, что им принес Логинов, они оживлены, все время шутят, чтобы было впечатление — жрут, и в это время идет разговор, а потом, когда придет Дьяконов, все серьезны. А то противоестественно — заказали и ничего не едят. Леля может не есть.

«Какая наглость приглашать советскую актрису...» Тон — отношение советского гражданина, как только начинается тема советского народа.

Выход Дьяконова. Щелкнул — Логинов подает стул. Дьяконов благодарит, он очень вежлив. Этим русские отличаются. Он очень вежлив с Логиновым, а потом груб с Лелей.

Сначала Бузанов хочет поздороваться с Лелей, он снимает шляпу, но когда услышал: «Гончарова...», — он: «Кто?» — и вместо того, чтобы подать руку, надевает снова шляпу.

Леля, когда Блажевич смотрит газеты, тоже заинтересуется, она не думает, что ее дневник напечатан, но думает, что это кляуза какая-то, как это часто бывает там.

Как только: «о вас...» — она: «Что, что?»

Блажевич /нрзб./ волнуется, нервно читает: «Статья носит следующее название...»

«Дальше, дальше смотрите...» — Леля впивается глазами в дневник. Потом: «Как?» — вырвала тетрадку, смотрит: «Половина оторвана?»

Федотов все это время внимательно слушает и думает, как бы ее выручить.

22 мая 1931 года

«Кафе»

/Федотов — Боголюбов, Лахтин — Блажевич/

Начинать с передачи револьвера нельзя.

Видно, что человек жадно вычитывает что-то из газеты: «Ой, ой, ой...» — потом говорит: «Револьвер при тебе?»

Отдача револьвера должна быть в шуточной форме, чтобы не было отобрания револьвера в порядке официальном, он отбирает у него револьвер, зная его горячность. Есть типы, у которых всегда отбирают оружие.

Федотов в веселом настроении, сидит, все время смеется. Как только тот сказал про револьвер, он вынул: «Пожалуйста... что мне, жалко». Это револьвер, который постоянно отбирается. Сегодня он серьезно отбирает. Но я бы не хотел здесь никакой детективности, тогда обязательно снимут. Почему полпреда сняли? Потому что там тоже револьвер фигурирует. А мы будем играть полушутя, тогда это оставят. Тут никакой детективности нет.

Когда мы за границей, мы постепенно перестаем читать эмигрантские газеты. Сперва набрасываемся, а потом до тошноты не хочется их читать. Вот поэтому я бы здесь все время говорил: «А, ерунда, обычная ерунда, чепуха, мелочи...» Тогда эта сцена будет не детективной, а два советских гражданина, весело настроенные. У Лахтина тон немного серьезнее, он председатель комиссии, он отвечает за всю группу, знаете, как заведующий экскурсией: промочили ноги или еще что случилось, отвечает он.

У Федотова настроение веселое, иногда сосредоточенное из-за ожидания Гончаровой.

Когда Лахтин рассказывает о том, что написано в газете, публика это уже знает. Это не экспозиция, которую надо рассказывать. Ведь публике вся ситуация известна, поэтому это все нужно быстро сказать и потом: «Давай, давай». Это не должно быть первым планом. В первом эпизоде — тогда мы говорили медленно. Здесь же, если даже публика половину не расслышит, она уже знает, в чем дело.

У Блажевича должно быть наседание на Боголюбова, должна быть энергия. А Боголюбов полушутя может отдать револьвер. Он уже не раз испытывал волю Лахтина. Когда он собирается, ну, скажем, на Монмартр, то револьвер лучше отдай, а то еще скомпрометируешь. Когда имеешь револьвер, всегда постоянная забота, идешь куда-нибудь и думаешь: лучше не возьму. Если бы я носил револьвер, я бы переубивал человек пятнадцать, вот Карликовского[60] тогда бы застрелил. Есть люди, которые, имея револьвер, хлопают в горячности направо и налево. Федотов вот такой горячий тип. Если мы заставим публику поверить, это будет хороший налет характеристики. Можно даже Лахтину сказать: «Знаю я тебя».

Надо Лахтину читать из газеты скороговоркой. Нужно текст выписать, никогда наизусть нельзя так быстро прочесть. «Татарников, Татарниковский», — он говорит назло Федотову, потому что тот его поправил.

Вначале, когда он читает газету, Лахтин говорит: «Ого» — и смотрит на Федотова, тогда публика поймет, что это о нем.

«В сегодняшней газете» — подсаживается ближе к Боголюбову.

«Принимая во внимание сказанное...» — уже на газету не смотрит, продолжает мысль и не берет револьвер, а потом забывает, не берет револьвер, потому что очень занят газетой, потом в волнении закурил и не взял револьвер. Скольжение револьвера должно произойти автоматически. Скользнул револьвер — и больше ничего. А раньше мы из этого детектив делали.

«В белогвардейской газете...» — быстро. Отчего этот отрывок не удавался? Потому что вялая поза, вяло держит в руках газету, вяло смотрит, вследствие этого и читается вяло. Это знаменитая формула Джемса[61], что испугался потому, что побежал, как испугавшийся, — побежал, как испугавшийся, и выразилась эмоция испуга. Если человек сидит как нужно, сидит верно, и говорится верно. Отчего мы, новые режиссеры, придираемся к мизансцене и почему они их так четко выбирают и ставят актеров на такие рельсы, где бы были и эмоции верные. Малейшая моя ошибка — там же и ошибка у актера. Если неверная мизансцена, получается и неверная интонация.

Когда Лахтин читает газету: «Ого...» — Федотов смотрит на него: «Ну, что опять стряслось?»

Когда Лахтин подсел к Федотову, у того реакция, что он за револьвером пришел, и потому он передает револьвер, а Лахтин, усевшись, читает газету.

Федотов мягок, а Лахтин энергичен.

«Неужели ты...» — закуривает нервно, резко, видно, что человек раздражен.

Лакей должен так играть (показ игры). Он машинально берет посуду, не видит револьвера, не слышит, что они говорят.

Когда Лахтин будет разговаривать с Лелей насчет баков, он должен больше лицом в публику, чтобы была мимическая игра. Он для того все это рассказывает, что они хохочут. Веселая компания. Эта сцена как будто эпизод в эпизоде, и ничего общего не имеет с предыдущей сценой.

«Какие вы молодые...» — относится к смеху. Они смеются, хохочут, и на этот смех Леля говорит: «Какие вы молодые...»

«Наглость какая...» — всерьез.

«Каждая строчка этого документа...» — медленно читает. Эта цитата направлена как характеристика эмигрантского мира.

Федотов: «Садитесь, садитесь, не стоит...» — не нужно фамильярности.

Когда Лахтин перелистывает дневник, Леля очень нервна. Ответная игра игре в комнате Гончаровой, где она: «Как — оторвать половину». Это ответная игра. Та же нервность: «Как — половину оторвали?» Абсолютно симметричная игра.

«Была у портнихи, попросили расписку, а ее муж оказался этот самый Татаров...» Это то, что в пьесе можно так сказать, что пол-зрительного зала не слышит.

«Но коготок увяз...» — пауза. Тогда Дьяконов: «Но коготок все-таки был», — указывает Лахтину на Лелю.

«К полпреду, к полпреду...» — Дьяконов надевает пальто.

Боголюбов берет дневник у Гончаровой, просматривает, а потом Дьяконов забирает его у него. Боголюбов незаметно возьмет дневник, проглядывает, ему интересен этот литературный материал.

После ухода Лели

Необходимо написать диалог между Лахтиным и Федотовым, Федотов должен сказать какой-то моноложек, а то эта сцена похожа на водевиль. Мы Олеше скажем, чтобы он написал[62]. Нужно, чтобы эти два человека спросили у лакея, который убирает посуду, о Леле, тот скажет, что она вышла из кафе. После этого должна быть какая-то сцена. Может быть, они на ходу говорят. У Федотова должно быть желание все-таки выручить как-то товарища по Союзу, его надо выручить, а то его бросили.

Нет конца. Если же не делать этой сцены, то совсем не нужно, чтобы они выходили, просто — она ушла в темноту.

Ф. 998. Оп. 1. Ед. хр. 239

«Мюзик-холл»
/Маржерет — Штраух и актеры,
репетирующие роли Лели и Улялюма/

«Вы, иностранный импресарио...» — Маржерет думает, что она играет сцену из «Гамлета», поэтому он садится в ту же позу, как «Хочу». Он думает: «Странно, в пьесе тоже упоминается какой-то импресарио...» Не надо слишком комиковать. Это дойдет из тысячи до одного, до Олеши и, может быть, до меня... Потом, после того как Леля кончила, Маржерет говорит: «Не годится». Испанский театр сделал бы такую концовку.

Улялюм: «Можно мне поцеловать тебя», — садится ближе.

После: «Она дует прямой кишкой во флейту» — не надо Леле ничего говорить. Она хватается за голову — скользнувшая фигура Гамлета. Публика же знает, что это неправда. Ее жест, он очень хорошо выражает весь ужас. Кажется, что она сейчас выбежит вон, на воздух, или головой разобьет стекло и просунет голову. Это то, что в античной трагедии — шли, ломали руки: «Боже мой!» В этом жесте должна быть стремительность.

«Поедем на бал вместе» — интрижка. Вульгарная сцена. Это предложение проститутке, он должен на нее смотреть как на проститутку. Он думает: вот, Маржерет достал ему «девочку». Это вульгарное предложение.

«Улялюм, уже твой выход» — это не снижение, а повышение.

После: «Я схожу с ума...» — сидит, опустив голову. Публика должна думать, что она действительно сошла с ума или умерла. Потом начинается новая сцена. Японцы показывают всякое начало новой сцены, отмечают каким-то движением. Она сидит сосредоточенно: «Слушайте, я буду сейчас говорить».

Штрауху. Вами выдуманный бас и выдуманная походка портит вам игру, потому что эта походка не свойственна вам, не свойственна вашей физиологии так же, /как/ если я буду говорить текст не свойственным мне голосом — ничего не выйдет.

«Да это же я вами занят» — разозлился, большая красочность.

«Ты галл, ты древний галл?» — в обоих случаях вопрос.

«У тебя лицо персидской белизны», а не: «У нее лицо персидской белизны». «У тебя» — лучше, мужественнее.

«Сегодня я видел во сне свое детство» — быстро, быстро.

«Ты пришла из детства, где был город...» — вопроснее, эффектнее.

«Идите, идите, черт вас возьми, вам улыбнулось счастье» — публика поймет, что он ее уже нагайкой гонит.

Улялюм должен репетировать в гусарском костюме из «Горе уму», если репетировать в штатском костюме, ничего не выйдет. Должна быть такая подтянутость.

Ф. 998. Оп. 1. Ед. хр. 239

26 мая 1931 года

«Пансион»

/госпожа Македон — Говоркова, Трегубова — Ремизова,
Федотов — Боголюбов
и актриса, репетирующая роль Лели/

Говорковой. Не надо скользить. Некоторые места надо играть как авторские места, вне образа. Здесь нужно выяснить, кто вы.

Так же и Ремизова: «Видите ли, портрет напоминает так же живого человека...» — фраза, кот/орую/ автор отчеканил как некую литературно-художественную форму. Поэтому эту фразу нужно также подавать неторопливо и внеобразно. Этой фразой будет Олеша гордиться. Она не нужна ни для Трегубовой, ни для хозяйки.

«Здесь моя витрина» — просто.

«А, я вас понимаю... эмигранты» — отступила немного обиженно.

Когда открывает коробку, Трегубова уже вся в образе. Она открыла коробку, отступает, смотрит, какое на Лелю произведено впечатление.

Леля смотрит на серебряное платье. Она два раза описала круг, по-

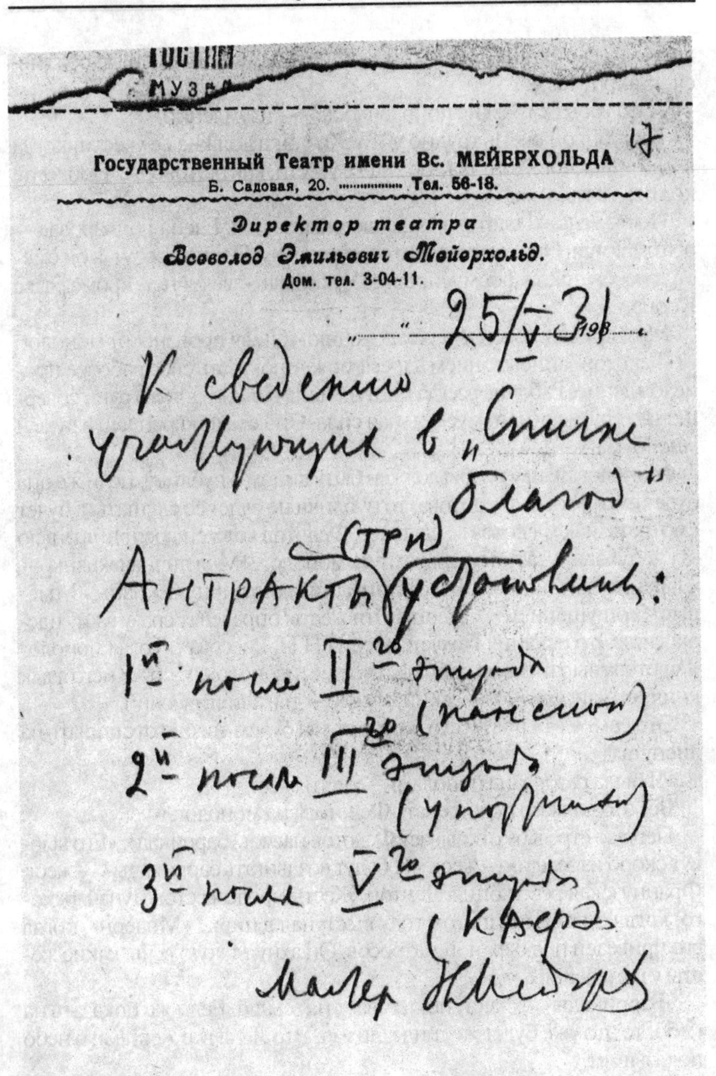

17

Государственный Театр имени Вс. МЕЙЕРХОЛЬДА

Б. Садовая, 20. .... Тел. 56-18.

Директор театра

Всеволод Эмильевич Мейерхольд.

Дом. тел. 3-04-11.

„ " 25/V 31 193 г.

К сведению
участвующих в „Списке
благод“
(три)
Антракты установлены:
1й после II-го эпизода
(пансион)
2й после III-го эпизода
(у портного)
3й после V-го эпизода
(кафэ)
Мейерхольд

Служебная записка Вс.Э. Мейерхольда об установлении антрактов в «Списке благодеяний». Ф. 963. Оп. 1. Ед. хр. 716. Л. 17

любовалась сиянием его, обожглась, потом отходит. Тут надо обжечься. «Закройте...»

/Трегубова./ «Вам не понравилось?» — изумленно.

Трегубовой очень трудно уйти. Хозяйка должна ее увести, когда входит Федотов. Хозяйка должна ее увести, как бы говоря: «Пойдемте ко мне, попьем чаю...»

После /слов Федотова/: «...советская звезда, Елена Гончарова» — оба смеются. Она смеется, что ее «звездой» в Париже зовут, а он смеется несоветской формулировке. У нас ведь «звезд» нет, кроме разве Коонен[63].

Музыка дает повод к переключению, и Леля произносит монолог.

Федотов записыванием адреса может показать свое рабочее происхождение. Рабочие всегда пишут очень сильно. У него руки совершенно другие, у него мускульная сила. Он ломает карандаш в руке и мнет бумагу.

Монолог Лели у тумбы должен быть лицом в публику. Если же она будет смотреть на Федотова, то публика не будет ее слушать, а будет смотреть, как Федотов ее слушает. Федотов должен воспринять всю эту чепуховину, а потом шарахнуть монолог. «Моя личная жизнь» — ударение на «личная». Вы отстаиваете свою личную жизнь. «Мыслью», «ощущением» — жесты. Эти жесты определят сразу вашу идеологию. Это искания Гамлета, жесты Н.П. Россова[64]. Тогда монолог Федотова выразит всю социальную противоположность. У него язык конкретный, реалистический, а у нее — идеалистический.

Это самое важное место, которое мы будем твердо отстаивать на диспутах.

«Я была разорвана пополам» — опять жест.

Все это должно подогревать Федотова на монолог.

Первую стрельбу открывает Федотов насчет «баррикад». «Его вырвут скоро из земли» — жест. «И будут воздвигать баррикады» — жест. Французская революция. Дантон. Жесты вроде жестов Луначарского, когда он в семнадцатом году выступал в цирке «Модерн», когда его привезли под охраной матросов. Он ахнул такую речь, какие жесты у него были!

«Баррикады» — жест, показывает на землю. Если же показать на небо, то это уже будет жест идеализма. Это Леля все жестами в небо показывает.

Федотов ходит так, что зритель думает: неужели актер, а не скажет монолога.

Боголюбову. У тебя появляется новая социальная маска. Эта социальная маска является новым звеном в одной цепи, и это звено чрезвычайно интересно. Этой ролью у тебя открывается путь к новой социальной маске. Поэтому здесь требуются большие коммунистические знания.

Я расскажу тебе, откуда я знаю К.Л.[65]. Мы сидели у Довгалевского[66], входит человек в цветной рубашке, с пояском, тоненький галстучек, он сел, мы подумали, что это какой-то иностранец, и вдруг он начинает рассказывать (по-русски), как ему мешают, не дают возможности работать. Ему все время мешали, как нам мешали во время нашей гастрольной поездки. Он рабочий от станка, приобрел себе специальность как электротехник, получил диплом, вдруг его посылают по тракторному делу в Америку. Он едет, и, чтобы там не показаться беспомощным, он изучает английский язык и поступает в какую-то техническую школу, на третий курс, становится трактористом...

Во время монолога Лели Федотов сидит, закуривает, посматривает на Лелю и иронически подсмеивается.

«Дайте мне денег» — Федотов изумлен.

В монологе Федотова — энергия агитатора. У него нервные движения, чтобы чувствовалось, что трясется голова, пот льется, рубаха стала сырой, потной.

Внешнее слушание Лели состоит в том, что она противоборствует.

Ф. 963. Оп. 1. Ед. хр. 724

27 мая /19/31 года

/Прогон спектакля[67].

Репетируют З. Райх, Твердынская, Ремизова, Боголюбов, Чикул, Говоркова, Штраух, Карликовский, Никитин, Логинов, Мартинсон, Финкельберг, Ноженкин, Бенгис, Кириллов, Логинов, Цыплухин, Мухин, Васильев/.

Пр/олог/

Гонч/арова/ о потере квалификации. (Нрзб.)

Гонч/арова/: «Хватайтесь за колокол...» — (нрзб.) негромко, но нервно, быстро. Вспышка, а не крик.

Цыпл/ухин/ громоздко бежит.

Цыплухин. Записки рецензентов.

М/ухин/. «Выражайтесь... говорите проще».

Р/айх/. «Кинофильмы... кино?»

З/инаида/ Р/айх/. «...схематичные, лживые...» — острее.

Р/айх/. «Чтобы сделаться арт/истом/, надо род/иться/ талантливым».

Р/айх/. «Хв/атайтесь/ за колокол. Я сейчас скажу крам/ольную/ речь». Медленней. Медленно спадает. /И Мейерхольд ставит здесь знак диминуэндо, поясняющий плавность перемены интонации. — *В.Г.*/

Р/айх/. «Каждую мою фразу вы сопров/ождаете/... Можно подумать...»

М/ухин/. «Сколько еще записок осталось?»

Р/айх/. «Судя по сур/овой/ оценке...» — идя к актерам, поворач/ивает/ голову в стор/ону/ Орл/овского/. (Разворот.)

Р/айх/. «Разве я блею?» — не спадение, а пушистый хвост.

Ц/ыплухин/. «Коля, на сцену!» вместо: «Не разгримировался...»

Из зрит/ельного/ зала: «Просим, просим» — на репл/ику/: «Есть предл/ожение/ сыграть еще раз «Гамлета»».

Флейтщиков научить играть.

З/инаида/ Р/айх/. «Ну, вот и все».

З/инаида/ Р/айх/. «Вот /в/ этой записке мне задан вопрос...»

З/инаида/ Р/айх/. У стола. Не рвать зап/иску/, чтобы не отнимать эффекта позже (нрзб.), когда надо рвать зап/иску/. «В чем /дело/?»

В/асильев/. «Ильин!» (Насчет грима не надо.)

З/инаида/ Р/айх/. «Кончайте диспут» — громче.

У Гончаровой / «Тайна»/

Самовар.

Райх: «Чаплин!» — не в профиль. Восторгаться, без (нрзб.).

Райх. «А я продам ее» — уже идет за стол.

Райх. «Что? Бездомность?»

1-й монолог о вещах бодрее, чтобы 2-й монолог был мягче.

Выхода:

Логинов сразу с мешком.

Ноженкин. Не нести один стул в конце.

Райх после: «Плюю!» — обход вокруг стола и возвр/ащается/ к гостям сзади, и потом к Настр/ойщику/.

/В рукописи следует поясняющий мейерхольдовский набросок эпизода. — *В.Г.*/

Твердынская/. «Элеонора» (а не рэ).

Тверд/ынская/ не остро подает реплики.

З/инаида/ Р/айх/. «...запах и цветы» — закрыла рот. Слишком подано.

З/инаида/ Р/айх/. «...невеста, жених...»

З/инаида/ Р/айх/. «Вот почему я буду плакать...» — закрылась, и не слышно.

З/инаида/ Р/айх/. «Вот главн/ейшее/ преступл/ение/ против меня» — итогообразно, резковато, громко.

З/инаида/ Р/айх/. «Вы слышали?..» — с показом от автора, без печали.

Тверд/ынская/ переход: «Как вы смеете...» (Сделала перех/од/ по (нрзб.)

1-й эп/изод/: «Чаплин...» — сразу фантазия.

У штепселя: «Париж!.. Не забудьте Чаплина» — не бросать в кофр.

З/инаида/ Р/айх/. «Я продам» — уже идет. Обяз/ательно/ о дневнике четко, не торопясь. Экспозиция.

Тверд/ынская/. Это из «Кармен».

Настр/ойщик/ еще не ушел при 1-м вых/оде/ Дуни, ушел после этого вых/ода/.

З/инаида/ Р/айх/. Фраза: «Запишу» (о Дуне) в дневн/ик/.

Бенгис слишком кричит.

З/инаида/ Р/айх/ — переход к сцене с Н/икитиным/ из-за стола.

Стул у стола с букетом не оставлять. Ник/итин/ д/олжен/ его убирать.

Р/айх/. «Весь мир восторгается ими» — восторженно.

Р/айх/. «Под стеночкой...»

Р/айх/. «Вот этот чемодан...» — не ставить чем/одан/. Свет на манускрипт — не провожать, а брызгать. Свет — /на/ 1-е появл/ение/ и около Гертруды.

Р/айх/. Ходы без мелких украшений внутри ходов.

Р/айх/. «Вещи текут» — как бы подталкиваемые рукой Гончаровой.

NB: не нервничать.

Дуня. «Я так и знала» — нет точки.

Райх после Дуни проходит громко нейтральное место.

Райх. «Вы видите, а это не преступление?..» — не надо грусти, а, наоборот, злоба.

Райх — переход раньше, перед фразой: «Я украла яблоки».

/В/ кресло села.

Круглый стол и стол маленький пронести.

/Райх/. «Дождь, я знаю, будет дождь» — (разно) — «Париж, Париж...»

«Вот этот чемодан» — без удар/а/ по чемодану.

Без грусти: «Нет, это не днев/ник/ арт/истки/».

Список преступлений

+

импровиз/ация/.

Никит/ин/. Надо реп/етировать/ в пальто.

З/инаиде/ Р/айх/ прох/одить/ сцену укладыв/ания/ платьев в загр/аничный/ чем/одан/ быстрее.

Логинов унес чемодан/чик/ с инструм/ентом/ в руках.

З/инаида/ Р/айх/. «Это Дуня Денисова» — без улыбки, громко, немного со злобой к ней.

Луч на чемод/анчике/ всегда стоит очень устойчиво (напряженность).

Большое кресло надо убр/ать/.

NB: поправка: стул на авансц/ене/ у овальн/ого/ стола убирать позже (его берет Никитин).

Финк/ельберг/. «Это вам за спектакль».

Олеша — монолог Финкельбергу.

«Пансион»

Говоркова четко: «Трегубова».

Тат/аров/ не сотрудник, а редактор.

Ремизова. Текст не в образе.

Авт/орский/ показ до: «Прекр/асное/ бальное платье».

Говоркова комкает всю игру.

З/инаида/ Р/айх/ у тумбы так, чтобы не быть в профиль к Бог/олюбову/, это рассказ публике.

Бог/олюбов/. Бег горячо на реплику, не раньше, чтобы удержать порыв.

Март/инсону/ стоять в 3/4 к публ/ике/.

Гов/оркова/ — длиннее заключ/ительные/ ходы.

З/инаида/ Р/айх/ не знает, что Март/инсон/ (обрадован? — нрзб. — *В.Г.*)

З/инаида/ Р/айх/ рвет /приглашение/ на мелкие клочки нервнее.

/«У Трегубовой»/

Март/инсон/. /На/ выход Кизеветтера: «Вот, пожалуйста». Входит Дм/итрий/ Кизеветтер.

Реп/етировать/ переход быстрее. «Почему вы говорите безумному...»

Март/инсон/. Ноги не отрывать, широко ноги.

Кириллов. Слишком громко 1-я фраза.

Кириллов — револьвер на тетушку, чуть задержка Кизеветтера.

З/инаида/ Р/айх/. «Андерсен — мелкий буржуа» — не любоваться красивостью языка.

З/инаида/ Р/айх/. «Я вообще не знаю прест/уплений/ сов/етской/ в/ласти/». (Нрзб.) Тогда связано.

З/инаида/ Р/айх/. «Камень брачных /уз/». Более четко, хотя и быстро (четкость в настойчивости).

Март/инсон/ диктует немного громче и бесстрастнее (сценич/еская/ форма — диктовка).

Март/инсон/. «Приветствую русскую» — встал и работает с креслом.

Март/инсон/ слишк/ом/ быстро вых/одит/ после того, как лежал.

Март/инсон/ кажется целующим Лелю, это путает, созд/авая/ повт/ор/ ситуации.

Кизев/еттер/ кажется пьяным в конце: «Почему?..»

Райх после «Негодяй!» — отходит.

Карлик/овский/.

З/инаида/ Р/айх/ вначале распаковала платье.

Ремиз/ова/. «Это мой муж».

З/инаида/ Р/айх/. Б/ольшой/ мон/олог/с серебр/яным платьем/, когда идет — далеко, без улыбки, очень серьезно, значительно.

Киз/еветтер/. «Кто эта женщ/ина/?» — и показывает прав/ой/ рукой.

/«Мюзик-холл»/

Выход не в плаще З/инаиды/ Р/айх/.

З/инаида/ Р/айх/. «Я приш/ла/ к вам по делу» — после паузы долго и зло смотрит на Маржерета.

Чикул — больше напевности.

З/инаида/ Р/айх/. «Оставьте меня» — бежа от Штрауха на гармониста. Трагический бег.

Чикул взял трость и послал поцелуй.

Ник/итин/ (нрзб.) песенки.

«Бал, на котором ты был» — резче.

Гамлет и Гильденстерн.

З/инаида/ Р/айх/ слишком в публ/ику/ финал «Гамлета».

Штраух. Чище слова, /с/комканная дикция, бросить характерность дикции.

Штраух. Тяжелится вся походка.

Штраух. «Вы флейтистка, я разговаривал с вами...»

Ш/траух/. «Ведь я вами занят».

З/инаида/ Р/айх/. «Вы — евр/опейский/ импр/есарио/» — показ/ывает/ пальцем.

Чикул. Не играть пальцами: «Я спускался...»

Чикул. «Можно (поцеловать) тебя?» — с палочкой.

З/инаида/ Р/айх/ когда поет, не в сторону.

Чикул. «Где ты добыл ее?» — Показ.

Цыплух/ин/ убегая, как Мол/огин/ на лестницу, оста/навливается/, и голос: «Улялюм!»

/«В кафе»/

Бог/олюбов/ тщеславен (обед заказывал).

Бог/олюбов/ — до вертушки.

/«Финал»/

«Бейте его!» — автор/ская/ фраза.

Серебр/яное/ платье (нрзб.) водит З.Р/айх/ руку.

На фоне флейты игра Роз/енкранца/ и Гильд/енстерна/ (на выход Гамлета).

Репетировать обе сцены «Гамлета» в репетиц/ионном/ зале вечером.

Ф. 963. Оп. 1. Ед. хр. 716

31 мая 1931 года

Сцена «Гамлета»

/Розенкранц — Ключарев, Гильденштерн — Васильев, флейтист — Крюков /

На сольный номер флейтиста выходит Гамлет. Ключарев и Васильев выходят на конец первой вещи, которую играют все флейтисты. Они аплодируют, тогда Крюков играет для них сольный номер.

Как только Гамлет взял флейту, Васильев идет, раскланивается, то же самое делает Ключарев с другой стороны. Васильев переходит к флейтщику, тогда Ключарев переходит на место Васильева и опять раскланивается.

Васильев берет флейту и говорит: «Я не могу взять ни одного звука».

В конце монолога Гамлет передает флейту флейтщику.

Придворные вертятся на фоне игры флейты, на реплику: «Эй, флейтщик!» — музыка снижается. Гамлет порывисто отбирает флейту у флейтщика, флейтист отходит.

Васильеву. Вы играете — главным образом по движениям — подхалима. Это царедворец-подхалим, который все время раскланивается, на устах у него улыбочка, льстивый царедворец. Он все время льстит, шаркает, делает низкие поклоны. Движения у него очень мягкие. Играйте льстеца с льстивой улыбочкой на устах, и тогда получится.

Когда кланяется Васильев — так же кланяется и Ключарев, он как бы поддерживает своего друга.

Когда Васильев берет дудочку, он беспомощно смотрит на флейтистов. Глупый беспомощный взгляд. Он думает, что они как-нибудь помогут ему, подскажут, вместо него сыграют. Он беспомощно смотрит, ведь ему надо исполнить приказание сына короля. Вы его боитесь. У него растерянность человека... (Лист оборван. — *В.Г.*)

Как только Крюков отошел от Гамлета, Ключарев и Васильев отходят к стульям, где сидели флейтисты, уже в качестве актеров.

Ф. 963. Оп. 1. Ед. хр. 724

ПРИМЕЧАНИЯ

Стенограммы репетиций печатаются по:

Ф. 963. Оп. 1. Ед. хр. 724. Л. 7—22 об., 28— 33. Машинопись и автограф Н.Б. Тагер;

Ф. 963. Оп. 1. Ед. хр. 716. Л. 1—10. Автограф Вс. Мейерхольда;

Ф. 998. Оп. 1. Ед. хр. 239. Л. 1—66. Машинопись и автограф Н.Б. Тагер.

Фрагменты стенограмм репетиций 13—19 апреля 1931 года впервые опубликованы в кн.: Советский театр. Документы и материалы. 1929—1932 / Отв. ред. А.Я. Трабский. Л., 1982. Ч. 1. С. 297—300.

1. *Олеша Ю.* Книга прощания. С. 103, 105.
2. Ф. 2979. Оп. 1. Ед. хр. 287. Л. 9.
3. Тяпа — дружеское прозвище актрисы ГосТИМа Елены Алексеевны Тяпкиной (1897—1984).
4. Ф. 2979. Оп. 1. Ед. хр. 287. Л. 11.
5. Письмо от 14 января 1931 г. (Ф. 2979. Оп. 1. Ед. хр. 287. Л. 19 об.).
6. *Мейерхольд Вс.* Распоряжения и замечания по репетициям и спектаклю «Список благодеяний». Автограф // Ф. 963. Оп. 1. Ед. хр. 716. Л. 19. 28 февраля 1931 года.
7. Э.П. Гарин — Х.А. Локшиной 3 марта 1931 года: «Нынче утром читали вновь переделанную пьесу Олеши» (Ф. 2979. Оп. 1. Ед. хр. 288. Л. 29).
8. Гарин — Локшиной 7 марта 1931 года: «Сегодня будет первая читка Олеши» (Ф. 2979. Оп. 1. Ед. хр. 288. Л. 33).
9. *Олеша Ю.* Книга прощания. С. 29—31.
10. Ф. 998. Оп. 1. Ед. хр. 237.
11. См. об этом: наст. изд., примеч. 55 к главе 5.
12. П.В. Цетнерович записывает: «Вс.Эм. на 1-м организационном собрании режиссерской группы: “Лозунг — лицом к технике. <...> Нужно вытрясти все секреты из меня”» (*Цетнерович П.В.* Режиссерские заметки и записи бесед Вс. Мейерхольда. Автограф // Ф. 2411. Оп. 1. Ед. хр. 17. Л. 42). Запись того же заседания у М.М. Коренева: «Чтобы <...> вытрясти секреты мастерства, чтобы научиться режиссерскому искусству. Исходя из технологии, а не из области работы. <...> “Как я сделался режиссером”» (*Коренев М.М.* Режиссерские заметки и записи... Автограф // Ф. 1476. Оп. 1. Ед. хр. 50. Л. 4).
13. Протокол собрания режиссерской бригады ГосТИМа от 24 марта 1931 года. Машинопись // Ф. 963. Оп. 1. Ед. хр. 252. Л. 61—62.
14. Состав режиссерской группы менялся, и с актерами работали и П.В. Цетнерович, и М.М. Коренев.
15. Письмо З.Н. Райх А.И. Кулябко-Корецкой от 26 апреля 1931 года (Ф. 2433. Оп. 1. Ед. хр. 7. Л. 5 об.). За сообщение благодарю О.Н. Купцову.
16. Ф. 963. Оп. 1. Ед. хр. 712.
17. *Мейерхольд Вс.* Доклад о макете спектакля «Список благодеяний» 3 мая 1931 года. Наст. изд., глава 5.

18. В.Э. Мейерхольд. «Список благодеяний». Режиссерские заметки, наброски к планировке, музыкальному оформлению; хронометраж спектакля. Автограф и рукой П.В. Цетнеровича. // Ф. 998. Оп. 1. Ед. хр. 238. Л. 2.
19. Там же.
20. *Мейерхольд Вс.* Распоряжения и замечания... // Ф. 963. Оп. 1. Ед. хр. 716. Л. 14.
21. *Мейерхольд В.Э.* «Список благодеяний». Режиссерские заметки... // Ф. 998. Оп. 1. Ед. хр. 238. Л. 7.
22. Ф. 2979. Оп. 1. Ед. хр. 283. Л. 35 об.
23. Там же. Ед. хр. 284. Л. 48 об.
24. Там же. Л. 53—53 об.
25. Там же. Ед. хр. 285. Л. 1—1 об., 2.
26. Там же. Л. 5.
27. Актриса ГосТИМа Ремизова.
28. Ф. 2979. Оп. 1. Ед. хр. 285. Л. 31.
29. Там же. Ед. хр. 286. Л. 15, 46 об.
30. И.В. Ильинскому.
31. Ф. 2979. Оп. 1. Ед. хр. 287. Л .9.
32. Там же. Ед. хр. 288. Л. 29—29 об.
33. Там же. Л. 33, 41, 45 об., 47—47 об.
34. Там же. Ед. хр. 289. Л. 7—7 об., 13—13 об., 15, 18, 20—20 об., 27 об., 29—29 об., 31, 31 об.—32, 34 об., 37 об., 40, 44—44 об., 47—47 об.
35. *Елагин Ю.* Темный гений. М., 1998. С. 290.
Ср.: «Холодный мастер, эгоист. Так говорят о нем, — записывает Олеша 10 декабря 1930 года о Мейерхольде в дневник. — Его не любят, хотели бы смеяться над ним все время, быть выше, чем он, превосходить его и считать, например, устаревшим. Это его-то, Мейерхольда, который дал им всем жрать. И они жрут из его тарелки и говорят о нем презрительно. Заметил я: буря негодований почти всегда вспыхивает, если воскликнуть хвалебное о Мейерхольде среди театральных людей. <...> Я мерю личность по отношению к Мейерхольду» (Книга прощания. С. 104). Олеша негодует против точки зрения «театральных людей» за пределами ГосТИМа. Но в месяцы работы над «Списком» драматург видит театр и положение в нем любимого режиссера изнутри: «В театре своем — он диктатор. Его уважают предельно, подхватывают восторженно каждое проявление его личности: бытовое, товарищеское, артистическое , — подхватывают на смех, полный любви и добродушия, или на тишину, которая разразится, когда он уйдет, горячим обсуждением внутри каждого и между всеми, — и затем вылетит из театра в виде идеи, правила, канона» (Книга прощания. С. 29—30. Запись 15 марта 1931 г.). Реально же и в труппе, и за ее пределами существовали оба отношения к яркой и отнюдь не ангельской личности Мейерхольда: и восхищение, и нелюбовь, отторжение как его творчества, так и его самого.
36. Гарин — Локшиной 23 марта 1931 года (Ф. 2979. Оп. 1. Ед. хр. 289. Л. 4).
37. Ф. 2979. Оп. 1. Ед. хр. 289. Л. 22 об., 53.
38. Там же. Ед. хр. 290. Л. 2.
39. Там же. Ед. хр.290. Л. 33.

На одном из производственных собраний директор театра произнесет горькую речь о состоянии труппы: «Я перед вами выступаю 3-й или 4-й раз, и, к сожалению, я говорю одно и то же и бесцельно. Я все время говорю о том, что у нас никак не налаживается труд/овая/ дисциплина. У нас, наоборот, наблюдаются за последнее время успехи в этом отношении — учащаются опоздания и неявки на спектакль и т. д. <...> То, что я наблюдаю в нашем театре, я нигде в театре не видел, я не могу себе представить, чтобы работник не явился, даже опоздал на спектакль, будучи на сцене, занимался посторонними вещами...» (*Шлуглейт М.М.* Доклад 10 сентября 1932 года на общем собрании работников театра // Протоколы производственных совещаний работников Театра им. Вс. Мейерхольда. Машинопись // Ф. 963. Оп. 1. Ед. хр. 75. Л. 36).

40. *Есенина Т.* О В.Э. Мейерхольде и З.Н. Райх. С. 105—106.
41. ГЦТМ им. А.А. Бахрушина. Фонд ГосТИМа. Собрание материалов Государственного театра им. В.Э. Мейерхольда. Фонд ГосТИМа. Далее: Ф. 688. Ед. хр. 154. Л. 1.
42. В выступлении на труппе 26 марта 1931 года Мейерхольд специально подчеркивает: «<...> и не директор, а именно “предместкома”» (*Коренев М.М.* Режиссерские заметки и записи... // Ф. 1476. Оп. 1. Ед. хр. 50. Л. 8 об.).
43. Мейерхольд говорит о театре б. Корша, в конце 1920-х годов известном как театр «обытовленного» репертуара и выхолощенно-реалистической, приземленной манеры актерской игры.
44. Имеются в виду «Воспоминания» П.М. Медведева, вышедшие в 1929 году в серии «Театральные мемуары» (Л., «Academia» / Под ред. и с предисл. А.Р. Кугеля).
45. Аксенов Иван Александрович (1884—1935), поэт, переводчик, критик. В 1920-е годы завлит ГосТИМа. Автор книги «Пять лет Театра имени Вс. Мейерхольда». С. Эйзенштейн писал о «злом языке и злом юморе» Аксенова. Подробнее об этой личности см.: *Фельдман О.* Не разрешенная нашей цензурой брошюра // Театр. 1994. № 1. С. 103—109.
46. Смысл реплики: револьвер как вызывающая провокация. Речь идет о письме председателя Коминтерна Г.Е. Зиновьева («письме Коминтерна») 1924 года, история с которым вызвала громкий политический скандал и застопорила развитие советско-английских связей на несколько лет. В «письме Зиновьева» излагались указания английской компартии, как организовать вооруженное восстание с целью свержения власти буржуазии в Англии. (Ср. в дневнике М.А. Булгакова «Под пятой»: «Знаменитое письмо Зиновьева, содержащее в себе недвусмысленные призывы к возмущению рабочих и войск в Англии».) «Письмо» было опубликовано в британской прессе под заголовком: «Москва отдает приказы нашим красным». Совсем недавно, спустя 75 лет после скандала, Джилл Беннет, сотрудница британского МИД, пришла к выводу, что письмо Зиновьева было фальшивкой, переданной «Дейли мейл» офицерами британской разведки. Установлено сегодня и имя автора «письма». См.: *Скосырев В.* Английский шпион в окружении Ленина // Известия. 1997. 26 августа. Его же: «Письмо Зиновьева» — фальшивка // Известия. 1999. 5 февраля. См. об этом также: Ф. 963. Оп. 1. Ед. хр. 46. Л. 33—36.
47. Сахновский Михаил Павлович — административный сотрудник ГосТИМа.
48. Неволин Борис Семенович — режиссер, антрепренер, актер.
49. Пельше Роберт Андреевич (1880—1955), литературовед и театральный критик.

Имя Р.А. Пельше возникает на репетициях в связи с его недавним выступлением на дискуссии в ГАИС «О творческом методе Театра имени Мейерхольда» в ноябре—декабре 1930 года.

50. Речь, вероятно, идет о брошюре: *Пельше Р.А.* Наша театральная политика. М.; Л., 1929.

51. Сцена «В Мюзик-холле» была сильно сокращена Мейерхольдом, и часть реплик, еще существовавших в пьесе во время репетиции, в спектакле уже не звучала.

52. Хотя Мейерхольд и называет (неточно) оперу Вагнера «Тристан и Изольда» («Смерть Изольды», — произносит режиссер), по-видимому, имеется в виду другое сочинение композитора: «Лоэнгрин», в финале которого Лоэнгрин, заканчивая арию, уплывает на ладье.

53. Берг Альбан (1885—1935), австрийский композитор. Ученик А. Шенберга. В раннем творчестве находился под влиянием идей Р. Вагнера, Р. Штрауса, Г. Малера. Опера «Воццек», принесшая Бергу европейскую известность, в 1927 году была поставлена и в Ленинграде.

54. Хиндемит Пауль (1895—1963), немецкий композитор, дирижер, альтист, музыкальный теоретик. С 1927 года преподавал в Высшей музыкальной школе в Берлине. Автор ряда книг по теории музыки. В 1927 году гастролировал в СССР (в составе квартета Л. Амара — П. Хиндемита).

55. Прокофьев Сергей Сергеевич (1891—1953), композитор, пианист, дирижер. С 1918 по 1933 год жил за рубежом, с успехом гастролируя в Европе и Америке. Стиль фортепианных сочинений Прокофьева оказал значительное влияние на формирование нового пианизма в музыке XX века.

56. Малиновская Елена Константиновна (1875—1942). С 3 ноября 1917 года — комиссар всех театров Москвы, затем — сотрудник Наркомпроса (а именно — Управления академическими театрами: Большим, Малым, Художественным, а также — приписанным к ним Камерным театром), соратница А. Енукидзе. Основной ее заботой и любимым детищем был Большой театр, многолетним директором которого она была. П.А. Марков писал, что Малиновская «мечтала о художественной реформе /Большого театра/, которую <...> связывала с именем Комиссаржевского, основываясь на его реформаторской деятельности в опере Зимина» (*Марков П.А.* История моего театрального современника // Марков П.А. Книга воспоминаний. М., 1983. С. 141). Была снята с должности директора Большого театра 23 января 1935 года после критической кампании, развязанной в прессе в связи с оперой Шостаковича «Леди Макбет Мценского уезда».

57. Кшенек (Кршенек) Эрнст (1900—1991), американский композитор, музыковед, педагог. В 20-х годах находился под влиянием творчества И. Стравинского и П. Хиндемита. В операх 1920-х годов «Прыжок через тень» и «Джонни наигрывает» (сыгранных в Ленинграде в 1927-м и в Москве в 1929 гг.) присутствуют элементы джаза и атональная музыкальная структура.

58. ВАПМ — Всероссийская ассоциация пролетарских музыкантов.

59. Имеется в виду опера «Пиковая дама», премьера которой состоится в Большом театре спустя неделю, 27 мая 1931 года (реж. Н.В. Смолич, худож. В.В. Дмитриев).

60. Карликовский Михаил Ильич — актер ГосТИМа. В «Списке благодеяний» играл Второго полицейского.

61. Джемс Уильям (1842—1910), американский психолог и философ. Его клас-

сический труд «Принципы психологии» в 2 т. вышел в свет в 1890 году. Сокращенный вариант книги был подготовлен самим автором в качестве учебника по психологии («Психология», 1892). На русский язык переведен лишь спустя три десятилетия, в 1922 году.

62. И в финале сцены появляется краткий диалог двух «инженеров по тракторным делам»:

«Лахтин. Если ты увидишь ее, скажи, что ерунда.

Федотов. Скажу, что ерунда.

Лахтин. Скажи, что все устроится.

Федотов. Скажу, что все устроится. <...>

Лахтин. Скажи в ее стиле, что пролетариат великодушен.

Федотов. Скажу в ее стиле, что пролетариат великодушен».

63. Коонен Алиса Георгиевна, трагическая актриса Камерного театра, жена А.Я. Таирова, к творчеству которого ревниво относился Мейерхольд.

64. Россов (Пашутин) Николай Петрович (1864—1945), драматический актер. Мейерхольд видел его в роли Гамлета еще в Пензе, семнадцатилетним. Н.Д. Волков связывал многолетнюю мечту режиссера о постановке «Гамлета» именно с впечатлениями юного Мейерхольда от игры трагика.

65. Неустановленное лицо.

66. Довгалевский Валериан Савельевич (см. наст. изд., примеч. 23 к главе 2).

67. При публикации сложночитаемого автографа Вс. Мейерхольда, занесенного на отдельные листки, записи сгруппированы по сценам — для облегчения понимания.

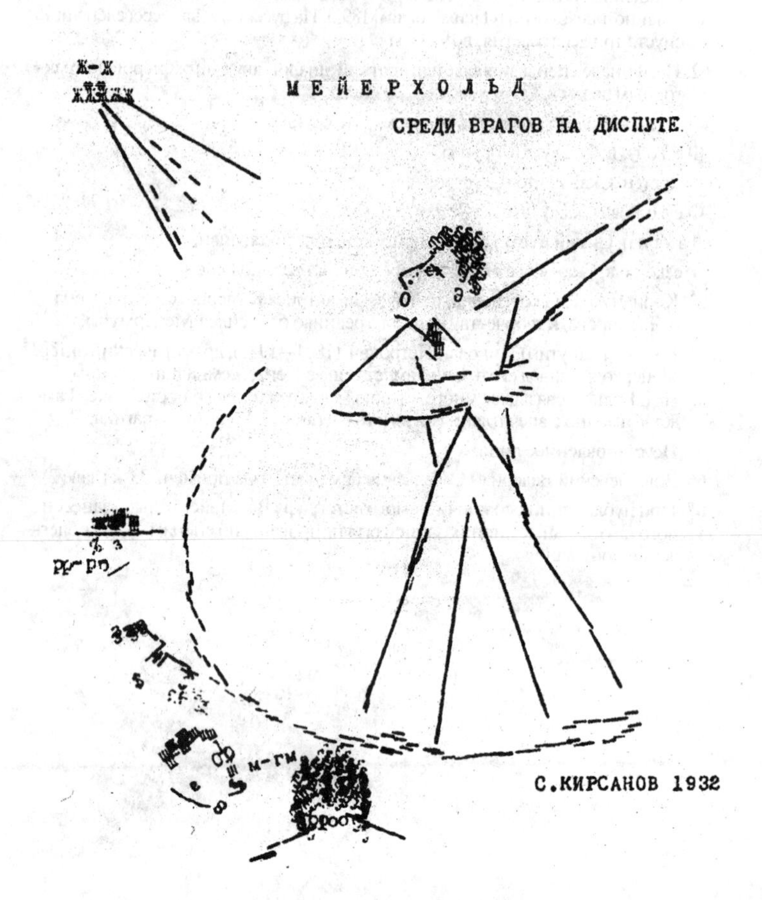
МЕЙЕРХОЛЬД
СРЕДИ ВРАГОВ НА ДИСПУТЕ.
С.КИРСАНОВ 1932

Глава 8

«Превратить пьесу в агитпроп для интеллигенции...»

В эту главу выделены материалы обсуждений пьесы и спектакля «Список благодеяний» Главреперткомом и Худполитсоветом, дающие внятное представление об общественных умонастроениях и ситуации, в которой выходил к публике спектакль Мейерхольда. Републикуется «директивная» статья К. Радека[1] о «Списке благодеяний», выдвинувшая те обвинения, которые несколькими днями позже будут подхвачены печатными критическими выступлениями, прозвучат на диспутах в Теаклубе и ФОСПе. Завершает раздел полемика А. Сольца[2], попытавшегося защитить спектакль, с непримиримым К. Радеком.

Итак, первое обсуждение готового спектакля проходит за два дня до премьеры, 2 июня. Официальные органы надзора, Главреперткомом и Худполитсовет, принимают спектакль. В центре дискуссии, кроме самого Вс. Мейерхольда, две фигуры: сотрудник Комакадемии С.С. Динамов[3] и влиятельный театральный критик О.С. Литовский[4].

Динамов формулирует отчетливо: сущность пьесы «в вопросе отношения интеллигенции к советской власти». И ставит задачу перед авторами спектакля:«Нужно превратить пьесу в агитпроп для интеллигенции».

Речь Литовского — шедевр в своем роде, отлитый в бронзе образец мышления совбюра. Он объясняет сложность ситуации в стране: рабочие «окружены» интеллигенцией, как Россия Антантой. Сформулирована и тема отеческой «защиты рабочего от проблем, которые ему непонятны», на протяжении нескольких последующих десятилетий ставшей одной из важнейших забот коммунистической власти. Рабочие, по мнению оратора, «незнакомы с механикой интеллигентских переживаний». Одним из центральных органов, героически защищающих рабочих от вредного влияния интеллигенции, конечно, является Главрепертком.

«На заседании Худ/ожественного/ Совета Главрепертком делает заявление, что рабочим незачем рассказывать об обывательских мытарствах в революционные дни...» — возмущенно пишет А.И. Свидерский[5] (под грифом «секретно») секретарю ЦК ВКП(б) А.П. Смирнову[6] (ср.: «А разве рабочий, когда делал Октябрьскую революцию, осознавал ее конечную цель?» —спрашивал провинциальный рецензент, неуклюже защищая от нападок мейерхольдовский «Лес»[7]. Имелось в виду, что это вовсе и не обязательно: отдавать отчет в направленности собственных действий).

Литовский делится и своим нестандартным представлением о том, что такое настоящий полемический задор и острая дискуссия. «Острая дискуссия» — это если некто, выдворяемый капельдинером из-за нарушения правил приличия из партера лондонского театра, кричит ему: «Сволочи, ЧК на вас нет!» Затем оратор предлагает изменить реплику Кизеветтера о том, что он не хочет «лить кровь из чужого горла» на прямо противоположную, перекликающуюся, скорее, с выступлением Вс. Вишневского о 100 000 расстрелов[8]. (И реплика в спектакле прозвучит так, как советует Литовский.)

Выполнив необходимую задачу — дав пьесе и спектаклю политическую оценку, далее Литовский говорит о художественных, профессиональных находках мейерхольдовского спектакля, заметим, никем более не затронутых. В частности, именно Литовский замечает новизну технологического решения спектакля.

Совершенно не случайно спор разгорается по поводу реплики Гончаровой о том, что она хочет «стоять в очереди и плакать». Оратор, представляющий Дорогомиловский завод, некто Остринская, возмущен: «Выходит, что понятие о Советском Союзе связано со стоянием в очередях. Это явление, конечно, есть, оно ненормально, оно временно <...> Я считаю,что эти слова надо выкинуть».

Отмечу еще одну важную тему,прозвучавшую на обсуждении: тему «лишнего человека»[9].

Напомню историю рождения этого определения.

Обозначение рефлексирующего героя, с явственным снисходительно-пренебрежительным оттенком, рожденное некогда тургеневским «Дневником лишнего человека», но укоренившееся благодаря обличительному перу социального публициста, оказалось весьма полезным отечественному литературоведению и получило широкое хождение. В скудном арсенале советской литературной критики, немало сил положившей на борьбу с индивидуализмом, «абстрактным гуманизмом», «гнилым либерализмом» и «отрывом от народа», это определение оказалось как нельзя более кстати. При этом противоестественность, вопиющая нелепость самого словосочетания(как человек может оказаться «лишним» — и это в литературе, имеющей в своих истоках творчество Пушкина, Гоголя, Достоевского) — будто бы не замечались. Уничижительное определение превратилось в квазитермин, точнее — на него были возложены терминологические обязанности — еще и из-за давности его функционирования. Временная протяженность его существования сама по себе становилась гарантом теоретической легитимности, состоятельности.

Напрашивающаяся параллель между образами Олеши и Тургенева обескураживала, так как подводила к выводам об устойчивом противостоянии общества мыслящему индивиду.

Еще один оратор, партийная чиновница Ильина, в замешательстве. Смущает ее неразрешимость проблемы отношения пролетариата к классическому наследию — из-за реальной противоречивости существующих идеологических установок. С одной стороны, «мы все-таки восхищаемся и изучаем классиков». А с другой — «получается, что действительно рабочий зритель не ценит настоящей литературы», «получается, что Шекспир нам не нужен...». За строчками стенограммы ощутимо напряжение мозга добросовестного партийного функционера, не могущего обрести ясности мышления в ситуации насаждаемого, но еще не ставшего привычным двоемыслия.

Обсуждение заканчивается вполне дружеской шутливой пикировкой Мейерхольда и Литовского.

Несмотря на то что многие выступающие отмечают неудачное решение, схематизм, шаблонность последнего акта (аморфную и неубедительную толпу безработных, вяло марширующих в финале), общее настроение — предвкушение удачи, успеха.

Всего через десять дней после премьеры (и через 12 — после обсуждений) отношение к спектаклю резко изменится. 14 июня будет напечатано письмо К. Радека. Влиятельный партийный публицист заявит, что «театр Мейерхольда повернул не туда, куда следует», а авторы его опоздали с пьесой и спектаклем на пять или даже десять лет. Логика Радека проста: если считать капитализм безусловным злом, то все, что совершается во имя социализма, — уже благо. «Приходится расстреливать людей», — соглашается Радек, но расстреливающие считают расстрелы не благом, а лишь «неизбежностью». Другими словами, в статье Радека звучит основной лозунг большевистской революции: цель оправдывает средства. Что же касается резонанса спектакля, то и Радек не скрывает, что «Список» имеет зрительский успех. Собственно, не будь этого успеха, вряд ли «Известия» вообще обратили бы внимание на спектакль.

К этому времени уже назначены дни общественных диспутов о премьере Мейерхольда, разосланы приглашения участникам. Но их выступления теперь будут учитывать мнение К. Радека, к статье которого будут апеллировать ораторы.

16 июня 1931 года пройдет дискуссия о «Списке благодеяний» в ФОСПе. Она продемонстрирует резкую смену оценки и спектакля и пьесы. Теперь пьеса квалифицируется как «политически вредная», «шаг назад» и Олеши, и Театра им. Вс. Мейерхольда. Характерно при этом, что Мейерхольда словно пытаются отделить от Олеши незримой чертой. (Замечу, что сходным образом писали и по поводу спектакля «Дни Турбиных» во МХАТе, вина за идеологические просчеты которого возлагалась на одного лишь автора пьесы — Булгакова.) В обоих случаях формулы были одними и теми же: режиссер «пошел за автором», поддался его дурному влиянию.

Основной докладчик, В.М. Млечин[11], полагает, что Мейерхольд напрасно «пошел за драматургом» и оттого не справился с большими и важными задачами спектакля. Оправдание же пьесы видит в том, что автор хотел разрешить проблему «третьего пути» интеллигента. В конечном счете Млечин поддерживает точку зрения Радека, заявив, что пьесу нужно было написать «три года назад».

Со статьей Радека солидаризируется и А.Р. Орлинский, чье выступление подытоживает предыдущие обсуждения пьесы.В нем повторены все центральные темы: проблема «лишнего человека» и проблема очередей, Рамзины и «колеблющиеся» интеллигенты, попутчики и их перестройка. Орлинским же, по-видимому, точнее всего объяснено, что именно всерьез насторожило цензурные органы после выхода спектакля на публику: «Пьеса всколыхнула <...> какие-то настроения <...> Такие пьесы в политической, классово заостренной среде вызывают особенно резко настороженное, внимательное отношение». Орлинский оценивает пьесу Олеши как «фальшивую» и «лживую», а спектакль—как «реакционный шаг назад», сделанный Мейерхольдом.

Итак, если сначала на обсуждениях признается, что пьеса талантлива, заставляет размышлять и тем полезна, то после премьеры и высказывания официального мнения партийным публицистом оценка меняется на прямо противоположную: пьеса не разоблачает, не мобилизует, идеологически вредна и делает неверные акценты. Но не менее важно отметить, что среди выступающих нет единодушия. Кто-то пытается возразить против резкой оценки спектакля как «реакционного шага назад», полемика еще возможна — пусть в устных, но публичных обсуждениях.

Смешно или грустно, но нельзя не заметить, что на диспутах будто материализуются образы авторов записок из пролога спектакля, почти буквально воспроизводятся не только мысли, но и словесные формулы, существовавшие в черновых набросках Олеши к пьесе. «Так не бывает», — заявляют те, о ком идет речь в мейерхольдовском спектакле. Вновь, как в мольеровские времена, «оригиналы запрещают копию» (как писал Мольер в прошении королю по поводу попыток уничтожить «Тартюфа»).

Выступления большинства обсуждающих производят впечатление беседы средневековых схоластов: схематично и клишированно мышление докладчиков, суконен и примитивен язык. (А существительное «вопрос» в речи одного из них, В.Ф. Залесского, употребляется буквально через слово, так,что невольно вспоминаешь реплику профессора Преображенского из булгаковского «Собачьего сердца», который, выслушав бессвязную речь посетителя с многократным обязательным упоминанием того же «вопроса», раздраженно-иронически осведомляется: «Так кто же на ком стоял?»)

Отдельного анализа заслуживает реакция аудитории, замечательно переданная в стенограмме. Смех, шум, реплики из зала, аплодисменты — все это образует свою собственную драматургию происходящего. Ощутима разница, перепад в интеллектуальном уровне аудитории, по-видимому состоящей из приверженцев режиссера — и сторонников косноязычных докладчиков.

На следующий день, 17 июня, проходит диспут в клубе теаработников. Газетный отчет выразительно передает напряженную атмосферу диспута. Олеша и Мейерхольд упорствуют, защищая свою работу. Позицию безоговорочной поддержки пьесы и спектакля занимает М. Морозов. Центральной темой обсуждения становится положение интеллигенции в стране победившей революции. С речью, отвергающей какую-либо возможность актуальности «Списка благодеяний», выступает К. Радек.

Олеша пытается спорить с обвинением.

«"Вальс звенит за чужими окнами, и человек думает о себе". Разве не может человек думать и о себе? В чем меня упрекают? — спрашивает Олеша. — В том, что моя пьеса индивидуалистична? Но разве я не показал в своей пьесе, что всякий индивидуальный акт наказывается? Разве не погибает моя героиня?» И обещает то, что не сумеет исполнить: «В следующей пьесе я заставлю героиню за пролетариат не умирать, а жить».

Мейерхольд не только защищает пьесу, автора и спектакль, но и рискует высказать опасное утверждение, что «не только интеллигенция еще не перестроилась, но <...>и рабочий класс живет двойной жизнью».

Спустя две недели, когда ни ГосТИМа, ни Мейерхольда уже нет в Москве (начались летние гастроли), А. Сольц печатает в «Известиях» реплику в защиту спектакля.

Мейерхольду очень важен этот отклик. В архиве А.В. Февральского сохранился написанный его рукой черновик открытого письма, подготовленного для «Комсомольской правды», с мейерхольдовской правкой: «В № 239 "Комсомольской правды"в статье "Путевка в сезон” Б. Розенцвейг сообщил,что репертуар ГосТИМа на предстоящий сезон “ориентировочно составлен из пьес авторов-попутчиков”.

Это не соответствует действительности. ГосТИМу на сезон 1931/1932 г. предоставляют свои пьесы три пролетарских писателя: Вс. Вишневский, уже закончивший для театра новую пьесу “Германия”, А. Безыменский, в настояще евремя работающий для ГосТИМа, и Демьян Бедный, обещавший свою пьесу театру, — и два “попутчика”, по нашему мнению, давно ставших союзниками: Ю. Олеша и Вс. Иванов.

Тов. Розенцвейг полагает, что “Список благодеяний” “не принес театру особых заслуг перед зрителем”, но об этой пьесе существуют и иные мнения компетентных товарищей, — так, т. Сольц в “Известиях” отметил верную постановку вопроса об интеллигенции в “Списке”, кроме того, в “Комсомольской правде” т. Уриэль писал, что “тема ‘Списка’ еще нужна, полезна и что тема поставлена правильно”»[12].

Но в том же номере «Известий» помещена и краткая, но резкая отповедь К. Радека, «поправляющего» теперь не только Мейерхольда, но и А. Сольца. «Что *хотели* дать Олеша и Мейерхольд, ставя пьесу Олеши, мне неизвестно, — пишет К. Радек. — Но я знаю, что они *дали*. Они дали пьесу, которая вызывает симпатии к несчастной жертве, погибающей под красным знаменем». И продолжает: «Советская невинность Елены Гончаровой — вопрос небольшого значения. <...> Меня более интересует бесспорная советская невинность тов. Мейерхольда, который в период ожесточенной борьбы за пятилетку не нашел другой, более подходящей пьесы, чем пьесу, рисующую в сотый раз сомнения интеллигенции насчет благодеяний и преступлений советской власти».

Спектакль, в центре которого находилась личность, заявляющая о том, что революция совершила не только благодеяния, но и преступления, и даже пытающаяся нечто об этих преступлениях сказать, вызвал бурную реакцию уже замолкающих людей. Он говорил там, где с достаточной четкостью была очерчена зона умолчаний.

Симптоматично, что, когда вскоре приверженец и защитник «Списка» М. Морозов[13] опубликует рецензию на спектакль, название ее недвусмысленно: «Обреченные».

Заседание Главреперткома совместно с Х/удожественно/-П/олитическим/ С/оветом/ ГосТИМа после просмотра спектакля «Список благодеяний» 2 июня 1931 года

Товарищ Литовский (ГРК).

Сегодняшнее заседание ГРК совместно с ХПС и членами рабочей бригады ГРК объявляем открытым.

На повестке дня обсуждение постановки «Списка благодеяний» Ю. Олеши.

Товарищ Ведрин (Электрозавод).

Кажется, на фракции по проработке этой пьесы было постановлено вынести эту пьесу на Электрозавод[14]. У меня вопрос: почему этого не сделано и почему это обсуждение до показа пьесы на Электрозаводе? Если пьеса будет принята, то тогда ее нечего выносить на обсуждение на Электрозаводе.

Товарищ Вс. Мейерхольд.

Театр не уклоняется и не уклонялся от этого предложения, но практически это нужно было провести председателю ХПС, согласовав это с нашим директором-распорядителем товарищем Белиловским. Кроме того, кажется, сцена на Электрозаводе мала, и на ней невозможно поставить эту постановку.

Товарищ Подберезин (член бригады ГРК).

Обыкновенно, когда мы обсуждаем какой-нибудь спектакль, мы всегда ставим перед собой вопросы: что этот спектакль нам дал, мобилизует ли он нас, ставит ли он проблему, является ли он актуальным. По поводу этого спектакля надо дать положительные ответы. Спектакль проблемный, актуальный. И это является колоссальным плюсом. О/б/ интеллигенции Ю. Олеша уже писал, напр/имер/, «Заговор чувств». Здесь показана интеллигенция, которая недовольна, чего-то ей не хватает, и она решает уехать на Запад. Здесь, конечно, многое можно было показать: как происходит загнивание на Западе и т.д. Это правдиво, так как мы знаем, что многие интеллигенты, техническая интеллигенция хотела уйти из Страны Советов, но потом убеждалась, где действительный расцвет строительства, искусства, и возвращалась обратно. Все это верно, но все же пьеса меня не совсем удовлетворяет. Нужно было показать, как интеллигент понимает Страну Советов, как он начинает принимать участие в строительстве социализма и начинает идти в ногу с пролетариатом. Показать только, что на Западе плохо,—это неправильно. Кроме того, совсем не нужно уезжать на Запад, чтобы убедиться, что там плохо. Это можно увидеть не уезжая, оставаясь здесь.

Во-вторых, мне не понравился конец пьесы. Он у меня вызывает ассоциацию и воспоминание о смерти тургеневского Рудина[15]. Человек жил, жил, разочарованный, лишний человек, который никак не мог найти применения в жизни, и потому он красиво умирает на баррикадах. Тут, конечно, это случайно вышло, но мне кажется, что смерть Гончаровой нелогична. Ее смерть неоправданна и невольно напоминает смерть Рудина, но Рудин был «лишний человек», он был окружеен обществом ниже его, он был образованнее, умнее этой среды. Елена же Гончарова не должна была кончать жизнь самоубийством.

(С места: Это не самоубийство.)

Ну, все равно, не должна была умирать. Ее смерть, как доказывает символически автор, показывает, что для интеллигенции нет другого выхода, и вот с этой стороны меня не удовлетворяет конец пьесы. Я считаю, что в наших условиях такой конец неподходящий. Гораздо было бы убедительнее, если бы Гончарова вернулась в Советский Союз и продолжала работать для советского театра. Это было бы логичнее.

Теперь в отношении, как будет доходить эта пьеса до рабочего зрителя. Несмотря на то что пьеса о/б/ интеллигенции, для интеллигенции, так как очень большая часть интеллигенции осознала, что именно здесь можно работать, и вот для интеллигенции этот вопрос надо ставить, — я считаю, что и для рабочего зрителя будет очень интересным знать, как относится интеллигенция к Советскому Союзу, к строительству социализма, как она работает в условиях диктатуры пролетариата. Кроме того, пьеса так подана театром, что она очень доступна, она даже доступна и не для подготовленного зрителя, и она вполне доходит.

Товарищ Остринская (Дорогомиловский завод).

Я хочу сказать, что мне не понравилось в этой пьесе. Например, Гончарова, когда говорит, что она хочет вернуться домой, она говорит, что хочет стоять в очереди и т.д. Это место не клеится. Выходит, что понятие о Советском Союзе связано со стоянием в очередях. Это явление, конечно, есть, оно ненормально, оно временно, и на /н/его упирать нельзя. Я считаю, что эти слова надо выкинуть.

Второе. Показана сценка с безработным актером. Если вы хотите показать безработных, то можно было подобрать более характерный тип, напр/имер/, рабочий безработный.

А вообще считаю, что в некоторых деталях пьесу надо перестроить, а то она в некоторых случаях в данный момент не подходит.

Товарищ Перцова (Москвошвей № 10).

Я эту пьесу и слушала, и читала, и смотрела. Сама по себе пьеса хороша и подойдет. Но некоторые места надо уточнить. Например, мне не совсем нравится, как выведен этот комсомолец, который преподносит цветы Гончаровой, потом садится с ними выпивать. Потом такое место, у портнихи, /когда/ она примеряет: не то это манекен, не то это заказчица. Если это заказчица, то как же они при ней такие вещи говорят? Если же манекен, то стоял, стоял, а потом двигается...

(***С места:*** Манекенша француженка, а они говорят по-русски.)

Все равно, здесь как-то непонятно. Потом, относительно Кизеветтера. Он должен представлять из себя фашиста, но у него ничего фашистского нет. Это не ясно проявленный фашист. Что хорошо, это то, что Мейерхольд уточнил Федотова, в чтении он был совсем иным, а так, как он сейчас выведен, это очень хорошо.

Сама по себе пьеса много стала лучше, чем она была раньше, когда ее зачитывали, но вот те места, о которых я упоминала, — немного хромают.

Товарищ Ведрин (Электрозавод).

Как я вижу, от рабочей части здесь сегодня мало представителей, и это надо поставить на вид Электрозаводу. Пьеса рассчитана не только на интеллигентского зрителя, но и на рабочего. И вот я должен сказать, что для рабочего зрителя пьеса, как она есть сейчас, — не подойдет.

Не подойдет так же про очереди, история с флейтой, рабочему это не нужно. Дальше, что мы видим в пьесе? Артистку Гончарову, которой живется настолько плохо, что она дошла до того, что яблоки у соседки, у работницы, ворует. Она стремится жить лучше, она уезжает за границу. А ведь мы знаем, что у нас многим артистам живется неплохо. У нас есть народные артисты, которым совсем неплохо живется у нас в Союзе. Нужно было показать, что она живет неплохо, и все же стремится уехать. Вот тогда было бы понятно.

Я все-таки предлагаю окончательно обсудить эту пьесу на Электрозаводе.

Товарищ Хургес (Москвошвей № 10).

Я должна сказать, что пьеса до меня не совсем дошла. Я не совсем поняла, что хотели сказать этой пьесой. Эта пьеса показывает проблему интеллигенции, но до рабочего она не дойдет. Не дойдет эта Елена Гончарова. Она погибает. Зачем она погибает? Она ушла обратно, но, значит, она не дошла до достигнутой цели.

До меня также не дошла сцена с яблоками. Не дошла и Дуня. Я, когда эту пьесу слышала, думала, что это будет комическая сцена, но этого не получилось.

Еще один момент, о котором говорила Перцова. Это о комсомольце. Он тоже при чтении не так звучал.

У меня впечатление, что пьеса до рабочего зрителя не доходит.

Товарищ Ильина (Московский комитет партии).

Товарищи, трагедия Елены Гончаровой — это ее раздвоенность, ее страдания, которые закончились ее гибелью. Гибель Гончаровой в результате ее раздвоенности показывается как нечто логическое, обязательное. Она пришла к такому положению, что ей ничего другого не оставалось. Она из-за своей доверчивости, беспечности была окружена интриганами, и она не могла выпутаться из их сетей. Оказывается, что, как она ни желает, она не может выпутаться, и получился результат, обратный тому, который нам нужен.

Зачем нам говорить, что интеллигенция обречена? Я надеюсь, что автор этого не желал так показывать, но так получилось. Это самый основной грех в пьесе. Другой грех, не меньший по значению: зачем показывать мюзик-холл? Нужно быть безумной, чтобы показывать сцену из «Гамлета», притом такую рафинированную сцену, в мюзик-холле. Директор мюзик-холла прав, когда говорит, когда он спрашивает, зачем им трагическая актриса, что им нужно не это, а другое. Еще будучи в Москве, она должна была знать, что из себя представляют мюзик-холлы на Западе. Нужно было показать развал западного искусства, но не в мюзик-холле.

Сцена с полицией неудачна, скучна, неинтересна, шаблонна. Она ничего не дает, это тот трафарет, по которому показывают фашистов. Не нужна сцена с ревностью. Пьеса реалистична, а здесь она становится мелодраматичной.

Потом, мне кажется очень печальным финал. Эта марширующая толпа безработных, эти призывы к восстанию — все это очень фальшиво. Конечно, это очень трудная сцена. Возможно, что она еще сыра, но пока это плакат, который очутился на фоне Леонардо да Винчи.

Сцена с флейтой в прологе — очень удачная пародия на то, как ее дают во МХАТе, до зрителя она очень доходит. Но тут получается досадная штука, получается, что то, что «Гамлет» оказался чуждым нашему зрителю, это является для нее первым сигналом, чтобы уйти за границу. Получается впечатление, что действительно рабочий зритель не ценит настоящей литературы. Правда, искусство «Гамлета» нам чуждо, но мы все-таки восхищаемся и изучаем классиков, а тут получается какая-то вульгаризация. Получается, что Шекспир нам не нужен и поэтому Гончаровой нечего здесь делать.

Товарищ Динамов (Комакадемия)[16].

Эта пьеса имеет прочные корни в нашей действительности. Это не тонкий стебелек, почти не связанный с почвой, а это плотный корень, это корень, которым живет эта пьеса, ибо Елена Гончарова — это есть выражение настроений каких-то определенных и очень культурных слоев нашей интеллигенции. Слова Елены Гончаровой есть мысли этих людей, мысли, которые мы можем не слышать, но они существуют. И Олеша эти мысли выражает в этой пьесе. Мне приходится сталкиваться с писателями-попутчиками[17], и я считаю, что по крайней мере половина из них, они сами, может быть, этого не понимают, но у них есть преклонение перед западной культурой. Поэтому пьеса Олеши бьет, и очень больно бьет, и она доходит и должна дойти до определенного зрителя. Потому что эти мысли, которые они не выражают, но которые у них есть, выражаются Гончаровой. Гончарова — это их рупор. Это и определяет значимость этой пьесы.

Центр тяжести пьесы не в ее материале советском, а в вопросе отношения к советской власти. Это оправдывает, по-моему, пьесу, ее западную концепцию. Это ставит перед режиссером большие трудности, которые до конца не преодолены. Поэтому можно формулировать так, что тема пьесы— отношение интеллигенции к западной, капиталистической культуре, причем эти слова: «буржуазной, капиталистической» — раскрываются к концу. Пьеса очень сложная, это пьеса думающего драматурга. Характерно для этой пьесы то, что в ней каждая деталь, каждое незначительное явление обрастает очень большим смыслом, и выпадение одной детали влечет за собой выпадение целого ряда вещей. Например, сцена с дневником, который берет комсомолец, чтобы вырвать листок. Это непрерывное нагромождение смыслов характерно для Олеши и ставит огромные трудности для раскрытия. Для Олеши характерно не только то, что он дает смысловую, очень умную пьесу, для него характерна лирика, очень разумная, обдуманная лирика. Здесь, с одной стороны, и холодный разум, пьеса очень вдумчивая, а с другой стороны — осмысливание идет через отдельную личность, через эту Елену Гончарову. С одной стороны, холодный разум, а с другой — горячая человеческая теплота Гончаровой. Олеша в конце концов балансирует между двумя началами, и, по-моему, он побеждает это самое теплое, человеческое, женское начало.

Пьеса, конечно, противоречива. Тема взята большая и сведенная в личную коробку, отсюда нагруженность пьесы. Центр тяжести пьесы на этой западной теме, и, по-моему, эта западная тема дана плохо, он (Олеша) ничего здесь нового в нашу драматургию не вносит, это представление о западной культуре как о культуре джаз-банда, мюзик-холла —это ведь все маленькая деталь. Попытка же разоблачения Запада буржуазного, звериного, не показана. Здесь нужно было Всеволоду Эмильевичу отойти от Олеши, и, по-моему, отойти придется. Нужно, чтобы эта пьеса о Западе была пьесой боевой и сегодняшнего дня. Нужно, чтобы была показана классовая борьба на Западе.

Пьеса гораздо лучше, чем она была в первом варианте, но пьесу следовало бы осовременить, так, чтобы она сегодня не была как шесть месяцев назад, и чтобы через шесть месяцев она не была как сегодня, и т. д. Нужно, чтобы пьеса была превращена в агитпроп для пропаганды интеллигенции, потому что для рабочего она ничего не дает. Здесь подлинный агитпроп для интеллигенции. Я думаю, что можно было бы сделать какие-то интермедии, внести в пьесу какие-то куски современной действительности на Западе, чтобы пьеса больше жила. Здесь нужно было бы пустить те средства, которыми обыкновенно пользуется Мейерхольд, может быть, следовало пустить кино. Вообще взять буржуазный Запад за горло с мейерхольдовской яростью. Тогда противоречия пьесы были бы уничтожены, а боевой характер ее повысился.

Если бы пьеса была поставлена мхатовским театром, то пьеса бы агитировала против нас, ибо они ее утеплили/бы/. Мейерхольд прекрасно утеплил образ Федотова, этот образ стал чрезвычайно солнечным, и это очень хорошо. Вот во МХАТе образ Кизеветтера тоже утеплили бы. Здесь Кизеветтер показан в большом /над/рыве, для эмигрантской молодежи это очень характерно, этот образ трактован правильно.

Театр должен был пойти дальше, а именно по линии превращения пьесы в боевой агитпроп для пропаганды среди интеллигенции.

Товарищ Журавский (ХПС).

Я выразил сожаление, что так мало представителей рабочей части. Постараюсь выразить мнение мое и тех рабочих с нашего завода, которые были вчера здесь на генеральной репетиции. Прежде всего, вопрос был поставлен так: можно ли /привезти/ эту пьесу на завод и показать ее? Рабочие заявили, что эта пьеса не подойдет рабочим, так как мы считаем, что рабочий зритель вряд ли эту пьесу поймет.

Что мы видим? Елена Гончарова — талантливая актриса, но мы не видим окончательно ее лицо. Она многое понимает, но не может все-таки выработать своего... (пропуск в стенограмме. Вероятно, мировоззрения. — *В.Г.*), кроме ее отношения к искусству. Она актриса из того лагеря великих актеров, которые, не понимая нас, уходили за границу. Эти актеры классово совершенно расходились с нами и там находили почву для своей работы. У Гончаровой же это не так.

Мы не понимаем конца диспута. Не совсем понятно, расположена ли к Гончаровой рабочая часть или нет. С одной стороны, спрашивают, нужен ли нам сейчас «Гамлет» и т. д., — и в то же время не сорвана с нее маска, когда она говорит о том, что за границей лучше, когда она говорит о заграничном кино. С другой стороны, просят повторить сцену Гамлета и даже преподносят ей цветы домой. Непонятно все-таки, почему ее так радостно принимает рабочий парень.

Считаю, что очень неудачна сцена с Трегубовой, такие сцены мы привыкли видеть во МХАТе, а в нашем театре давайте откажемся.

Мне лично не нравится такое положение, что в пьесе не показано параллельно искусство загнивающее и искусство наше. Еще один недостаток: Гончарова слишком быстро переродилась. Правда, она и раньше многое понимала, но в разговоре с эмигрантом она слишком политически грамотна. Она отвечает почти нашим языком, это надо как-то переменить.

Сцена в кафе слишком скучно подана.

Вообще же пьеса неплоха, имеет большое значение для интеллигенции, но нужно принять во внимание те разговоры, которые были сегодня, и следовало бы эту пьесу обсудить на широком рабочем собрании.

Товарищ (нрзб.).

Маленькое замечание насчет сцены в кафе. Когда товарищ /Дьяконов/ говорит: «К стенке ее...» и т. д., — его одергивают. Это правильно подмечено, но это надо было бы сделать сильнее.

Относительно Гончаровой хочу сказать, что слишком быстро происходит ее перерождение. Правильно, когда говорят: «Скажи на ее языке», — действительно, она говорит не нашим языком.

Очень большим диссонансом является то, что она в мюзик-холле после большого монолога раскаяния поднимается по лестнице походкой Гамлета. Здесь получается большой разрыв.

Товарищ Вс. Мейерхольд.

Отвечу прежде всего товарищу Ильиной, которая говорит, что так ставить проблему об интеллигенции нельзя и не следует. Мне кажется, что именно так надо ставить эту проблему, как ее ставит Олеша. Все слишком много внимания обращают на линию, которую в пьесе ведет Леля Гончарова. Те, кто знаком с первым вариантом пьесы, знают, как там была поставлена проблема об интеллигенции. Я был очень благодарен ГРК, когда тот предложил изменить постановку этого вопроса в первом варианте. Когда читаешь первый вариант, то можно запутаться вместе с Лелей Гончаровой в этом эгоцентрическом круге.

Во втором варианте линия Лели Гончаровой попадает между двумя буферами, между двумя мировоззрениями, которые в пьесе очень четко отмечены. Одно мировоззрение, которое выражено ролью Федотова, и второе мировоззрение, которое выражено образом Татарова. Эта структура: Федотов — Татаров — осветит положение Лели Гончаровой, которая находится между этими борющимися силами. Вот поэтому я настаиваю и буду настаивать, что и Татаров, и Кизеветтер должны трактоваться как элементы фашизма в теории и практике. Тип Кизеветтера нами еще более подчеркнут, чем это было при чтении, это тип вроде типа, стрелявшего в нашего полпреда в Варшаве — Каверды[18], этот тип нужно еще больше подчеркнуть, так, чтобы не было впечатления, что он когда-нибудь мог бы попасть к нам.

В свете этих двух борющихся сил Леля Гончарова получает совершенно иное цветение. Ее колебания требуют такого уточнения, чтобы они в одном эпизоде были меньше, в другом больше. Не следует совсем искать точку в каком-то месте, где происходит переворот в ее мировоззрении. И как раз для той Гончаровой, которую мы показываем, характерно ее неожиданное появление на баррикадах. Если бы мы стали выявлять прочность этого образа, мы как раз не дали /бы/ того, что нам нужно. Назначение этой пьесы — именно показать такого рода интеллигентку, этот как раз самый вредный тип интеллигенции. Именно так мы ее должны давать —постоянно колеблющуюся. Вот-вот как будто бы мы получаем ее оздоровление — и сейчас же получается спад и вовлечение Лели Гончаровой в какую-то нирвану, небытие... Потом встреча с новыми людьми — у нее начинается новая трепетность, она идет стрелять в Татарова, она хочет отомстить не только за себя, но и за весь Советский Союз. Вот какой тип дан, и именно это наша задача, и нам нужно именно показать такого рода интеллигенцию. Вот недавно я был поражен А. Толстым[19], о котором наши товарищи говорили, что это великолепный беллетрист, которого мы должны обязательно, за руку вытащить на столбовую дорогу нашей пролетарской литературы. Недавно я встретился с ним, говорил. Это насквозь чужой человек. Он совершенно за годы пребывания у нас в Союзе, абсолютно не переродился. Это представитель настоящей богемной дореволюционной России, и я не удивлюсь, если он выкинет такую штуку, что мы сможем только руками развести. Конечно, мы должны всячески разоблачать такого рода интеллигенцию, которую мы имеем в лице Гончаровой.

Должен сказать, что судьба пьесы находится в руках двух актеров: Боголюбова, играющего Федотова, и Мартинсона, играющего Татарова. Если эти две силы будут очень напряжены, в смысле двух борющихся сил, — я буду совершенно спокоен за то, что так надо ставить проблему об интеллигенции.

Относительно мюзик-холла. Здесь говорили, что Гончарова сделала большую ошибку тем, что решила показать сцену Гамлета в мюзик-холле. Наш мюзик-холл отличен от западного тем, что там выступают очень крупные артисты с очень серьезным репертуаром. Я сейчас никак не могу вспомнить имя одной очень известной артистки, которая выступает с очень серьезным репертуаром, и не иначе как в мюзик-холле. Несомненно, что Гончаровой такое положение известно. Она интеллигентка, думающая, у нее обостренные мысли, по целому ряду вопросов она очень рафинированно думает, она могла этот кусок с флейтой вытащить потому, что в этой сцене с флейтой наиболее выпукло звучит то звучание, которое она носит в себе самой. Это очень субъективный отрывок. Она могла бросить с западноевропейской арены мысль, что нельзя слишком вульгарно играть на душе с большой буквы такой мыслящей интеллигентки.

Конечно, мюзик-холлом нельзя показать развал Европы, это вздор, я думаю, что и Олеша не думал сказать все, что он мог сказать о загнивающей Европе. Так построена пьеса, она вообще заостряется на определенных тезисах, заставляет людей больше спорить, чем действовать. Есть пьесы, которые развивают сюжетную линию по примеру кино. Есть же, напр/имер/, «Парижанка» Чаплина[20], эта вещь тоже касается очень сложных проблем, но развертывает ли она много действия? Сюжет пустяковый, очень доступный для широкой аудитории.

Если разобрать сюжет пьесы, здесь автор пускает в ход такой прием, как кража дневника, на котором он сталкивает людей... Автор заставляет людей, мыслящих по-европейски, т. е. Татарова и Кизеветтера, заставляет всецело идти на... (пропуск в стенограмме. — *В.Г.*). А вы будете ощущать развал культурной Европы без показа этого здесь. Почему автор берет мюзик-холл? Для него легче показать эксплуататорские тенденции именно здесь. Не в его приемах показать, как бы показал другой автор, например, Билль-Белоцерковский[21] который мог бы взять что-нибудь другое. Он именно и берет мюзик-холл, чтобы на этом участке показать эксплуататорские тенденции. И вот Гончарова здесь, на собственной шкуре ощущает взгляд на искусство.

Теперь относительно диспута в прологе. Почему вы думаете, что только рабочие задают все эти вопросы?Здесь разные люди задают вопросы. Тут может быть и советский служащий, и де... (оборвано слово. Возможно, «деклассированный».— *В.Г.*). По записке мы видим, что здесь есть и театральный рецензент. По характеру записок видно, что есть и рабочие, и не рабочие.

Теперь. Замечание товарища Динамова очень правильно совпадает с тем, что я думал. Просто, в силу незначительного срока для оформления этого спектакля, грандиозной энергии, которую я употребил на проработку драматургического материала, 50% времени я ухлопал на торг с драматургом и переговоры. Я никогда не получал такой помощи от ГРК, как в данном случае, тем, что не нравившаяся мне сцена у полпреда оказалась зачеркнутой. Этому я очень был рад. Я считаю, что это самая неудачная сцена, которая была у Олеши. Но должен сказать, что это тоже неправильная точка зрения, что я стал бы изображать Довгалевского[22]. И вот в силу всех этих обстоятельств я не смог осуществить то, чего не хватает в пьесе. В данном случае на интермедии я не пошел бы, так как и так зритель утомляется, так как по хронометражу спектакль продолжается 2 1/2—3 часа. Утомительный этот спектакль еще потому, что он заставляет зрителя очень много думать. Здесь нельзя призаснуть под сладенький мотив, здесь все время нужно быть в напряжении. Относительно ввода кино, я эту мысль не оставлю, и я обязательно постараюсь ввести кино.

Относительно замечания товарища Журавского должен сказать, что если бы мы укоротили сцену у портнихи, то от этого потерялось бы все содержание, которое вложено в эту сцену. Невозможно же укоротить диалог между Гончаровой и Татаровым, тут мы понимаем, почему два списка, она тут попадает в притон.

Относительно быстрого перерождения я должен сказать, что человеку, имеющему два списка, не трудно переродиться, здесь перерождение очень легко.

Относительно того, что она хочет стоять в очереди. Понятно, что она не хочет стоять в очереди. Здесь надо понимать так, что она даже готова стоять в очереди, лишь бы выбраться из этого мира. Никто иначе и не поймет.

Даю слово, что она не крала яблоки, это просто недоразумение. Она не крадет, ее обвиняют в этом, и она действительно, но иронически, говорит: «Да, я украла яблоки». Иногда очень трудно подобрать подходящего актера. Артистка, играющая Дуню, — высококвалифицированная актриса[23], но на этот раз ей не удалась эта роль, характер этой Дуни оказался недостаточно ясен. Но я не теряю надежды, что она в будущем сможет дать этот образ назойливого, мещанского приставания верно.

Товарищ Литовский.

Если вспомнить прошлый сезон, то можно увидеть,что он был богат пьесами, которые ставили вопрос о месте и роли интеллигенции в революции. В этом театре в 1929/30 году мы имели «Командарм-2» Сельвинского[24], который также ставил вопрос о месте интеллигенции в революции.

В этой пьесе чрезвычайно характерная и типичная постановка вопроса об интеллигенции. Олеша, хотя и попутчик, но очень близкий нам драматург, ставит вопрос не в дискуссионной плоскости. Он по мере своих сил и очень часто довольно удачно разоблачает эту самую интеллигенцию, которая по сей день ведет двойную бухгалтерию. Некоторые из этих интеллигентов могут попасть в сети рамзиных, а некоторые продолжают вести двойной список.

Здесь товарищи говорили: почему Елена Гончарова говорит такие политграмотные слова, она, которая вела этот список преступлений? Мне кажется, что Олеша чрезвычайно метко и чрезвычайно талантливо подметил одну из свойственных черт такого рода колеблющейся интеллигенции, попавшей в условия западноевропейские. Я уже рассказывал Всеволоду Эмильевичу и хочу здесь рассказать один случай. Некий Г., специалист, попав в Лондон, хотел пойти в театр. Захотел он пойти в первый ряд, оделся он в самый обычный костюм — френч, хорошие сапоги одел, а к нему подходит капельдинер и попросил выйти вон: у нас в первом ряду не разрешается в таком костюме сидеть. Он окрысился и сказал: «Сволочи, ЧК на вас нет». Когда Елена Гончарова, человек как будто бы чуждый нашей идеологии и миросозерцанию, попадает к эмигрантам, у нее рождается этот задор, это желание вступить в острую дискуссию. И это очень хорошо и правильно подмечено. Этот политически грамотный разговор дает чрезвычайно правильную расцветку всей этой сцене.

Актуально ли на сегодняшний день ставить вопрос об интеллигенции вообще и ставить вопрос об интеллигенции так, как это поставил Олеша? Нет никакого сомнения в том, что на сегодня особенно этот театр должна интересовать тематика реконструктивного периода, тема сегодняшнего дня. Эта же тема, хотя она также чрезвычайно важна, но на сегодняшний день это не ценная проблема, и особенно для такого театра, как Театр им. Мейерхольда. Конечно, мы от Театра им. Мейерхольда должны требовать и будем требовать в будущем иных пьес. Если Олеша заявил в своем интервью с представителями... (пропуск в стенограмме. Вероятно, прессы. — *В.Г.*), что это последняя его пьеса об интеллигенции, если Олеша заявил, что он кончает с этой темой, то Театр им. Вс. Мейерхольда должен еще более торжественно заявить, что пусть этими темами занимаются другие театры, которые сами для себя этот вопрос не решили.

Как раскрыта проблема об интеллигенции? Я считаю,что изо всех попутнических пьес эта пьеса наиболее правильно вскрывает эту проблему. Это, по существу дела, есть политический документ автора, очень близко приближающегося к нам, переходящего от попутчиков к союзникам. Вот что представляет из себя эта пьеса. В основном эта пьеса в основной концепции советская, в основном она имеет тенденции разоблачительные и стаскивает Гончарову с пьедестала. Если автор взял актрису, т.е. речь идет только о художественной интеллигенции, но черты, свойственные актрисе, также свойственны и интеллигенции вообще. Автор взял актрису для расцветки, и этот двойной список свойственен и ряду интеллигентов, и /лицам/других профессий. Так что я думаю, что тенденция Олеши правильна. Идея Олеши — это идея разоблачения этой двойной бухгалтерии. Считаю очень правильным, что основная идея пьесы проверяется на Западе. Указание Динамова, с которым согласилс я и Всеволод Эмильевич, относительно того, что тема Запада не совсем ярко показана, особенно по линии показа лица загнивающего капитализма, по линии показа классовой борьбы, которая сейчас там развертывается, — это указано правильно.

Спектакль по языку ювелирный, но я согласен с товарищами, которые говорили, что для массового зрителя эта пьеса — трудная пьеса. Она трудна и для среднего зрителя. Несомненно, что эта пьеса для интеллигентской аудитории, но я считаю, что для интеллигентской аудитории специальные постановки не нужны. Нельзя также и сказать, что для рабочего зрителя это совершенно бесполезная пьеса. Это, конечно, не так, потому что даже самый квалифицированный зритель не знает и не может знать всей механики этих интеллигентских переживаний. С одной стороны, рабочим, может быть, и нет надобности это знать, а с другой стороны, следовало бы, так как они ведь, рабочие, окружены этими интеллигентами и, таким образом, должны быть настороже. В этом смысле искусство настораживает зрителя, и в этом отношении пьеса может быть полезной. Но все же для массового зрителя она не является той продукцией, которая могла бы удовлетворить его на все 100%.

Разрешите сделать несколько мелких замечаний, прежде чем перейти к вопросу о постановке. Здесь имеется целый ряд ляпсусов и дефектов, главным образом в текстовом материале, но есть и дефекты в постановке образов. Экзальтированный комсомолец. Он несколько гимназического типа. Тут надо понимать, что он приносит ей цветы не за то, что она Гамлета хорошо играет, а потому, что она была у них, у «коммунальников». Это перекликается с разговором о жасмине.

Теперь дальше. Очереди. Конечно, это понятно, в каком она смысле говорит, но не до всех одинаково может это дойти. Это может дойти как некий акцент на это временное, ненормальное положение вещей. Нужно подумать, как это сделать, чтобы этого впечатления не было.

Теперь важный момент относительно Кизеветтера. Динамов вот считает, что это раздвоенный юноша, который мог бы далее возвратиться. До меня он так не доходит.

(Вс. Мейерхольд: «И не должен так доходить».)

Но это сигнал, не слишком ли много отпущено теплых красок для этого Кизеветтера? Иногда страдающее лицо белого привлекает симпатию, но привлекать симпатию к такого рода типам не следует. Он подан предельно дегенеративно, и я бы предостерег /от/ излишней эпилепсии. По-моему, следует изменить фразу о крови, идущей из чужого горла. Нужно как-то сказать по-иному, что-нибудь вроде этого: «Почему я не могу лить кровь из чужого горла?» — а не: «Почему я должен лить кровь из чужого горла?» Этой фразой переключается образ Кизеветтера на другие рельсы, пропадет только одна реплика. А так у него слишком много теплых красок и слов.

Теперь несколько слов о постановке.

Эта пьеса для Мейерхольда последних лет — трудная постановка. Все последние годы он имел дело с массовыми постановками. В этой пьесе все происходит на разговорах. Эта пьеса с небольшим количеством действующих лиц насыщена философией и заставляет каждого зрителя обдумывать смысл.

После такого просмотра немножко трудно судить, так /как/ мы не все видели. Не было потолка, который сильно помогает в смысле акустики, не было костюмов, света, быстрой смены щитов и т.д.

Мне кажется, что Мейерхольд в смысле классовой трактовки образов, как правильно заметил товарищ Динамов, подошел совершенно отличительно, чем бы подошел, например, Художественный театр, так как по некоторым постановкам мы видим, что Худ/ожественный/ театр придал некоторым подобным пьесам какое-то звучание, идущее вразрез с большевистским пониманием. У Мейерхольда классовая трактовка образов совершенно правильна. Он даже не пожалел центральной роли, которая очень художественно написана. Мейерхольд эту роль занизил, переломил ей хребет.

Несколько слов о Боголюбове. Федотов представляет собой солнечный, теплый, прекрасный образ. Боголюбов, на мой взгляд, первый советский герой (в старое время были молодые любовники, теперь их в провинции величают «социальные герои»). Здесь была какая-то опасность засушить Федотова риторикой, на первом просмотре чувствовалась эта опасность, сейчас она ликвидирована. Мейерхольд в классовой трактовке образов сделал все, что можно было сделать на материале этой пьесы. Не будем говорить обо всем трактовании пьесы. Совершенно ясно, что Мейерхольд делает акцент на списке благодеяний и делает акцент на том, что этот список благодеяний произносит западноевропейский пролетариат, масса. Этим достигается двойной эффект: первый, что СССР, принципиально,— весь мир, что СССР есть отечество пролетариата всего мира, и второй— то, что для Гончаровой оказалось своего рода безвыходное положение. Оказывается, что нет свободной жизни всюду, революционные идеи носятся в воздухе, это «призрак бродит по Европе»[25].

Что касается режиссерской работы, то здесь она кроме трактовки могла выразиться в мизансценах. И должен сказать, /что/ искусство мизансценирования — самое отличительное для режиссеров последнего времени: эта сторона начинает приближаться на советской сцене к периоду 1900-х гг. Все строится, в конечном счете, не на мизансценировании, они не представляют чего-нибудь важного. Я считаю, что Мейерхольд показал себя чрезвычайным мастером. Хочу обратить ваше внимание на одну деталь, которую я не могу еще полностью освоить, в будущем это может дать чрезвычайно большую работу. Если вы заметили, сцена повернута не к зрителю, а наискосок, как будто зритель где-то справа, а мы наблюдаем то, что происходит на сцене, как бы со стороны. Это не есть любование со стороны, это дает какую-то интимность. Я еще не усвоил,что нового принесет такое явление, но для меня бесспорно, что это принесет еще очень много интересного на сцене.

Хочу немного упрекнуть Мейерхольда за музыку, правда, не за всю. Нужно ли перегружать этот спектакль музыкой? В иных местах музыка дана с явным ущербом для текста.

(Вс. Мейерхольд: Это Динамов подшепнул, ты ему не верь.)

Я Динамову не верю, не знаю, музыкален ли он.

(Вс. Мейерхольд: Тем более опасно это слушать. Ему Либединский подсказал.)

Кстати, Либединский еще не видел.

(Вс. Мейерхольд: Будет еще видеть!)

Он знает, что Мейерхольд без фокстрота не обойдется.

(Вс. Мейерхольд: Ты мне подсказал,что нужен в одном месте еще один фокстрот, специально для Либединского и Динамова.)

Смех.

Это ты брось озорничать!

Смех.

Общие выводы: в нашем сезоне, отличающемся достаточной схематичностью многих произведений, из попутнических пьес это первая значительная пьеса, которая увидела свет. Это документ очень значительный и политически важный. Эта пьеса представляет собой преодоление целого ряда заблуждений, и с этой стороны она имеет очень большое значение.

Карл Радек

Как Всеволод Мейерхольд попал в Гамлеты и как Жирофле-Жирофля[26] начали строить социализм

Театр Мейерхольда поставил пьесу Олеши «Список благодеяний», посвященную вопросам отношения интеллигенции к советскому строю.

Советская актриса Гончарова не любит современных советских пьес. Они, по ее мнению, чересчур упрощены и неискренни. Она увлекается «Гамлетом» Шекспира, где выведен датский принц, живший на переломе средних веков и нового времени. Гамлет — человек раздвоенный, человек, в котором подорваны все начала жизни. Для него умерла старая вера, но он не примкнул к новой, и поэтому для него не разрешен вопрос: «быть или не быть». Для актрисы Гончаровой не разрешен вопрос, что представляет собой советская действительность: кошмарный сон или великую борьбу человечества за новую жизнь.

Актриса Гончарова не только не любит новых пьес, в которых этот вопрос уже решен. Ее мучает и квартирная обстановка, где ей, возвышенной женщине, приходится жить рядом с пренеприятной люмпен-пролеткой Дуней, выдающей себя за безработную, с пьяницами-соседями и испытывать все прелести такого сожительства. Она со страданием отвечает на вопросы рабочей аудитории, забрасывающей ее после постановки «Гамлета» «нелепыми» записками: «Зачем ставить "Гамлета"?Кому нужны его сомнения?»

Разве она, Гончарова, не та флейта из «Гамлета», на которой не умел играть Розенкранц[27], хотя это не мешало ему думать, что он может играть на более сложном инструменте— на Гамлете.

Бедная актриса Гончарова пытается привести в порядок свои мысли и чувства. Гончаровой в этом не помогают ни окружение, ни автор. Они ей не объясняют, с каким критерием надо приступить к решению вопроса о том, является ли советский строй благом или злом. Они не говорят ей, что для решения этого вопроса нужно понимать направление исторического развития, нужно понимать, куда какой класс идет и что он может дать человечеству. Это было бы для Гончаровой скучной политграмотой. Автор предоставляет ей решение великого общественного вопроса на основании ощущений, чувств и настроений. Она ведет список преступлений и благодеяний советской власти. Она тщательно записывает все плохое и хорошее, чтобы вырешить на счетах мучающие ее вопросы. И когда она уезжает за границу, подсчеты у нее не кончены. На вопрос, вернется ли она, она отвечает, что вернется, но зритель не убежден в этом, ибо счета актрисы Гончаровой окончательно не подведены. В подсознании ее бродит мысль о полноте заграничной жизни и о возможности невозвращения.

Три недели живет в Париже актриса Гончарова, ходит по старым улицам и радуется, что ей не приходится жить для чего-то, для кого-то, что она может ходить, думать, наблюдать, одним словом, жить для себя. И ее притягивает не только эта жизнь без общественных обязанностей и постоянного чувства, что ты член общества, кому-то подотчетный. Ее пригласили на международный бал художников и актеров, и она видит в мечтах залитый светом зал, сверкающие бальные платья, радость и наслаждение жизнью... И никто здесь не спросит ее: «Зачем играть "Гамлета"»? И никто не потребует от ее лирической флейты, чтобы она зазвучала как боевая труба, зовущая народные массы на борьбу за пятилетку.

Гончарова не только большая актриса и терзаемый историческими сомнениями человек. Она также и женщина, которую тянет к балам, бальным платьям и другим проявлениям «свободной жизни». Но у Гончаровой нет денег на бальное платье. Эмигранты используют это положение, подсылают ей портниху, шьющую платье в кредит, и подсовывают квитанцию на бланке эмигрантской газеты. Они крадут у Гончаровой список «преступлений и благодеяний» советской власти и оглашают, понятно, только «преступления».

Бедная, запутавшаяся Гончарова, объявленная уже частью наших товарищей за границей предательницей, хочет во что бы то ни стало вернуться в Советский Союз. Он ей стал родным и близким, и она убеждена, что «пролетариат простит ей ее колебания». Ведь она уже решила,что капиталистический мир мерзок, что искусство его, о котором она так мечтала, — клоунская игра на пирушке богача, что эмигрантская среда— мерзкая, обреченная.

Но актриса Гончарова не возвращается в СССР. Мы не будем здесь пересказывать построенную автором криминальную интригу, приводящую к тому, что Гончарова, убедившись в перевесе благодеяний над преступлениями советской власти, не возвращается в СССР, а погибает на демонстрации безработных в Париже от пули русского провокатора, нанятого французской полицией. Дело не в этой интриге, а в том, что автор пьесы должен был каким-нибудь образом убить Гончарову за границей, ибо он, очевидно, боялся, что если она вернется в СССР и снова начнутся ее ежедневные сражения с соседкой Дуней, снова придется ей играть современные пьесы и отвечать на режущие ее ухо и бьющие по ее чувствам вопросы, то она, быть может, начнет снова на счетах высчитывать соотношение преступлений и благодеяний советской власти.

Эффектный театральный конец пьесы так и оставляет вопрос о «злодеяниях и благодеяниях» неразрешенным.

Публике пьеса очень понравилась. Пьеса, как полагается Олеше, талантливо написана. Она сверкает острыми словечками, развертывается живо и имеет ряд очень остро зарисованных типов. Постановка Мейерхольда очень хороша, несмотря на то что пьеса совсем не типична для этого театра. Трагическая игра Зинаиды Райх, Мартинсон в качестве истерического эмигранта, хорошо данные типы советских хозяйственников за границей — все это было очень хорошо встречено зрителями.

Но все-таки мы думаем, что актриса Гончарова на много лет запоздала с решением вопроса и что вместо того, чтобы погибать на демонстрации безработных в Париже (мы сомневаемся в том, чтобы парижские рабочие нуждались в руководстве со стороны Гончаровой) и просить, чтоб тело ее покрыли красным знаменем, — лучше бы она съездила в Анжерку, Кузбасс, на Магнитострой. Понятно, там ей нельзя было бы играть Гамлета, ибо рабочие и колхозники на этих великих стройках уже давно решили вопрос: «быть или не быть». Они теперь борются за то, чтобы жить по-человечески. Мы думаем, что на много лет опоздали Олеша и Мейерхольд, требуя от нас сочувствия Гончаровой.

Говоря, что актриса Гончарова запоздала на много лет, мы не хотим сказать, что нет уже интеллигентов, для которых вопрос о соотношении благодеяний и «злодеяний» советской власти не разрешен. Существуют в большом количестве не только такие интеллигенты, но существует и контрреволюционная интеллигенция, для которой этот вопрос окончательно разрешен в том смысле, что она остается нашим врагом. Колеблющиеся и контрреволюционные интеллигентские элементы будут — быть может — существовать до окончательной победы социализма. Идеология имеет большую консервативную силу, и она может держать в своем плену часть интеллигенции, пока капитализм окончательно не будет сокрушен в ряде капиталистических стран и не исчезнет надежда на реставрацию капитализма. Эти элементы рекрутируются в первую очередь среди интеллигенции, не связанной с производством, с жизнью народных масс, среди интеллигенции, живущей на положении умственных кустарей-одиночек. Не связанная с капитализмом материальными узами, она связана с ним интеллигентским анархизмом, ненавистью к организации, в которой видит неволю, иллюзией «свободы». К этим слоям принадлежит актриса Гончарова.

Запоздала Гончарова или же запоздал ее идейный отец тов. Олеша, с любовью относящийся к ее тревогам, к тому, что она не понимает, как скучна ее раздвоенность и ее дилемма «любить или не любить»? Четырнадцать лет биться над такими вопросами! Как вам не надоело, тов. Олеша?

Дело в том, что нельзя высчитать на счетах «преступлений» и благодеяний то, что представляет собой советская власть, по той простой причине, что если считать капитализм злом, а стремление к социализму благом, то не может существовать злодеяний советской власти. Это не значит, что при советской власти не существует много злого и тяжелого. Не исчезла еще нищета, а то, что мы имеем, мы не всегда умеем правильно разделить. Приходится расстреливать людей, а это не может считать благом не только расстреливаемый, но и расстреливающие, которые считают это не благом, а только неизбежностью.

Народные массы, вышедшие из нищеты, народные массы, которые встречали интеллигенцию в качестве представителей капитала, относятся — что скрывать — без большого сочувствия и мягкости к душевным переживаниям тонко чувствующих интеллигентов, не могущих решить вопрос: идти им с рабочими или нет.

Но пока интеллигенция не поймет, что никакие тяготы переходного времени, никакие страдания не могут освободить человечество от необходимости покончить с капиталистическим миром, если оно не хочет, чтобы капиталистический мир залил, потопил человечество в крови, пока интеллигенция не поймет, что нет другого выхода, кроме пролетарской революции, как ни был бы тяжел ее путь, пока интеллигенция не поймет, что цель, к которой стремится пролетариат, есть величайшее благо, — она будет щелкать на своих счетах — и путать свои счеты.

Но тов. Олеша может сказать: «Что же делать, бедная Гончарова ведь Маркса не изучала и не может на основе истории общественных форм решить свой жизненный путь, а решает его, если хотите, суммируя жизненную неурядицу, впечатления от больших событий и осколков мыслей, попадающихся ей из книг и газет. Так ведь люди решают, а не на основе больших схем».

Бывает так, тов. Олеша, но тогда будьте любезны отказаться от убеждения, что интеллигенция — соль земли, что она — чудесная флейта, лучше и сложнее обыкновенной флейты. Тогда скажите: «Вот мы — люди мысли без мысли, умственные труженики, которые умом не трудятся, мы не хотим соседки Дуняши, которая может заслонить нам собою циклопов[28], поднимающих величайшие глыбы». Но если обстоит дело так, то где же то значение роли интеллигенции, которое сквозит из всех переживаний Гончаровой и которого не коррегирует тов. Олеша?

Через 10 лет удельный вес этой интеллигенции будет равен нулю. Начнет исчезать разница между умственным и физическим трудом. Новое, крепкое поколение рабочих овладеет техникой, овладеет наукой. Оно, может быть, не так хорошо будет знать, как объяснялся в любви Катулл коварной Лесбии, но зато оно будет хорошо знать, как бороться с природой, как строить человеческую жизнь. Это поколение выдвинет тысячи новых глубоких проблем, достойных того, чтобы за них боролся человеческий дух.

Если Дом Герцена не будет до этого снесен, как не подходящий сосед цепи небоскребов, то в этом доме, быть может, актриса Гончарова будет все еще подводить свои счеты. Но кому это будет интересно?

Театр Мейерхольда повернул не туда, куда следует. Десять, пять лет назад эта пьеса, несмотря на все свои недостатки, была бы очень интересной. Но на третьем году пятилетки значение колебаний литературной интеллигенции в бюджете наших интересов очень уменьшилось. Мы рады каждому попутчику, который твердо стал на сторону пролетариата. Но мы создаем уже пролетарскую литературу. Колеблющиеся писатели очутятся за бортом жизни. Большое еще значение имеет отношение технической интеллигенции, учительства к советской власти, но этот вопрос требует другой трактовки, он не решается в той плоскости, в которой трактует вопрос Олеша. Пьеса Олеши обращена лицом к прошлому, а не к будущему. И Гамлет не перестанет быть Гамлетом от того, что его после смерти покрывают красным знаменем.

Необходимость поворота к той жизни, которой живет страна, почувствовал и Камерный театр, один из тех, которые дольше всех стояли на отлете от нашей общественной жизни. Руководителям театра, видно, стало ясным, что должны или повернуть к современной советской тематике, или стать театром праздных развлечений, в которых ищут переключения на пустяки очень усталые от напряженной работы люди или наслаждаются пустяками люди, которым нечего делать.

Обновленный Камерный театр — его внешность теперь проста и

строга — поставил пьесу Никитина «Линия огня».

Пьеса дает картину стройки электростанции в деревенской глуши, стройки, на которой, как это всегда бывает у нас, маленькое ядро индустриальных рабочих должно создать технические чудеса при помощи отсталой крестьянской массы, перерабатывая ее, поднимая до своего уровня. Пьеса по существу слабенькая, страдающая тем отсутствием дифференцированности, которое отличает лубок от действительной картины. Она разделяет массу только по линии деревни и города. Представители деревенской массы в ней все на один манер. Они в лучшем случае разделены по возрастам: молодежь больше склонна к новшествам, в особенности если она побывала на гражданской войне. То великое разделение, которое внесло в крестьянскую массу строительство совхозов и колхозов, не находит никакого отражения в человеческом материале «Линии огня». Все рабочие — твердые борцы за социалистическую индустриализацию, все наши хозяйственники — не только хорошие коммунисты, но и хорошие хозяйственники.

Эти слабости пьесы автор перекрывает несколькими очень живыми фигурами. Таковы Мурка, бывшая беспризорница, которая из бузотерки на стройке становится передовой, убежденной работницей, завхоз стройки Макарыч и несколько других.

Блестящая игра Алисы Коонен, перевоплотившейся из Федры и Саломеи в великолепную живую фигуру наших дней, отвлекает внимание зрителя от недостатков пьесы.

Но пусть нас ругают эстеты — простой факт жизненной темы борьбы за то, что нам дорого, развертывающейся на подмостках театра, делает этот спектакль интереснее мейерхольдовской постановки, несмотря на то что между талантом Никитина и Олеши большая дистанция.

Чего же мудрствовать? Если вы скучали на «Списке благодеяний», а «Линию огня» смотрели с напряженным вниманием, то это — приговор жизни.

Мы предпочитаем строящих социализм Жирофле-Жирофля — Гамлету, не перестающему гамлетизировать на третьем году пятилетки. Мы, может быть, люди «грубые», но пьесы ведь ставят не для горсточки «деликатных».

***

Театр наш борется с недостатком пространства и с недостатком литературного материала. Таиров сделал чудеса, дав на маленькой сцене, построенной буквально в коробке, ощущение тех великих глыб, которые поднимают советские циклопы. Все-таки ощущение создается не только тем, что перед тобой на сцене, но и той массой, которую чувствуешь кругом себя в зале.

Недостатки же пьес, которые приходится теперь оформлять режиссерам и актерам, бьют в глаза. Авторы делают как бы чужое дело, не умеют показать жизнь во всех ее противоречиях, словно боятся, что «список злодеяний» возьмет верх над «списком благодеяний». Не бойтесь, товарищи писатели! Революция не нуждается в пудре и искусственном румянце. Давайте ее, как она есть, и поймите, что революция не только масса в действии, но и не аморфная масса, не обезличенная, а масса дифференцированная, масса, выкристаллизовывающая из себя живых людей, развитие которых надо показать на сцене. Не нужны нам хоры статистов, перед которыми стоит поющий геройскую песнь манекен.

На «третьестепенных» наших сценах, где выступает писательский и актерский молодняк, уже начинают появляться такие пьесы. Так называемые квалифицированные авторы не умеют их подать. Это показывает, как далеко они еще отстоят от жизни, как мало они органически с ней слились.

Вопрос пространства мы решим в ближайшие годы театрами-гигантами. Но не надо этого ждать. Стройте пока что в рабочих предместьях театры-бараки на пять тысяч зрителей, пришедших из деревни рабочих, а авторы пусть себе ставят задачу зажечь сезонника волей к борьбе за новую жизнь. Пусть эти авторы двинутся в колхозы. Соприкоснувшись с этой массой, узнав ее переживания, ее интересы, они перестанут дышать на ладан, начнут дышать полной грудью.

А кто не сможет — пусть сидит в Доме Герцена и хнычет. Нам нужны народные писатели и народные артисты, т.е. художники для народа.

Восстановите орден «бродячих комедиантов» и сделайте его почетным. На этих «комедиантов» с пренебрежением смотрит буржуазная история культуры, как с пренебрежением смотрели на них феодальные господа, имевшие крепостные театры. Народ любил их и в старину, учился у них. Странствующие театры, местные театры новых рабочих центров будут нести культуру, энтузиазм в массы, развернут новое великое искусство, оплодотворенное дыханием наших героических народных масс.

**Дискуссия о «Списке благодеяний»
в клубе писателей ФОСП имени М. Горького
16 июня 1931 года**

Товарищ Гроссман-Рощин[29]. Товарищи, объявляю наше сегодняшнее заседание открытым. Предмет нашего обсуждения — пьеса Юрия Олеши «Список благодеяний» и постановка этой пьесы Вс. Мейерхольдом.

Порядок у нас намечен такой: я скажу маленькое вступительное слово, потом небольшой доклад сделает товарищ Млечин, потом показ сцены из этой пьесы и после этого обсуждение.

Прежде чем дать слово товарищу Млечину, разрешите мне сказать несколько слов, которые должны рассеять некоторые недоумения. Мне приходилось слышать такие мнения, что вот, мол, спектакль, который рисует трагедию индивидуальной интеллигентской души, что этот спектакль рабочему не нужен, что спектакль неинтересен и даже скучен. Такой взгляд чрезвычайно радикален, и надо решительно заявить, что этот подход неверен, неправилен. В самом деле, если бы мы встали на такую точку зрения, то надо сказать, что прав Переверзев[30], который говорит о том, что каждый класс может отображать в творчестве только собственный классовый быт. Выходит так, что класс производит и сам потребляет свои художественные ценности. С этой точки зрения понятно — какое нам дело, что кто-то меняется, какое нам дело до ка-

Вс.Э. Мейерхольд. 1931 г.

кой-то Гончаровой, которая «запуталась» в серебряном платье. Я отвечаю: да, мы будем играть на флейте Гамлета. Разве бесполезно пролетариату знать, что происходит в мире попутчиков, в чем сущность этой интеллигентской, непролетарской мысли?

Олеша ставит проблему о «третьем пути» — между революцией и контрреволюцией. Есть целый ряд попутчиков и интеллигентов, которые допускают, что в революции есть много ценного, но нельзя ли пошляться по переулочкам, найти тупичок? И это большой вопрос, который ставит Олеша. Одной из симпатичных сторон Олеши является то, что он во всех вещах ставит социально-философские проблемы. Это не значит, что он философ в мундире. Я считаю, что его новелла... (пропуск в стенограмме. — *В.Г.*)[31] замечательна, и жалко, что широкие массы читателей не знают ее.

В этой пьесе Олеша поставил проблему: неужели я должен быть в центре бытия? И он отвечает: нет, это гибель, это смерть. Он отвечает, что третьего пути нет. Всякого, кто будет искать третьего пути, ожидает гибель, кто механически подходит к революции — здесь добро, а здесь зло, — того ждет гибель. Вот почему, подходя к этому спектаклю, нельзя отделываться левыми фразами, что эта индивидуальная трагедия не интересна пролетарскому зрителю. Олеша громогласно, сильно, трепетно сказал: нет третьего пути. И это имеет огромное значение. И вот почему обсуждение этой пьесы должно быть не торжеством, а событием. Мы надеемся, что наибольшее количество присутствующих будет участвовать в обсуждении.

А теперь слово для доклада имеет товарищ Млечин.

Товарищ Млечин.

У меня нет под рукой пьесы, и это, конечно, затрудняет мой доклад. Как уже говорил председатель, эта пьеса имеет значение, далеко выходящее из обычного ряда. Мы нечасто собираемся и обсуждаем пьесы, несмотря на то что этот год, этот театральный год был чрезвычайно насыщен и значителен. И этот год в этом отношении можно назвать переломным и в области драматургии, и в области театра в целом. То, что мы собрались, — я вижу, что собрание очень большое, — это свидетельствует о большом интересе к этой пьесе и спектаклю.

Должен сказать, что работа драматурга над этой пьесой посвящена интеллигенции, и это совершенно закономерно. Лишь левой фразой являются все попытки отвести подобного рода проблемы из внимания нашего театра. И с этой точки зрения, с точки зрения закономерности работы над такого рода пьесой, обсуждать нечего. Теперь дальше: сумел ли Олеша разрешить поставленную себе задачу? В какой степени удовлетворительно решил он эту задачу? В какой степени сумел он доказать основной тезис? Как сумел он доказать, что «нельзя ходить по переулочкам», что нет третьего пути? Для нас существенно важно движение Олеши, потому что оно в значительной мере является выражением чаяний и убеждений больших каких-то групп, которые не представляются безынтересными для нас, группы советской интеллигенции, которую представляет Олеша. Группа, которая борется за преодоление всего своего наследия, всех своих предрассудков, всего своего прошлого, которая стремится прийти к пролетариату, овладеть агитационной его активной деятельностью, стать союзником в его повседневной борьбе. И вот движение этих групп небезынтересно для нас. И, разумеется, в Олеше, человеке очень интересного дарования, большого диапазона, как в фокусе, концентрируется этот ряд социальных процессов и сдвигов.

Если вы вспомните предыдущую пьесу Олеши «Заговор чувств» — как ставил он там примерно те же проблемы и какие цели он ставил? Он не ставил там еще вопроса о пути в целом, он еще не ставил вопроса о том, что против советской власти ведется два списка — благодеяний и преступлений, он еще не ставил всего комплекса проблем. Он там ставил только проблему надстроечного порядка, еще только заговор против нового мира, только чувства, только надстроечные элементы нового быта. В этой пьесе Олеша еще не находит, что́ он должен выдвинуть на место старого. Его Бабичев еще схема, отвлеченный, нежизненный, не наполненный соком живой жизни. В новой же пьесе Олеша ставит всю сумму проблем целиком — «за» или «против». Он ставит ее так, как она на определенном отрезке времени стала перед интеллигенцией: лоялен — нет. Отмерла эта ситуация. Встал новый вопрос. Нет признания «от этого до этого места», «постольку поскольку», что характерно для значительной части передовой интеллигенции. Процесс дифференциации, который произошел, побудил Олешу поставить всю сумму проблем целиком. И с этой точки зрения мы должны сказать, что мы ощущаем определенное движение, движение, которое в большой мере характерно для всей интеллигенции. И вот Олеша, чтобы разрешить эту проблему целиком в положительном смысле, он казнит, уничтожает свою героиню. Уничтожает, чтобы доказать, что третьего пути не дано, что всякого рода колебания, всякие попытки вести двойную бухгалтерию объективно уже ее бросают в чужой лагерь, объективно ее ставят вне революции, объективно ставят ее в лагерь враждебный. И Олеша стремится доказать, показать, что это недопустимо.

Как решает драматургически эту свою задачу Олеша? Он строит, я бы сказал, монодраму, потому что он различные социальные силы, различные морали воплощает в одном человеке. Для интеллигенции значительного периода времени такое расщепление отличительно и характерно. Олеша сталкивает не двух людей — носителей разных моралей. Можно было показать таким образом и одного — носителя списка благодеяний, и другого, который воплотил в себе список преступлений, и вот их столкновение. И вот показать крушение одной идеологии и победу, торжество — другой. Олеша так не делает. Он берет один образ и в нем сталкивает эти две морали. И вот здесь, товарищи, он делает самую существенную ошибку. Вместо того , чтобы в этом образе развернуть проблему во всю ширь, вместо этого получается авантюра, мораль которой, что не следует брать платье в кредит, что не следует оставлять чемоданчика, чтобы из него вытащили дневник, и т.д. Плеханов[32] говорит, что часто художник выдумывает образ, чтобы доказать свою тему. Если образ есть иначе подлинная сущность, то, стало быть, образ выдумать нельзя, потому что тогда это будет не образ, а метафизическая схема, метафизический символ. И вот главная ошибка Олеши — это то, что Гончарова не образ, а метафизическая, выдуманная схема. В этом и основной прорыв пьесы. Вот почему столкновения кажутся выдуманными, вот почему вся пьеса кажется ударяющей в пустоту.

Другая сторона проблемы. Олеша хотел показать, хотел взять все эти явления в большом многообразии, хотел показать все, что Гончарова записывает в качестве преступлений советской власти, хотел показать пренебрежение Гончаровой к советскому искусству. И для того, чтобы ее разубедить, должен был столкнуть Гончарову с Европой, чтобы показать, что и там флейту Гамлета забыли. Что вместо Гамлета там Улялюмы — трагическое порождение Европы. Вы помните, как он мечтает о своем детстве, это большой трагический гротеск, человек, который чувствует жалость к себе, он понимает, что он не бог. «Люди сделали меня богом», — говорит он. И другая маска — маска Чаплина, который представляет большое искусство. Гончарова мечтает о Чаплине. Олеша очень ярко сталкивает ее с этим Чаплином и показывает, что вместо этого Чаплина существует что-то другое. Вместо Чаплина он преподносит безработного. Все мысли ее, все, что она записывает в «список преступлений», — все это ни к чему, потому что в Европе забыли флейту Гамлета, и флейта эта может звучать только у нас.

В основу пьесы положен порок. Героиня не подлинный образ. Силы, борющиеся в этом образе, в значительной мере выдуманы, не достигают большого напряжения. А самое главное, что театр, по моему мнению, не справился с двумя образами, имеющими очень большое значение: театр не сумел показать трагическую маску Чаплина и трагическую маску Улялюма. Когда речь идет о Театре имени Вс. Мейерхольда, нельзя сказать «неудачный актер». У Мейерхольда этого почти не бывает. Мейерхольд доводит актера до такого состояния, какое ему нужно. Он работает до такой степени и таким образом, что актер играет безукоризненно. Стало быть, эти два образа не дошли не потому. Вместо трагической маски Чаплина мы увидели «смешного человечка». Я не думаю, что Мейерхольд не понял этой маски. Эта маска должна была разоблачать список пороков.

Вот, товарищи, какие мысли встают, когда мы берем этот спектакль.

Очень характерно одно обстоятельство: что Мейерхольд в значительной мере отошел в этом спектакле от своих установленных в последнее время и им применяемых приемов и методов. Этот спектакль представляет собой весьма существенное отличие от других тем, что в нем повсюду чувствуется драматург, а вообще, как известно, Мейерхольд обращается с драматургами как ему угодно. Здесь он сумел по/до/йти и подать драматурга в наиболее ярких его проявлениях. Он сумел сделать Гончарову, как только /он/ мог бы сделать этот рисунок. Когда смотришь на игру Зинаиды Райх, все очень приятно, очень четко, с большой искренностью подается эта роль, но она вас не волнует, не трогает. А ведь обратиться к эмоциональному восприятию зрителя — это первое дело театра. Не волнует Гончарова потому, что внутри этого образа — отвлеченная борьба, кот/орую/ пытался показать Олеша.

Вот к чему сводят/ся/ известные удачи и большие неудачи Олеши. Неудачи в том, что пьесу надо было написать три года назад, написана /она/ с большим опозданием. Это пьеса первого года пятилетки, и это самое существенное, товарищи.

Оправдание этой пьесы заключается в том, что автор хотел разрешить проблему о третьем пути.

Бесспорно, что Олеша — /писатель/ большого дарования и художественной насыщенности, бесспорно, что путь Олеши будет продолжаться в том смысле, что перестройка мировоззрений и методов будет продолжаться. И когда этот процесс в значительной мере будет закончен, тогда мы получим от Олеши те вещи, которые от писателя такого дарования мы вправе ожидать и требовать.

(Аплодисменты.)

Товарищ Орлинский[33].

Я думаю, можно сказать, что то, что сказано товарищем Млечиным, в целом совпадает с теми точками зрения, которые были высказаны некоторыми критиками. Суммируя некоторые замечания относительно «Списка благодеяний» в Театре им. Мейерхольда, нужно отметить несколько вопросов, по которым идет обсуждение.

Первый. Нужно ли вообще сейчас ставить такие постановки? Стало быть, писать пьесы на такую тему, ну, не знаю, как сказать, — о Гамлете, о Гончаровой, во всяком случае, о том персонаже, который играла Зинаида Райх. Своевременна ли, актуальна ли эта тема?

Второй вопрос, который возникает, это то, что если уже поставлена эта тема, то правильно ли она разрешается и как она разрешается?

Третий — относительно того, что же сделал с этой пьесой театр, театр такого порядка, как Театр им. Вс. Мейерхольда, который отличается довольно-таки свободным отношением к автору?

И наконец, вытекает четвертый и последний вопрос: насколько мы правы, когда так, а не иначе оцениваем работу Мейерхольда и Олеши?

Вот четыре проблемы, которые разрешаются нашей критикой.

Прежде всего одно общее замечание, превосходящее (так в стенограмме. Возможно, «предвосхищающее». — *В.Г.*) основное. Мое личное впечатление таково, что рецензии, вызванные «Списком благодеяний», мало останавливались на значительных режиссерских достижениях Вс. Мейерхольда.

Корень вопроса заключается в том, что эта пьеса всколыхнула даже не идеи, а какие-то настроения не только своими достоинствами и недостатками. Такие пьесы в политической, классово заостренной среде вызывают особенно резко настороженное, внимательное отношение. Я думаю, что мы присутствуем сейчас при обсуждении такой пьесы, которая ставит во весь рост вопрос относительно реакционности или нереакционности драматургии в театре. Мы все знаем, что Олеша очень талантливый писатель, мы все знаем удельный вес мастерства Мейерхольда, и все же мы должны критиковать и критиковать эту пьесу.

В этом году были спектакли очень большого значения, год прошел насыщенный в этом отношении, и тем не менее ни к одной пьесе такого специфического интереса не было. Ни один спектакль не вызывал такого специального интереса. Также я считаю, что эта пьеса с точки зрения кассы уже дала свой результат. Это, безусловно, кассовая пьеса.

(Олеша: Классовая пьеса.)

Товарищ Олеша, очевидно, говорит о своей будущей пьесе. Кстати говоря, кассовая пьеса — это уже не так плохо, потому что у нас организованный зритель.

Этот спектакль и эта пьеса имеют свой специфический характер. Причем это не простая, обыкновенная пьеса Театра им. Мейерхольда. Мы знаем, у него есть свой стиль. Это для него далеко не заурядная пьеса.

Первое. Что представляет из себя пьеса Олеши с точки зрения поставленной проблемы? Я припоминаю, примерно в 1926—1927 годах показывался ряд пьес в нескольких театрах, которые имели своей задачей показать лишнего человека. Мы имели: «Евграф, искатель приключений»[34] или «Вокруг света на самом себе»[35], «Унтиловск»[36], «Растратчики»[37] и еще некоторые пьесы. В эти пьесы и спектакли вкладывалось много мастерства и драматургами, и режиссерами, и тем не менее эти пьесы не получили соответствующего звучания, их даже сняли с репертуара. В чем же дело? Дело в том, что еще в 1926—

1927 годах, в сущности, эта тема была искусственно привинчена к нашей действительности: тема о Рудине или о его великом предшественнике Гамлете по самой природе чужда советской действительности. В условиях советской действительности она превращается либо...

(Шум. Возгласы.

Олеша: А процесс вредителей?)

Я считаю невозможным представить в нашей советской действительности существование гамлетизма. Трудно, например, представить себе токаря по металлу с такими настроениями.

(Олеша: Нет, не трудно.)

Кажется, заключительное слово товарища Олеши будет интересным. Тема гамлетизма сугубо интеллигентская.

Вторая тема в другом порядке — тема вредителей, но это представляет из себя что-то другое, это уже не думающие и раздумывающие люди, а занимающиеся большим делом...

(Олеша: Тема Европы.)

Эти люди нашли хозяев в лице Рябушинского[38], Пуанкаре[39] и др. Те целиком перешли на путь объективного вредительства. Это уже нельзя назвать гамлетизмом. Эта тема получила большое звучание, чрезвычайно большое движение, она быстро прокатилась по всем спектаклям театра, что даже превратилась в штамп. У нас быстро штампуются новые маски, которые в своих условиях гораздо дольше звучали. Тема интеллигенции во вредительском аспекте не то, что «Евграф, искатель приключений». Рамзины и все другие вредители — это совсем другое. Это не гамлетизм, тут только отдельные реплики — приять или не приfive. Основной грех Олеши в том, что он воскресил старую вариацию. Эта тема устарела. Олеша воскресил то, что затрагивали некоторые спектакли лет пять тому назад. То же самое сказал и Радек в своей статье[40] об этой пьесе. Это тема воскресшая и чуть-чуть подновленная розовой водицей. И это воскрешение этой темы совершенно не нужно. Тем, что Олеша вложил в нее достаточное количество своего таланта, она несколько окрашена в тон современности, и вы знаете, в чем это выражается. И должен сказать, что осовременить пьесу все-таки не удалось, /Олеша/ заставляет ее звучать фальшиво. Один из критиков сказал, что Мейерхольд и Олеша этой пьесой сделали большой шаг. Спрашивается, куда сделан этот шаг?

(С места: Влево!)

Это не в той плоскости. Отдельные рецензенты думают, что это шаг вперед, но Радек членораздельно сказал, что это был шаг назад и что театр этой пьесой смотрит не вперед, а назад. Я думаю, что Олеша, написавши «Список благодеяний», сделал шаг назад от «Заговора чувств».

(С места: Неверно!)

Олеша берет того же Кавалерова[41], не переодевает его даже в юбку, потому что Гончарова играет в штанах и даже сапогах. Берет женщину-актрису, играющую Гамлета, и поручает ей вопрос об интеллигенции. Причем ему нужно было ее вывезти в Западную Европу и там прикончить. Нужно сказать, что это не случайно. Тут фальшь вытекает из самого замысла, из желания не доказать, а поставить только проблему и разрешить ее, в сущности говоря, механически. Мне могут возразить: позвольте, но она умирает. Некоторые товарищи видят в этом то, что она казнена за то, что вела этот двойной список. Это смерть на улице, с красным знаменем. Казнена она или не казнена...

(Олеша: Казнена.)

Не понимаю, за что казнена?

(Олеша: За то, что вела двойную жизнь.)

Если она казнена, то давайте договаривать до конца: она в последнюю минуту полезла не в свое дело. Нужно прямо сказать, что это так же не разрешает проблему, как не разрешает это смерть Рудина на баррикадах в Париже. Рудин выведен как лишний человек, болтающийся между двумя враждебными лагерями. Тургеневу не осталось больше ничего сделать, как этот конец Рудина. Гончаровский же конец непонятен. Здесь просто механический выход из положения. Олеша не нашел другого выхода из положения.

(Олеша: Какой другой выход?)

Другой выход — написать другую пьесу.

(Смех. Шум. Возгласы.

С места: Послать Елену Гончарову вместе с театром Мейерхольда в колхоз!)

Я интересовался мнением некоторых беспартийных режиссеров и актеров, мнением простого зрителя из той прослойки, которая именно мучается и старается найти выход /для/ Гончаровой. Мнение многих, что совершенно диспропорционально распределен текстовой материал среди героев и диспропорциональна расстановка сил. Например, Татаров настолько умен, очень рельефен, он вездесущий черт, он настолько умен, что даже отчитывает Гончарову.

Несколько слов о Федотове. У Зощенко есть хороший рассказ о том, что один «докладает, докладает...»[42]. У Федотова газетная трескотня вместо сценического оживления. Странно, почему для него не было найдено живых слов? Это схематическая фигура, он скучен, сух, он трещит, но не убеждает. Есть сцена, которая называется «сценой раскулачивания Гончаровой», где она сразу убеждается. Наконец, сама Гончарова, когда она доходит до своего перелома, она не находит лучшей реплики, как сказать: «Хочу стоять в очереди...» В такой момент величайшего потрясения, когда /она/ видит, что буржуазное искусство не может ничего больше предложить, как играть на флейте прямой кишкой, в эту минуту пафоса второй части души — она говорит об очереди. Или: «...хочу с непокрытой головой идти в Москву», — это нелепо. Интересно, что Гончарова, так же как и Федотов, становится неубедительной, когда она переходит на позиции второго списка, она становится неубедительной и дискредитирующей текст. Я считаю, что этим и дискредитируется этот список благодеяний. Да и само слово «благодеяния» звучит не совсем хорошо. «Преступления» — это можно употребить, но вместо «благодеяния» нельзя ли было употребить другое слово, например «героизм», «достижения»...

Второй список совсем не раскрыт. Европа показана искусственно и натянуто. Если Гончарова пошла бы не в парижский, а в наш мюзик-холл и предложила бы там сыграть сцену из «Гамлета», ну, скажем, пошла бы в тот же ГОМЭЦ[43], ей бы, наверное, задали вопрос: «А где вы будете играть, на трапеции или под трапецией?» *(Смех.)* Неправильно, что для раскрытия интеллигентского искусства взят мюзик-холл. Разве нет более убедительного приема, чтобы вскрыть интеллигентское искусство? Лицо Европы не вскрыто. Разве разговоры с Татаровым можно назвать «Европой»? Или развесисто клюквенная сценка на улице, которая совершенно неубедительна[44]. Такая дискредитация Европы не нужна, там есть более омерзительные положения. Здесь же поверхностное скольжение.

Театр Мейерхольда показал очень интересную работу, но работа эта, в сущности говоря, не выходящая на пути развития театра Мейерхольда. В конце концов, весь стиль спектакля, его оформление, музыкальное сопровождение — все это размагничивающе действует. Получается, что просто театр Мейерхольда органически слился с автором, настолько слился, что совершенно за ним пошел. Мейерхольд ничего не сделал, он целиком пошел за Олешей, за всей этой неправильно взятой темой, неправильной расстановкой фигур. Я считаю, что проблема, поставленная в этой пьесе, несовременна, неактуальна, опоздала и реакционна.

(Мейерхольд: Ого!

Смех. Шум. Просьба к Мейерхольду занять место в президиуме.

Мейерхольд: Мне и здесь хорошо. Я опираюсь на зрителя.

Смех. Аплодисменты.)

Второе. Автор не дает ни Гончаровой, ни сочувствующему зрителю никакой точки критерия для разрешения поставленной проблемы. Вопрос остается неразрешенным — и придуманный механический конец.

Третье. Роль Гончаровой можно было трактовать совершенно иначе, но тут и актеры, и режиссер пошли по линии, указанной Олешей.

Настроения, подобные гамлетизму, не существуют уже в подавляющем участке интеллигенции. И не нужно оживлять упадочного гамлетизма.

Считаю неправильной по существу постановку вопроса о преступлениях и благодеяниях, ибо, напоминаю слова Ленина, что советская власть сама своим существованием организует пролетариат и... (*пропуск в стенограмме. — В.Г.*).

Конец не удался и неестественен. Трагический конец Елены Гончаровой не может помочь существу удара.

Эта пьеса есть реакционный шаг назад.

Неправильно даны и советские персонажи, например, этот юноша, преподносящий цветы. Также неправильно дан и Улялюм. Он дан в лирических, влекущих тонах. Считаю, что эта пьеса, говоря словами Гончаровой, — лжива и непрямолинейна. В ней есть элементы некоторой раздвоенности. Она не вскрывает, не разоблачает Европу, и это — не организующая нас пьеса.

Товарищ Беликов.

Хочу остановиться на выступлениях докладчика и товарища Орлинского, который с ним согласен. Он согласен, что тема устарела. Меня это удивляет. Вспомните, как ставил вопрос Радек перед Федотовым и перед всей интеллигенцией, которая не встала на советский путь. Радек чрезвычайно остро говорил: «Или — или. Среднего нет». Или революция, или контрреволюция, междуклассовой позиции нет. Почему же Радек говорит, что теперь эта тема устарела? В «Списке благодеяний» Олеша хотел в художественной форме разрешить эту проблему «или — или». Междуклассовой позиции быть не может, кто становится на междуклассовую позицию, тот может очень легко скатиться к контрреволюции. Проблема не устарела. И Олеша правильно сделал, что на эту тему написал пьесу.

Как показывает, разрешает эту проблему Олеша? Млечин говорит, что основной недостаток в этой пьесе — это то, что Гончарова схематична.

Я считаю, что основной недостаток пьесы в том, что Олеша неправильным методом разоблачает свой корень. Основная ошибка в том, что Гончарова не кажется виновной, что ее используют, отсюда — симпатия публики к ней. Первое — это воздействие Райх. Несмотря на все ее колебания, все-таки публика чувствует к ней симпатию. К Татарову же чувствуется особая злоба. Ошибка еще в том, что не показано скатывание Гончаровой на рельсы контрреволюции. Все, что с ней случилось, это все прошло авантюрным путем, и это основной порок пьесы. И вот здесь-то чувствуется раздвоенность Олеши. Но все же в этой пьесе я не вижу шага назад. Этой пьесой Олеша стремится показать, что нет междуклассовой позиции.

Хочу остановиться на конце пьесы. Начиная с момента появления полиции, пьеса начинает спадать. Последний же эпизод подан совершенно неубедительно. Тут яркой, живой демонстрации не видно. Сценически эта сцена сделана тоже не совсем хорошо. Самый сильный момент в сценическом отношении — это уход Гончаровой из цирка. Это сильный и потрясающий момент. Мое время истекло, поэтому я на этом закончу.

(Собрание просит выступить товарища Мейерхольда.)

Вс. Мейерхольд.

Я выступлю после того, как прослушаю не менее десяти Орлинских. *(Смех.)* Я сегодня не имел намерения выступать, тем более что я только что просидел на заседании пять часов и крайне утомлен. Я и завтра на дискуссии в Теаклубе также не буду выступать, я выступлю как-нибудь потом, я ведь в некотором роде содокладчик. Полагается докладчику и содокладчику заключительное слово. Я это заключительное слово скажу, может быть, даже через шесть месяцев. «Художник должен думать медленно!» *(Смех.)*

Товарищ Файбушевич.

Прежде всего должен сказать, что мы очень высокого мнения о Театре имени Вс. Мейерхольда, в частности, я являюсь также его поклонником. Мы считаем, что Мейерхольд не является тем мастером, который может показывать пьесы только как некое эстетическое действие. И если с этой точки зрения мы подходим к Театру им. Мейерхольда, то мы вправе требовать от него, что/бы/ у него не /было/ «искусства для искусства», а пьеса, которую нам пришлось видеть, она может найти оправдание только в этом. С одной стороны — талантливый автор, с другой стороны — талантливый режиссер показал/и/ талантливое мастерство. Мы обязаны требовать от Театра им. Мейерхольда именно, чтобы он давал нам пьесы и показывал их из диалектических принципов. То есть спрашивается: в какой степени эта пьеса способствует социалистическому строительству? Спрашивается, способствует ли пьеса нарастанию творческой воли в той социалистической стройке, которую сейчас ведет Советский Союз? И я отвечаю: нет. Я считаю, что эта пьеса, несомненно, вредна идеологически, и отсюда все выводы.

Товарищ Залесский[45].

Самое легкое, товарищи, это было бы встать на точку зрения Орлинского и произнести прокурорскую речь. Этим вопрос не решить о тех сложных явлениях, которые мы в этом спектакле имеем как со стороны драматурга, так и со стороны режиссера и актерского коллектива. Ведь в основном понятно, что можно произнести суровый приговор пьесе. Но не в этом вопрос, не в этом смысл той дискуссии, которая происходит сейчас. Задача, по-моему, критики заключается в том, чтобы совершенно внимательно и добросовестно проследить каждую философскую идею, имеющуюся в этом спектакле. Сказать, почему попытка разрешения этой философской проблемы является неудачной. Здесь, несомненно, стоит очень остро вопрос о перестройке писателя, о перестройке каждого писателя-попутчика, искренно желающего как-то своим мастерством и талантом, что, несомненно, имеется у Олеши, служить делу нашей революции. Мне кажется, что это основной вопрос — вопрос о том, как же служить, как же направлять свой талант для этой цели. И вот здесь вопрос упирается в вопрос о мировоззрении. Вопрос о том, как с одними и теми же издержками — а в данной пьесе имеются издержки — именно разрешить эту основную задачу каждого писателя, каждого революционного автора.

В данном случае основная философская проблема заключается в основном образе этой пьесы — Елене Гончаровой. Но реален ли этот образ, жизненен ли он? Мне кажется, что в данном случае этот образ, в первую очередь, — некоторый символ, который не совпадает именно с реально существующим образом действительности. Поэтому он является до некоторой степени метафизичным, искусственно созданным. В нем заключается вся сложность вопросов не Елены Гончаровой, а Юрия Олеши. И необходимо выяснить эквивалент, удельный вес этого философского образа, этого философского обобщения, которое не является реально существующим.

Второе заключается в том, что снимаются противоречия, которые находятся в душе Елены Гончаровой, при помощи чисто внешнего, а не внутреннего разрешения. И в этом — основная слабость пьесы, основная философская беззащитность, уязвимость автора. Тем, что Гончарова умирает на улице Парижа, весь комплекс мучительных вопросов Гончаровой, а следовательно, Олеши — не решается. Проблема Гончаровой остается нерешенной.

Путь от «Заговора чувств» до «Списка благодеяний» — очень длинный путь. В «Заговоре чувств» настроения человека, мелкобуржуазные настроения разоблачаются, в Гончаровой же разоблачения мы не видим. По существу, здесь имеется шаг в сторону от разоблачения, которое имеется у Кавалерова от А/ндрея/ Б/абичева/. Вот как обстоит основной вопрос.

Теперь дальше. Несомненно, что в этом спектакле, в работе Всеволода Эмильевича Мейерхольда, имеется ряд отходов от автора, и мне кажется, что до некоторой степени не раскрыт другой образ, очень существенный актерский образ, именно — образ Чаплина. Раскрытие этого образа дало бы, несомненно, правильное отображение понимания Гончаровой и некоторое разоблачение ее.

Какой же вывод? Вывод тот, который сделан и на конференции Всероскомдрама самим Олешей[46]. Именно в том, что для художника, для большого художника — я не говорю об оформлении, которое, бесспорно, имеет много достижений в этой пьесе, — для большого художника органически стоит вопрос о философской перестройке, о перестройке своего мировоззрения, всей своей психоидеологии.

Для театра, мне кажется, рано кадить и отправлять панихиду. После «Последнего решительного», неудачного спектакля, Мейерхольд в данном спектакле проявил большое мастерство, это является лишним показателем высокого мастерства Мейерхольда. Прежде всего в этом спектакле чувствуется большой художник.

Теперь несколько слов о всем коллективе. Несомненно, что в актерской обработке образа Гончаровой сказалось большое мастерство не только самой актрисы, но и режиссера. То же самое мы видим и в отношении толкования Татарова. Мне приходилось слышать некоторые мнения относительно того, что Татаров поднят на пьедестал. Ничего подобного. Татаров – это человеческий плевок, который достаточно разоблачен.

Должен отметить, что последняя сцена спектакля режиссерски не доработана. Какое-то большое напряжение чувствуется в первых сценах, и, наоборот, в последних сценах чувствуется разряжение. Я не могу простить аморфно стоящей толпы безработных, которые выходят в последнем акте.

В заключение скажу, что эксперименты над такими спорными пьесами делать не следовало бы.

Товарищ Зальцштейн.

Я хотел сказать о пьесе следующее. Мне кажется, что товарищ Орлинский перегнул палку и пересолил. Дело вот в чем: пьесу и театр этот нужно очень осторожно рассматривать. Мне кажется, что пьеса на сегодня, конечно, актуальна.

(Голос с места: Правильно!)

Пьеса еще имеет свое отражение в жизни. Это нечего скрывать. Мы на сегодня не можем сказать, что вся интеллигенция на сто процентов наша. Колебания среди нее еще есть. И поэтому правильно, что автор затронул эту тему. Но правильно ли он ее разрешает? Мне кажется, что вот это механическое разделение на список преступлений и список благодеяний не совсем правильно.

Конечно, я понимаю, что такую пьесу написать очень тяжело. Мы видим, как Олеша болезненно старается от себя отбросить /интеллигентщину/, как он болезненно переживает это. Мне помнится его выступление, когда были развернуты прения о женском репертуаре[47]. Он говорил тогда, что ему трудно, что он не повернул своей идеологической точки зрения.

В отношении постановки. Мне кажется, что здесь тоже не совсем правильна оценка. Я считаю, что вот, например, «Последний решительный» — это провал, это также...

(С места: Это не провал!)

Да, но в этом провале есть колоссальные режиссерские достижения. Все ругают Мейерхольда, и все его обворовывают.

(Возгласы. Смех.)

Возьмите эту пьесу: в ней очень много спорного, очень много отрицательного, как в пьесе, так и в постановке, но вот возьмите такой момент: как мастерски разрешена сцена раскрытия искусства за границей. Возьмите этот тип палача, этого «ценителя» искусства. Несомненно, что это сценически подано большим художником.

(*С места:* Разъясните это Орлинскому, который вообще это не понял.)

Хочу еще указать на ссылку на статью Радека, в которой он многое правильно отметил, но я не согласен с его оценкой и аналогией пьесы «Список благодеяний» с «Линией огня»[48]. Я думаю, что этот этап и Мейерхольд, и театр давно прошли. В театре Мейерхольда сейчас такой тяжелый болезненный рост, отсеивание, он не идет путем поверхностным, приспособленческим, а идет по пути глубокой обработки метода, о котором мы так много спорили. Ведь вы понимаете, что очень легко поставить снаружи хорошую пьесу, этот штамп уже есть. Не этого мы хотим от пролетарского искусства, и мы добиваемся от наших лучших художников большого искусства, от таких художников, каким был и есть Всеволод Мейерхольд.

(*Аплодисменты.*)

Товарищ Дубков (ХПС)[49].

Сегодня мы заметили основное. Мы говорим о том, нужна или не нужна данная тема. Товарищ Орлинский достаточно убедительно ответил. Не одна интеллигенция сейчас существует. Перед нами стоят огромнейшие задачи. Рабочий класс напрягает большие усилия для построения социалистического общества, а театр уходит к таким пьесам, берет несуществующую интеллигенцию и возводит ее в символ.

(*С места:* Почему — несуществующую?)

Да, эта интеллигенция несуществующая, по сравнению с нашими задачами ее нет.

Я считаю, что основная порочность в том, что трагедия Гончаровой взята вне двух сил, борющихся между собой. (Смех.) Как бы ни был хорош Федотов, он не заполняет этого провала. Олеша не сумел показать той исторической силы, которая разрушает мир Лепельтье и Татарова. Олеша из несуществующей интеллигенции создал большую философскую пьесу.

Да, получается блестящий спектакль. Как-то Мейерхольд сказал, что все рабочие, которых он встречал, восхищены. И я был восхищен в первую минуту. Но когда я подумал...

(*Смех.*)

Не знаю, чего смешного. Над собой смеетесь!

(*Опять смех. Реплика:* Оратор хорошо сказал!)

...что мы видим — блестящие костюмы, парижские костюмы...

(*/С места/*: Правильно!)

Вместо настоящего врага мы видим кого? Татарова и директора мюзик-холла. Настоящего врага пьеса не показывает.

(*Аплодисменты.* «Правильно!»)

Дальше — Улялюм. Разве это Мейерхольд, который всегда в пьесах блестяще умел смеяться над обывателями, эстетами? Разве Мейерхольд сумел здесь так внутренне посмеяться над Улялюмом? Он пошел за Улялюмом. И вся эта песенка, она восхваляет Улялюма.

(*С места:* Чепуху говорите!

Ничего не понимает!)

Последняя сцена раскрывает лицо театра. Вспомните: когда умирает Гончарова, весь свет на нее, а толпа в темноте.

(*С места:* «Ерунда!»)

Перехожу к выводам. Театр от своего революционного прошлого перешел к дореволюционному театру. Мейерхольд взялся за эту пьесу, чтобы блеснуть блестящими костюмами и парижскими рекламами.

(*Голоса:* Довольно!

Хватит!

Шум. Возгласы.)

Товарищ Бек.

Регламент обязывает быть лаконичным. Обсуждение этой пьесы пошло с самого начала по неправильному пути. Со стороны председательствующего товарища пьеса получила несколько мягкую оценку, то же самое случилось и в слове товарища Млечина. Товарищ Млечин говорит о схематичности образа Гончаровой.

(*С места:* А что вы говорите?

Смех.)

Если вы не будете говорить, тогда я скажу. Что это значит: схематический символ, но не образ? Я считаю, что схематический символ — тоже образ, но этот образ неправильно раскрыт. Товарищ Орлинский неправильно обрисовал вопрос, не принципиально, а органически: кого обслуживает эта пьеса?

Я считаю, что мы достаточно обслуживаем нашего рабочего зрителя, и мы можем на десять пьес, скажем Киршона[50], поставить одну пьесу такого профилактического характера.

Товарищ Гроссман-Рощин.

Товарищи, разрешите на этом дискуссию закончить и перейти к показу.

Н. Гончарова. Мимо цели
(На диспуте о «Списке благодеяний» в клубе теаработников)

В узком и тесном зале клуба теаработников дышать нечем. Отдушины окон забиты людьми, возле дверей — море человеческих голов. Полно на сцене, за кулисами. В зрительном зале уплотнились так, что сидят по двое на одном стуле.

В этой обессиливающей духоте, среди сплошного шума и истерических выкриков женщин развертывается диспут о «Списке благодеяний».

На авансцене Мейерхольд. Поближе к нему приткнулся Олеша, бледный, сосредоточенный. За ними — актеры и актрисы, режиссеры, драматурги — словом, почти вся театральная общественность. Нет только рабочих. Видно, там, на гигантах-заводах и новостройках, «проблема» интеллигенции и ее отношение к советской власти мало кого взволновала и заинтересовала!

В президиуме Карл Радек, Боярский[51], Россовский[52], Млечин.

С горячей защитой «Списка благодеяний» выступает председатель союза революционных драматургов т. Морозов.

«Это лучшая пьеса в сезоне, настоящая пьеса, а не "агитка" из тех, что не волнует и не трогает широкие массы. Она своевременна. Смешно утверждать, что она должна была появиться два года назад. Проблема отношения интеллигенции к советской власти должна быть поставлена на повестку дня. Интеллигенция, правда сильно развенчанная революцией, является умственной головкой, которая играла и продолжает играть на Западе ведущую роль в политике. Артистка Гончарова в пьесе Олеши является представительницей того слоя интеллигенции, который мы должны перевоспитать, сделать нашим.

Неверно утверждение, что Гончарова чужой нам человек. Она и мыслями, и чувствами с нами, от нас ее отделяют только "бытовые наклонности". Разве могла бы "чужая" сказать такие слова, какие говорит Гончарова коммунисту Федотову из полпредства: "Поцелуйте меня в лоб от имени полпредства", и, отвечая Татарову на вопрос о России, говорит: "России нет, есть Советы".

Прекрасна ее героическая смерть — смерть за "чужого" коммуниста» (здесь т. Морозов, по-видимому, случайно обмолвился, так как среди коммунистов, конечно, нет чужих и своих).

С резкой критикой речи Морозова выступает т. Россовский.

Интеллигенция никогда не была решающей силой. Владимир Ильич верно сказал о русской буржуазной интеллигенции: «Либералы на словах — реакционеры на деле». Сказать об интеллигенции, что она соль земли, это значит по-эсеровски подойти к вопросу. Пьеса Олеши характерна для определенных попутчиков, еще не изживших своего буржуазного нутра. Она не выражает мировоззрения передового класса и не является тем высокоидейным художественным произведением, которого мы вправе ждать от талантливого Олеши.

Олеша как драматург еще не пропустил революцию через себя. Художник и его образы не вклинились в жизнь, мораль художника не вошла в политику. Олеша истратил огромную силу таланта на решение вопросов, не выходящих за пределы его индивидуального мирка, не понял новых героев. Митинговые речи коммуниста Федотова в его пьесе не звучат, потому что он аргументирует от плаката. Эта талантливая пьеса об интеллигенции должна быть последней, подытоживающей вполне законченный этап развития Олеши.

Пьеса Олеши, говорит тов. Подольский[52], ставит вопрос о перестройке человека, очистке его от грязи капиталистического общества путем большой внутренней борьбы. Правильное решение этого вопроса имело бы большое значение. Но Олеша не показывает перестройку человека в непосредственной связи с практикой жизни. Громадное движение советских артистов в цеха, в колхозы явилось для многих опорными пунктами их перестройки. Олеша для чего-то отправил свою героиню за границу, выбрав, очевидно, «меньшее из зол».

Волнуясь и перебивая сам себя, с большой подкупающей искренностью говорит Олеша:

«Вальс звенит за чужими окнами, и человек думает о себе». Разве не может человек думать и о себе? В чем меня упрекают? В том, что моя пьеса индивидуалистична? Но разве я не показал в своей пьесе, что всякий индивидуальный акт наказывается? Разве не погибает моя героиня? Я не только не возвеличил ее, не оправдал ее колебаний, ее сомнений — я даже боюсь, что слишком сурово поступил с ней. Меня упрекают в том, что в моей пьесе много от авантюры, от Дюма. Разве это плохо? Ведь и в «Гамлете» много всяких авантюрных нагромождений, но это захватывает, это интересно.

Постановка Мейерхольда — это второе рождение моего замысла. Я не представляю себе лучшей постановки.

Говорят, что пьеса несовременна. Это неверно — она вполне современна. У нас были процессы вредителей и еще будут. Среди нашей интеллигенции есть и такие, которые ведут "список преступлений" советской власти».

Остроумная и содержательная речь Карла Радека вызывает громадный интерес у слушателей.

Своей защитой т. Морозов оказал Олеше плохую услугу. Речь Морозова — это эхо революционного обывателя, это эсеровская философия об интеллигенции, которая будто бы «делает политику». Морозов утверждает, что пьеса нужна именно для интеллигенции, так как инженерам, мол, неинтересно смотреть на пьесу о строительстве, о реконструкции — они это видят у себя на стройке. Но ведь Мейерхольд создавал свой театр не для интеллигенции, а для передового класса; он должен ставить пьесы для пролетариата.

Мы ждем драматурга, который дал бы нам в талантливых ярких образах картину нашей революции, величайших событий и подвигов, переживаемых нашей страной. Вместо этого получаем пьесы... о колебаниях интеллигенции, удельный вес которой через десять лет будет равен нулю, потому что исчезнет разница между умственным и физическим трудом и придет новое поколение, которое овладеет наукой и техникой и выдвинет новые глубочайшие проблемы.

Героиня Олеши — Гончарова — действует от раздражения, не от логики. Она играет в те мысли, что продаст свой дневник белой эмиграции, как играл Рамзин в мысли о вредительстве до тех пор, пока не стал действенным вредителем. Гончарова принадлежит к тем слоям интеллигенции, к тем умственным кустарям-одиночкам, которые связаны с капитализмом ненавистью ко всякой общественной организации. Она видит в организации свое личное закрепощение.

Мейерхольд — революционный режиссер — не сумел воспитать для себя революционного драматурга. В этом его несчастие. Нам нужен драматург, который помог бы массам осознать революцию. Нет более великой задачи для художника наших дней, чем дать большое произведение искусства массам — будь то картина или пьеса — о социалистическом строительстве.

— Олеша правильно поставил вопрос о медленном продумывании большой серьезной темы, — указывает Мейерхольд. — Художник должен думать медленно. Чем серьезней проблема, тем глубже и медленней надо ее продумывать, если мы не хотим скатиться в такое болото, где искусство перестает быть искусством.

Пьеса Олеши обращена к пролетариату, который должен знать, что не только интеллигенция еще не перестроилась, но что и рабочий класс живет двойной жизнью (?!), что многие рабочие не свободны от внутреннего мещанства.

У театра нет иного назначения, как вызывать дискуссию, за которой следуют широчайшие обобщения. Поставить себе вопрос: а нет ли Чацких, нет ли Хлестаковых рядом с нами?

Вытравить из себя мелкобуржуазную стихию, уничтожить тот список преступлений, который каждый из нас тайно ведет (?!), — вот задача пьесы Олеши...

Диспут закончился небольшим выступлением т. Боярского о задачах революционного театра Мейерхольда в наши дни.

Рабочий зритель на этом диспуте не сказал своего веского слова. Он ничего не сказал о том, нужна или не нужна ему пьеса Олеши об истеричной актрисе, которая на протяжении четырех действий совершает ряд противоречивых, логически не оправданных поступков.

Неужели эта женщина, то холодно декламируюшая, то впадающая в чеховские полутона, является выразительницей настроений современной интеллигенции, даже в той худшей ее части, которая страдает двойным бытием и гамлетовским скепсисом? Каким же ограниченным был кругозор опыта и наблюдений драматурга, если он среди великого множества разновидностей советской интеллигенции выбрал это истеричное, плохо мыслящее существо и создал из него героиню большой проблемной драмы!..

Думается, что если рабочий зритель имел бы возможность сказать на диспуте свое слово о пьесе, он, наверное, так перефразировал бы слова Радека: «Удельный вес такой интеллигенции равен нулю».

А если так, то и пьеса Олеши, как бы она ни была талантлива, не нужна всем тем людям, которые заняты социалистическим строительством.

Л.Б.

Об «идеологическом заикании» Олеши и о борьбе Мейерхольда с «внутренним мещанством». (На диспуте о «Списке благодеяний»)

Постановка пьесы Ю. Олеши «Список благодеяний» в Театре им. Мейерхольда вызвала горячие дебаты как на страницах нашей печати, так и на двух диспутах, прошедших по поводу этой постановки. Обостренный интерес, вызванный постановкой, показывает, что в незначительной части литературно-театральной интеллигенции еще живут мысли, адекватные психокопательским переживаниям героини пьесы «Список благодеяний» — актрисы Гончаровой.

Наряду с этим диспут в клубе теаработников вызывает известный общественный интерес, благодаря отдельным, имевшим там место выступлениям.

Весьма знаменательно в этом плане выступление Юрия Олеши, пытавшегося дать о своей пьесе как бы общественный отчет.

Тему «Списка благодеяний» Олеша считает как для себя, так и для 75 процентов нашей интеллигенции чрезвычайно современной.

Свое отношение к революции Олеша делит на три этапа: начальный период был, по его выражению, «планетарным»: легко верилось, легко писалось. С началом нэпа к нему возвращается «зараза культа личности», и, наконец, третий период — период реконструкции, когда Олеша вторично ставит для себя вопрос органического приятия революции. Таковы его переживания.

«Эта пьеса, — говорит он, — моя исповедь. И я должен был ее написать. Я полностью ощущаю себя советским художником. Этому доказательством — моя пьеса. Я не оправдал своей героини, не покрыл ее красным флагом, а казнил. Гончарова расстреляна белогвардейцем из похищенного ею советского револьвера. Я доказал, что Гончарова — индивидуалистка, не кончившая счетов со старым миром, — ни той, ни другой стороне не нужна. Основное, что я хотел доказать в пьесе, это то, что нельзя вести двух списков, и думаю, что это мне удалось сделать.

Героиня в этой моей пьесе, являющейся переходом к новой теме, умерла за пролетариат. В следующей пьесе я заставлю героиню за пролетариат не умирать, а жить».

Олеша сознает, что с этой темой надо кончать, и не сомневается, что он «как поэт, а не делатель драм» без этой пьесы не мог бы написать следующей.

На протяжении всей своей речи Олеша несколько раз подчеркивал, что художник, пытающийся делать большую литературу, должен думать медленно и неустанно заботиться о качестве.

***

Основное, чем интересовались выступавшие, — вопрос о том, современна ли в третьем, решающем году пятилетки тема о приятии революции интеллигенцией? Волнует ли эта тема тех, кто строит социализм?

И совершенно неожиданно прозвучало выступление т. М. Морозова, которого пьеса, в первую очередь, поразила именно своей актуальностью. Т. Морозов полагает, что интеллигентов, подобных Гончаровой, еще очень много в нашей стране, а в Западной Европе эта интеллигенция, по его мнению, даже... делает политику дня. И отсюда он делает вывод, что за интеллигенцию, являющуюся, по его выражению, «мыслящей головкой», надо бороться советским драматургам.

В дальнейшей части своей речи т. Морозов договорился до весьма странных вещей. Оправдывая Мейерхольда, не показывающего в своем театре так называемых «реконструктивных» пьес, т. Морозов заявляет, что «реконструкции у нас обучают на фабриках и заводах, а не в пьесах» (?!). Для интеллигенции же Морозов считает необходимым показывать пьесы, подобные «Списку благодеяний», для того, чтобы «сагитировать эту культурную силу и уничтожить ее колебания».

Это, по меньшей мере, странное выступление получило достойную отповедь в речах тт. Карла Радека и М. Россовского.

В своем исключительно содержательном выступлении т. Радек остановился на двух друг друга дополняющих и разоблачающих речах — т. Олеши, интерпретировавшего свой художественный замысел, и т. Морозова, давшего, по выражению т. Радека, «эхо революционного обывателя».

Тов. Радек правильно называет речь т. Морозова политически вредной, переоценивающей значение интеллигенции. Касаясь той части речи Морозова, где он говорил о показе реконструктивных пьес, тов. Радек выражает сомнение в том, что Мейерхольд держится подобного же взгляда, и справедливо полагает, что Мейерхольд создавал свой театр для рабочих, а не для психокопательства интеллигенции.

Переходя к Олеше, тов. Радек заявляет, что он не верит в то, что данной пьесой Олеша прощается с темой об интеллигенции.

«Вы, — говорит он, обращаясь к Олеше, — должны были каким-нибудь образом убить Гончарову за границей, ибо, очевидно, боялись, что если она вернется в СССР и снова начнутся ее ежедневные сражения с соседкой Дуней, снова придется ей играть современные пьесы, и т.д., и т.п., то она, быть может, снова начнет высчитывать на счетах соотношение преступлений и благодеяний Советской власти».

Вопрос об интеллигенции, говорит он, теряет свое значение в старом смысле. Нам не нужна «думающая головка», растут миллионы думающих голов, и интеллигенцию нужно поворачивать лицом к стране, к величайшим боям, происходящим в ней.

Олеша, по выражению тов.Радека, в своей речи дал несвязные обрывки мыслей, кусок своей обломовщины, и на реплику Олеши с места («я немножко заикаюсь») тов. Радек под громкие аплодисменты переполненного зала предложил ему лечиться от идейного заикания.

Подробно говорили на диспуте о теме пьесы и о ее постановке в театре тт. М. Россовский и С. Подольский.

Отметая обвинения по адресу своего театра в замедлении темпов перестройки, выступивший затем революционный мастер театра т. Мейерхольд опасается, что искусство театра может потерять свою специфику, свою прелесть, если будет «поспешно думать»... Серьезнейшие проблемы, а таковой тов. Мейерхольд считает проблему интеллигенции, нельзя, по его мнению, разрешить на сценической площадке скоропалительно. Тов. Мейерхольд подробно развивает теорию Олеши о двух списках и на основании своего «опыта» пытается доказать, что не только интеллигенция, а и рабочий класс живут «в двойном бытии»: одна половина — это фабрика, ударничество, соцсоревнование, и другая — быт, мелкобуржуазная стихия, сидящая в каждом человеке, его «внутреннее мещанство».

И естественно, что, идя по такому пути, революционный мастер формы договаривается до того, что каждый из нас ведет два списка (?!?!).

Любопытны рассуждения тов. Мейерхольда о природе театра, каковую он считает дискуссионной. Каждая постановка должна в зрительном зале создавать дискуссию. Здесь тов. Мейерхольд опять впадает в грубую ошибку, забывая о том, что материалом для дискуссии должны быть проблемы, являющиеся решающими и актуальнейшими в эпоху социалистического наступления, в эпоху третьего, решающего года пятилетки, а не снятые историей проблемы гамлетов, интеллигентского психокопательства и бунта взбесившегося мелкого буржуа.

***

Список тем, которыми занята наша страна, чрезвычайно велик. Тема о «смене вех» интеллигенции — пройденная страница нашей истории. Советский писатель должен повернуться лицом к героике наших будней, а флейта Олеши, как сказал, закрывая диспут, председатель ЦК Рабис тов. Я. Боярский, звуков сегодняшнего дня не передает. Отсюда вывод — если расценивать пьесу Олеши как общественное явление, то следует со всей прямотой заявить, что — не наша пьеса. Т. Мейерхольд считает, что основной тематикой руководимого им передового революционного театра должна быть борьба с «внутренним мещанством» (почти весь репертуар ГосТИМа тому подтверждение!).

Эта установка, конечно, глубоко ошибочна. Советская общественность вправе предъявить революционному режиссеру и революционному театру требование не заниматься только проблемой «внутреннего мещанства», но и показать героическое нашей эпохи.

Мы не сомневаемся, что т. Мейерхольд выполнит это требование и следующая пьеса в театре его имени будет посвящена героике нашего строительства.

А. Сольц

Еще о «Списке благодеяний».
(Письмо тов. Сольца тов. Радеку)

Позвольте, товарищ Радек, с вами не согласиться по поводу того списка обвинений, который вы предъявляете Олеше и Мейерхольду.

Героиня пьесы, артистка Гончарова, не решила для себя вопроса, где ей быть — с советской властью или против нее. Список благодеяний этой власти идет параллельно со списком недочетов, и чтобы разрешить сей вопрос, надо на деле, на месте, вне Советов, посмотреть жизнь и решить, где лучше. Вот изобразить переживания, настроение сей «героини» — задача автора и театра. Решена задача схоластически, написана на заданную тему, представлены не живые, настоящие люди, а персонажи, говорящие на эту заданную тему. Чтобы излечиться от всяческих колебаний и неверия в строящуюся жизнь, надо посмотреть буржуазную жизнь, и тогда исцеление неизбежно. Героиня убеждается, что если хозяин Союза, рабочий и крестьянин, не очень охотно готов лицезреть на сцене «Гамлета», потому что ему, строителю жизни, чужды словесные излияния нерешительного Гамлета, то последнего не признает и изживающий себя буржуазный строй.

«Гамлет» — пройденный период жизни. Интеллигенция как учитель жизни уже не существует. Время шестидесятников, которые шли в народ, чтобы его облагодетельствовать, послужить ему, просветить его, прошло. Рабочий и крестьянин уже нашли свой путь, и интеллигенция только для себя решает вопрос, идти и ей по этому пути или вернуться по старым следам на старую дорогу. И тут т. Радек дает правильную формулировку положения интеллигенции. Он неправ только, когда утвер-

„СПИСОК БЛАГОДЕЯНИЙ"

Пьеса ЮРИЯ ОЛЕШИ

Автор постановки Вс. МЕЙЕРХОЛЬД (OPUS 1931 г.)

(проект оформления и постановка)

Гавриил Попов (Ленинград) — музыка.
М. К. Михайлов (дирижер).
Е. В. Давыдова (рояль).

Режиссеры — М. М. КОРЕНЕВ (ответствен.)
П. В. ЦЕТНЕРОВИЧ
С. В. КОЗИКОВ

Ассистент — В. ЦЫПЛУХИН

Пом. режиссера — В. РОГОВЕНКО

С. Е. ВАХТАНГОВ — архитектура.
Zeistikow (Frankfurt am) — цвет.
К. К. САВИЦКИЙ — одежда (форма, цвета)

ЭПИЗОДЫ:

1. **Тайна (у актрисы Гончаровой в Москве).**
2. **Приглашение на бал (в пансионе)**
3. **Серебряное платье (у портнихи Трегубовой).**
4. **а) В Мюзик-Холле „Глобус" б) монолог.**
5. **Голос родины (в кафе).**
6. **У Татарова.**
7. **Просьба о славе (на площади ночью).**

Антракты (3) после эпизодов 2, 3 и 4.

ДЕЙСТВУЮЩИЕ ЛИЦА

Елена Гончарова . . . . ***ЗИНАИДА РАЙХ***
СУХАНОВА
Семенова (Королева Гертруда) . . . . . . ***ТВЕРДЫНСКАЯ***
СУББОТИНА
СЕРЕБРЯНИКОВА

ждает, что Олеша и Мейерхольд требуют сочувствия к героине Гончаровой, то бишь к интеллигенции. Этого нет. Она представлена такой жалкой, беспомощной и негодной, она так быстро и легко меняет свои настроения, ей так мало для этого нужно, что для нее действительно наиболее благоприятный исход — это кончить с самостоятельной жизнью и, решительно порвав с прошлым, хоть в какой бы то ни было степени связаться с надвигающимся грядущим. Интеллигенция — у последней черты, для нее один исход — слить свою жизнь с трудовыми массами, на службе у них заработать право на жизнь. Вот, по-моему, что хотели сказать автор и организатор этого спектакля — Олеша и Мейерхольд.

Художественного, правда, мало в этой пьесе, ибо это не осколок жизни, а поучение, хотя очень неплохо и весьма жизненно представлены в ней наши хозяйственники.

Прав, конечно, т. Радек еще в том, что веселее, интереснее смотреть на тех, которые у последней черты. Занятнее, радостнее лицезреть новую создающуюся жизнь, лицезреть то, что находится «на линии огня». Пусть и то представлено схематично, но тема более захватывающая, более близкая современному зрителю. Последнее действие спектакля «На линии огня» действительно овладевает зрителем — так прекрасно передан пафос строительства, пафос новой жизни. Но это, к сожалению, справедливо будет только по отношению к последнему действию спектакля, все остальное скучно и надуманно.

Целиком поддерживаю обращение и совет т. Радека писателям «давать революцию как она есть, без пудры и румян, давать массу, но дифференцированную, выкристаллизовывавшую живых людей». Это трудно, ибо типы еще не оформились, а давать жизнь оформляющуюся труднее, чем оформленную, но мы вообще делаем сейчас трудные дела, а наши писатели, артисты и организаторы пьес в эпоху такого грандиозного творчества не должны отставать.

К/арл/ Р/адек/
Несколько слов в ответ тов. Сольцу

Тов. Сольц отзывается на пьесу Олеши со свойственной ему чуткостью. Но на этот раз чуткость тов. Сольца подводит его. Ибо ему кажется, что у всех зрителей пьесы тот же самый критерий, что и у него. Старый большевик Сольц, присмотревшись к героине Олеши, может прийти только к одному выводу, что она глубоко жалка. Но не так относится интеллигентская аудитория. Если бы тов. Сольц присутствовал на дискуссии в театральном клубе, то увидел бы, что ошибается. В этом клубе произносились речи в честь интеллигенции как «мыслящей головки» нации. Что *хотели* дать Олеша и Мейерхольд, ставя пьесу Олеши, мне неизвестно. Но я знаю, что они *дали*. Они дали пьесу, которая вызывает симпатии к несчастной жертве, погибающей под красным знаменем.

Советская невинность Елены Гончаровой — вопрос небольшого значения. Допустим, что о нем можно спорить. Меня более интересует бесспорная советская невинность тов. Мейерхольда, который в период ожесточенной борьбы за пятилетку не нашел другой, более подходящей пьесы, чем пьесу, рисующую в сотый раз сомнения интеллигенции насчет благодеяний и преступлений советской власти. Я ни на один момент не отрицаю значения борьбы за душу интеллигенции. Но революционный театр должен быть целеустремленным и ставить теперь в центр своего внимания самый важный вопрос — борьбу за пятилетку. Борьбе этой можно помочь и борьбой за интеллигенцию. Но тогда пьеса должна давать отношение к интеллигенции именно в этом разрезе. Она должна показать колеблющейся интеллигенции то великое дело, которое осуществляет пролетариат СССР, проводя пятилетку. Вот в чем главный вопрос. Это вопрос не об одной пьесе, а о направлении театра.

ПРИМЕЧАНИЯ

Стенограмма обсуждения «Списка благодеяний» ГРК и ХПС 2 июня 1931 года печатается по: Ф. 963. Оп. 1. Ед. хр. 725. Л. 76—97.

Стенограмма дискуссии о «Списке благодеяний» в ФОСПе 16 июня 1931 года печатается по: Ф. 963. Оп. 1. Ед. хр. 725. Л. 150—174.

Кроме того, републикуются статьи:

Радек К. Как Всеволод Мейерхольд попал в Гамлеты и как Жирофле-Жирофля начали строить социализм // Известия. 1931. 14 июня. № 162.

Гончарова Н. Мимо цели: На диспуте о «Списке благодеяний» в клубе теаработников // Советское искусство. 1931. 23 июня. № 32. С. 4.

Л.Б. Об «идеологическом заикании» Олеши и о борьбе Мейерхольда с «внутренним мещанством»: На диспуте о «Списке благодеяний» // Вечерняя Москва. 1931. 19 июня. № 145.

Сольц А. Еще о «Списке благодеяний»: Письмо тов. Сольца тов. Радеку // Известия. 1931. 4 июля. № 182.

Р/адек/ К. Несколько слов в ответ тов. Сольцу // Известия. 1931. 4 июля. № 182.

Отрывок из выступления Вс. Мейерхольда на диспуте в Клубе театральных работников публиковался ранее: *Мейерхольд Вс.* Статьи, письма, речи, беседы: В 2 ч. 1917—1939. М., 1968. Ч. II. С. 253—254.

1. Радек (Собельсон) Карл Бернгардович (1885—1939), партийный публицист. В 1927 году за принадлежность к «троцкистской оппозиции» исключен из партии и сослан. В 1930 году восстановлен в партии. Возглавил Информбюро ЦК в иностранной редакции «Известий». В 1937 году приговорен к 10 годам заключения и был убит в тюрьме. Реабилитирован в 1988-м, восстановлен в партии в мае 1990 года.
2. Сольц Арон Александрович (1872—1945) — партийный и государственный деятель. В 1920—1934 годах — член ЦКК партии и член Верховного суда СССР.
3. Динамов Сергей Сергеевич (1901—1939, расстрелян), литературовед, критик, журналист.
4. Литовский Осаф Семенович (1892—1971), театральный критик. В 1930—1937 годах — председатель Главреперткома.
5. Свидерский Алексей Ильич (1878—1933), советский партийный деятель. В 1928—1929 годах — начальник Главискусства при Наркомпросе. После снятия с поста отправлен полпредом в Латвию. (Наст. изд., примеч. 7 к главе 10.)
6. ГАРФ. Ф. 4359. Оп. 1. Д. 213. Л. 14.
7. Рабочий. Харьков. 1926. 23 июля.
8. См. выступление Вс. Вишневского на заседании в ГосТИМе 26 марта 1931 года // Наст. изд., глава 5.
9. Современная «Литературная энциклопедия» (М., 1987. С. 204) отмечает в феномене «лишнего человека» следующие характерные черты: «отчуждение от официальной России, чувство интеллектуального и нравственного превосходства над ней и в то же время — глубокий скептицизм...»
10. Ильина М.В. — сотрудник московского губОНО.
11. Млечин Владимир Михайлович — театральный критик, сотрудник Главреперткома.
12. Ф. 2437. Оп. 3. Ед. хр. 904. Л. 2.
    Ни одна из планировавшихся к постановке пьес не была поставлена в ГосТИМе.
13. Морозов Михаил Владимирович — председатель Союза революционных драматургов.
14. Настойчивое приглашение оратора показать спектакль не где-нибудь, а именно на Электрозаводе связано с тем, что это предприятие было официальным шефом театра.
15. Рудин — герой одноименной повести И. Тургенева, гибнущий на баррикадах Парижской коммуны.
16. Коммунистическая академия была создана как альтернатива Академии наук и представляла собой учебное и научно-исследовательское учреждение, объединившее в своем составе несколько институтов — философии, истории, литературы, искусства, экономики и проч. Существовала до 1936 года и затем была закрыта, т.к. к тому времени Академия наук была полностью «выправлена» в нужном идеологическом направлении.
17. Обсуждению проблемы попутничества посвящено множество газетных и журнальных статей того времени. Крылатое «mot» Троцкого, оказавшееся как нельзя более удобным в повседневной идеологической классификации и оттого быстро приобретшее статус термина, «вызывает представление о подозрительном существе, которое, спотыкаясь и падая, бежит в хвосте

большого движения» (*Оксенов Иннокентий.* Что такое «попутчик»? // Жизнь искусства. 1926. № 3. С. 4).

В разгар репетиций «Списка» в московском отделе ВССП проходит специальная творческая дискуссия, посвященная перестройке попутничества. «Выступление Л.С. Сейфуллиной было снабжено совершенно неправильным ударением <...> упор был сделан не на необходимость перестройки, а на боязливое опасение, как бы не поспешить, как бы не поторопиться и этим не повредить советской литературе», — говорится в обзоре на страницах «Пролетарской литературы» (1931. № 5/6. С. 185—186).

Принадлежность Ю. Олеши к «попутчикам» или к «союзникам» пролетариата разными лицами видится различно и составляет предмет дискуссий. В частности, влиятельный тогда критик А. Селивановский утверждал, что «Олеша все еще попутчик». См. об этом: *Селивановский А.* Попутничество и союзничество // Пролетарская литература. 1931. № 4. С. 28—41; *Кирпотин В.* От попутничества к союзничеству: Доклад в Комакадемии // Пролетарская литература. 1932. № 1/2. С. 177—214.

18. Каверда — убийца советского полпреда в Варшаве П.Л. Войкова (7 июня 1927 г.), двадцатилетний монархист.
19. Толстой Алексей Николаевич (1883—1945), прозаик, драматург. С 1917 года работал в отделе пропаганды у Деникина, в 1918 году эмигрировал (сначала во Францию, затем переехал в Берлин). С начала 1920-х годов входит в Берлине в состав просоветской редакции газеты «Накануне». В 1923 году вместе с группой сменовеховцев возвращается в Россию.
Появление Толстого в московской литературной среде описано М. Булгаковым в одном из эпизодов «Театрального романа» (Толстой выведен в образе Измаила Александровича Бондаревского). В отличие от коллег-сменовеховцев, позже репрессированных, советская карьера Толстого сложилась успешно: после смерти Горького он стал председателем Союза писателей СССР, а в 1937 году — членом Верховного Совета.
20. Фильм Чаплина «Парижанка» (1923) шел в российском прокате 1920-х годов.
21. Билль-Белоцерковский Владимир Наумович (1884/ 1885 — 1970), драматург публицистического направления.
22. См.: Наст. изд., примеч. 23 к главе 2.
23. Дуню играла Евгения Бенциановна Бенгис.
24. «Командарм 2» — спектакль Вс. Мейерхольда по пьесе И. Сельвинского. Премьера прошла 24 июля 1929 года в Харькове, во время гастролей ГосТИМа.
25. «Призрак бродит по Европе» — метафора, которой открывается «Манифест коммунистической партии» К. Маркса и Ф. Энгельса.
26. Жирофле и Жирофля — персонажи оперетты Ш. Лекока, поставленной А.Я. Таировым в Камерном театре (1921 г.).
27. Автор неточен: на флейте не умел играть у Шекспира не Розенкранц, а Гильденстерн.
28. Циклопы — в греческой мифологии одноглазые великаны, сыновья Урана и Геи. В «Одиссее» Гомера циклопы — дикое племя, живущее на отдаленном острове, олицетворение грубой, неодухотворенной силы. Неясно, почему автор избрал именно этот, двусмысленный в контексте его же выступления образ.

29. Гроссман-Рощин Иуда Соломонович (1883—1934), литературный и театральный критик.

30. Переверзев Валериан Федорович (1882—1968), литературовед, критик. Стремился применить социологический метод в работах о творчестве Гоголя, Достоевского и др. Важным принципом литературоведческого анализа приверженцев переверзевской школы было установление связей между особенностями художественного произведения и классовой принадлежностью творца. В 1929—1930-х годах прошла специальная дискуссия о «переверзевщине», в которой социологизм Переверзева был подвергнут критике. В «Литературной энциклопедии» (1934. Т. 8. С. 499) особенности метода Переверзева формулировались следующим образом: «меньшевистский объективизм, отрыв теории от практики, отрицание партийности и выхолащивание классовой борьбы являются ведущим моментом в переверзевщине и характеризуют ее как последовательное антимарксистское учение». Современную оценку работ ученого см в ст.: *Ленерт X.* Судьба социологического направления в советской науке о литературе и становление соцреалистического канона: переверзевщина / вульгарный социологизм // Соцреалистический канон. СПб., 2000. С. 320—338.

31. Вероятно, имеется в виду рассказ 1929 года «Человеческий материал», в котором Олеша впервые использовал выражение «инженер человеческого материала» — в связи с писательством. Полагают, что именно отсюда Сталин позаимствовал ставшую знаменитой формулу: писатели — «инженеры человеческих душ». См. об этом: *Зелинский К.* Вечер у Горького: 26 октября 1932 г. / Публ. Е. Прицкера // Минувшее. 1992. № 10. С. 111.

32. Речь идет о работе Г.В. Плеханова «Искусство и общественная жизнь».

33. Орлинский Александр Робертович — журналист, театральный критик, член Главреперткома. Активно работал в печати и был известен с середины 1920-х годов (в частности, неустанным вниманием к творчеству М. Булгакова).

34. «Евграф, искатель приключений» — пьеса А. Файко. Поставлена в театре МХАТ-II в 1926 году.

35. «Вокруг света на самом себе» — обозрение В. Шкваркина. Премьера спектакля в театре б. Корш прошла в январе 1927 года.

36. Премьера во МХАТе спектакля по пьесе Л. Леонова «Унтиловск» состоялась 17 февраля 1928 года.

37. Премьера во МХАТе спектакля по пьесе В. Катаева «Растратчики» прошла 20 апреля 1928 года.

38. Рябушинский Павел Павлович (1871—1924), московский финансист и промышленник, либеральный политик, издатель газет, чья фраза о «костлявой руке голода» была демагогически интерпретирована большевистской прессой и получила широкую известность.
В обвинительном заключении по «делу Промпартии» главному подсудимому, профессору Рамзину, инкриминировались переговоры в Париже с П.П. Рябушинским о совместных действиях по подготовке военной интервенции против СССР. «Однако на процессе вскрылось конфузное для следствия обстоятельство — Павел Рябушинский, с которым Рамзин встречался-де в 1927 году, на самом деле скончался за три года до этого. Государственный обвинитель Н.В. Крыленко <...> заставил Рамзина поправиться: глава мифической организации заявил, что не уверен, с каким именно Рябушинским встречался в Париже, может быть, не с Павлом, а с его братом Владими-

ром. <...> Московская инсценировка не ввела в заблуждение русскую эмиграцию, в среде которой справедливо полагали, что «чистосердечные» показания обвиняемых «или измышлены агентами ОГПУ, или вымучены пытками» (цит. по: Династия Рябушинских /Автор текста и сост. Петров Ю.А. М., 1997. С. 6).

39. Пуанкаре Раймон по прозвищу «Война» (1860—1934), французский государственный деятель. В 1913—1920 годах — президент Франции, в 1926—1929 годах — премьер-министр.
40. Речь идет о статье К. Радека «Как Всеволод Мейерхольд попал в Гамлеты и как Жирофле-Жирофля начали строить социализм».
41. Кавалеров — персонаж повести Юрия Олеши «Зависть» и пьесы «Заговор чувств», созданной автором по мотивам повести.
42. Очевидно, имеется в виду рассказ «Столичная штучка».
43. ГОМЭЦ — Государственное объединение музыкальных, эстрадных и цирковых предприятий.
44. Речь идет об избиении неизвестного (в финальном эпизоде оказывающегося коммунистом Сантилланом) в сцене «Приглашение на бал» в Париже.
45. Залесский Виктор Феофанович (1901—1963), театральный критик.
46. На только что прошедшем (июнь 1931 г.) третьем пленуме Всероскомдрама, где были специальные прения по поводу «Списка благодеяний», Ю. Олеша, в частности, говорил: «Одним из главных своих писательских качеств я считаю честность. Я думаю, что многое зависит от честности, от нечестности же происходит плохое качество. Не так давно я думал, что революция — одно, контрреволюция — другое, а я иду по какому-то третьему пути. Но я понял, что <...> третьего пути нет» (цит. по: *Колаф.* Творческие итоги сезона: На пленуме Всероскомдрама // Литературная газета. 1931. 15 июня).
47. Диспут под названием «Общественный суд над драматургами, не пишущими женских ролей» прошел 27 декабря 1930 года.
48. «Линия огня» — спектакль Камерного театра по пьесе Н. Никитина.
49. Дубков — рабочий московского завода № 29, активный рабкор. См., например: Советское искусство. 1931. 17 марта. № 13 (85). С. 1.
50. Киршон Владимир Михайлович (1902—1938), драматург, репрессирован. В 1930 году — член совета Главреперткома.
51. Боярский Яков Иосифович — театральный критик, председатель ЦК РАБИС.
52. Россовский Михаил Андреевич — театральный критик.
53. Подольский Соломон Семенович (1900—1974), театральный критик.

З. Райх. Сцена «В Мюзик-холле».

Глава 9

«Говорите в пространство — кто-то услышит...» Попытка реконструкции спектакля «Список благодеяний»

«Список» открыто полемичен по отношению к трем предыдущим работам театра.

Стилизованная декламационность «Командарма -2» (1929), чье действие будто бы отнесено в «седую древность» (как писали о спектакле рецензенты); открытая публицистичность «Бани» (1930), торжество коллективизма и героическая жертвенность «Последнего решительного» (1931) уступают место острой современности, лиричности; «Список» говорит о силе индивидуальности, мечте о реализации таланта.

На фоне установившегося на сцене советских театров штампа «реконструктивных спектаклей»[1] (позже подобные произведения станут называться «производственными»), после нескольких многолюдных, «громких» работ ГосТИМа Мейерхольд выпускает премьеру камерную, «тихую». Лирический голос автора отчетлив в этом поэтическом спектакле. «Список» рождается из разговоров и мучительных мыслей, нереализованных планов, желания понять самого себя и свое место во все более отчуждающейся среде, нащупать верный тон в разговоре с новым зрительным залом. Спустя полвека после премьеры один из тогдашних рецензентов скажет важные слова о некогда отвергнутой им работе режиссера: «Спектакль "Список благодеяний", как теперь со всей очевидностью понимаешь, чего начисто не понимал раньше, был не очередной режиссерской постановкой — дыханием самого Мейерхольда, частью его жизни»[2].

Важно то, что Мейерхольд не стал «приспособлять» Олешу и снижать его героев. «Он должен был либо не ставить Олешу совсем, либо дать ему полное звучание. Он выбрал второе и в этой своей задаче <...>

добился блестящих результатов»[3], — констатировала критика.

Напомню, что Э. Гарин видит в обращении к «Списку благодеяний» возврат режиссера к «приемам символического условного театра», у актера «почему-то предчувствие, что здесь Мейер тряхнет своей стариной». И более того, Гарину представляется, что Мейерхольд «в ней окончательно завершит круг своих нововведений»[4]. В оценках чуткого свидетеля явственен мотив подведения итогов. Причем все эти мысли приходят Гарину на ум еще до начала репетиций, они появляются «из воздуха» встреч с Мейерхольдом, обмолвок и обрывков разговоров, закулисных обсуждений и проч. Гарин в тот год — отнюдь не восторженный поклонник Мейерхольда, ему не нравится то, что делает режиссер, актер радуется своему «большевению», театр же кажется ему неуместно интеллигентским и оттого устаревающим, дряхлеющим на глазах; Гарин уклоняется от нагрузки в театре, его влечет самостоятельная работа — на радио, в режиссуре, в кино. То есть эти наблюдения принадлежат скептически настроенному очевидцу работы Мейерхольда.

Не забудем, что упоминания о символизме и символах существуют и в самом тексте пьесы (например, назидательно-шутливый упрек Татарова: «Лида, вы не умеете мыслить символами»). «Символика, идущая от пьесы, владеет спектаклем...»[5] — подтвердит критик.

Первое, что важно отметить, это удивление рецензентов, единодушно писавших, что «вопреки обыкновению» Мейерхольд не перерабатывал пьесу Олеши[6], а воплощал поэтику автора, принимая его концепцию. Но это могло означать лишь одно: Мейерхольд был с ней согласен.

Пьеса переделывалась, и об этом подробно рассказано выше, но не в борьбе с драматургом, не в преодолении его (как это происходило в случаях с другими современными авторами — Эренбургом, Сельвинским, Вишневским), а в стремлении достичь общей цели, обойдя требования внешних сил.

Сразу же была отмечена и нетипичность пьесы Олеши в общей линии репертуара ГосТИМа[7]. Как сразу же в труппе заговорили и о грядущих неприятностях из-за ее постановки[8].

Итак, необычность «разговорной» вещи, т.е. насыщенность речевым материалом и его нетривиальность, с одной стороны. С другой — острота проблематики пьесы, репетиции которой начались весной 1931 года.

Ответ на вопрос, что же искал Мейерхольд, отвергая одного за другим известных ему авторов, на наш взгляд, отыскивается в его выступлении на первой Всероссийской конференции драматургов 6 октября 1930 года: «Надо создать такую пьесу, которая заставила бы нас, режиссеров, перестраивать сцену»[9].

Какими же были особенности режиссерской структуры спектакля? В связи с чем Мейерхольд говорит о «революционности» его построения?[10]

I. Структура спектакля

Динамичная, экспрессивная, излюбленная Мейерхольдом диагональ разворачивает всю сцену, сбивая привычную симметрию построения мизансцен. Она становится главным содержательным инновационным элементом конструкции спектакля в целом.

Это было замечено сразу.

Еще на предпремьерном обсуждении спектакля о необычной «сдвинутости» сцены и о новых возможностях, которые эта сдвинутость открывает, говорил О. Литовский[11].

Описание сценического пространства «Списка благодеяний» (правда, ограниченное рамками строго формального анализа приема) оставил Н.М. Тарабукин, пришедший к выводу о «торжестве принципа архитектурности» в практике ГосТИМа этого времени: «Колоннада служит оформлению сценического пространства <...> Линия колоннады повторяет линию обреза сценической площадки, которая на сей раз срезана по диагонали. Этот “поворот” сцены в три четверти по отношению к зрительному залу — героическое усилие Мейерхольда сдвинуть с места сцену-коробку, нарушить портал, заставить актера встать к публике в три четверти и изменить ориентировку зрителя нарушением фронтальности сцены»[12].

Первым из критиков, кто связал чисто технологическую, казалось

Макет спектакля. 1931 г.

бы, новацию режиссера с сущностной стороной спектакля и заявил, что сама пьеса определила подобное сценическое воплощение, стал А. Февральский: «Содержание пьесы, построенное на колебаниях героини, подсказало Мейерхольду мысль о том, что обычное восприятие зрителя следует заменить иным, лишенным спокойствия привычки. Он как бы повернул сценическую площадку, деформировав линию края сцены (в других театрах этот край занимает рампа): эта линия в данном спектакле не идет параллельно рядам кресел, а образует угол с ним с левой стороны»[13].

Диагональ победила, сдвинула всю сцену, придав спектаклю в целом атмосферу слома, тревоги. Кроме того, она еще и обозначила непривычно-интимный способ общения со зрителями. Им не «докладывают» о событиях, они сами превращены в невольных соучастников происходящего. («Нам удалось создать такую обстановку, при которой зрительный зал попадает одновременно между двух бед», — говорил Мейерхольд на труппе, представляя экспликацию спектакля.)

Идеи решения пространства, бесспорно, принадлежали Мейерхольду[14].

Итак, каковы же основные элементы сценической конструкции (или, по терминологии, принятой тогда в ГосТИМе, — вещественного оформления спектакля)?

«Сценическая площадка отграничивается от верхней части сценической коробки широкой плоскостью, поднимающейся с пола сцены в глубине ее и выходящей за пределы портала в зрительный зал; приспособление это, во-первых, дает актерам возможность лучше доносить текст <...>, а во-вторых, как бы разбивает портал, отвергаемый новым театром»[15]. Решающий, казалось бы, чисто техническую проблему донесения сценического слова тяжелый «козырек», нависший над сценой, еще и придавливает персонажей к планшету, лишает воздуха, подчеркивает уязвимость и хрупкость движущихся человеческих фигурок.

К числу важнейших структурных элементов спектакля, бесспорно, относятся колонны и круто изгибающаяся лестница, заставляющие работать вертикаль, сценическое зеркало.

Колоннада занимает всю левую (если смотреть из партера) часть сцены. Сами же колонны, эти семантически нагруженные элементы сценической архитектуры, несущие в себе значение связи земли и неба, «реальной» жизни — и не менее реального бытия человеческого духа, были к тому же у Мейерхольда необычными: не округлыми, а четвероугольными, между ними ложились таинственные тени... Тени Достоевского и Гофмана, о которых не единожды будет писать критика[16].

Лестница связана с двумя персонажами: Гончаровой и Улялюмом.

Мейерхольд построит уходящую вверх лестницу с площадкой

(«пьедесталом») наверху. Внимательный критик ощутит резкую перемену в режиссерской поэтике: «От "гигантских шагов" в "Лесе" до узкой, крутой, высокой, с какой-то душной давящей пристройкой в мюзик-холле, — дистанция»[17]. «Пьедестал» будет отдан Улялюму. В верхней площадке, по-видимому, реализуется та «пустая ладонь», которую планировали выделить в пространстве сцены автор и режиссер. К ней и направляется Леля, поднимаясь вверх. Тем самым режиссер подчеркнет родство двух персонажей. Эта верхняя площадка создаст выразительную сценическую точку для Лелиного монолога. Уход Гончаровой, как отмечали рецензенты, «походкой Гамлета» по лестнице в эпизоде Мюзик-холла, по единодушному мнению критики, станет кульминацией спектакля в целом.

По горизонтали, от задника до авансцены, планшет делится, по крайней мере, на три части: пространство за колоннами, «отбитое» ими, далее — площадка для фоновых сцен, где действуют несколько второстепенных персонажей (в эпизодах «У Гончаровой», «В пансионе», «В кафе»), занимающая собственно сцену. Наконец, «крупный план».

Таким образом, игровое пространство ограничено (сверху — давящим козырьком, слева — колоннадой), придвинуто к публике и ощутимо сужено. Вытеснение «бывших» людей с исторической сцены нового государства в спектакле передается и наглядным «съеживанием» отведенного им пространства.

Все три центральные сцены спектакля проходят на ограниченном и открытом фрагменте авансцены, максимально приближенном к зрителю: сцена с флейтой играется на пятачке (а враждебно настроенные массы занимают все видимое глазу героини пространство); на той же площадке идет сцена Чаплина и Фонарщика (после эпизода «В Мюзик-холле»). Наконец, в финале здесь, «на камне Европы», умирает Леля.

Мейерхольд блестяще реализовал особенность структуры вещи: «распахнутость» интерьера в экстерьер, «прорастание» одного в другое, т.е. смещение пространственных планов. Критик писал: «<...> и в декораторском оформлении вы не имеете изолированных уголков. Вот пред вами комната Гончаровой, но она построена так, что вы этот уютный уголок ощущаете частью "грязного кармана дома". <...> В Париже приемная пансиона увязана с улицей, с городом. Нет тяжелых на сцене вещей. Все предметы, несмотря на их реальность, как бы прозрачны, стены как бы раздвигаются пред вашим взором»[18]. Позже эта прозрачность «сквозящих» планов, замеченная критикой и удивившая ее, но не понятая ею (возможно, из-за неполноты театральной реализации идеи) еще в «Командарме», раскроется и прорастет в «Пиковой даме»[19]. Добавлю, что «прозрачность» сценического пространства — это еще и открытость внутреннего мира героини, манифестация ее исповеднических интонаций.

Мейерхольд добивается объединения пространства и времени публики — и зрелища в его важнейших, узловых точках.

Мизансцена Пролога, предложенная Мейерхольдом, делала единым целым тот воображаемый зрительный зал, перед которым только что играла Гамлета Елена Гончарова, и настоящую публику, видевшую на сцене подлинную, «живую» актрису – Зинаиду Райх. Тем самым два времени: вымышленное время драмы и реально текущее, актуальное время зрителя ГосТИМа и его актеров — соединялись в одно.

Режиссер вовлекал зрителя в действие, предельно сокращая дистанцию между сценой и публикой. На возможно более тесный контакт со зрителем работали и ступени, соединяющие сцену с партером, и такие приемы, как выход актера (актеров) из зала; вспыхивающий, общий сцене и залу свет; введение в вещную среду спектакля реальных, узнаваемых, сегодняшних предметов (например, свежей газеты) и деталей (так, не отмеченной рецензентами, но важной подробностью, сохранившейся на фотографиях спектакля, была крупно написанная на афише в эпизоде «В Мюзик-холле» фамилия «Grock», фамилия того самого знаменитого клоуна, в которого намеревался превратить Михаила Чехова немецкий импресарио[20]. Мейерхольд будто подавал знак далекому другу); мелодий (скажем, любимая российскими меломанами того времени песенка Мориса Шевалье[21], которую пел Улялюм). В

Сцена «В Мюзик-холле».

финале в зрительский зал целились ружья драгун.

«Колебания», сомнения героини фиксировались выразительными мизансценами.

Уже в «Прологе» спектакля Леля пространственно (наглядно) оказывается между двух лагерей: позади нее — стол президиума с колокольчиком председателя. Перед ней — враждебно настроенное пространство зрительного зала. В финале то же членение пространства будет подтверждено: из зала по ступеням поднимутся бастующие, оттолкнувшие и осудившие Лелю («пролетариат»), а из-за колоннады будут выставлены ружья драгун. (О важных в трактовке сцены референциях общего и частного, официального и приватного см. в главе 6.)

В мейерхольдовском спектакле работали три пласта времени. Первый пласт — это общее театральное время течения фабулы пьесы; второй — минуты объединения актуального времени сцены и зала в режиме реально идущего, физического времени; наконец, третий пласт — мгновенья существования актрисы в роли Гамлета, «вечное время» искусства. Актриса Гончарова — единственный персонаж, способный удержать рвущуюся «связь времен»; она существует, переходя из одного временного пласта в другой.

Подобно эпиграфу, выносимому на авансцену печатного листа, графически отдельному, предваряющему собственно текст, Мейерхольд выделяет игровую площадку, предназначенную для «сцены с флейтой» в Прологе спектакля, и еще отбивает ее ступеньками.

Отвечая залу сценой с флейтой, героиня будто отделяет чертой себя, парирующую вопросы, — от себя же, играющей Гамлета. При этом решение режиссера парадоксально: преображаясь в Гамлета, актриса не поднимается на трагические котурны, а, напротив, спускается со сцены[22]. Она сходит по ступенькам, т.е. меняет уровень разговора, так что место «на трибуне» уступает (условному) положению «глаза в глаза». К тому же Гончарова еще и выходит на авансцену, т.е. предельно уменьшает дистанцию.

Таким образом, общение Лели с залом через диалоги шекспировского произведения означает не уход от только что окончившегося диспута, а, наоборот, еще более тесный контакт со зрителем, нежели через пьесу Олеши. Настороженность и отчужденность от публики актрисы Гончаровой сменяются исповедальной прямотой Гончаровой—Гамлета. Мизансцена диктует интонацию: не театральную, приподнятую — а естественную, интимную.

Наконец, Мейерхольд, воплощая средствами режиссуры поэтические рифмы, пронизывающие пьесу Олеши, строит спектакль на внутренних рифмах, подчеркивающих смысл сценического действия:

дважды играется сцена из «Гамлета» — причем и в России, и в мюзик-холле Парижа Лелю не понимают;

«двоятся» персонажи — ломкая тень сопровождает проход Гончаровой по лестнице в эпизоде Мюзик-холла, причудливые тени отбрасывает Татаров. «Даже представитель советского посольства тоже двоится в глазах Гончаровой, и она видит то хорошего, то плохого Федотова»[23];

в Прологе пьесы Гончарова рвет зрительскую записку — так же, как потом, в Париже, разрывает приглашение на бал;

прощальная пирушка у Лели рифмуется со сценой «В кафе» и эпизодом с голодающим «Чаплином», мечтающим о тарелке супу;

дважды появляется букет цветов: в Москве его преподносит актрисе комсомолец — в Париже Лелю хлещет букетом по лицу ревнивая любовница Татарова[24];

дважды, как будто раздается негромкое эхо, произносятся важные, ключевые фразы героини («сквозь туман путешествий...» — и: «смотреть Чаплина и плакать» — «стоять в очереди и плакать»);

проход Гончаровой в роли Гамлета в Прологе повторяется в сцене ее ухода из Мюзик-холла и т.д.

Сохранился листок бумаги, на котором рукой Мейерхольда зафиксированы важнейшие игровые точки сцены финала:

«1. Фонтан с водой (вода течет).

2. Камень на авансц/ене/.

3. Ворота левого плана раскрыты и на воротах транспарант.

4. Знамени 2—3.

5. Плакаты 2—3 на фонаре»[25].

Финал спектакля кажется суровым по отношению к героине: Лелю лишают ореола человеческого сочувствия (т.е. единения с людьми), с нее снят гамлетовский плащ, отняты цветы, символ восхищения и любви; хриплым становится ее голос («сломана» флейта). Но, умирая на «камне Европы», Гончарова просит «накрыть ее красным флагом», т.е. упорствует в стремлении соединить эти два, равно важные для нее символа: родины и свободы.

Итак, перечислю важные особенности структуры спектакля:

поворот сцены как симптом ненормальности, катастрофичности событий; взрыв инерции, рутинной зрительской установки;

максимальное приближение действия к залу, настаивание на общности, единстве сценического и зрительского времени и пространства;

особенности контакта актера и зрителя: исповедальность, интимность;

концентрация (но и сужение) игрового пространства, отведенная актрисе, передающие «загнанность» героини;

воплощение режиссерскими средствами структуры лейтмотивов пьесы Олеши.

В начале 1930-х годов на сцене ГосТИМа «самый революционный» мастер советского театра ставит символистский спектакль. Это не символизм в его «классической» форме мейерхольдовских ранних, порой декларативных экспериментов, а, скорее, выражение обретенного зрелым художником иного зрения: различение в реальности второго, высшего, метафизического плана, узнавание в событиях — судьбы.

Мейерхольд теперь не «опробует приемы», а свободно размышляет о личных нерешенных проблемах (как стало очевидным сегодня, существенных и для общества в целом). Вообще создатели спектакля не «борются с советской властью», а мучительно пытаются утвердиться, устоять на собственных, предельно важных принципах. Но твердое знание о добре и зле утрачено, и самое простое оказывается недостижимо трудным.

II. Актерская игра

Необычная пьеса диктовала и формы работы с актером. «<...> Задача донесения до зрителя драматургического материала становится главной задачей режиссера»[26].

Успех спектакля в части актерских работ был бесспорен.

«В спектакле нет обычного для Мейерхольда “трюкачества”. Но Мейерхольд внес чрезвычайно много нового и интересного в искусство мизансцен, т.е. в расположение и группировку действующих лиц на сцене, искусство, которое большинство наших режиссеров низвело до стандарта, схемы входов и выходов»[27], — констатировал рецензент. Возможно, то, что представлялось критике новым в искусстве мизансцен, для Мейерхольда было возвращением к прежнему, исчезнувшему с подмостков советского театра. Важно, что эта технология режиссерского ремесла была воспринята как «новая» тогдашней критикой.

«Актер не стеснен расположением вещей, не подчинен им. Наоборот, они подчинены ему, и он обыгрывает их свободно и непринужденно, как будто нет необходимости никакой занимать актеру именно то, а не иное место. Чувствуется возможность полной свободы в выборе места и полная оправданность любого жеста и любой мизансцены. Это в подлинном смысле сценическая реальность, обладающая театральной, но непреодолимой убедительностью, подчиняющей зрителя <...> замыслу режиссера»[28].

Сохранились две восторженные записки Олеши, адресованные Мейерхольду и появившиеся, вероятно, после особенно удачных репетиций.

«Мне достаточно одного выхода Татарова из-за шкафа, чтобы хвалить Вас при жизни. Выход Татарова в этой сцене равносилен по тонкости бросанию пучка шелка Трегубовой в предыдущей сцене.

А это: Райх к револьверу...»[29]

(Речь идет о сцене «У Трегубовой», в которой сначала любовница Татарова устраивала ему сцену ревности, пытаясь понять, чем угрожает ей появление Лели в Париже. Затем приходила Гончарова, и Татаров исчезал в тень, чтобы позже вернуться для спора с нею; и о сцене «В кафе».)

В записках выделены главные герои спектакля: Татаров и Гончарова, Мартинсон и З. Райх[30].

Замечательное описание игры З. Райх оставила Т.С. Есенина: «Легче всего ей, очевидно, было настроиться на Гончарову из "Списка", достаточно было повернуться к зрителю одной своей совершенно определенной стороной... Мать играла в условной манере, но <...> должна была быть убедительной. А как иначе — это сама она и была: актриса, женщина уже довольно-таки необычного для того времени склада, — ее на полном серьезе занимали и тревожили судьбы страны и искусства.

<...> Легкий грим должен был подчеркнуть значительность и одухотворенность лица... Обычную свою прическу З.Н. оставила, лицо было матовым, даже красота глаз оказалась каким-то образом немного припрятанной. Она была неулыбчива, не была обращена ни на себя, ни на партнеров — вся поверх всего "земного". Только примерка "серебряного платья" не то чтобы давала ей спуститься с неба на землю, но все же она показывала, что все-таки это женщина, актриса, которая не могла быть равнодушной к красоте туалета. <...>

"Художник должен думать медленно", — она произносила раздельно, весомо»[31].

Мейерхольд предлагал З. Райх «домашние» мизансцены, роль готовилась любовно и, кажется, с оглядкой на самих себя. Немалая часть репетиционной работы З. Райх проходила дома. В первой сцене спектакля «В комнате Гончаровой» «сидя на полу, собирая в дорогу вещи, Елена чувствует себя уже в начале пути <...> печаль и надежда окрашивают ее признания. <...> Дома она казалась меньше ростом, женственнее»[32]. (В воспоминаниях С. Вишневецкой, жены Вс. Вишневского, больше месяца прожившей у Мейерхольдов в Брюсовском переулке во время подготовки спектакля «Последний решительный», присутствует именно эта излюбленная домашняя мизансцена: Райх, сидящая на полу[33].)

Игра актрисы оценивалась различно в зависимости от того, какую трактовку роли, сочувственную либо, напротив, иронически-презрительную, считал верной критик. Если одни полагали, что «Райх очень умно <...> проводит роль»[34], либо: «Чрезвычайно мягко, лирично, с большим тактом, ни разу не впадая в трагедию, ведет центральную роль Гончаровой Зинаида Райх»[35], то другие были уверены в том, что играть в таких тонах неверно. «Вряд ли можно согласиться <...> с трактовкой образа Гончаровой. Он значительно выиграл бы от *иронии* режиссера. Между тем этот образ принят Мейерхольдом всерьез. Это серьезное отношение превращает образ Елены Гончаровой в какую-то трагическую фигуру»[36].

Рецензенты усматривали в игре З. Райх эклектичность, расценивая ее как частное проявление общей нецельности спектакля. Тем не менее они улавливали важную особенность этой актерской работы: «Неужели эта женщина, то холодно декламирующая, то впадающая в чеховские полутона, является выразительницей настроений современной интеллигенции, даже в той худшей ее части, которая страдает двойным бытием и гамлетовским скепсисом?»[37]

Лучшей сценой З. Райх, на чем сходились все пишущие о спектакле, стала сцена в Мюзикхолле, ее «гамлетовский» проход по лестнице вверх, за которым следил острый луч света. В память врезался этот молчаливый проход, а вовсе не пылкий (и кажущийся чрезмерно многословным) монолог, произносимый ею в финале.

Гончарова — З.Н. Райх

Самой же значительной актерской работой спектакля стал Татаров Сергея Мартинсона.

«При первом своем появлении перед публикой Мартинсон как бы хочет остаться незамеченным. Публика долго наблюдает какую-то таинственную спину, глубоко погруженную в чтение»[38], — вспоминала В. Юренева. «Мартинсон—Татаров элегантен, подтянут, худощав. Словно параличом сковано его неподвижное лицо; бездонная пустота в мертвых глазах; затаенность в бесцветных, плотно сжатых губах. В движениях Татарова не было обычного для прежнего Мартинсона обилия жестов, частой смены мизансцен. Сдержанные, изысканно-холодные аристократические манеры, так же как и подчеркнуто старомодный костюм, напоминали о том, что это человек прошлого»[39]. Перед зрителем появлялся не просто человек прошлого, а «живой мертвец», но актер показывал, каким был этот человек прежде, что погасло в нем, что было убито. Сложная сущность героя, существовавшая в монологах Татарова ранних вариантов пьесы, в премьерном ее варианте уже не звучавших, упорно пробивалась в облике этого персонажа, его пластике, жестах. Было видно, что «в увядшей <...> фигуре сквозило глодавшее его чувство одиночества»[40]. Критика подмечала, что это человек интеллектуальных привычек: «со сладострастием журналиста, писателя он касается листов (дневника Гончаровой. — *В.Г.*), вдыхает, пьет их глазами»[41].

Татаров «внешне походил на труп, через который пропустили электрический ток. Он был сух, элегантен и мертвенно холоден. <...> Мука безнадежности, ясное ощущение катастрофичности, бессмысленности эмигрантского прозябания <...> За интонациями и жестким пластическим рисунком роли, сыгранной в духе драматической эксцентриады, Мартинсон (и это было несомненным достижением его метода) подспудно взращивал и психологический нерв роли. <...> Его Татаров по художественной значимости занял место рядом с Аблеуховым — Чеховым и Карениным—Хмелевым»[42]. Писали о масштабе личности героя, дававшем о себе знать, несмотря на внутреннюю опустошенность. «Татаров становится <...> ведущим персонажем <...>»[43]. «Белый литератор Татаров <...> предстал, по меньшей мере, героем Гофмана. <...> длиннополый костюм Татарова, его хищный жест, его подчеркнутые интонации, его резкая в медлительности

Татаров — С.А. Мартинсон

походка и эти причудливые (от его фигуры) тени, и его "вездесущесть" — все это заслоняет классовое и сообщает образу <...> не свойственную ему, старающуюся кого-то запугать фантасмагоричность»[44]. «В спектакле это самый внушительный из всех образов, он давит, он распоряжается, этот гость в чужом доме. Одетый в тысячу демонических блесток, он приобретает какую-то магическую силу»[45].

Акцентированная элегантность Татарова и мертвенная сухость его фигуры, бездонная пустота глаз и таинственность персонажа передавали его вселенское одиночество, свидетельствовали о том, что Мартинсону удалось уйти от плоско обличительного звучания образа: сыграть не вульгарного «истерического белогвардейца», а, скорее, воплотить духа зла и сомнения, «дьявола», искушающего Гончарову.

Странным выходил в спектакле образ комсомольца, дарящего Гончаровой цветы. Эпизод с ним возмутил многих. «<...> В постановке Мейерхольда представитель завода — комсомолец выскакивает на сцену цирковым прыжком. Он кричит, как балаганный Петрушка, с фальшивым пафосом механически повторяет приветственные слова, которые Гончарова просит передать рабочим. Он к тому же начинает "хамить": хватает со стола дневник артистки, роется в нем. Результат очевиден: псевдопролетарский петрушка не только действует на нервы Гончаровой, он нервирует и зрителя», — писал Д. Кальм[46]. К нему присоединялся Я. Гринвальд: «В исполнении актера Финкенберга (так у рецензента. — *В.Г.*) это восторженная институтка в штанах и с кимовским значком, а не комсомолец»[47]. Его называли «этикеточным, сентиментально-лирическим комсомольцем» (В. Голубов), переодетой барышней, гимназисткой и т.д. Между тем в первой же беседе с режиссерской группой Мейерхольд определил значение роли так: «Финкельберг — /это/ политическая линия»[48].

Эраст Гарин тоже оставил описание этой сцены. 24 апреля 1931 года, вернувшись с репетиции, он писал Х.А. Локшиной:

«<...> показали эпизод, о котором в театре стояли восторженные отзывы. Эпизод таков: перед отъездом за границу к Гончаровой приходит юноша, как бы комсомолец, и от рабочих преподносит жасмин.

Как выяснилось из сценического толкованья, юноша влюблен в премьершу, он с восхищением смотрит на нее, хочет украсть ее роль. Роль эту трет в руках и показывает публике, что получает удовольствие. Затем говорит слова о том, что гордится, что Гончарова "актриса страны Советов".

Просмотрев в первый раз этот эпизод, я ахнул. Это бестактно до черт знает чего, сработано по системе "Фрейд для бедных". Этот юноша — как бы комсомолец — переодет явно из пьес, подобных "Семнадцатилетним" и т.п., и вообще из репертуара Глаголина-сына»[49].

Еще один образ был решен в спектакле в гротескном стиле: с «цирковым», балаганным комсомольцем перекликался Маржерет Штрауха. Позже актер вспоминал о том, как Мейерхольд «вздыбливал» его роль: /я/ «бесновался, рычал, скалил зубы... Грим себе придумал эффектный: черные, как воронье крыло, блестящие волосы, пробор посредине. Усы и брови тоже черные. Матовый, слоновой кости цвет лица и полный рот золотых зубов. Благородный металл так и сверкал из моей пасти, не рот, а банковский сейф». Но в мизансценах режиссера актер «чувствовал себя распятым».

«Однажды Эраст Гарин меня озадачил: "Что ты, дурной, так много орешь?" — А мне показывал Мейерхольд: все время forte fortissimo»[50].

И Гарин объясняет Штрауху, что Мейерхольд делает это для того, чтобы оттенить тишину ключевой сцены З. Райх; буффонная, «жирная» эксцентрика Маржерета должна была подчеркнуть естественность интонаций Гончаровой[51].

«Мейерхольд сделал его укротителем зверей. В рыжих ботфортах со шпорами он носится по сцене и за отсутствием тигров рычит сам, избивая стеком свои ботфорты. Филигранную вязь диалога с многократным "почему" он ведет, беспрестанно прыгая вокруг холщовой занавески, уготовленной для сего в глубине сцены»[52]. Критика заметила и особенность игры М. Штрауха: «Интересно играет Штраух. Однако его Маржерет <...> прежде всего исходит из изобразительных частностей, слагая из них чисто формальную структуру образа»[53]. Возможно, сущность того, что хотел Мейерхольд от Штрауха - Маржерета, точнее удалось понять Б. Алперсу, писавшему позднее, что: «В новых мейерхольдовских постановках создается органический сплав двух как будто разнородных стилевых пластов, еще недавно казавшихся несоединимыми. Прием гротеска, эксцентрического заострения игровых мо-

Маржерет — М.М. Штраух

ментов не исчезает из палитры Мейерхольда, но теряет свою универсальность, перестает определять собой стиль актерского исполнения и всего спектакля в целом. Он начинает играть второстепенную, вспомогательную роль в руках режиссера...»[54]

Видевшие «Список» выделяли важные черты актерских работ, не сознавая значения того, зачем в одном спектакле сосуществуют столь различные манеры игры: «дьявольщина» (достоевщина) Мартинсона; резкость буффонады М. Штрауха и эксцентрическое комикование «цветочного комсомольца»; «эклектизм» игры З. Райх. Представляется, что это было не случайностью, а реализацией, возможно несовершенной, поставленной режиссером задачи.

Три типа героев должны были воплотить три временных пласта спектакля (и соответственно три уровня возможного постижения реальности): «вечное» время шекспировской трагедии; актуальное время здесь и сейчас совершающегося события; и, наконец, «личное» время индивида, выпадающего из современности, не соединимого ни с прошлым, ни с настоящим, но стремящегося создать и манифестировать свое.

Три лексических пласта пьесы, которым соответствовали три системы времени-пространства спектакля и три стиля актерской игры, — так реализовывалась тема «человека между двух миров» в поэтике пьесы Олеши и режиссуре Вс. Мейерхольда.

Значительной корректировке Мейерхольду пришлось подвергнуть образ Кизеветтера. Задумывавшийся как еще один двойник Гончаровой юноша-эмигрант не мог остаться поэтическим, вызывающим сочувствие персонажем. Его последовательно превращали в «фашиста». Отклики по поводу этой работы были противоречивы, что свидетельствует, скорее всего, о том, что видели разных Кизеветтеров на разных этапах перестройки образа (возможно, речь шла и о разных актерах: первоначально роль Ки-

Сцена «В кафе»

Кизеветтер — И.А. Ключарев

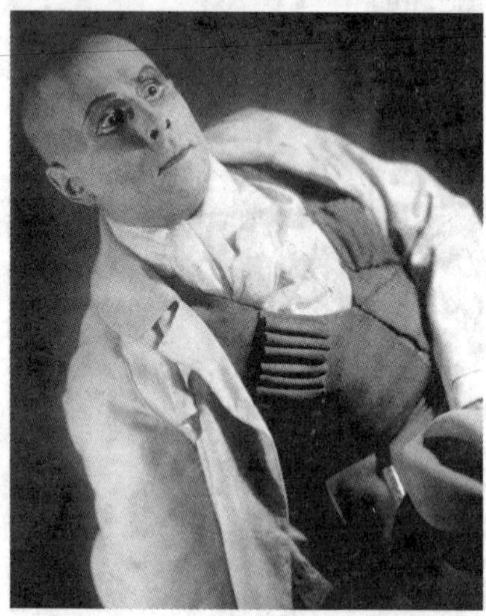

Кизеветтер — М.Ф. Кириллов

зеветтера репетировал И.А. Ключарев, а на премьере играл М.Ф. Кириллов).

Что в образе Кизеветтера «слишком много теплых красок и слов», осуждающе говорил О. Литовский[55]. Я. Гринвальд писал: «Олеша считает интеллигенцию печальной и трагической жертвой истории. Недаром он делает одинаково несчастными и Гончарову — свою “положительную” героиню, и Кизеветтера — героя отрицательного. Отождествляя их судьбу, приводя их обоих к печальному концу, он <...>»[56]. И. Крути видел еще достаточно неоднозначного героя: «Кизеветтер — неврастеник, вероятно, кокаинист, юноша, не знавший никогда родины, не верящий “ни в черта, ни в кочергу”, озлобленный волчонок»[57]. Но уже Уриэль полагал, что «умно и тактично, счастливо избегая опасности внутреннего оправдания образа, ведет свою роль молодого белогвардейца Кизеветтера молодой актер Кириллов»[58]. Настойчивые требования «определиться» мало-помалу превращают персонажа в схематичного злодея: «здесь основа строения образа — физическая, грубо натуралистическая, болезненно-патологичес-

Улялюм — М.А. Чикул

кая»[59], критики пишут о «нутряном психокопательстве» и «истеричных конвульсиях Кизеветтера»[60], наконец, об «омерзительном последыше дегенерирующего класса»[61].

В структуре спектакля, кажется, вовсе не было незначащих, пустых эпизодов и фигур. Но все же еще одним из героев, определяющих поэтическую сущность пьесы и спектакля, оставался певец Улялюм — Лелино «эхо» в Париже, одинокий художник, чей дар растоптан и пущен на потребу толпы маржеретами. «Улялюм — это не просто пошляк, это граммофон, в котором /звучит/ великий Вертинский», — записывает на обсуждении пьесы М.М. Коренев[62]. (Улялюма на премьере играл М. Чикул, потом случались и принципиальные замены[63].) Как и в случае с Кизеветтером, критика требовала бесспорного осуждения героя, была недовольна тем, что «Улялюм дан в лирических, влекущих тонах»[64]. Что «сцена с Улялюмом разработана в дурной манере условно-символистского театра почти без малейшего иронизирования»[65]. Что «“великий” Улялюм — олицетворенное убожество буржуазного искусства — режиссерски подан без тени иронии. Он выступает величаво, во всеоружии изящества и красоты, силы и превосходства»[66]. «Разве это Мейерхольд, который всегда в пьесах блестяще умел смеяться над обывателями, эстетами. <...> Разве Мейерхольд сумел здесь так внутренне посмеяться над Улялюмом? Он пошел за Улялюмом. <...> Эта песенка, она восхваляет Улялюма»[67]. Ю. Юзовский подводит итог: «Единственный человек, оказавшийся родным Леле. Улялюм — это та же Леля»[68].

Мнения критики расходились и по поводу «советских персонажей». Часть критиков утверждала, что работа Боголюбова — это большая победа, и более того — создание нового социального типа[69], писали о том, что «солнечная ясность, прямота, непоколебимость, подлинная человечность <...> представителей страны Советов подкупают и заражают зрителя»[70]. Другие же полагали, что бесспорна служебность советских фигур[71]. В откликах же частных, непубличных даже о самом, казалось бы, привлекательном из «советских» персонажей, Федотове, могли отозваться куда резче и определеннее: «<...> “стукач” (его играл Боголюбов) и ласкал ее (З. Райх. — *В.Г.*) взглядами и интонациями»[72].

Материала для сколько-нибудь внятных суждений по поводу актерского решения образа Чаплина, к сожалению, сохранилось недостаточно. В. Маслацов, судя по редким упоминаниям, давал не трагическую судьбу Чаплина, а, скорее, комическую, сниженную. «<...> В трактовке Мейерхольда безработный человечек Чаплин, Чаплин — член профсоюза, получив от Гончаровой несколько су, становится фигляром и выкидывает потешные антраша, шлепая себя тросточкой пониже спины...»[73] Возможно, не справился с ролью актер. (Хотя подобное предположение критикой отвергалось: «Когда речь идет о театре им. Вс. Мейерхольда, нельзя сказать – “неудачный актер”. У Мейерхольда этого почти не бывает. Мейерхольд доводит актера до такого состояния, какое ему нужно. Он работает до такой степени и таким образом, что актер играет безукоризненно»[74]. Далее критик размышлял: «И маска Чаплина <...>, который представляет большое искусство. Гончарова мечтает о Чаплине. Олеша очень ярко сталкивает ее с этим Чаплином и показывает, что вместо этого Чаплина существует что-то другое. Вместо Чаплина он преподносит безработного. <...> А самое главное, что театр <...> не сумел показать трагическую маску Чаплина и трагическую маску Улялюма. <...> Вместо трагической маски Чаплина мы увидели “смешного человечка”. Я не думаю, что Мейерхольд не понял этой маски. Эта маска должна была разоблачать список пороков»[75] — чего, по-видимому, не захотел показать режиссер.

Федотов — Н.И. Боголюбов

Возможно, невнятность решения образа появилась из-за переакцентировки и резкого сокращения роли (напомню, что эпизод был кардинально переделан, и на место семистраничной поэтической сцены с отчетливыми шекспировскими реминисценциями пришел двухстраничный упрощенный диалог голодного Маленького человечка с Фонарщиком).

Директор театра Орловский — М.Г. Мухин

Сохранились и упоминания о второстепенных персонажах спектакля. Гончарова «вознесена над средой — все образы "среды" даны сатирически, карикатурно, — сообщал рецензент журнала «На литературном посту», в целом высоко оценивший работу Мейерхольда. — Таков Орловский, директор театра, в котором выступает Гончарова, председательствующий на диспуте. Таковы соседи Гончаровой по квартире — Дунька, Петр Иванович, Баронский. Шаржирован и представитель рабочих зрителей, подносящий Гончаровой цветы. Лишь советские хозяйственники-партийцы, с которыми Гончарова встречается уже в Париже, даны не в сатирическом плане, но зато — как люди слишком упрощенной психологии...»[76]

Дуня — Е.Б. Бенгис

Итак, соглашаясь с тем, что актерски спектакль был превосходен, в трак-

Баронский — Н.К. Мологин

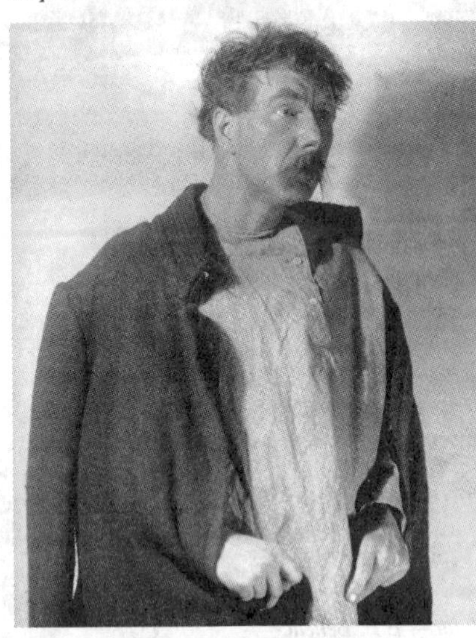

Петр Иванович — П.И. Старковский

товке каждого отдельного персонажа рецензенты расходились порой полярным образом. Интерпретации характеров героев определялись ценностными и идеологическими установками критиков, т.е. дело заключалось в том, «защищал» ли критик работу Олеши и Мейерхольда или считал своим долгом ее разоблачить. Важна была и дата появления той или иной статьи, о чем говорилось выше (в главе 8).

Единой критика оказалась, пожалуй, лишь в определении смыслового и эмоционального центра спектакля, сцены «В Мюзик-холле», да еще в единодушном неприятии финала, о котором все писали, что это бесспорно проигранный, фальшивый и неубедительный эпизод[77]. Реально же это означало, по-видимому, не столько то, что Мейерхольд не справился с решением массовой сцены, сколько то, что этот эпизод не был для режиссера сколько-нибудь важен.

На самом же деле финалов в спектакле было два. Один, запоминающийся, был выверен в своей простоте: Гончарова заслоняла собой Сантиллана, выпрямлялась и замирала после смертельного выстрела. Затем шла к фонтану, склонялась над ним, так что волосы окунались в воду[78], еще выпрямлялась и лишь потом падала, умирая «на камне Европы». И А. Гурвич писал о гибели Гончаровой как о самоубийстве[79]. Второй ложный, формальный, фальшивый, которым ос-

Сцена «Просьба о славе». Ткачиха — Н.И. Серебряникова, Гончарова — З.Н. Райх

тались недовольны все рецензенты: нестройная толпа «живгазетных безработных»[80] поднималась из зрительного зала на сцену навстречу картинно вскидывающим из-за колонн ружья драгунам.

Мейерхольд выстраивал камерно-психологический, поэтический спектакль, в котором народные массы, изливающиеся на сцену, ничего не решали.

Спустя годы Б. Алперс писал: «<...> в самом начале 30-х годов мейерхольдовская система эксцентрического актерского мастерства начинает меняться в ускоренном темпе и быстро теряет свою эстетическую исключительность и чистоту. <...> Мейерхольд отказывается от <...> образа-маски, лишенной внутреннего движения, и вводит в арсенал своих художественных приемов развернутый образ-характер, имеющий свою динамику и более или менее сложную психологическую структуру <...> Эти изменения в художественной системе Мейерхольда впервые обозначаются в постановке “Списка благодеяний”, показанной летом 1931 года. — И далее: — Еще совсем недавно, в постановках “Бани” и “Последнего решительного”, Мейерхольд вывел на сцену своего театра новую серию социальных масок... И тут же вслед за ними на те же подмостки неожиданно вышли перед зрителями вполне реальные персонажи “”«Списка благодеяний» во главе

Эксцентрик — А.И. Костомолоцкий

1-й полицейский — Т.П. Бочарников

с молодой советской актрисой Еленой Гончаровой, появились современные люди, как будто пришедшие под свет прожекторов из зрительного зала 30-х годов — со своими мыслями, мечтами, сомнениями, со своими драмами и сложными судьбами. <...>

Но главные изменения в стиле спектакля относились к построению образов действующих лиц. Они были решены Мейерхольдом <...> как живые человеческие характеры, имеющие внутреннее движение и психологическое обоснование в своем развитии»[81].

Полемический (и рискованный) смысл «Списка благодеяний» заключался в том, что Мейерхольд продемонстрировал «как живые человеческие характеры», по терминологии 1920—1930-х годов, — «бывших» людей.

В конце 20-х прошла дискуссия о «новом герое». В ней литераторы и публицисты решали, кто может (и должен) определять собой лицо эпохи. «Вряд ли многих удовлетворяет сейчас интеллигент тургеневской или толстовской складки, переодетый в современный костюм. <...> Разъедающая рефлексия, самообнюхивание, психическое недомогание <...> не передают специфики пролетарского героя»[82].

На диспуте о «Списке благодеяний», прошедшем в ФОСП 16 июня 1931 года, одним из самых внимательных зрителей оказался рабкор Дубков. «Последняя сцена раскрывает лицо театра. Вспомните: когда умирает Гончарова, весь свет на нее, а толпа в темноте. <...> Перехожу к выводам. Театр от своего революционного прошлого перешел к дореволюционному театру»[83].

2-й полицейский – М.И. Карликовский

В кризисной культурно-политической ситуации рубежа 1920—1930-х годов это означало утверждение режиссером прежних фундаментальных либеральных ценностей: духовного мира человека, его внутренней свободы, несводимости душевных движений к мобилизованности и «общественной пользе» — и протест против коллективизма, понятого как механический «порядок» насаждаемого единообразия.

III. Цветовое решение спектакля, костюмы, бутафория

Оформление спектакля решалось в основном в холодноватых тонах — так воплощалась сухость трагедии[84]. Работала гамма серо-голубого и жесткого синего, глухого песочного и светло-коричневого[85]. Единственным ярким пятном был насыщенный, кроваво-красный «цирковой» ковер в заведении Маржерета. Почти кровь арены, на которую, как на корриду, выходит Гончарова. Ее гамлетовский плащ еще резче подчеркивал аналогию эпизода с боем быков и (предвкушаемым) смертельным исходом схватки.

Да еще неярко золотились перила (в эпизоде «Мюзик-холла»), о которых говорил Улялюм; в золотую раму был заключен трельяж у портнихи (в нем отражается преобразившийся на мгновенье «гадкий утенок» Гончарова, появляясь в серебряном платье); тусклым золотом поблескивал манекен в витрине магазина (в сцене финала)[86].

Но в «московском» эпизоде Мейерхольд подробно обживал сцену, насыщая ее житейскими деталями, вещами, мягкими пятнами.

В комнате у Гончаровой на большом столе расстилалась голубая скатерть, на столе стоял графин синего стекла, расставлялись бокалы и тарелки; на пианино лежали Лелина сумочка с деньгами и старенький портфель настройщика; на маленьком столике на розовой скатерти стояли синяя ваза и розовый графин с водой, наготове была и чернильница с ручкой; на полу комнаты расстилался цветной ковер; на авансцену были вынесены открытый квадратный сундук и музыкальный ящик, возле которого лежали пластинки и были разбросаны фотографии актеров и Чаплина[87]. Тут же, в комнате Гончаровой (которая, по реплике героини, была «без мебели»), появлялось и много стульев (одиннадцать у стола и еще три-четыре, стоящих отдельно, — указывал документ)[88].

На репетициях Мейерхольд говорил о посуде для гостей, бутылках вина, множестве буханок хлеба и нескольких апельсинах, принесенных Никитиным. На стол высыпались и яблоки будущего коммунального раздора.

Не забывали уточнить, что «в дверях у Гончаровой и Татарова ручки 1) у Гончаровой *проще* 2) у Татарова хорошие медные ручки» [89], а кресло у Трегубовой «с золочеными гвоздиками» и т.д.

В комнате у Трегубовой вещи имели отношение либо к профессии хозяйки, либо к характеристике ее частого гостя, Татарова. Стояли круглый стол, кресло, стул, куб, манекен, трельяж. На куб водружалась деревянная бутафорская ваза с железными цветами, стол покрывался коричневой скатертью[90]. На столе масса «журналов, газет, неразрезанная книга и нож для разрезания, пепельница, у Татарова — блокнот, ручка, папиросы»[91]. Специально помечался цвет ткани, которую расстилала Трегубова, ведя диалог с Татаровым: «зеленый шелк»[92].

В сцене «В Мюзик-холле» стоял рояль, на нем — «шелковое покрывало, три больших книги, десять штук маленьких книг, раскрытых, разные разноцветные бумажки, флейта, шпага, шляпа, ручное зеркало»[93].

В эпизоде «У Татарова» на полу лежал тот же красный ковер, что и в сцене Мюзик-холла. Появлялась еще и статуя — за ней пыталась спрятаться Леля. А в эпизоде финала статуя «рифмовалась» с золотым манекеном витрины.

В сцене «В кафе» использовались бамбуки из «Бубуса»[94].

По-особому решалась сцена с Чаплином (см. об этом ниже).

Для анализа решения костюмов к спектаклю можно воспользо-

Сцена «У Татарова»

ваться двумя документами: перечнем костюмов, лишенным каких бы то ни было подробностей, вероятно, ранним, — и более детальной описью, составленной примерно за месяц до премьеры, 29 апреля 1931 года.

Приведу ранний перечень костюмов[95].

«Гончарова

1. Серебр/яное/ платье.

2. /Костюм/ Гамлета.

3. Домашн/ее/ платье.

4. Пансион, Париж (зачеркнуто. — *В.Г.*).

5. Пальто, Мюзик-холл.

6. У Татарова платье.

7. Посл/едний/ эпизод? (зачеркнуто. — *В.Г.*)

Татаров.

3 костюма, 1 пальто, 2-е /пары/ ботинок, 2-е /пары/ перчаток, шляпа — 2-е.

Трегубова и Семенова — по 2 костюма. Остальные — по 1 костюму» (причем костюмы Маржерета и Кизеветтера описаны).

Итак, у З. Райх и Мартинсона наибольшее количество переодеваний (но у Гончаровой прибавляется еще и костюм Гамлета), т.е. у Гончаровой — 5 костюмов, у Мартинсона — 3.

К.К. Савицкий. Горожанин. Эскиз

Более детальна опись костюмов, датированная 29 апреля 1931 года. Она, по-видимому, предлагается К.К. Савицким, но утверждается, корректируется самим Мейерхольдом (его подпись стоит на каждом листе). Костюм Маржерета таков: серый шелковый цилиндр, белое кашне, костюм с жилетом и пальто из белого сукна, сапоги желтые на заказ, носовой платок, белые перчатки. Для Улялюма предложены: фрак, рейтузы, жилет, белое кружевное жабо, белая шляпа, сапоги, лайковые перчатки. На листке с перечислением предметов костюма Кизеветтера Мейерхольд перечеркивает предложенное и пишет сам: «Кавк/азского/ типа сапоги, поясок, черкеска, дождевое пальто, кашне, шляпа». (Сначала Кизеветтеру вручали еще и кинжал, т.к. репетировался ранний вариант пьесы.)

Татаров снабжен продуманным гардеробом, призванным создать образ преуспевающего журналиста: «костюм из шерсти, костюм из белого сукна, шелковый шарф-кашне, две пары заказных ботинок на толстой подошве, три носовых платка, два галстука, две пары полушелковых носков, две рубашки с накрахмаленной пикейной грудью, гетры из белого сукна. Осеннее пальто».

Дуня, напротив, для художника по костюмам проста: «Платье недлин/ное/ рваное, скверное, ситец, сатин»; «ботинки фетровые старые, стоптанные, отделанные мехом, остальное подбирается»[96].

На обсуждениях спектакля Мейерхольда упрекали в том, что он и за пьесу взялся лишь для того, «чтобы блеснуть блестящими костюмами и парижскими рекламами»[97], что говорит об удачности исполнения костюмов центральных «европейских» персонажей — Татарова, Кизеветтера, Трегубовой, самой Лели.

Для центральной героини предложен следующий предварительный список костюмов:

«а) Серебряное платье sorti de bal со шлейфом, длинное, с рукавов спускаются шлейфы, сзади платья бант, кружева. На платье длинные белые оборки сзади и спереди. Шьется из легкого белого шелка, на кружева кладутся серебряные блестки (или из тонкой серебр/яной/ паутины). <...>Шелковая кофточка для бального платья с мехом. Туфли, чулки, белые лайковые до локтя бальные перчатки.

К.К. Савицкий. Безработный. Эскиз

б) Костюм Гамлета: черный тонкий кашемировый плащ. Бархатная или шелковая куртка с пелеринкой <...>.

в) Домашнее платье в клетку<...>.

г) Платье для пансиона. Шелковое, коричневое. Все платья ниже колен. Шляпа, перчатки, туфли (парижские).

д) Пальто с серой лисой. Из белого сукна. Окрашено.

е) Шляпа из белого фетра. Окрашена»[98].

Причем на этом списке нет помет Мейерхольда, нет и его подписи. Сценические костюмы Райх, как известно, продумывала она сама, с особенной тщательностью, иногда и шила за свой счет.

Т.С. Есенина вспоминала: «Только относительно очень “ответственного” серебряного платья из “Списка” на 99 процентов уверена, что его делала жена художника Лейстикова, которая считалась первоклассной портнихой, держала при себе мастерицу. Откуда процент сомнения? Когда Лейстикова делала это самое “серебряное” платье, З/инаида/ Н/иколаевна/ надеялась, что она будет ее потом “обшивать”. А потом ничего ей заказывать не стала, говорила, что Лейстикова ее стиля не чувствует, она осталась с нею в хороших отношениях, как с женой художника, но при всем при том “серебряное” платье, скорее всего, подвергалось переделке»[99].

«Солнечные» советские персонажи, Лахтин и Дьяконов, появлялись в одинаковых серых плащах, не одно десятилетие служивших

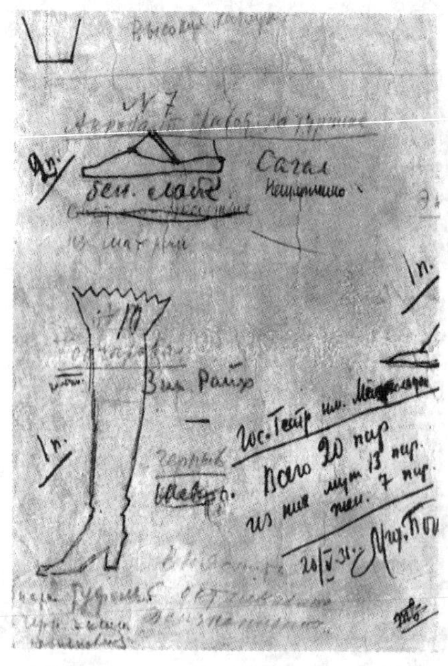

Г. Лейстиков. Эскизы обуви.

униформой «людей в штатском». У врывавшегося в комнату Гончаровой соседа Петра Ивановича из под-брюк виднелись «кальсоны с завязками» (что специально отмечалось художником по костюмам).

Толпа безработных в финале была решена в грязно-серых, коричневатых, черных, асфальтовых тонах — темная, мрачная, угрюмая (эскизы большей части их костюмов и образцы тканей также сохранены в фондах ГЦТМ[100]).

«Окраска установок, предметов и костюмов (удачные эскизы которых дал художник К. Савицкий), произведенная по его указаниям художником Г. Лейстиковым <...>, позволяет говорить о большой живописной культуре спектакля», — подытоживал А. Февральский[101].

IV. Свет

В световой партитуре спектакля[102] использовались различные типы света: производственно-театральный (софиты, прожектора и проч.), эмоционально окрашенный, передающий настроение сцены, эпизода (разноцветный, мигающий свет рекламы; нервный, дрожащий огонек спички, мягкий, домашний — бра, настольной лампы); «сновиденческий», голубой (свет уличного фонаря) и т.д. Работал свет статичный и движущийся, общий и локальный, холодный и теплый, фокусированный и рассеянный и т.д.[103]

В Прологе Гончарова, стоящая на красной эстраде, была выделена пятном света (лучами двух фонарей из правой осветительной ложи) с начала и до конца эпизода. Во время диспута освещался партер (правым и левым «бубусом», пасхальницами и двумя прожекторами) — тем самым зал включался в действие пьесы, объединяясь со сценой. Широкий белый луч света военного прожектора, направленный на стол, выделял белые записки на красном сукне. В лучах прожекторов, стоя на авансцене, произносила Гончарова и свою заключительную реплику: «Отвечаю честно — вернусь...»

В эпизоде «Тайна» (в комнате у Гончаровой) Мейерхольд расставлял следующие световые акценты.

Один белый военный прожектор направлялся на Гончарову. На реплику: «Париж, Париж!..» — она зажигала бра. «Вот этот маленький чемоданчик...» — на него тут же указывал луч правого линзового прожектора. Произнося слова о «тайне русской интеллигенции», Гончарова садилась на ручку кресла, и узкий луч «подавал» тетрадь. С появлением юноши-комсомольца сцена становилась ярче: в выносных софитах загоралось еще пять тысячеваттных ламп. Когда Гончарова шла с букетом жасмина к столу, за ней следовал сноп света левого военного прожектора — и затем оставался на столе. К финалу сцены вспыхивал весь свет, который держался до конца действия.

В «Пансионе» военный прожектор справа освещал стол, причем свет оставался неподвижным.

В сцене «У портнихи» лучом выделялся стул, на который опускался Кизеветтер, с начала эпизода и до его ухода: именно Кизеветтер был эмоциональным центром эпизода. Он покидал сцену, и роль первой скрипки возвращалась к Татарову. На одной из репетиций Мейерхольд объяснял: огонек спички Татарова «отчеканивает ремизовскую игру». Когда же Гончарова выходила в серебряном платье, она будто вспыхивала в луче прожектора, направленном из партера. При уходе Гончаровой общее освещение сцены «пригашивалось» (выключался прожектор, снимался подсвет на щит, гасли пасхальницы). Затем луч света находил дневник — сразу после того, как Татаров поднимал газету с забытого чемоданчика Гончаровой, — и оставался на нем до конца эпизода.

В «Мюзик-холле» две зеркалки освещали рояль. Переливалась реклама (причем буквы загорались поочередно, а гасли все сразу). Два фонаря (из левой осветительной ложи) вспыхивали при появлении Улялюма и переводились на Гончарову, когда она присаживалась к роялю. Улялюм уходил, и один из фонарей потухал, второй — провожал Гончарову в ее переходе по сцене к правому порталу. Когда же героиня начинала подниматься по лестнице, гас и второй фонарь. («Убрать весь свет на чистую перемену, когда Гончарова дойдет до правого портала».) Вновь свет возвращался в конце сцены — на монолог актрисы.

Сцена с Чаплином и Фонарщиком шла в таинственном «вечернем» освещении. Синий свет лился у колонны («две зеркалки с синим светом между колоннами», — помечал режиссер), синий прожектор и фонарь освещали Чаплина. Синим цветом мерцал и уличный фонарь. Гончарова появлялась у черной колонны в лучах зеленого прожектора (который гас, как только героиня отходила от колонны). С ухо-

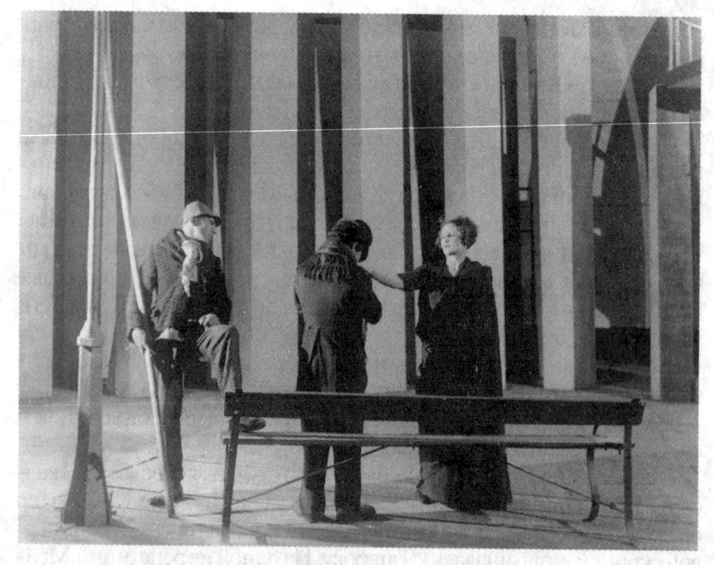

Сцена с Фонарщиком

дом Чаплина исчезал и синий свет.

В сцене «В кафе» два прожектора освещали сцену белым ровным светом. Два фонаря (левой осветительной ложи) акцентировали внимание зрителя на поверхности стола, где появлялись газета со статьей о Гончаровой и револьвер.

В эпизоде «У Татарова» приглушенный локальный свет исходил от настольной лампы, да еще узким лучом освещал край письменного стола фонарь (из левой ложи).

И, наконец, в финале вновь загорались синий и зеленый «ночные» прожектора. Фонарь направлялся между колоннами, обнажая просветы между ними. Другой фонарь освещал проход между «универмагом» и колоннами. Еще два фонаря, сходясь в одну точку, выделяли чашу фонтана.

К сожалению, сохранились не все указания и распоряжения, касающиеся световой партитуры. Поэтому меняющееся освещение сценического действия может быть прослежено лишь частично, далеко не исчерпывающе.

Итак, мейерхольдовская партитура света:

1) организовывала действие (например, объединяла зал и сцену в одно целое в эпизоде диспута);

2) размечала героев, крупно «подавая», выделяя центральных — и уводя в тень прочих;

3) в каждой сцене управляла фокусом зрительского внимания, акцентируя светом (работающим аналогично выделениям «жирным шрифтом», подчеркиваниям и проч.) важнейшие, смысловые узлы;

4) сообщала эмоциональный настрой отдельным фрагментам спектакля (заливая всю сцену ярким, жизнерадостным, «солнечным» светом в финале эпизода «Тайна» — либо, напротив, давая романтическое, загадочное, «сновиденческое» освещение эпизоду Чаплина);

5) выявляла ритм эпизода: статику сцены «В кафе» подчеркивал неподвижный, фиксированный свет. Напротив, детально продуманная, изощренная игра света и теней в сцене Мюзик-холла подчеркивала многозначность ее театральной структуры.

V. Музыкально-звуковая партитура спектакля

Музыкальность спектакля «Список благодеяний» критикой отмечалась особо. «Спектакль Мейерхольда пронизан музыкой: вслед за бабушкиным музыкальным ящиком, вслед за специально написанной “современной” лирической музыкой, саксофоны джаз-банда приглушенно рыдают за сценой фокстрот, и, наконец, — Улялюм поет свою шантанную песенку»[104].

Строгий Уриэль полагал, что музыки в спектакле излишне много[105]. (Об этом О. Литовский говорил сразу после предпремьерного обсуждения «Списка» 2 июня.) Теперь он более суров и пишет не только о «перегруженности паузами, чрезвычайной медлительности темпов» спектакля, переключающих его временами «в театр настроений и углубленных переживаний», т.е. о чисто художественной стороне дела, но и заявляет об идеологически неверном уклоне: «Из момента иллюстративного музыка превращается в самодовлеющую пропаганду дурных упадочнических образцов западноевропейской музыки»[106].

А. Февральский, пишущий о музыкальном решении «Списка» почти теми же, что и Литовский, словами, интерпретирует суть сделанного в спектакле по-иному: он видит в новой работе режиссера развитие принципов построения музыкальной партитуры, нащупывавшихся Мейерхольдом еще в экспериментальном опусе «Учитель Бубус» (1925). «Если некоторые моменты проблематики этой пьесы («Списка благодеяний». — *В.Г.*) перекликаются с “Командармом-2”, то в элементах спектакля обнаруживается связь его с постановкой “Учителя Бубуса”, — размышляет А. Февральский. — Об этой связи говорят тонкие приемы характеристики изощренной упадочности буржуазной культуры, замедленные темпы, музыкальное построение спектакля, сама музыка Г. Попова, удачно вобравшая в себя влияние Листа <...>»[107].

Первоначально музыку к спектаклю должен был писать Лев Оборин. Г.Н. Попов появился среди участников спектакля, похоже, по стечению обстоятельств. 23 ноября 1930 года Попов отправляет Мейерхольду письмо, где сообщает, что Малый оперный театр в Ленинграде предложил ему написать оперу совместно с режиссером. «Я смогу приступить к писанию музыки лишь в мае 1931 года, с тем, что к этому сроку будет 1) найдена тема 2) написано и отделано (с участием режиссера и композитора) либретто, — пишет Г.Н. Попов и далее излагает свои пожелания в связи с этим сочинением:

1) тема должна быть поставлена остро,

2) глубоко <...>,

3) форма — основана на симфоническо-музыкально-театральных принципах,

4) актеры должны уметь: говорить, петь, двигаться (пантомимировать)».

Кроме того, Попов хотел бы «подыскать острого драматурга»[108].

Занятость Л. Оборина и предложение Г. Попова о сотрудничестве приходятся именно на те месяцы, когда Мейерхольд захвачен «Списком». Пьеса Олеши отвечает и устремлениям композитора: ее «острая» тема выражена в «симфоническо-музыкальной форме». В результате Г.Н. Попов становится автором музыки к спектаклю.

В апреле композитор приступает к работе[109] и 22 мая 1931 года ее оканчивает[110].

Оркестровая партитура спектакля хранится в фондах ГЦТМ им. А.А. Бахрушина[111]. По ней можно судить о том, какие музыкальные номера прорабатывались более тщательно, какие — скорее формально обозначались.

Ключевыми музыкальными темами занимались особо.

Для темы Гончаровой Попов сочинял (и частично подбирал) музыку, по определению одного из критиков, «холодную», прозрачную, стилизуя собственные, оригинальные мелодии под романтические вещи Листа и Шопена. У Лели была своя, лишь ей принадлежащая музыкальная фраза (вальсовая), и даже инструмент (конечно, флейта). Чего добивались режиссер с композитором, объясняет сохранившаяся запись П. Цетнеровича: «Флейта — меньше — наивнее»[112]. Гибель Лели сопровождал дуэт скрипки и рояля.

«Шантанной песенкой» Улялюма стала хорошо известная российским меломанам тех лет песенка французского шансонье Шевалье. А. Паппе[113] писал о ней Мейерхольду (№ 14 и 15 партитуры): «Эту песенку Шевалье поет очень свободно в ритмическом отношении, и запись поэтому довольно приблизительная, упрощенная. За правильность некоторых гармоний не ручаюсь, так как трудно было разобрать в граммофоне. Конечно, обращение с материалом с Вашей стороны может быть совершенно свободное»[114].

По контрасту с музыкально изощренным, многозвучным эпизодом

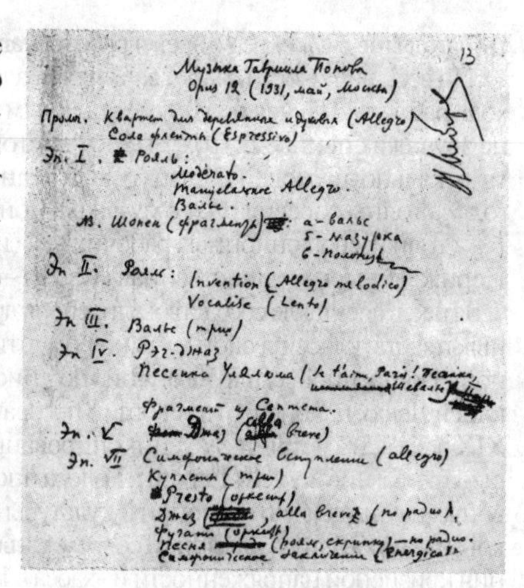
13
Музыка Гавриила Попова
Opus 12 (1931, май, Москва)
Пролог. Квартет для деревянных и духовых (Allegro)
Соло флейты (Espressivo)
Эп. I. Рояль:
Moderato.
Танцевальное Allegro.
Вальс.
М. Шопен (фрагменты): 4 – вальс
5 – мазурка
6 – полонез
Эп. II. Рояль: Invention (Allegro melodico)
Vocalise (Lento)
Эп. III. Вальс (трио)
Эп. IV. Рэг-джаз
Песенка Улялюма (Je t'aime, Paris!
Фрагмент из Септета.
Эп. V. Джаз (alla breve)
Эп. VII. Симфоническое вступление (allegro)
Куплеты (трио)
Presto (оркестр)
Джаз, alla breve (по радио).
Фугато (оркестр)
Песня (рояль, скрипка) – по радио.
Симфоническое заключение (Energico)

Перечень музыкальных номеров в спектакле «Список благодеяний».
Ф. 963. Оп. 1. Ед. хр. 716. Л. 13

«В Мюзик-холле» в сцене «У Татарова», судя по партитуре, музыка замолкала вовсе, сцена шла «сухо»: акцентировался диалог спорящих, Гончаровой и Татарова, освобожденный от какого бы то ни было фона, и поддерживающего, и контрапунктирующего.

Основные темы музыкальной партитуры пьесы, продолжающие реплики и действия персонажей и определяющие собой лейтмотивную структуру вещи: флейта — колокольчик председателя — песенка Улялюма — контрастное беззвучие финала.

В двух сценах — Кафе и Финале — музыкальные номера повторялись: «ветер» в оркестре (традиционно означающий на театре смятение чувств героя) и мелодия джаза (как характеристика «Европы» — места действия).

Для сцены финала (по формуле драматурга — для выражения «народности») была сочинена шутливая песенка про блондинку. Ее пела, то и дело прерываемая возгласами толпы и спором Лели с семейством «французских буржуа», группка уличных певцов (трио). А для ритмической организации колонны рабочих, вступающих на сцену под красными знаменами, готовился специальный марш.

18 июня 1931 года, спустя две недели после премьеры «Списка», Попов, не получив от Мейерхольда вестей, беспокоится: «Ждал от компании “друзей ‘Списка благодеяний’” телеграмму в вечер кутежа. Но... или кутеж у Вас не состоялся, или “друзья ‘Списка’” обо мне забыли. <...> Очень хотелось бы узнать, — продолжает композитор, — как использован тот марш-песня, который я написал в день отъезда, и как его исполняет Никольский?[115] Вероятно, исполняется лишь первая фраза этой песни. <...> Может быть, вообще марш не подошел, или в страшной спешке (предотъездной) я неудачно инструментовал? Вообще же этот марш надо исполнять очень *строго ритмично*. (Все аккорды должны браться строго одновременно, а не вразбивку, quasi arpeggiato, как это практиковалось в моем Rag-jazz'е.)» И, уже заканчивая письмо: «<...> с удовольствием вспоминаю тот накал, который

ты давал мне в Москве во время работы над "Списком"»[116].

По всей видимости, марш сочинялся для финальной сцены — похода рабочих. И, судя по документальным источникам, в самом деле не звучал в спектакле. Сохранился листок с детальной фиксацией музыкально-шумовой партитуры последнего, седьмого эпизода, где голоса толпы соревнуются с музыкальной партитурой[117]. «В финале <...> толпа революционных рабочих <...> идет голодным походом на Париж. И здесь — единственная музыка — оружейный залп...»[118]

Итак, в спектакле соседствовали, споря друг с другом, три музыкальных пласта: классической музыки романтического стиля; современной, изощренной, стилизованной «под Листа» мелодии, сопровождающей Лелю; наконец, оттеняющий прозрачность и мелодизм музыки XIX века асимметричный, синкопированный, жестко-агрессивный rag-jazz «загнивающей» Европы. Голоса инструментов традиционных, воплощающих идею гармонии и культуры (рояля, флейты, скрипки), контрастировали со звучанием современных джазовых — как выражения кризисной напряженности и «хаоса». Важна была, по-видимому, и оппозиция «живого — мертвому», импровизационности, изменчивости — статике и заданности («живая» музыка подчеркивала предрешенность и безапелляционность радиотрансляции).

VI. Режиссерская технология Вс. Мейерхольда в спектакле «Списка благодеяний»

Хорошо известно, что именно Мейерхольд провозгласил в России авторство режиссера. Не просто толкователя, интерпретатора литературного текста, а сочинителя текста театрального. Определение спектаклей, принятое композиторами: «Опус №...», т.е. «сочинение», введенное им в афиши, кроме идеи авторства означало еще и манифестацию лирической ноты, запечатленной в театральном зрелище, режиссерскую объективацию субъективного переживания (то, что Ш. Бодлер, которым некогда зачитывался Мейерхольд, называл истинной лирикой, «представлением настоящего»). Мейерхольдовские спектакли второй половины 1920—1930-х годов, на первый взгляд могущие восприниматься и как «антиинтеллигентские» («Учитель Бубус», «Мандат»[119], «Список благодеяний», «Вступление»), были скорее самоописанием режиссера, говорили о самых важных для него проблемах, мучительных и неотвеченных вопросах. Что, без сомнения, прочитывалось внимательными современниками. Так, Вяч. Иванов называл Вс. Мейерхольда и З. Райх «меценатствующими нашими Бубусами»[120]. А Вс. Вишневский после просмотра спектакля «Вступление» записал в дневнике: «Запада я не видел. Была показана гибель чего-то (интеллигенции?) *вообще*»[121].

Но тогда анализ и интерпретация творчества Мейерхольда в немалой степени должны быть анализом и интерпретацией не только чисто художественных поисков и открытий режиссера, но и его изменяющейся на протяжении десятилетий культурно-идеологической, мировоззренческой позиции. Размышление же над проблемами интеллигентского самоопределения на исходе XX века, в свою очередь, тесно связано с выработкой, установлением наших актуальных образов себя самих, осознанием того, что сегодня является нашими нормами, ценностями, представлениями о должном. (Ср., например, отношение к проблеме интеллигенции Иосифа Бродского: «Русским интеллигентом я себя не считаю. Это понятие, которое возникло в XIX веке и умерло в начале XX. После 1917 года нельзя говорить всерьез о русском интеллигенте»[122].)

Мейерхольд заявил (воплотил) в театре множественность точек зрения на мир и человека в мире — в противовес единственно возможной, присущей реалистическому театру XIX века. Но на театре, как и в любом виде искусства, не бывает «чисто технологических» превращений. Они всегда связаны с обновлением художественного языка и в конечном счете — с изменением устаревающих представлений о человеке. Так, введение вращающегося поворотного круга, преследующего, казалось бы, чисто технологическую цель (ускорить смену картин), пришедшего на смену статичному павильону, стало на театре одним из следствий смены философских представлений о мире: от «неколебимого» звездного неба — к эйнштейновской теории относительности, дискретности и проч.

И внимательные критики писали о «крокизме», отрывочности построений спектаклей Мейерхольда, причем в этом сходились авторы самых разных лагерей и полярных эстетических пристрастий, от А. Эфроса и В. Сахновского до П. Маркова и Б. Зингермана. (Ср.: /Мейерхольд/ «видит жизнь не в ее ходе, а в отрыве — без начала и конца»[123].) Но что означал этот крокизм? Отчего режиссер строил спектакли второй половины 1920-х годов так, что в каждом из них соединялось несколько систем условностей?

Ярким примером подобной работы стал «Учитель Бубус». В спектакле о беспринципном и оттого жалком интеллигенте, мечущемся между двух лагерей, «угнетенных» и «угнетателей», по воле Мейерхольда жили и перила ампирных особняков, и медные окантовки тяжелых шкафов, и мягкие пуфы, невыносимо добротные, неумолимо настоящие вещи, забредшие в спектакль то ли из пензенского детства, то ли — из эпохи раннего МХТ. В перламутровой раковине, вознесенной над сценой, располагался живой музыкант. Музыкальная раковина и фонтан с хрустальной водой напоминали о гуляниях в Купеческом саду провинциального российского города (при том, что действие пьесы А. Файко вообще-то протекало в Европе).

А еще в зрелище были введены элементы японского театра, тоже не скрывающие своего происхождения: прозрачные экраны, ломкий звучащий бамбук.

Но и этого режиссеру показалось мало. И над сценой поплыли титры ленинских обличительных фраз вроде: «Пусть псы и свиньи загнивающей буржуазии...»

Кроме двоящегося, троящегося сценографического образа в «Бубусе» появилась еще и «предыгра», расщепляющая уже и самый персонаж, кажется, последний неделимый атом привычного театрального зрелища. Новая манера актерского существования заключалась в том, что сначала актер «сообщал» о чем-то пантомимой и лишь затем произносил текст роли. Т.е. игралась и роль, и «отношение к ней» — но тем самым заявлялось, что на нее вполне возможен и иной взгляд.

Сцена будто разворачивала, обнажала смятенное, утратившее всякую определенность моральных ориентиров сознание героя.

При этом система условностей театра политического (лозунги вождя) «отменялась» системой условностей японского театра. А та, в свою очередь, вступала в противоречие с элементами конвенции русского реалистического театра. Множество «рамок» спектакля делало каждую из них незначимой, небезусловной. Важно и то, что количество этих «рамок» все росло, как будто режиссер не был уверен в произносимом им художественном слове, сомневался в любом своем шаге, утверждении, образе, чувстве.

Озадаченная, сбитая с толку критика отмечала смешение стилей, дисгармонию. Эклектику, наконец. Но можно быть уверенным, что в этой сценической какофонии для Мейерхольда был определенный смысл и ясное назначение. За этим вставало видение природы человека — нецельной, неустойчивой, колеблющейся, утратившей ясность осознания, что есть добро, что — зло.

Не противоположение и выбор, а скольжение авторской позиции. Но когда колебания в выборе затягиваются, они понемногу становятся самим выбором.

Мейерхольд стал ярчайшим представителем релятивизма на театре, сумевшим не только почувствовать, но и передать, воплотить смену представлений о человеке, новую антропологию XX века.

За марионетками Мейерхольда в новые времена прочитывалась мысль о том, что некто всесильный правит этим миром, ощущение неразрешимости проблем, стоящих перед разобщенными, одинокими людьми. Тем самым с личности будто снималась ответственность за ее поступки. В дискретности (а не текучести) сценических характеров сказывались немыслимые напряжения времени. Но это означало не что иное, как принятие тоталитарной точки зрения на человека (и принципиальной невозможности для него свободы выбора), и в этом смысле — глубокий пессимизм Мейерхольда-художника.

Актерам в спектаклях мейерхольдовского театра будто предлагалось играть не цельность человеческой личности (что отличало сущность режиссерского почерка Станиславского и поэтику авторов, избираемых в репертуар МХАТа) — но относительность любой, всякой нормы, ценности. «Согласно концепции левого театра человек сливается со своей социально-исторической сущностью, он с ней не разделим, — писал Б. Зингерман. — А с точки зрения Станиславского, человек сохраняет по отношению к логике больших чисел и законам социального бытия некоторую независимость». И далее о том, что у Мейерхольда в монтажном чередовании «масок» «едва улавливается целостная человеческая личность, погубленная, разъятая на элементы <...> своей эпохой»[124].

С этим, по-видимому, был связан и характерный и органический Мейерхольду штрих его театральных построений 20-х годов: списки людских потерь, зачитываемые в финалах спектаклей. Длинный перечень фамилий бойцов в «Командарме 2», наглядно-арифметический подсчет погибших (и оставшихся) в знаменитом финале «Последнего решительного» означали обращение человека в некий служебный, абстрактный знак вспомогательного характера — обезличенную и потому не должную вызывать эмоций цифру, как в военных донесениях. (Нетрудно назвать аналоги в литературе тех лет: «Цемент» Ф. Гладкова и «Железный поток» А. Серафимовича.) «С воцарением большевиков — стал исчезать человек, как единица», — свидетельствовал современник[125].

Так в технологических театральных приемах Мейерхольда проявлялось мировоззрение режиссера, связанное со сложным комплексом «вины» интеллигенции перед народом и чужести ему (с чем, собственно, было связано отношение к революции как к его освобождению и, стало быть, искуплению вины). В единый узел стягивались проблемы отношения к народу и власти — все то, что в конечном счете и составляло болезненную сущность самоопределения российского интеллигента.

От идей опоздавшего народничества Мейерхольд двигался к символизму, через него — в революцию, «сквозь» нее выходил к глубочайшему скептицизму одинокого художника.

В современной трагедии — а «Список благодеяний», бесспорно, был трагическим спектаклем о судьбе интеллигента, оказавшегося на земле в исторический миг, когда «порвалась дней связующая нить», — Мейерхольд возвращается к излюбленному символизму.

В структуре мейерхольдовского спектакля завязкой становится провокативная фраза, «подаваемая» в публику: художник должен думать медленно. Противостоящая требованию быстрой «перестройки», необходимость которой провозглашалась властью и стала лозунгом дня, фраза звучала вызывающе.

Шекспир превращался в союзника Мейерхольда, сцена с флейтой игралась как монолог современного героя.

Кульминационным мигом спектакля режиссер делал молчаливый уход Лели. В то время, как монологи, специально дописанные Олешей в «нужных» местах, не скрывали своей декламационной, риторической природы.

Наконец, Мейерхольд предлагал два финала: один — подлинный, мужественный, лаконичный: гибель героини. И второй — ложный, иллюстративный и многолюдный.

В спектакле, как всегда у Мейерхольда, нечто собиралось воедино, подытоживалось.

На этот раз уходит устойчивая черта поэтики режиссера, постоянно присутствующая в прежних его работах: исчезает множественность «рамок» в структуре спектакля.

В «Списке благодеяний» рамка, задающая точку отсчета, одна: это вечные ценности: человеческая жизнь, талант и искренность как ярчайшие проявления свободы. Нет здесь и «крокизма» Мейерхольда, специфической отрывочности, пунктирности его спектаклей, выстраиваемых как цепь эпизодов.

Уходит и перечисление людей через запятую, как это было в «Земле дыбом», «Д.Е.», «Командарме 2», «Последнем решительном». Герои укрупнены, отделены и отдельны. И каждый из них — это целый мир. В «Списке» появляется стержневой герой, вокруг которого выстраивается действие (в спектакле нет ни одной сцены, где не было бы Лели).

В «Списке благодеяний» Мейерхольд делает решительный шаг к утверждению цельности.

Итак, в чем заключалась содержательная сущность технологических приемов режиссера в «Списке»?

Формальной сменой ракурса — поворотом театральной сцены — Мейерхольд предлагает *новую точку зрения* на происходящее.

Относительность оценки любого события уступает место «прямому» взгляду на реальность: режиссер отменяет характерную его прежней поэтике множественность работающих в спектакле конвенций и рамок и, отказываясь от привычного «крокизма», создает бесконечный ряд сценических рифм, обеспечивающих целостность сценического высказывания.

Вводит и стержневого героя, с которым идентифицируется зритель.

Контрапункт спектакля создают две системы ценностей: классическая трагедия о Гамлете (как камертон происходящему), которой противопоставлен куцый, оборванный, усеченный взгляд на индивидуальность, концепция человека-функции (ее исповедуют такие разные, казалось бы, герои, как Дуня и Баронский — и Федотов с Лахтиным). И актриса Гончарова, «человек между двух миров», упорствующий в «гамлетовском» способе думать и жить, чья реплика о «блеющих» фразах могла бы принадлежать герою трагедии Шекспира.

Вместо обезличенных перечней человеческих потерь в финале «Списка благодеяний» погибает лишь одна женщина. Но ее смерть проживается авторами спектакля (и зрительным залом) всерьез.

Линия «спектаклей об интеллигенции», начатая Мейерхольдом десятилетие назад спектаклем «Великодушный рогоносец» (1922), о человеке с выбитой из-под ног опорой, продолженная осмеянием беспринципного, колеблющегося и трусливого героя в «Учителе Бубусе» и работой над «Мандатом» (спектаклем, «внутри» которого, буквально в недели репетиций, происходит некий перелом в мейерхольдовском понимании реальности), через «Горе уму» выводит его к олешинскому «Списку благодеяний».

Режиссер меняет круг авторов, пишущих для его театра: расстается с Вс. Вишневским, А. Файко, И. Сельвинским, упорствует в борьбе за новую пьесу Н. Эрдмана, пытается привлечь в ГосТИМ М. Зощенко и М. Булгакова, ждет новой вещи от Ю. Олеши.

Мейерхольд избирает идеологию попутничества в годы, когда она уже перестает оцениваться властями как «простительная», освобождаясь от собственных недавних заблуждений по поводу «правильности» и возвышенности исторических целей российского большевизма.

Прощание с иллюзиями Елены Гончаровой есть и мейерхольдовское расставание с ними[126].

«Говорите в пространство — кто-то услышит...»[127]

Премьерная афиша спектакля

Приложениек главе 9. ***Юрий Олеша. «Список благодеяний»***

Автор спектакля — Вс. Мейерхольд
(проект оформления и постановка)
Музыка — Гавриил Попов
Архитектура — С.Е. Вахтангов
Цвет — Hans Leistikow (Frankfurt/am Mein)
Одежда (форма, цвет) — К.К. Савицкий
Режиссеры: П.В. Цетнерович, С.В. Козиков, А.Е. Нестеров.
Помреж — С.Ц. Колпашников
Дирижер — Ю.С. Никольский
Пианист — А.Г. Паппе
Изготовление макетов — Я.З. Штоффер.

Действующие лица :
Гончарова — З.Н. Райх
Семенова (Гертруда) — Н.И. Твердынская
Орловский (директор) — М.Г. Мухин
Гильденштерн — Н.И. Васильев-2-й
Розенкранц — И.А. Ключарев
Дуня — Е.Б. Бенгис
Петр Иванович — П.И. Старковский

Баронский — Н.К. Мологин
Настройщик — А.В. Логинов
Юноша с жасмином — А.И Финкельберг.
Гости:
Никитин, Ноженкин, Ключарев, Нещипленко,
Туржанская, Лурьи, А.Л. Васильева
Хозяйка пансиона — Т.А. Говоркова
Трегубова — В.Ф. Ремизова
Федотов — Н.И. Боголюбов
Татаров — С.А. Мартинсон
Кизеветтер — М.Ф. Кириллов
Модель – Т.Н. Высочан
Подручная — А.Я. Атьясова
Маржерет — М.М. Штраух , К.А. Башкатов
Улялюм — М.А. Чикул
У рояля — В.А. Цыплухин
Человечек — В.А. Маслацов
Фонарщик — С.С. Фадеев
Эквилибрист — В.Д. Нещипленко
Эксцентрики — А.И. Костомолоцкий , Т.П. Мальцева
Лахтин — Ф.В. Блажевич
Дьяконов — К.П. Бузанов
Мулатка — Р.М. Генина
Этуаль — Соколова, Высочан
Негры — Озолин, И.В. Ноженкин
1-й полицейский — Т.П. Бочарников
2-й полицейский — М.И. Карликовский
Лепельтье-отец — Н.К. Мологин
Лепельтье-сын — А.А. Шорин
Лепельтье-дочь — Суворова
Кавалер ее — С.В. Мартынов
Комиссар полиции — Н.А. Поплавский
Некто в штатском — М.М. Неустроев
Сантиллан — Г.Н. Фролов
Ткачиха — Н.И. Серебряникова
Ткач — А. Васильев-1-й
Агитатор — В.Ф. Пшенин
Подросток — А.А. Консовский
Куплеты поют — А.В. Логинов , В.Ф. Ремизова

Безработные, горожане, драгуны, уличные музыканты.
(Программы спектаклей, зрелищ, концертов
с 6 по 10 июня 1931 года)[128]

ПРИМЕЧАНИЯ

1. «<...> Нужно констатировать очень печальное состояние театра, — сетует Мейерхольд, выступая на одной из театральных конференций. — Мы сбились на некий штамп. Во всех театрах как бы играется одна и та же пьеса, которая под разными внешними соусами подносится. И разрешение тематики очень однообразно, и в смысле оформления все напали на так называемый конструктивизм» (*Мейерхольд Вс.* Доклад на конференции представителей кружков самодеятельного искусства. Ленинград, Выборгский дом культуры 6 октября 1931 г. Машинопись // ГЦТМ им. А.А. Бахрушина. Ф. 688. Ед. хр. 1057. Л. 4).
2. *Штейн А.* Наедине со зрителем. М., 1982. С. 34.
3. *Гурвич А.* Под камнем Европы: «Список благодеяний» Ю. Олеши в театре им. Вс. Мейерхольда // Советский театр. 1931. № 9. С. 29.
4. Э.П. Гарин — Х.А. Локшиной 22 октября 1930 года (Ф. 2979. Оп. 1. Ед. хр. 285. Л. 2).
5. *Голубов В.* «Список благодеяний»: Ю. Олеша в театре им. Мейерхольда // Рабочий и театр. 1931. 28 октября. С. 5.
6. «Вот спектакль ГосТИМа, где автор пьесы главенствует над автором постановки! И действительно, пьеса “Список благодеяний” выступает в спектакле как ведущее, самодовлеющее начало, как совершенно законченное драматургическое целое. <...> Блестящий театральный мастер нашел равного по себе мастера драмы...» (*Залесский /В/.* Спектакль — предостережение для театра и автора: «Список благодеяний» в ГосТИМе // Вечерняя Москва. 1931. 12 июня. № 139).

   «Ни один автор в театре им. Мейерхольда не пользовался еще такой неприкосновенностью, как Олеша. Мейерхольд — режиссер спектакля — повторил все его ошибки, все слабые места его пьесы. <...> На сцене она оказалась почти нетронутой режиссерским карандашом, почти не пропущенной сквозь призму заостренного и подчеркнутого театрального показа ее классовых корней» (*Гринвальд Я.* «Список благодеяний»: Пьеса Юр. Олеши в театре им. Мейерхольда // Труд. 1931. 11 июня).

   «Никогда еще Мейерхольд не давал столько “воли” автору, как на этот раз» (*Крути И.* «Список благодеяний»: Театр им. Вс. Мейерхольда // Советское искусство. 1931. 3 июня. № 28. С. 3).

   «Автор спектакля шел за драматургом, сохраняя как бы нейтралитет и невмешательство в философские дела пьесы» (*Юзовский Ю.* Непреодоленная Европа: «Список благодеяний» Ю. Олеши // Литературная газета. 1931. 15 июня. № 32. С. 3).

   «Последовательно идя вслед за Олешей, <...> театр сохранил всю концепцию пьесы, не внеся в нее критических черт. Театр смотрит на действительность глазами Гончаровой <...>» (*Янковский М.* «Список благодеяний» // Красная газета. Веч. вып. Л. 1931. 9 октября. № 23).

   «Но, против своего обыкновения, Мейерхольд принял пьесу почти такой, как она написана, не пытаясь выправить ее существенные ошибки. Мейерхольд не вышел за пределы самой пьесы. Он стал жертвой неустранимых противоречий пьесы Олеши» (*Гец С.* Стоила ли «игра» свеч? // Пролетарий. Харьков. 1931. 4 июля).

   «Замысел Олеши оставлен Мейерхольдом в неприкосновенности. Никаких других задач, кроме тех, которые были поставлены автором, Мейерхольд разрешить не пытался. Он сознательно ограничил сферу своей активности работой с актерами, разработкой ролей» (*Цимбал С.* Исповедь умирающего класса: «Список благодеяний» в театре им. Мейерхольда // Смена. Л. 1931. 17 октября).

«Мейерхольд, всегда весьма критически относящийся к драматургическим произведениям, не посягнул на значительное переосмысление пьесы Олеши <...> Очевидно стремление в основном выдвинуть авторскую идею, расшифровать замысел пьесы. <...> Мейерхольд покорно следует за Олешей» (*Голубов В.* Указ. соч. С. 5).

7. «Список благодеяний» в театре имени Мейерхольда не соответствует обычным стилевым особенностям театра. Он идет вразрез со всей прежней линией театра и вклинивается инородным телом в содержание его творчества» (*Голубов В.* Указ. соч. С. 5).

8. Выразительные выдержки из писем Гарина приведены в главе 7. О том же свидетельствовала и Т. Есенина, помнившая об «атмосфере совершающегося значительного события» в связи с работой над «Списком», о волнениях Мейерхольда: «<...> допустят ли вообще, чтобы со сцены прозвучала такая крамола <...>» и т.д. (*Есенина Т.* О В.Э. Мейерхольде и З.Н. Райх. Письма к К.Л. Рудницкому // Театр. 1993. № 2. С. 105—106).

9. «Не отражать, а предсказывать»: Мейерхольд о драматургии // Советский театр. 1930. № 13/16. С. 15—17. (Републ.: *Мейерхольд В.Э.* Статьи. Письма. Речи. Беседы: В 2 ч. М., 1968. Ч. 2. С. 227.)

10. О том, что Мейерхольд установку будущего спектакля «провозглашает как революцию», пишет Гарин Локшиной 26 марта 1931 года.

I. Структура спектакля

11. См. стенограмму заседания Главреперткома совместно с Худполитсоветом театра после просмотра спектакля «Список благодеяний» 2 июня 1931 года. // Наст. изд., глава 8.

12. *Тарабукин Н.М.* Зрительное оформление в ГосТИМе: К десятилетнему юбилею ГосТИМа // Тарабукин Н.М. О В.Э. Мейерхольде / Сост. О.М. Фельдман. М., 1998. С. 73.

Из записей П. Цетнеровича явствует, что Тарабукин прочел доклад об архитектурности принципов оформления в ГосТИМе режиссерской группе по «Списку благодеяний» 24 марта 1931 года.

13. См.: *Февральский А.В.* Из добавлений к книге «10 лет ГосТИМа». Машинопись с правкой автора // Ф. 2437. Оп. 1. Ед. хр. 20. Л. 9. Это описание спектакля было подготовлено для книги к 10-летнему юбилею ГосТИМа (Федерация, 1931), но статья не успела в книгу: рукопись была отправлена в производство, и разбор двух последних работ Мейерхольда — «Последнего решительного» и «Списка благодеяний» — остался за ее рамками.

Правда, честный свидетель добавляет: «Эффект этого приема был бы достигнут полностью, если бы актеры играли, повернувшись несколько направо, т.е. лицом к этой новой линии “рампы” и примерно на 3/4 к зрителю, однако они, несмотря на поворот сцены, сохраняют привычное направление, при котором зритель видит их en face» (*Февральский А.В.* Указ. соч. Л. 9).

14. 17 марта 1931 года Олеша записывал в дневнике: «Позавчера перед отъездом (в Ленинград. — *В.Г.*) зашел к Мейерхольдам. Беседа с художником.

Художник спектакля будет С.Е. Вахтангов. Собственно, так: Мейерхольд сказал: "Художником буду я сам". Так и бывает. Мейерхольд предлагает замысел и спрашивает Сережу Вахтангова: можно ли это сделать? И Сережа старается увидеть мейерхольдовскую /идею/» (*Олеша Ю.* Книга прощания. С. 32—33).

15. *Февральский А.В.* Указ. соч. Л. 9.
16. «В последней сцене смерти — достоевские тени, все время набегавшие в пьесе, сгущаются до предельной черноты. <...> Татаров возникает, отбрасывая гофманские тени» (*Юзовский Ю.* Указ. соч. С. 3).
17. *Юзовский Ю.* Там же.
18. *Морозов М.* Обреченные // Прожектор. 1931. № 17. С. 20—21.
19. См. об этом: *Тарабукин Н.М.* Проблема времени и пространства в театре: Работа Вс.Э. Мейерхольда и Л.Т. Чупятова над оформлением «Пиковой дамы» // Тарабукин Н.М. О В.Э. Мейерхольде. С. 76—82.
20. Грок (Адриен Веттах) (1880—1959), швейцарский музыкальный клоун-эксцентрик. Выступал в цирках Европы с 1894 по 1954 год. Обладатель степени доктора философии «honoris causa» ряда университетов Европы. Автор книги: Мемуары короля клоунов: «Unmöglich» (1957).

Д.И. Золотницкий (в кн. Мейерхольд: роман с советской властью. С. 265) пишет: «Ни Олеша, ни Мейерхольд, понятно, не могли еще знать ничего из воспоминаний Михаила Чехова; его книга появилась много позже», — забывая о том, что Чехов встречался с Мейерхольдом за границей и, конечно, мог доверительно рассказывать ему о новых для него сложностях профессиональной жизни.

21. Шевалье Морис (1888—1972), французский шансонье, композитор, поэт. С 1899 года пел в мюзик-холлах, позднее снимался в кинофильмах, в том числе — голливудских. Создал классический образ «певца парижских бульваров». Его исполнительский стиль естествен, интимен, он пел почти шепотом. Песенки Шевалье использовались Мейерхольдом и раньше (например, в спектакле «Последний решительный»).
22. Подробнее об этой сцене можно прочесть в воспоминаниях актрисы, дублировавшей З. Райх в роли Елены Гончаровой: *Суханова М.* Искусство преображения // Встречи с Мейерхольдом. С. 437—439.
23. *Гладков А.* Поздние вечера. М., 1986. С. 177.
24. Позже эта сцена была снята из спектакля.
25. *Мейерхольд Вс.* Распоряжения и замечания по репетициям и спектаклю «Список благодеяний». // Ф. 963. Оп. 1. Ед. хр. 716. Л. 21.

II. Актерская игра

26. *Уриэль /О. Литовский/.* «Список благодеяний» // Комсомольская правда. 1931. 16 июня.
27. Там же.
28. *Морозов М.* Указ. соч. С. 20—21.
29. Ф. 358. Оп. 2. Ед. хр. 616. Л. 9. Записка публиковалась (не полностью): Из переписки Ю.К. Олеши с В.Э. Мейерхольдом и З.Н. Райх. С. 142.
30. После премьеры «Списка» Олеша дарит изданную пьесу исполнителям с дар-

ственными надписями. На одном экземпляре: «Сергею Мартинсону, лучшему благодеянию Списка благодеяний». На книге для З. Райх: «В жизни каждого человека бывают встречи, о которых он знает, что ради этих встреч он пришел в мир. Одной из таких встреч в моей жизни была встреча с вами».

31. *Есенина Т.* Указ соч. // Театр. 1993. № 2. С. 107.
32. *Руднева Л.* Зинаида Райх // Театр. 1989. № 1. С. 121.
33. *Вишневецкая С.* Всеволод Мейерхольд и Всеволод Вишневский // Встречи с Мейерхольдом. С. 400.
34. *Голубов В.* Указ. соч.
35. *Уриэль.* Указ. соч.
36. *Залесский /В/.* Указ. соч.
37. *Гончарова Н.* Мимо цели: На диспуте о «Списке благодеяний» в клубе театработников // Советское искусство. 1931. 23 июня. № 32. С. 4.
38. *Юренева В.* Записки актрисы. М.; Л., 1946. С. 206.
39. *Шахов Г.* Сергей Мартинсон. М., 1966. С. 49—50.
40. Там же. С. 49.
41. *Юренева В.* Указ. соч. С. 207.
42. *Романович И.* Сергей Мартинсон: К 80-летию артиста // Театр. 1979. № 2. С. 93.
43. *Кальм Д.* Перечень «злодеяний» Вс. Мейерхольда над «Списком благодеяний» Юр. Олеши // Литературная газета. 1931. 20 июня. С. 4.
44. *Крути И.* «Список благодеяний»: Театр им. Вс. Мейерхольда // Советское искусство. 1931. 3 июня. № 28. С. 3.
45. *Юзовский Ю.* Указ. соч. С. 3.
46. *Кальм Д.* Указ. соч.
47. *Гринвальд Я.* Указ. соч.
48. *Коренев М.М.* Режиссерские заметки и записи на репетициях спектакля «Список благодеяний» // Ф. 1476. Оп. 1. Ед. хр. 50. Л. 4.
Финкельберг Авраам Иосифович, артист ГосТИМа.
49. Ф. 2979. Оп. 1. Ед. хр. 289. Л. 31—31 об.
50. *Штраух М.* Маржерет, мюзик-холльный босс // Искусство кино. 1993. № 5. С. 78.
51. Хотя навряд ли Мейерхольд был повинен в чрезмерной утрированности игры актера. См. режиссерские замечания Штрауху на репетиции 22 мая: «Вами выдуманный бас и выдуманная походка портит вам игру, потому что эта походка не свойственна вам, не свойственна вашей физиологии так же, /как/ если я буду говорить текст не свойственным мне голосом — ничего не выйдет» // Наст. изд., глава 7.
52. *Кальм Д.* Указ. соч.
53. *Голубов В.* Указ. соч.
54. *Алперс Б.* Судьба театральных течений // Алперс Б. Театральные очерки: В 2 т. М., 1977. Т. 2. С. 485.
55. Выступление на заседании Главреперткома совместно с Худполитсоветом театра после просмотра спектакля «Список благодеяний» 2 июня 1931 года.

// Наст. изд., глава 8.

56. *Гринвальд Я.* Указ. соч.

57. *Крути И.* Указ. соч.

58. *Уриэль.* Указ. соч.

59. *Голубов В.* Указ. соч.

60. Там же.

61. *Штейн А.* О флейте, которая не звучит // Ленинградская правда. Л. 1931. 7 октября. № 277.

62. *Коренев М.М.* Указ. соч. // Ф. 1476. Оп. 1. Ед. хр. 50. Л. 10 об.

63. Позже роль Улялюма передавалась от актера к актеру. И одним из ярких ее исполнителей был Вейланд Родд, самый экзотический актер Москвы 1930-х годов, настоящий, да еще поющий негр. «Был он уже не англичанином, а даже негром в исполнении Вейланда Родда <...>, — вспоминал десятилетия спустя сын З. Райх К.С. Есенин. — И это всегда было звонко и здорово. Как выбегал на сцену толстоватый Штраух и кричал: «Он! Он! Он приехал... сам Улялюм!» И потом где-то в верхнем углу сцены, на тоненьких мостках, появлялся выхваченный прожекторами, почти единственный в те далекие тридцатые годы московский негр...» (*Есенин К.С.* Воспоминания о Ю.К. Олеше. Декабрь 1969 г. Машинопись // Ф. 358. Оп. 2. Ед. хр. 954. Л. 9).

64. *Орлинский А.* Выступление на обсуждении спектакля «Список благодеяний» в ФОСП 16 июня 1931 года. Наст. изд., глава 8.

65. *Голубов В.* Указ. соч.

66. *Кальм Д.* Указ. соч.

67. Выступление Дубкова, рабкора и члена ХПСсовета ГосТИМа, на обсуждении спектакля «Список благодеяний» в ФОСП 16 июня 1931 года. Наст. изд., глава 8.

68. *Юзовский Ю.* Указ. соч.

69. Ср.: «Федотов представляет собой солнечный, теплый, прекрасный образ. Боголюбов, на мой взгляд, первый советский герой (в старое время были молодые любовники, теперь их в провинции величают “социальные герои”)» (*Литовский О.* Выступление на заседании Главреперткома совместно с Худполитсоветом театра после просмотра спектакля «Список благодеяний» 2 июня 1931 года // Наст. изд., глава 8).

70. *Морозов М.* Указ. соч. С. 20—21.

71. «Митинговые речи коммуниста Федотова в его пьесе не звучат, потому что он аргументирует от плаката» (*Н. Гончарова.* Указ. соч.); либо: «совершенно неубедительны <...> пламенные разглагольствования Федотова» (В. Залесский) и т.д.

72. *Есенина Т.* Указ. соч. // Театр. 1993. № 2. С. 106.

73. *Кальм Д.* Указ. соч. Отмечу, что актер уже появлялся на сцене ГосТИМа в образе Чаплина: «<...> В спектакле “Д.Е.” у ног Твайфта, американского мясного короля, сидел слуга, Владимир Маслацов, в костюме и гриме Чарли Чаплина» (*Золотницкий Д.* Мейерхольд: роман с советской властью. С. 155).

74. *Млечин В.* Выступление на обсуждении спектакля «Список благодеяний» в ФОСП 16 июня 1931 года // Наст. изд., глава 8.

75. Там же.

76. *Прозоров А.* О «Списке благодеяний» Ю. Олеши // На литературном посту. 1931. № 28. С. 36.
77. «Вся заключительная часть, с баррикадами <...> прозвучала нестерпимо фальшиво и убого» (*Цимбал С.* Исповедь умирающего класса // Смена. Л. 1931. 17 октября).
«<...> Вряд ли можно считать удовлетворительной всю последнюю картину — ее аляповатые цвета, кукольных капиталистов и столь же неестественных безработных <...>» (*Крути И.* Указ. соч. С. 3).
«<...> Если отбросить последнюю сцену, поданную в стиле клубно-плакатного штампа и предательски напоминающую финал осмеянного Мейерхольдом "Красного мака" <...>» (*Гурвич А.* Под камнем Европы. С. 29).
Либо даже так: «<...> мне кажется очень печальным финал. Эта марширующая толпа безработных, эти призывы к восстанию, все это очень фальшиво. Конечно, это очень трудная сцена. Возможно, что она еще сыра, но пока это плакат, который очутился на фоне Леонардо да Винчи» (из выступления Ильиной, члена Московского комитета партии. // Наст. изд., глава 8).
78. Выступая 23 октября 1931 года на обсуждении пьесы Вишневского «Германия», Мейерхольд сказал: «<...> вчера я смотрел из зрительного зала "Список благодеяний". На площади — Гончарова. Вчера Зинаида Райх решилась совсем окунуть голову в бассейн, и свет на мокрых волосах дал почти кинематографический эффект, который на театре до сих пор не был использован. Театр говорит о кинофикации, а до сих пор /от кино/ ничего не взял, например, не использовал первоплановость, проблема света абсолютно не взята. Примером, повторяю, может служить вчерашний эффект — мокрые волосы, освещенные прожектором. Есть натурализм отвратительный, но есть сверхнатурализм как sur-realisme <...>» (цит. по: Стенограммы докладов Вс. Мейерхольда на производственных совещаниях работников театра 3 мая 1931 — 12 января 1936 г. Машинопись // Ф. 963. Оп. 1. Ед. хр. 557. Л. 6. Опубл. (с разночтениями) в кн.: *Февральский А.* Пути к синтезу: Мейерхольд и кино. М., 1978. С. 131.
79. *Гурвич А.* Указ. соч. С. 28.
80. *Голубов В.* Указ. соч. С. 3.
81. *Алперс Б.* Указ. соч. С. 484—485.
82. *Беспалов И.* В поисках стиля: Материалы к новой резолюции ЦК ВКП(б) «О художественной литературе» // Правда. 1929. 30 декабря.
83. Наст. изд., глава 8.

III. Цветовое решение спектакля, костюмы, бутафория

84. «<...> автор спектакля нашел сценическое "оправдание" этой символической мелодраме в подчеркивании намеченных в ней элементов трагедии. Отсюда родились темные строгие линии внешнего облика Гончаровой (ее играет З. Райх), ясная четкость скупых мизансцен, медлительный ритм всего спектакля и его холодная музыка. Отсюда — убегающая вверх стройность прямолинейных колонн <...>» (*Крути И.* Указ. соч. С. 3).
85. Образцы материй, использованных при работе над элементами декораций и костюмов, сохранились в ГЦТМ им. А.А. Бахрушина. *Лейстиков И.И.* Разработки тканей для персонажей «Списка благодеяний» (бумага, чернила, цветные чернила). Ф. 688. Ед. хр. 180169/1130.

86. «Для окраски перил, манекена, трельяжа, тумбы и пр/очих/ деталей необходимо приобрести 400 грамм бронзового порошка», — писал Я. Штоффер 1 июня 1931 года (см.: Монтаж расстановки реквизита и бутафории на сцене в спектакле «Список благодеяний» // Ф. 963. Оп. 1. Ед. хр. 720. Л. 24).
87. См. сохранившийся в фонде М.М. Коренева «Список реквизита и бутафории» // Ф. 1476. Оп. 1. Ед. хр. 51. Л. 11.
88. Журнал монтировки спектакля «Список благодеяний», составленный режиссерской бригадой по рисункам В.Э. Мейерхольда. Рукопись с пометами В.Э. Мейерхольда // Ф. 963. Оп. 1. Ед. хр. 717.
89. Материалы по монтировке // ГЦТМ им. А.А. Бахрушина. Ф. 688. Ед. хр. 55. Л. 3.
90. *Коренев М.М.* Указ. соч. // Ф. 1476. Оп. 1. Ед. хр. 51. Л. 12.
91. Журнал монтировки... Ф. 963. Оп. 1. Ед. хр. 717.
92. Журнал монтировки... Ф. 963. Оп. 1. Ед. хр. 717.
93. *Коренев М.М.* Указ. соч. // Ф. 1476. Оп. 1. Ед. хр. 51. Л. 12.
94. Журнал монтировки... Ф. 963. Оп. 1. Ед. хр. 717. Л. 11.
95. Там же.
96. Материалы по костюму // ГЦТМ им. А.А. Бахрушина. Ф. 688. Ед. хр. 54. Л. 9, 10, 3, 14.
97. Из выступления члена ХПС Дубкова на дискуссии по поводу «Списка благодеяний» в ФОСП 16 июня 1931 года. // Наст. изд., глава 8.
98. Материалы по костюму // ГЦТМ им. А.А. Бахрушина. Ф. 688. Ед. хр. 54. Л. 20.
99. *Есенина Т.* Указ. соч. // Театр. 1993. № 2. С.109.
100. *Савицкий К.К.* Эскизы костюмов и обуви // ГЦТМ им. А.А. Бахрушина. Ф. 688. Ед. хр. 180169/1134—1202 (всего 69 ед. хр.).
101. *Февральский А.В.* Из добавлений к книге «10 лет ГосТИМа» // Ф. 2437. Оп. 1. Ед. хр. 20. Л. 10.

IV. Свет

102. Ф. 963. Оп. 1. Ед. хр. 721.
103. В спектакле работали: большой белый военный прожектор, фонари, пасхальницы, зеркалки, «бубусы», выносные софиты.

V. Музыкально-звуковая партитура спектакля

104. *Кальм Д.* Указ. соч.
105. «Перегружен спектакль и излюбленной Мейерхольдом западной музыкой» (*Уриэль.* Указ. соч.).
106. Там же.
107. Ф. 2437. Оп. 1. Ед. хр. 20. Л. 9.
108. «Окрыленность идеями, чувствами — лучший стержень творческих отношений...» Из прошлого советской музыкальной культуры: Письма Г. Попова Вс. Мейерхольду. 1930—1939 гг. / Публ. и примеч. З. Алетян // Советская музыка. 1984. № 8. С. 69—70.
109. Сохранилась записка режиссера: «Ю.С. Никольскому под расписку № 1

музыки Попова к “Списку благод/еяний/” с указанием “пустить в работу” (партитуру, партии, репетирование). Записать в дневнике “Сдача по мастерским” день сдачи. Вс. Мейерхольд. 26.IV.31 г.». Автограф (Ф. 963. Оп. 1. Ед. хр. 716. Л. 22).

110. См.: «Окрыленность идеями, чувствами...»: Письма Г. Попова Вс. Мейерхольду. С. 78.

111. *Попов Г.* Оркестровая партитура музыки к спектаклю «Список благодеяний» Ю. Олеши. Авторская рукопись Г. Попова с пометами Вс. Мейерхольда и А. Паппе (ГЦТМ им. А.А. Бахрушина. Ф. 688. Ед. хр. 728. 37 л.).

Пролог № 1 — Духовой квартет.

Эпизод I — У Гончаровой.

№ 2 — настройка рояля (Шопен).

№ 3 — Вступление.

№ 4 — «Фокс/трот»/.

№ 5 — «Вальс».

№ 6 — кусок «Полонеза» Шопена.

Эпизод II — Пансион.

№ 7 — Invention.

№ 8 — Vokalise.

Эпизод III — У портнихи.

№ 9 — Вальс-Boston (трио).

Эпизод IV. Мюзик-холл.

№ 10 — Jazz — вступление.

№ 11 — Boston-Jazz.

№ 12 — Rag-jazz (от нач/ала/ до «Д»).

№ 13 — Rag-jazz (от нач/ала/ до конца).

№ 14 — песенка Улялюма с ф/орте/п/иано/.

№ 15 — —«—

№ 16 — партитура под Jazz.

№ 17 — септет I отрывок.

№ 18 — —»— II.

№ 19 — —»— III.

№ 20 — —»— IV.

Эпизод V — Кафе.

№ 21 — Fox-jazz piano, из глубины кафе.

№ 25 — «Ветер» — партитура

№ 26 — Jazz-Trio — по радио.

Эпизод VI — У Татарова.

Эпизод VII — Finale.

№ 22 — Симф/оническое/ вступление (60 sec.).

I куплет. № 23 — песенка-трио.

II куплет. № 24 — песенка-трио.
№ 25 — ветер в оркестре (60 sec.).
№ 26 — Jazz — муз/ыка/ по радио (30—40 sec.).
№ 27 — Фугато в оркестре (60 sec.).
№ 28 — песня по радио (violino, klavier) — прозрачно.
№ 29 — симф/оническое/ заключение.
(Л. 11—11 об.).

112. Запись 23 мая 1931 года // Ф. 2411. Оп. 1. Ед. хр. 17. Л. 42.
113. *Паппе Анатолий Георгиевич*, пианист и дирижер, был заведующим музыкальной частью ГосТИМа.
114. *Попов Г.* Оркестровая партитура музыки... // ГЦТМ им. А.А. Бахрушина. Ф. 688. Ед. хр. 728. Л. 8.
115. *Никольский Юрий Сергеевич* (1895—1962), композитор. В 1928—1932 годах был сотрудником музыкальной части ГосТИМа.
116. См.: «Окрыленность идеями, чувствами...»: Письма Г. Попова Вс. Мейерхольду. С. 70.
117. *Мейерхольд В.Э.* «Список благодеяний». Режиссерские заметки, наброски к планировке, музыкальному оформлению, хронометраж спектакля // Ф. 998. Оп. 1. Ед. хр. 238. Л. 6.
118. *Кальм Д.* Указ. соч.

VI. Режиссерская технология Вс. Мейерхольда в спектакле «Список благодеяний»

119. Разговор о «Мандате», мейерхольдовском шедевре, равно как и о пьесе Н. Эрдмана, бесспорно, должен быть бы развернут и аргументирован много детальнее, чем это уместно в данной работе. Тем более что долгое время существовала привычная точка зрения на спектакль как на «обличающий мещанство и обывательщину» и т.п. Но дело в том, как сегодня рассматривается такой суррогатный термин, как «мещанство», и какие именно качества и характеристики сообщаются понятию «интеллигенция». Можно предполагать лишь, что и для Эрдмана, и для Мейерхольда (и, конечно, для Олеши) собственное самоопределение в качестве интеллигента вряд ли было устойчивым и непротиворечивым.
Приведу выразительный отрывок из монолога персонажа «Мандата» Олимпа Валерьяновича, окрашенного едкой авторской иронией:
«Ваше императорское высочество, что такое есть русская интеллигенция? Русская интеллигенция это ангел, это невидимый ангел, который парит над Россией. Позвольте же мне, ваше императорское высочество, сказать несколько слов от лица этого ангела...» (*Эрдман Н.* Мандат. Явление 22. — Рабочий экземпляр А.Е. Нестерова с разработкой сценического текста. 1925—1926 гг. Машинопись // Ф. 963. Оп. 1. Ед. хр. 440. Л. 185).
Когда будет внимательно изучена история сценического текста «Мандата», возможно, уточнится и эволюция мейерхольдовского отношения к проблеме интеллигенции, в частности — как она виделась ему к середине 1920-х годов, времени работы над «Мандатом» в ГосТИМе.
120. См.: Вяч. Иванов в переписке с В.Э. Мейерхольдом и З.Н. Райх (1925—

1926) / Публ. Н.В. Котрелева и Ф. Мальковати // Новое литературное обозрение. 1994. № 10. С. 264. Либо: «<...> сам Бубус (сверхрежиссер) <...> произнес длинную речь...» // Там же. С. 273.

121. *Вишневский Вс.* Статьи, дневники, письма о литературе и искусстве. М., 1961. С. 288.

122. *Бродский И.* По обе стороны океана: Беседы с Адамом Михником. С. 10.

123. Выступление П. Маркова цит. по: «...Возникает проблема самой природы режиссерского театра...»: Из протоколов заседаний театральной секции Государственной академии художественных наук: Протокол заседания театральной секции ГАХН 20 декабря 1926 г. / Публ. Н. Панфиловой и О. Фельдмана // Театр. 1994. № 3. С. 83.

124. *Зингерман Б.И.* Классика и советская режиссура 20-х годов // В поисках реалистической образности: Проблемы режиссуры 20—30-х годов. М., 1981. С. 234, 252.

125. *Гиппиус З.* Петербургские дневники. 1914—1919 // Гиппиус З. Живые лица: Стихи. Дневники. Тбилиси, 1991. С. 163.

126. Конечно, не его одного.
Так, 1 ноября 1930 года М. Пришвин записывает в дневник:
«Все происходит, вы скажете, от интеллигентщины, включающей в себя излишнюю долю гуманности и культа личности, вы укажете еще, и справедливо, на картонный меч трагического актера, в то время, как играя, радуя <...> а между тем, найдется ли в толпе один и т.д. Но я, например, сделал все, чтобы меч мой не был картонным, вернее даже, я принял положение трагического актера, но с необходимостью, то есть что актер такой же работник, как и вся эта толпа. Одного я не могу принять, это “если ты актер, так будь же слесарем”. И я отстаиваю право, долг и необходимость каждого быть на своем месте. Вот отсюда как-то и расходятся все лучи моей “контрреволюционности”: стоя на своем месте, я все вижу изнутри, а не сверху, как если бы я был Радек или жил в Италии.
И потому, если мне дадут анкету с требованием подтверждения своего умереть на войне с буржуазией, я это подпишу и умру, но если в анкете будет еще требование написать поэму о наших достижениях, я откажусь...» (*Пришвин М.* Дневник писателя // Октябрь. 1989. № 7. С. 174).
Почти смысл пьесы Олеши: признаю борьбу против капиталистического мира буржуазности — но не вижу «списка благодеяний» революции. Даже метафора у Олеши и Пришвина одна и та же: картонный меч в руках трагического актера.

127. *Мейерхольд Вс.* Доклад на конференции представителей кружков самодеятельного искусства 6 октября 1931 г. // ГЦТМ им. А.А. Бахрушина. Ф. 688. Ед. хр. 1057. Л. 7.

128. Опущенные в программе спектакля инициалы актеров дописаны публикатором.

Ю. Олеша

Глава 10

«Взгляд мой на положение интеллигенции крайне мрачен...» Рецепция спектакля «Список благодеяний»

Обязательная оговорка: речь пойдет лишь о восприятии печатной, т.е. официальной, критикой — не о реакции зрителя, не имевшего доступа к газетным и журнальным страницам. И когда рецензент заявляет, что «из всех последних работ Театра им. Мейерхольда пьеса Юрия Олеши единственная, вызывающая единодушно отрицательную оценку печати и общественности»[1], на веру принимать его утверждение не стоит.

Как правило, авторы рецензий высказывались лишь о содержательной стороне работы Мейерхольда, т.е. идеях, тенденциях, проявившихся в спектакле. В эти годы к делу театральной критики был призван слой публицистов, заступивших место прежних знатоков сценического искусства вроде Л. Гуревич, А. Эфроса или А. Кугеля. Поэтому в статьях о «Списке» (а их удалось прочесть не менее трех десятков, и почти все они достаточно развернуты) практически отсутствуют описания декораций и мизансцен, не обсуждается музыка и костюмы. Все эти чисто театроведческие элементы не входят в круг внимания пишущих, не заслуживают, с их точки зрения, специального анализа. Из рецензий в лучшем случае возможно извлечь лишь описания актерской игры, причем чаще не аналитические, а оценочные. Подобно тому как для понимания, как именно шли знаменитые мхатовские «Дни Турбиных», много больше сотен рецензий дал бесхитростный дневник милиционера Гаврилова[2] (дежурившего на спектаклях МХАТ и день за днем фиксировавшего изменения и нюансы каждого театрального вечера), частные оценки (которые сохранили воспоминания, переписка, дневники), всплывающие со временем, еще внесут существенные коррективы и в представление о данной мейерхольдовской работе.

При этом говорить, что спектакль был обойден серьезной критикой, не приходится. О «Списке» писали Н. Тарабукин и Ю. Юзовский, Д. Мирский и В. Шкловский, А. Гурвич и Б. Алперс, А. Февральский и А. Гладков, чьи работы составили надежную основу будущих исследований. Интерес критиков вызывали обе фигуры: и Мейерхольд, и Ю. Олеша, отчего отзывы о пьесе и спектакле можно было отыскать на газетно-журнальных страницах еще и спустя несколько лет.

1

Материал рецензий можно рассматривать на разных уровнях, вычленяя:

историко-культурный контекст,
социально-политический,
эстетический,
собственно театральный.

Театральный и эстетический аспекты обсуждались в главах, посвященных репетициям Мейерхольда и реконструкции спектакля; о социально-политическом шла речь в главе об истории текста пьесы. Здесь же будет кратко рассмотрен историко-культурный аспект.

Идет третий, «решающий» год пятилетки, в разгаре «реконструктивный» период. Продолжается наступление на кулачество и ликвидация его как класса. Мыслящие люди российского общества ясно видят тесную связь между борьбой с индивидуальным крестьянским хозяйством и положением любого, каждого индивидуума в стране. Немолодой писатель Михаил Пришвин записывает в дневнике: «Литература теперь — это низменное занятие и существует еще как предрассудок, как, например, при Советской же власти некоторое время существовали еще рождественские елки. <...> И разобрать хорошенько, я — совершенный кулак от литературы»[3] (29 декабря). М. Булгакова, Б. Пильняка, Евг. Замятина и некоторых других литераторов, ранее именовавшихся попутчиками, теперь в прессе называют «подкулачниками».

Пишут о том, что «теория уступок, так называемый НЭП в области идеологии — опаснейшее явление нашей жизни»[4]. П.М. Керженцев воюет против Главискусства и его руководителя — А.И. Свидерского: «Где причина <...> миролюбивого отношения к проникновению в область искусств враждебной нам идеологии? Нам кажется, что причина — в перегибе со стороны соответствующих руководящих органов и некоторой части нашей печати в вопросе так называемой охраны старых культурных ценностей и в либеральной поддержке «свободного» развития творческих усилий <...>: немножко, мол, поступимся своей идеологией, но зато получим большую художественную ценность»[5]. «Анархическое состояние художественного рынка» вообще и политика Свидерского, отстаивающего «свободу индивидуального творчества против органов пролетарского политического контроля»[6] , в частности возмущают и П. Новицкого. Вскоре потеряют посты и Свидерский[7] и Керженцев.

№ 30 (288) 1931 г. ВЫХОДИТ КАЖДЫЕ ДЕСЯТЬ ДНЕЙ. 9-й год издания изд. газеты „Правда" ЦЕНА 25 коп.

ПРОЖЕКТОР

ПИСАТЕЛИ У В. М. МОЛОТОВА. Председателя СНК СССР тов. Молотова посетила делегация советских писателей. В беседе с тов. Молотовым писатели ознакомили его со своей работой, а также с культурно-материальными нуждами советского писателя. На снимке: первый ряд, сидят слева направо—Лавренев, Луговской, Малышкин; второй ряд, сидят—Олеша, предсовнаркома Союза ССР тов. Молотов, Авербах, Селивановский, Горбунов, третий ряд, стоят—Арт. Халатов, Слонимский, Л. Леонов, Соловьев, Митрофанов, Никифоров, Ставский, Замойский и Батрак.

Фот. А. Шайхета.

Шутки фотографии: — Я, затем Председатель Совнаркома и пр.

Ю. Олеша в группе писателей у Молотова. 1931 г.

В январе 1931 года подготовлен проект новой резолюции ЦК ВКП(б) о художественной литературе, по которой можно судить об идеологических переменах в стране. По сравнению с прежней резолюцией 1925 года изменения серьезны. Попутничество осуждено. Начат призыв ударников в литературу, звучит лозунг: «Литература — дело самих масс». Отвергнута и теория Н. Бухарина с ее требованием «анархической конкуренции и мирного сотрудничества классов». Документ заявляет: «Часть попутчиков в результате окончательного краха сменовеховства <...> уходит в стан классовых врагов. Для советского писателя все более исчезает возможность занимать промежуточные позиции. <...> Классовый враг особенно упорно стремится овладеть трибуной искусства...»[8]

Летом 1931 года проходит пленум Всероскомдрама, посвященный репертуару театров. В пяти докладах рассмотрены пять тематических направлений работы драматургов[9]: пьесы об индустриализации, «интеллигентские» пьесы, пьесы «оборонные», историко-революционные, наконец, пьесы о коллективизации.

Анализ художественных произведений ведется с точки зрения их соответствия «основным направлениям» развития страны (индустриализация, колхозы, оборона и пр.). Отметим: если первым поставлен доклад о пьесах «индустриальных» («реконструктивных»), то уже второй занят разбором интеллигентской темы, что свидетельствует о важности данной проблематики на рубеже 1920—1930-х годов. При этом подчеркивается, что в стране есть «интеллигентские пьесы», но нет пьес об интеллигенции, т.е. пьес, написанных с пролетарских позиций.

С кем полемизирует, кому противостоит спектакль Мейерхольда?

Напомню, что за пьесы идут на соседних подмостках. «Поэма о топоре» Н. Погодина и «Хлеб» В. Киршона, «Путина» Ю. Слезкина и «Страх» А. Афиногенова, «Смена героев» Б. Ромашова и «Светите нам, звезды» И. Микитенко, «Линия огня» Н. Никитина и «Шулер» В. Шкваркина, сочинения В. Билль-Белоцерковского, того же К. Гандурина и др.

Кратко стоит сказать хотя бы о двух пьесах: афиногеновском «Страхе», бывшем в центре внимания прессы, и «Смене героев» Б. Ромашова, воспринятой Мейерхольдом и Олешей как вопиющий факт литературного воровства.

«Страх» был почти одновременно поставлен в Москве и в Ленинграде[10].

Две премьеры, во МХАТ и в БДТ, продемонстрировали полярное толкование центрального героя (и проблемы) пьесы. Ленинградский спектакль стал «большой политической демонстрацией пролетарского крыла драматургии». Во мхатовском же спектакле, напротив, «не хватает партийного огня, пролетарской зычности, биения индустриального пульса. <...> И груз старого мхатовского либерализма и "человечности" давит пьесу. Леонидов трактует Бородина как добряка. Певцовым же в Ленинграде показан умный и опасный враг»[11]. (Замечу в скобках, что в Москве из-за оправдывающей своего героя игры Леонидова «Страх» дают реже, а в Ленинграде «умного и опасного врага» показывают залу ежедневно.)

Олеша писал о мхатовском спектакле: «Когда я смотрел "Страх" и следил за переживаниями зала, я понял — существует советская публика, устанавливаются ее вкусы, симпатии, традиции. "Страх" открыл советскую публику в широком смысле...»[12] Возможно, констатация появления «советской публики» означала не столько олешинскую похвалу пьесе, сколько подтверждала определенное видение писателем меняющихся общественных установок («вкусов, симпатий»). Не случайно мысль не развернута, не прояснена Олешей[13]. В черновых же набросках к статье о драматургии осталась недвусмысленная оценка пьесы Афиногенова[14].

Еще одной, и симптоматичной, пьесой об интеллигенции стала «Смена героев» Б. Ромашова. Его сочинение прозвучало ответной репликой на пьесу Олеши и спектакль Мейерхольда.

И дело было не в том, что из уст ромашовских комсомольцев звучали узнаваемые лозунги (Мотыльков: «Надоели мне гении! Театр — это производство»); «оторвавшегося от коллектива» Рощина «прогрессивные» молодые актеры пренебрежительно называли «великодушным рогоносцем», а молодой герой Барсуков еще и произносил фразы о необходимости сломать театр-коробку, мечтал спроектировать «театр для мирового пролетариата» на двадцать тысяч мест и т.д. А в том, что драматург предложил «правильный» вариант отношения к Гамлету. Действие «Смены героев» происходит в театре, где главный герой, актер Рощин, зазнавшийся, «избалованный аристократ», «оторвавшийся от коллектива» «гений», которого позже с успехом заменит (в роли шиллеровского Фердинанда) комсомолец Барсуков, — репетирует шекспировского «Гамлета». Рощин отказывается «играть все эти "Разломы" и "Бронепоезда"», но при этом он демонстративно отрицательный персонаж (пьет, хамит людям и проч.).

Таким образом, Мейерхольд и Олеша подозревали Б. Ромашова в краже идеи «Списка» совершенно напрасно, т.к. концепция «Смены героев» полярным образом расходилась с тем, о чем говорил «Список благодеяний». Осторожно защищающая режиссера и драматурга формулировка темы спектакля исходит от безусловного сторонника Мейерхольда, А. Февральского: «<...> тема пьесы не является одной из основных тем сегодняшнего дня; переживания героини близки лишь небольшому кругу людей; зато образ Елены Гончаровой является логическим завершением ряда типов русских интеллигентов (из которых два — Чацкий и Оконный — были даны и в постановках Мейерхольда) — это увеличивает ее общественно-культурную ценность. Пьеса с полной ясностью доказывает, что русская интеллигенция не имеет никаких оснований для того, чтобы претендовать на руководство народом, колоссально выросшим в политическом и культурном отношении за годы революции...» — пишет А. Февральский[15]. И добавляет, что тема спектакля — «крах индивидуализма».

Важно, что критике смысл спектакля видится много шире, нежели рассказ о судьбе одной, пусть даже гениальной, но просто взбалмошной актрисы. «Для театра Мейерхольда тема Чаплина, тема маленького человека не случайна. "Мандат", "Клоп", "Баня", неосуществленное желание поставить эрдмановских "Самоубийц" (так. — *В.Г.*) и, наконец, "Список благодеяний" — это одна линия. Правда, до сих пор театр показывал маленьких людей сатирически. Но осмеивал он, по большей части, людей выдуманных, схематически, плакатно представленных, условных. Сейчас же в руках театра оказался трагедийный материал», — констатирует критик и приходит к выводу, что в результате «мелкобуржуазная, иллюзорная "общепонятная демократическая тема" остается победительницей в "Списке благодеяний"»[16].

Парадоксальным образом спектакль Мейерхольда, где в центр была поставлена фигура бесспорной индивидуалистки, что называется, «аристократки духа», расценен как работа, в которой побеждает «демократическая тема». То, что автор формулы отмежевывается от данной формулы предостерегающими кавычками, дела не меняет.

2

Итак, какие темы занимают общественность в месяцы подготовки и выпуска спектакля? И какие именно идеи, настроения маркируются критикой как «интеллигентские» (и осуждаются)?

Пусть и в иронической форме, но достаточно внятно критика объясняет смятение «книжной» интеллигенции, лицом к лицу встретившейся с последствиями реализованной на деле «великой утопии»:

«Социализм пришел — интеллигент скептически и недоуменно озирается: вместо сен-симоновского царства аристократов разума — культурная революция в СССР, вместо кооперации Оуэна — производственная смычка рабочего класса и колхозного крестьянства, вместо фурьеристских антильвов и антитигров — совхозы Скотовода и Свиновода. <...>

И, наконец, где же оно — обещанное искусство социализма?»[17]

Вс.Э. Мейерхольд. 1929 г.

Проблемы, поставленные пьесой Ю. Олеши и спектаклем Вс. Мейерхольда: интеллигенция и революция... и власть... и народ.

О проблеме интеллигенции в середине 1920-х годов спорили не меньше, нежели сегодня. В 1925 году прошел специальный диспут (и выступления были собраны в брошюре «Судьбы современной интеллигенции»). Позиции спорящих формулировались ясно. Н.И. Бухарин считал интеллигенцию «особым классом». А.В. Луначарский, напротив, полагал, что «интеллигенция — не класс <...> Это довольно пестрая, сложная, своеобразная группа людей <...> Мы имеем интеллигенцию пролетарскую, капиталистическую <...>, мелкобуржуазную <...> и интеллектуальный пролетариат...» Близкой к нему была позиция В.П. Полонского, стоящего на той точке зрения, что каждый класс имеет свою интеллигенцию[18]. А Михаил Булгаков в известном письме к Правительству от 28 марта 1930 года, не вдаваясь в детали, оценивал русскую интеллигенцию как «лучший слой в нашей стране»[19].

Дефиниции имели отнюдь не академический интерес и последствия. От того, какая из них будет признана верной, зависели человеческие жизни.

Сам Олеша, предваряя публикацию отрывка из «Списка», признавался: «Взгляд мой на положение интеллигенции крайне мрачен. Надо раз навсегда сказать следующее: пролетариату совершенно не нужно то, что мы называем интеллигентностью. Интеллигентностью в смысле достижения высот вкуса, понимания искусства, оттенков мыслей, недомолвок, душевных перемигиваний с равными себе. Ничего общего нет у пролетариата с так называемой нашей тонкостью. Это все — барское»[20].

Критикой тех лет была отчетливо увидена связь умонастроений Мейерхольда и Олеши с комплексом идей революционного народничества, ко времени рубежа от 1920-х к 1930-м уже безнадежно устаревших. Но именно эти идеи — просвещения народа, заботы о нем, связанные с обязательным культуртрегерством, долгом интеллигенции по отношению к темной массе — оставались вполне действенными в сознании многих известных личностей, родившихся в конце века. Не случайно Л.Д. Троцкий метко определял попутничество как «советское народничество». (Ср. с точкой зрения современного человека: «XIX век нам не поучение. В XIX веке существовала идея народа. Идея справедливости, которой можно каким-то путем добиться. В XX веке идея народа как носителя некоей правды просто инфантильна»[21].)

В существенных содержательных вещах пьесу и спектакль критика разделяла не всегда. А российскую пролетарскую революцию в неко-

го. Критик высказывается за него, присваивая его полномочия и
ке утверждая обратное тому, что есть на самом деле. Так, подводя
оги двум диспутам о «Списке благодеяний», в Теаклубе и Клубе
сателей, журналист сообщает, что «защитников у спектакля не
ло»[39]. И если бы не сохранились документальные источники, сви-
ельствующие об обратном, именно эта информация и стала бы
овой для умозаключений историков театра.

пектакль всегда вступает в диалог с некими зрительскими ожи-
ями: подтверждает их, усиливает, опровергает, разочаровывает
. Гипотеза ожидания в данном случае была связана с художе-
ными репутациями Олеши и Мейерхольда. Причем пьеса уже
известной: интерес к ней подогревался и печатавшимися фраг-
ами, и отрывками, звучавшими на авторских устных выступле-
(на официальных — и неофициальных — литературных вече-
театральных кругах Москвы и Ленинграда и т.п.).

дя по диспутам, зрительский интерес был огромен. «Ни одна
сезона не вызвала таких ожесточенных споров», — писал кри-
О «шумном успехе» спектакля вспоминал спустя десятилетия
Есенин.

иведем свидетельства того, как публика встречала «Список бла-
ий».

ез три недели после премьеры театр уезжает на гастроли. 1 июля
ок» играют в Харькове.

исок благодеяний» имеет больший успех, чем в Москве, — пи-
Райх Олеше. — Доходят многие детали: уход Боголюбова вы-
плодисм/енты/, мой — после того, как изорвала приглаш/ение/
- тоже аплодисм/енты/. Пресса же здесь страшно худосочная
вторяла, что и говорилось в Москве. Как и в Москве, инте-
ечно, больше у интеллигенции»[41].

несколько дней, уже из Воронежа, Мейерхольды отправля-
рамму Олеше: «Список в Воронеже большой успех поздрав-
ли страстно вашего приезда удивлены молчанию нашу сроч-
надцатого обнимаем Мейерхольды»[42].

сте 1931 года Мейерхольд пишет Л. Оборину: «Вечером втро-
да Николаевна, Олеша, я) отправились в Киев. <...> Зал был
аншлаг»[43].

ября на письмо Мейерхольда отвечает Г.Н. Попов: «Нако-
ождался от тебя весточки. <...> Очень радостно было от тебя
об успехе нашей общей работы — "Списка"»[44].

бря 1931 года З. Райх посылает Олеше открытку из Ленинг-

торых печатных откликах могли назвать и «социальной катастрофой».

«"Список благодеяний" — каталог оговорок и оглядок, воскрешающий давно отмершую "концепцию" о жертвенном, особо предначертанном пути российской интеллигенции, идущей в своем развитии имманентными путями, сооружающей для себя самой трагические голгофы, и прочая, и прочая. <...>

Никто не собирается отрицать того общепонятного факта, что социальная катастрофа, произошедшая на территории бывшей Российской империи четырнадцать лет назад, чрезвычайно болезненно встряхнула именно интеллигенцию, мнившую себя интеллектуальным авангардом "широких трудовых масс", а на самом деле оказавшуюся глашатаем отечественной мелкой буржуазии. <...> Актриса Гончарова, перепевающая в переложении на женский голос зады предвоенной растерянной суматошной идеологии неприкаянности, — от чьего лица говорит она в 1931 году?»[22] — спрашивал критик.

Мысль подхватывал О. Литовский: «Можно ли считать актуальной постановку гамлетовского вопроса — быть или не быть — перед пролетарским нашим зрителем, взволнованным и живущим героическими днями социалистического строительства? Разумеется, в наши дни ударничества, социалистического соревнования, в наши дни романтики бетонных замесов, пафоса рекордов кирпичной кладки, формирования, в условиях новых форм и методов труда, нового, социалистического человека тема о принимающем или не принимающем революцию интеллигенте звучит одиноко и резонанс ее узок»[23].

Но порой пишущий в неуклюжей фразе нечаянно проговаривался об истинном значении пьесы и спектакля. Рассуждая о «серьезных ошибках» создателей «Списка», перечисляя их (сужение тематики, замыкание в мире настроений и колебаний узкого круга интеллигентских типов), рецензент неожиданно приходил к выводу, что «неправильная постановка вопроса об интеллигенции» связана с тем, что «автор, взяв исключительно нетипичный случай, не характерный для сегодняшнего дня, поднялся, как всякий большой художник, до широкого обобщения»[24].

Критикой прочитывались и оглашались публично самые корни умонастроений немалой части интеллигенции:

«Олеша завершает в социально-эпигонствующих, хоть и ярких по выразительности, формах исторический путь оскудевающего русского интеллигента посленароднического периода, — формулирует Эм. Бескин. — Самым характерным для этой интеллигенции была ее раздвоенность, гамлетизм. Проклятое "быть или не быть", — куда, с кем. С одной стороны, традиционно-либеральный "бунт" против древнерусской силы, гнетущей "свободу" и "разум", с другой — боязнь оскала классовых зубов пролетариата, всякий раз когда он выступал как историческая сила и ломал рационалистически-розовые схемы этой самой интеллигенции»[25].

«<...> Именно она, художественная интеллигенция, пришла в революцию опустошенной, беспринципной, вся во власти упадочных настроений, в мечтах о потустороннем “третьем царстве”, которым ее пичкали Мережковские[26] и Розановы[27]. “Гамлетствующий поросенок” — это определение принадлежит “самому” интеллигентскому вождю — Н. Михайловскому[28]. Что же иное, как не истерический визг мог услышать от этого интеллигента наш современник, пытающийся правдиво показать своего *собрата*? Поэтому, быть может, против воли автора, самое ценное в образе Гончаровой то, что он своей пустотой и никчемностью *помогает окончательной ликвидации легенды о “соли земли”*, какой якобы является интеллигенция»[29].

«Все это <...> чахлые последыши “мысли”, имевшей своими предками нигилистический реализм Писарева[30], народническую постепеновщину Лаврова[31], этический субъективизм Михайловского, давашей перелом в болезненной надрывности Гаршина[32], стонах Надсона[33] и т.п., — формулирует критик и заканчивает разбор спектакля указанием на “леонид-андреевщину” Олеши. — Олеша поднимает флейту Леонида Андреева[34] и думает, что на ней еще можно сыграть. Увы, эта флейта пуста, как и пути рационалистической интеллигенции, не осознавшей до конца диалектики классовой борьбы и апеллирующей поверх нее к метафизическим абсолютам “культуры” и “разума”, к нетленным мощам “вечного” Гамлета»[35].

Лексические оппозиции, работающие в статье, — рационализм и этический субъективизм — противопоставлены «диалектике» и «классовости». Отвергается и рефлексия, т.е. индивидуальный аналитический способ оценки реальности. Не менее симптоматично и то, что понятия «свобода», «разум», «мысль», «культура», «вечный» автор сопровождает кавычками, графически передавая как «чужое слово», т.е. дистанцируется от них, употребляя в ироническом смысле.

И совсем недвусмысленно: «Олеша не оклеветал интеллигенцию. <...> Но, сам того не ведая, он оклеветал советскую власть, оклеветал коммунистическую партию. <...> Олеша оклеветал, снизил, упростил самую коммунистическую идею. <...> На вопрос “Быть или не быть” Олеша отвечает “не быть!”»[36].

То, что пытался скрыть, завуалировать режиссер, выпуская спектакль в ситуации устрожающегося политического контроля, критика обнажала, называя вещи своими именами.

«Спектакль всеми своими средствами декларирует сомнительную идею “обреченного интеллигента”, — пишет В. Голубов. — <...> Не

хозяева жизни, не строители будущего, а “л
старого мира”, целая серия “лишних людеі
гическими оттенками, свойствами и качест
ре внимания Олеши. <...> Их опоздавшие
бесполезные рудинские “подвиги” увлекаı
образ “лишнего человека” в советских усл
чаровой сведена “проблема интеллигенц
шел из плена сменовеховского либерали
“общечеловечности”, мелкобуржуазно
общества как сковывающего волю людеі
ности”, романтическая отвлеченность
сачиваются через творчество Олеши». И
перспектива перестройки интеллиген
теллигенцию. Вся интеллигенция — п
ошибочный приговор. И он далеко н
висает над ней, даже выходя за предел

Гибель Гончаровой рассматривает
емый выбор героя. «Этот двухсторон
ство интеллигента, одинаково не п
пролетарской диктатуры, не приемл

Какие же новые ценности предл
вируются и поддерживаются вла
проявляются у пишущих?

Анализ критического дискурса
текстах работают следующие осн
наш — не наш,
классовость — гуманизм,
пролетарское — общечелове
диктатура — демократия,
коллективизм — индивидуа
бодрость — упадочность,
уверенность — рефлексия (
вание») и т.д.

В статьях ясно прочитыва
ный», кому ведома истина,
ошибки, недоработки, пром
вариантов апелляции к публ
спектакля; спектакль имеет
упоминания о зрителе нет)
стве статей реакция публик
тика зритель все-таки появ

рада: «30 утром и вечером “Список”, 31-го тоже. Билеты распроданы»[45].

В январе 1932 года на диспуте «Художник и эпоха» Олеша скажет: «Я видел, как смотрели эту пьесу здесь, в Ленинграде, как смотрели ее рабочие Путиловского завода, как ее смотрели в Москве — и я понял, что <...> критики ошибаются: пьеса великолепно чувствуется...»[46]

Михаил Булгаков заметил на страницах повести о Мольере: «Опытным драматургам известно, что для того, чтобы определить, имеет ли их пьеса успех у публики или нет, не следует приставать к знакомым с расспросами, хороша ли их пьеса, или читать рецензии. Есть более простой путь: нужно отправиться в кассу и спросить, каков сбор».

Последуем же его совету.

Сохранился отчет В.А. Цыплухина о гастролях ГосТИМа в Ташкенте с 1 февраля по 1 мая 1932 года[47].

«Список» стоит на четвертом месте после «Леса» (19 спектаклей), «Рычи, Китай» (18), «Мандата» (17). «Список» был сыгран 16 раз.

Спектакль смотрели швейники и водники завода Ильича,

МТС и батрачество,

промжилкомстроевцы,

работники транспорта и медсанчасти,

госучреждения связи и печатники.

И «неорганизованный» зритель далекого от «чисто московских проблем» Ташкента спустя полтора года после премьеры «Списка благодеяний» покупал в среднем по тысяче билетов на каждый из четырех открытых спектаклей (13 были закрытыми, т.е. игрались для организаций).

В 1932 году ГосТИМ вынужденно работает на разных московских площадках (собственное помещение ГосТИМа закрыто на ремонт). Сведения о сборах в Москве по отдельным пьесам сообщают, что:

в помещении мюзик-

Фото З.Н. Райх с дарственной надписью О.Г. Суок. 1931 г.

холла «Список» был сыгран 12 раз и при среднем сборе за спектакль 2124 руб. сбор по «Списку» составил 3723 руб.;

в Клубе рабочей молодежи «Список» прошел 37 раз, и средний сбор за спектакль составил 1750 руб.;

в помещении Парка культуры и отдыха «Список» был сыгран 10 раз;

наконец, в Театре юного зрителя — 13 раз и дал за спектакль в среднем 1486 руб. (тогда как безусловный репертуарный фаворит «Лес» был сыгран 28 раз, но средний сбор за спектакль составил 1332 руб.).

Всего же во всех помещениях «Список» принес в кассу ГосТИМа внушительную сумму в 177056 руб. 03 коп.[48]

Еще и в феврале 1933 года объявление «Списка» в газете сопровождается устойчивой ремаркой: «Все билеты проданы»[49].

4 июля 1933 года Гарин пишет жене из Одессы, где проходят гастроли ГосТИМа: «Дорогая Хеся! Приехал в Одессу, а тут целый скандал. Мичурин[50], Свердлин[51] заболели и, кажется, крепко, поэтому "Вступление"[52] не могло идти и пошло (так! — *В.Г.*) "Список благодеяний" <...> Сам[53] совершенно остервенел.

<...> Отправив вам письмо, иду в ГосТИМ посмотреть спектакль, идущий на ура – "Спи/сок/ благ/одеяний/". Он возник ввиду болезни Мичурина, Башкатова[54] и Свердлина и идет в декорациях местной "Аиды"»[55].

Эти, к сожалению, далеко не полные и не систематические сведения говорят о том, что спектакль не только пользовался устойчивым интересом у публики, но успех его даже нарастал.

Но росла и настороженность. Похоже, в самой труппе крепло желание дистанцироваться от странного, раздражающего спектакля. Актеры ГосТИМа (в интересующем нас плане) от прочих зрителей отличались, быть может, лишь тем, что более чутко улавливали перемены в климате десятилетия: дыхание страха.

Помимо отвергающих пьесу и спектакль печатных отзывов появлялись и более непереносимые для Мейерхольда неприязненные реплики в адрес «Списка» «изнутри» театра. Не просто труппы, но и актеров, занятых в спектакле. Более того: сомнения в верности, художественной убедительности сделанного Олешей и Мейерхольдом испытывала даже З. Райх!

«Вчера была на "Списке благодеяний", играла Суханова, — пишет она О.Г. Суок, жене Олеши. — И вдруг мне все так как-то не понравилось: ни Юра, ни Мейерхольд (говорю это по страшному секрету). Не на том фундаменте, все-все как-то не вперед, а назад. Может быть, оттого, что читала сейчас о Шекспире большую книгу и о Вольтере. Здесь в Харькове публика еще лучше принимает, чем в Москве, "Список". Но я сидела в партере в 15—16 ряду и чувствовала, что можно публику взять дерзновенностью мысли, но чтоб она не имела зеркала в прошлом, а в будущем. Вот я прочла последнее выступление Сталина и вдруг многое поняла. Надо *ставить* вопросы. Но не в тех планах, что Юра, хотя и по-Юриному»[56].

Актриса, еще недавно восхищавшаяся своей героиней, видит ее иными глазами. Пьеса и спектакль, как теперь кажется З. Райх, выстроены «не на том фундаменте», обращены назад. По-видимому, не одной З. Райх не хотелось видеть «зеркала в прошлом», помнить о том, что безвозвратно ушло. Можно лишь предполагать, как это новое отношение к сюжету пьесы исподволь меняло спектакль, смещая акценты.

Сведений о том, как и почему «Список благодеяний» был снят с репертуара, отыскать не удалось. Вероятно, спектакль сошел со сце-

Этюд с плащом. Рис. Б.А. Кельберера.

ны в том числе и из-за меняющейся «оптики» занятых в нем актеров, без специального вмешательства властей.

Итак, в рецепции «Списка благодеяний» современниками можно отметить по крайней мере две важные вещи. Во-первых, спектакль задел самый нерв проблематики рубежа 1920—1930-х годов, предоставив социологизирующей критике материал для важных наблюдений и обобщений. Пресса писала об обреченности досоветской интеллигенции, слоя образованных людей, исповедующих «старые» моральные ценности (гуманизма, на смену которому пришла «классовость»; личной свободы и ответственности, сменявшихся коллективизмом и безусловным делегированием собственных прав и обязанностей власти), — с чем и были связаны пессимистические ожидания определенной части российского общества.

Во-вторых, судя по сохранившимся, хотя и отрывочным сведениям, «Список» получил серьезную зрительскую поддержку, собирая полные залы на протяжении трех театральных сезонов.

ПРИМЕЧАНИЯ

1. *Цимбал С.* Исповедь умирающего класса // Смена. Л. 1931. 17 октября. № 246.
2. Дневник Алексея Васильевича Гаврилова // Независимая газета. Хранить вечно. 1998. Октябрь. № 4. С. 9—12.
3. *Пришвин М.* Дневник писателя // Октябрь. 1989. № 7. С. 181.
4. *Верхотурский А.* Борьба с правым уклоном в искусстве // Жизнь искусства. 1928. № 48. С. 20.
5. *Там же.* С. 20.
6. *Новицкий П.* О политике Главискусства // Печать и революция. 1929. Кн. 4. С. 31—39.
7. Начальник Главискусства А.И. Свидерский и заместитель заведующего Агитпропотделом ЦК ВКП(б) П.М. Керженцев будут сняты с должностей почти одновременно после докладной записки секретаря ЦК ВКП(б) А.И. Смирнова о работе Главискусства. См. об этом: Власть и художественная интеллигенция. Документ № 30. С. 115—123.

В той же докладной записке упомянут и Вс. Мейерхольд, спустя год все еще не представивший научного отчета о заграничной командировке.

8. Под документом, датированным 11 января 1931 года, стоит подпись А.И. Стецкого, члена Оргбюро ЦК ВКП(б). См.: Счастье литературы: Государство и писатели. 1925—1938. Документы. М., С. 95—105.
9. См.: Год творческого роста: О III пленуме совета Всероскомдрама // Совет-

ское искусство. 1931. 13 июня.

10. З. Райх писала Олеше 20 декабря 1931 года: «“Страх” это пьеса, которой умиляются. Церкви закрыты — умиляться негде — умиляются в МХАТе. Нехорошо только, что Афиногенов умиляет и [большевиков] “своих”, впрочем, это скоро будет признано ошибочным» (Из переписки Ю.К. Олеши с В.Э. Мейерхольдом и З.Н. Райх. С. 152). Текст уточнен по автографу: Ф. 358. Оп. 2. Ед. хр. 806. Л. 6.

И в самом деле, следующая пьеса («Ложь»), отправленная драматургом Сталину, была запрещена. (О сталинской редактуре пьесы «Ложь» см.: *Куманев В.А.* Корифей «совершенствует»... // Литературная газета. 1989. 20 сентября. № 38.)

11. «Страх» в Ленинграде и «Страх» в Москве // Литературная газета. 1931. 23 декабря.
12. Что говорят о «Страхе» // Вечерняя Москва. 1932. 16 января.

Леонидов (Вольфензон) Леонид Миронович (1873-1941), актер, один из основателей МХАТ.

Певцов Илларион Николаевич (1879-1934), в 1930-е годы артист БДТ.

13. По-видимому, именно этот краткий отклик Олеши о «Страхе» послужил началом его серьезной размолвки с Мейерхольдом. Потом обид добавилось. В письме к Олеше от 9 мая 1934 года З. Райх говорит о «чувстве большой оскорбленности» Мейерхольда и ее самой, их неудовлетворенности статьей «Любовь к Мейерхольду» и пр. (См.: Из переписки Ю.К. Олеши с В.Э. Мейерхольдом и З.Н. Райх. С. 153—155).
14. «Я помню вечер, когда я проходил мимо подъезда Художественного театра в то время, когда шел в первый раз “Страх”. Стояло множество автомобилей. Я позавидовал Афиногенову. “Страх” имел большой успех. Все газеты печатали восторженные статьи. <...> “Страх” ставили во всех театрах страны. Это была плохая пьеса» (*Олеша Ю.* Некоторые плохие пьесы советских театров...: Статьи о советской драматургии // Ф. 358. Оп. 2. Ед. хр. 423. Л. 16).
15. *Февральский А.В.* Из добавлений к книге «10 лет ГосТИМа» // Ф. 2437. Оп. 1. Ед. хр. 20. Л. 7—8.
16. *Гурвич А.* Под камнем Европы. С. 29, 28.
17. *Селивановский А.* Открытое письмо Юрию Олеше // Литературная газета. 1931. 30 июня.
18. *Динамов С.* К проблеме интеллигенции // На литературном посту. 1929. Январь. № 1. С. 42—46.
19. *Булгаков М.А.* Собр. соч.: В 5 т. М., 1990. Т. 5. С. 447.
20. *Олеша Ю.* Тема интеллигента // Стройка. Л. 1930. 31 марта.
21. *Бродский И.* По обе стороны океана: Беседы с Адамом Михником. С. 10.
22. *Янковский М.* «Список благодеяний» // Красная газета. Веч. вып. 1931. 9 октября. № 23.
23. *Уриэль.* «Список благодеяний» // Комсомольская правда. 1931. 16 июня.
24. *Залесский /В/.* Спектакль-предостережение для театра и автора: «Список благодеяний» в ГосТИМе // Вечерняя Москва. 1931. 12 июня. № 139.
25. *Бескин Эм.* О флейте Ю. Олеши и нетленных мощах Гамлета // Советское

искусство. 1931. 8 июля. № 35 (107).

26. Мережковский Дмитрий Сергеевич (1866—1941), писатель, философ. С 1920 года в эмиграции.
27. Розанов Василий Васильевич (1856—1914), писатель, публицист, религиозный мыслитель.
28. Михайловский Николай Константинович (1842—1904), социолог, публицист, литературный критик, народник. Выступал против марксизма с позиций крестьянского социализма.
29. *Крути И.* «Список благодеяний»: Театр им. Вс. Мейерхольда // Советское искусство. 1931. 3 июня. № 28. С. 3.
30. Писарев Дмитрий Иванович (1840—1868), публицист и литературный критик, революционный демократ, утопический социалист.
31. Лавров Петр Лаврович (1823—1900), философ, социолог и публицист, один из идеологов революционного народничества.
32. Гаршин Всеволод Михайлович (1855—1888), писатель. Для его прозы характерны мотивы обостренного восприятия социальной несправедливости, идея служения народу. Известно, что именно в честь Гаршина юный Мейерхольд сменил свое имя. О судьбе Гаршина, оказавшей существенное влияние на поколение российской интеллигенции, много размышлял и Олеша.
33. Надсон Семен Яковлевич (1862—1887), поэт, в лирике которого звучал мотив скорби не находящего себя в жизни российского интеллигента.
34. Андреев Леонид Николаевич (1871—1919), писатель и драматург. Его творчество запечатлело кризис религиозного сознания российского интеллигента, социальный пессимизм.
35. *Бескин Эм.* Указ. соч.
36. *Гурвич А.* Под камнем Европы. С. 28—29.
37. *Голубов В.* «Список благодеяний»: Юрий Олеша в театре им. Мейерхольда // Рабочий и театр. 1931. 28 октября. № 25. С. 3—5.
38. *Гурвич А.* Указ. соч. С. 28.
39. *Гл.А.* «Список благодеяний» Ю. Олеши в театре им. Вс. Мейерхольда: Итоги двух диспутов // РАБИС. 1931. № 19/20. С. 12.
40. *Аф. О.* О пьесе «Список благодеяний»: На диспуте в клубе писателей // Вечерняя Москва. 1931. 18 июня. № 144.
41. Из переписки Ю.К. Олеши с В.Э. Мейерхольдом и З.Н. Райх. С. 151.
42. *Мейерхольд В.Э.* Письмо, телеграммы и записка Ю.К. Олеше с пояснительными надписями Ю.К. Олеши // Ф. 358. Оп. 2. Ед. хр. 774. Л. 11.
43. Цит. по: *Руднева Л.* Лев Оборин и Всеволод Мейерхольд // Л.Н. Оборин-педагог . С. 180—181.
44. Цит. по: «Окрыленность идеями, чувствами — лучший стержень творческих отношений...»: Письма Г. Попова Вс. Мейерхольду. С. 70.
45. Из переписки Ю.К. Олеши с В.Э. Мейерхольдом и З.Н. Райх. С. 152.
46. *Олеша Ю.* Пьесы. Статьи о театре и драматургии. С. 267.
47. Отчеты В.А. Цыплухина, А.Д. Грипича и других режиссеров о гастролях ГосТИМа в Донбассе, Ташкенте и Харькове. Статистические сведения о гас-

тролях в Ташкенте // Ф. 963. Оп. 1. Ед. хр. 888. Л. 17, 20—21.

48. См.: Сведения о сборах в Москве по отдельным пьесам за 1932 год: Годовой отчет театра за 1932 год // Ф. 963. Оп. 1. Ед. хр. 231а. Л. 23—24.
49. Вечерняя Москва. 1933. 28 февраля.
50. Мичурин Геннадий Михайлович (1897—1970), артист ГосТИМа.
51. Свердлин Лев Наумович (1901—1969), артист ГосТИМа.
52. Спектакль по пьесе Ю. Германа «Вступление» («Профессор Кельберг»). Премьера прошла 28 января 1933 года. Г.М. Мичурин и Л.Н. Свердлин играли центральные роли.
53. Имеется в виду Вс. Мейерхольд.
54. Башкатов К.А., артист ГосТИМа.
55. Ф. 2979. Оп. 1. Ед. хр. 294. Л. 21, 21 об., 22.
56. Письмо З. Райх от 12 июля 1931 года, из Харькова в Одессу. Автограф // Ф. 358. Оп. 2. Ед. хр. 1175. Л. 3 об.—4.

З. Райх и Вс. Мейерхольд. 1932 г.

ЗАКЛЮЧЕНИЕ

В «Альбоме со стихотворениями...» Юрия Олеши, хранящемся в РГАЛИ, на одном из листов с датой «1929 год» несколько строчек его рукой:

«Итак — записки сумасшедшего.

Думал ли я некогда, когда был гимназистом, когда читал Гоголя в Павленковском издании, напечатанного в два столбца Гоголя с картинками на отдельных листах, — думал ли я, что и на мне будет белый колпак и одежда, похожая на нижнее белье, — как на том, [нарисованном], который восклицал: "В Испании есть король, и этот король я..."

Думал ли я!

Нет, не записки. Скорее, воспоминания.

Нет: исповедь, или самое верное: показания.

Сумасшествие мое прошло. Скоро меня выпустят на свободу, я должен буду предстать перед обществом, и вот, представ, я хочу...»[1]

История рождения и трансформации пьесы и спектакля «Список благодеяний» и есть рассказ о том, как и почему художественная исповедь двух талантливейших людей эпохи превращалась в показания.

Из театральной редакции последовательно изымались почти все важнейшие темы первоначального варианта пьесы и, напротив, вводились новые, идеологически «верные» — и в этом отношении история содержательной редактуры «Списка благодеяний» в сжатом виде выразила типическую историю переделок любой вещи мыслящего литератора, работающего в Советской России во второй половине 1920-х — начале 1930-х годов.

Но, несмотря на многочисленные и существенные переделки текста, к зрителям вышел спектакль гуманистического, антитоталитарного звучания. Переписываются «слова» — но сюжет и структура вещи остаются теми же. Мейерхольд воплощает на театре тему судьбы интеллигента в послереволюционной России: «человека между двух миров».

Хотя задуманное полностью не воплотилось, сделанного оказалось достаточно, чтобы споры вокруг пьесы не стихали. Мейерхольд продолжал защищать Олешу от нападок, добиваясь главного: чтобы его вещи шли на сцене. Осенью 1931 года он убеждал зал:

«Мы как экспериментальный театр знаем все слабые места пьесы “Список благодеяний”, знаем все слабые места Олеши как автора. Но заметьте, что драматурга нельзя не показывать на сцене. Драматург только тогда будет уметь писать, когда будет пробоваться на сцене. Все недостатки драматурга выявляются, когда его вещи показываются на сцене. Автор Олеша учел все свои недостатки в пьесе “Список благодеяний”. Гончарова — Олеша — возвращается из-за границы. Ему уже нравится у нас. Ему нравятся наши проблемы, ему нравится воздействие сцены на зрителя. Мы должны бережно относиться к таким авторам и сказать: “Ты ошибся вчера, но продолжай работу, учитывая эти ошибки”»[2].

Олеша пытается продолжать работу, его новых пьес ждут театры — не только Мейерхольд, но и МХАТ (П. Марков пишет драматургу, что театр настолько надеется на новую его вещь, что не занимает актеров – Н. Хмелева, М. Прудкина, Н. Баталова, — и взволнован слухами о том, что новую пьесу Олеша будто бы отдаст Мейерхольду[3]), и вахтанговцы, и ленинградский БДТ, — но эти попытки не удаются. «У меня рак воображения. <...> Новые клетки поедают старые. И я не могу вырастить тело. И мне совестно, что я два года высказываюсь и ничего не публикую»[4], — жалуется писатель в одном из интервью.

Несмотря на угрожающие оклики властей после премьеры «Списка», Мейерхольд не отказывается ни от пьесы, ни от ее автора. Свидетельством тому их дальнейшие совместные планы. Сначала режиссер намеревается поставить «Список» в Ташкенте, а год спустя, 22 июля 1932 года, Олеша пишет жене: «Между прочим, предложение есть написать сценарий на тему “Списка” — Мейерхольд будет ставить, и, конечно, Райх — играть. По-моему, сценарий можно сделать замечательный...»[5] Еще увлечена талантом писателя З. Райх. На одной из сохранившихся ее фотографий в роли Елены Гончаровой, в костюме Гамлета, выразительная надпись: «Я сыграла Вас, Юрочка. Радек сказал, что себя — неверно. Хочу себя. Еще раз хочу сомкнуться с Вами в творчестве. Зинаида»[6].

Олеша ясно понимает, с личностью какого масштаба свела его судьба. Из записей в дневнике: «Кого же я видел из великих в своей жизни: Маяковского, Мейерхольда, Станиславского, Горького»[7]. А в июне 1931 года, сочиняя одну из первых своих автобиографий, Олеша заканчивает ее словами: «Лучшей пьесой мира считаю "Гамлет", лучшим режиссером — Мейерхольда»[8].

В новелле «Вишневая косточка», давшей название книге рассказов писателя, герой мечтает вырастить из вишневой косточки прекрасный сад. Олешинский сюжет связан с общеизвестными литературными корнями: писатель мечтает о новом вишневом саде, не так давно вырубленном, разоренном. Но из мечтаний ничего не выйдет: «железный план» переустройства уничтожит росток — на пустыре должен появиться бетонный гигант.

Вишневому саду не суждено возродиться.

Бессилие отдельного человека перед государственной машиной выражалось художниками по-разному. В романе Булгакова «Мастер и Маргарита», начатом в 1929 году, появлялись человеческие фигурки на доске: «живыми шахматами» играл всесильный Воланд. Несвободный человек виделся лишь беспомощным орудием в чьих-то руках. Но общая концепция булгаковского итогового романа утверждала обратное: равенство творящей личности с высшей, хотя бы и дьявольской, силой. Художественный мир романа Мастера, в котором «угадана» истина исторической реальности, заставляет считаться с собой. Свободный человек, по Булгакову, — свободен.

Мейерхольд видит человека в мире и оценивает действительность прямо противоположным образом. У него «событие все, человек — ничто, он лишь кукла, сметаемая со сцены занавесом»[9]. Именно так прочитывалось мейерхольдовское мировидение весьма разными критиками, от А. Эфроса[10] и В. Шкловского[11] до П. Маркова и Б. Зингермана. Еще важнее, что это было общей для России чертой художественного процесса, а не уделом одного лишь театра, хотя бы и в лице наиболее чуткого его творца — Мейерхольда.

Первой утрату цельности мировоззрения, провал почвы под ногами ощутила живопись. И Европу, и еще не отделившуюся от ее художественных исканий Россию охватили эксперименты. 10-е годы XX века в живописи — это мир, обращенный в лабораторию, пробы: разлом плоскости, разъятие на элементы человека, пейзажа. Выработка нового языка: супрематизм, кубизм, движение к зарождающемуся конструктивизму (К. Малевич, В. Кандинский, Л. Попова, А. Экстер, А. Лентулов и пр.). Блистательный эксперимент, мощный, громкий цвет, оптимизм и энергия. Но этот же эксперимент демонстрировал и разъятие, разложение вещного, плотского на отдельные обессмыслившиеся элементы, лишенные значения формы. Кризис мировоззрения, мучительность существования в «действительности, которая бредит» заявили о себе в напряженном и отчаянном «Черном квадрате» Малевича, ставшем ярчайшей метафорой хаоса смыслов.

Новый перелом в искусстве российских художников наступает к середине 1920-х годов: с полотен исчезают лица людей. Мазки вместо лиц, неопределенность, марево, магма. Индивидуальность задавлена, на изображениях — человеческая масса, варево в котловане.

Схожие процессы идут в литературе.

В прозе — конец романа, «малая форма», осколочность сюжета. Нет героя, способного вынести на своих плечах большую форму. (Ср. Олеша: «Меня интересует вопрос об установившейся биографии. Раньше писатели имели установившуюся биографию героя. <...> У нас нет законченных судеб»[12].) В 1924 году об исчерпанности прежних литературных форм размышляют теоретики и практики на заседаниях Комитета по изучению современной литературы при Разряде истории словесных искусств Российского института истории искусств. На том, что кончилась, отошла в прошлое большая форма, сходятся все: «Так называемые “большие полотна” нынче рвутся на каждом вершке, — констатирует докладчик И. Груздев. — Каждое из течений современной прозы настолько износило свои конструктивные элементы, что никакой, даже самый благодарный материал на них более не задержится»[13]. Имеются в виду и традиционный реалистический бытовой роман, и сказовая форма, и орнаментальная проза[14]. Только что вышли в свет «Записки на манжетах» М. Булгакова, дневниковые заметки Горького, розановское «Уединенное», романы В. Шкловского «Сентиментальное путешествие» и «Zoo, или Письма не о любви», «Железный поток» А. Серафимовича.

«Сейчас фраза является элементом прозы в том смысле, в каком строка является элементом стиха. Прозу стали писать строчками. Строчки могут порознь оцениваться. Это дело рук XX века. Раньше элементом, единицей прозаической речи оказывался какой-то больший и, главное, качественно иной комплекс»[15]. Это пишет внимательная «формалистка» Лидия Гинзбург в 1927 году.

Какой видят реальность живописцы? Д. Штеренберг пишет картину «Старое» (1927): на голубом стылом фоне одинокая фигура крестьянина, в левом нижнем углу полотна — слабый, чахлый кустик. Появляются мрачные каменные лабиринты А. Тышлера («Сакко и Ванцетти»). «Сталин» Г. Рублева: на бьющем в глаза алом фоне хитрый улыбающийся кавказец в высоких мягких сапожках, поджав под себя ногу, сидит в кресле. У ног, изогнувшись как лук, — узкое длинное тело алой собаки. Знаменитые «Феномены» (1931) П. Челищева: огромное полотно, наполненное монстрами, уродцами. «Восстание» (1931) К. Редько: движущиеся к центру в геометрически выверенном марше фигуры на красно-коричневом ржавом фоне столь же геометрически выверенных, безжизненных зданий. В центре — шеренга узнаваемых вождей, от Ленина и Сталина до Бухарина, Крупской и Луначарского. Работы С. Никритина: «Прощание с мертвым» (1926) и «Суд народа» (1934) — тупоголовые каменнолицые фигуры, восседающие за столом, написанные все в тех же серо-ржавых тонах, будто издающие скрежет вместо человечьих звуков существа, и пр. Полотнами владеет застывшая статика. Все больше алой, красной, багровой краски на картинах. (Сосредоточенный седой Мейерхольд, лежащий на диване с раскрытой книгой, написанный П. Кончаловским (1938), — редкая и оттого запоминающаяся горизонталь среди многочисленных вздыбленных вертикалей прочих полотен.)

В начале 1930-х из неопределенности, смазанности начинают возникать лица, и эти новые, прежде не существовавшие лица отталкивающи: неподвижны, глухи, неколебимы. Определяет картину не лицо — субстанция, материал, масса.

Театр в России проходит тот же путь, что и живопись и литература. И когда в мейерхольдовском «Списке благодеяний» вместо «социальных масок» появляются лица, критиков возмущает, что они не те, которых ждали. Главными героями спектакля становятся не новые советские характеры, Федотов и Лахтин (о которых рецензенты разочарованно пишут, что это схемы, а не живые персонажи), а люди из «бывших»: эмигрант Татаров и актриса Гончарова, гамлетовский двойник.

«Когда я писал “Список благодеяний”, я строил пьесу, исходя из пародирования “Гамлета”. Я видел, как публика многого не понимала, потому что она не могла воспринять пародию, не зная, что пародируется. <...> Я видел непонимание зрителя, недоумение, — сетовал позднее Олеша. — <...> Надо сначала рассказать публике, что такое Гамлет. Об этом надо рассказывать в течение десяти лет»[16].

Но на протяжении многих последующих лет публике рассказывают совсем не о Гамлете.

Олеша выпускает последнюю книгу, тоненький сборник рассказов, и замолкает (точнее, пытается говорить не своим голосом) до 1956 года. Но он еще получит несколько лет для возвращения к настоящей писательской работе, хотя книгу «Ни дня без строчки» прочтут уже после смерти автора.

У Мейерхольда времени остается совсем немного.

16 июня 1931 года прекратились спектакли в здании на Садово-Триумфальной площади: должен был начаться ремонт запущенного театрального помещения. Вернуться туда Мейерхольду уже не пришлось. «Список благодеяний» стал последним спектаклем прежнего ГосТИМа.

Режиссер, лишенный сценической площадки, т.е., в сущности, — своего театра, работает, пусть и медленнее, реже выпуская спектакли. Его премьеры по-прежнему в центре внимания художественных кругов Москвы и Ленинграда. Фигура Мейерхольда занимает мысли и тех, кто не может числить себя в его союзниках. В дневнике Афиногенова в 1933 году появляется запись: «Ах, старый волк, матерый зверь. Ты отступаешь, не сознаваясь даже себе, ты дрожишь от холода, подставляя копну волос бурному ветру суровой зимы, ты потерял чувство дороги — мастер, ты гибнешь, засыпаемый снегом, величественный, негнущийся Мейерхольд»[17]. (По Москве даже распространяется слух, что он умирает от рака[18].)

В 1936 году начата дискуссия о формализме. Один из действующих литераторов в кулуарах писательского собрания заявляет: «Я считаю, что формализм — это основа будущего искусства. <...> Единственное спасение в формальных исканиях. Вс. Иванов, Олеша и многие другие декламировали — это их спасение. Убежден, что так, как я, думают многие. Все знают, о чем нужно писать, но как писать, не знают, и, кроме того, трудно приспособиться»[19]. Кому-то приспособиться «трудно», а кому-то оказывается невозможным. В 30-е годы режиссер выпускает спектакли о судьбе, прощении, милосердии (с внезапно укрупнившейся устойчивой женской темой), от «Списка благодеяний» идет к «Даме с камелиями», «Пиковой даме», репетирует сейфуллинскую «Наташу». Звучат темы милости к падшим — и рока как расплаты, гибели как искупления. Вопреки всему Мейерхольд пытается сделать еще один шаг к утверждению малопозволительных к тому времени гуманистических ценностей: в параллель, в одни и те же репетиционные дни 1936 года, он готовит два спектакля: об обманутых революцией людях («Наташа») — и пушкинского «Бориса Годунова» с безмолвствующим в финале народом.

После премьеры «Списка» Олеша остается в Москве. Мейерхольд с частью ГосТИМа уезжает на гастроли. «Мы Вам телеграфировали по нашему московскому адресу. Почему же Вы теперь даете нам адрес "Литературной газеты"? Разве Вы не у нас живете? Если не у нас, то почему не у нас? <...> Или Вам одному в пустой квартире стало страшно? Вы мистик? Или еще не раскрытый убийца? В чем дело?»[20] — шутливо спрашивает удивленный Мейерхольд, оставивший бездомного и любимого друга в собственной удобной квартире, в нескольких минутах ходьбы от МХАТа, где недавно игрались «Три толстяка», от вахтанговского, где шел его «Заговор чувств», наконец, от «Националя», в котором Олеша любил посидеть за рюмочкой...

В архиве писателя сохранен лист бумаги, на котором аккуратно выведено чернилами:

«Как Мейерхольд ставил мою пьесу. Дневник»».

Следующая запись появится спустя почти четверть века. Она сделана карандашом, буквы плохо различимы.

«Почему ж не написал этого дневника?

1954, Москва, октября 4-го».

И дальше, неразборчивым почерком, совсем не похожим на обычный твердый и щеголеватый почерк Олеши, сначала продолжая страницу, затем переходя вверх, на левое боковое поле, и вновь, как в лихорадке, возвращаясь вниз, туда, где еще осталось немного свободного места. Будто человек ничего не собирался писать, но ожившая память подчинила себе и заставила водить пером.

«Теперь этой (чернилами, разумеется) надписи двадцать лет. "Список" был поставлен в 1931 году. Значит, двадцать три года. А я отлично помню, как на другой день после премьеры, с перегаром в голове, я стоял в сумеречный день, среди серого колорита на улице Горького при выходе из Брюсовского переулка.

Вскоре Райх убили. Говорят, что ей выкололи глаза — был такой слух, по всей вероятности, родившийся не из ничего. Прекрасные черные глаза Зинаиды Райх — смотревшие, при всем ее демонизме, все же послушным старательным взглядом девочки. Перец Маркиш, который, кажется, тоже умер[21], сообщил мне о том, что Райх именно убита (а то говорили, что только избита), на каком-то жалком банкете в доме Герцена, где я сидел пьяный, несчастный, спорящий со всеми, одинокий, загубленный... Сообщил Маркиш со слов его знакомого врача, который... Впрочем, может быть, и не так, теперь уж не помню.

Ее убили в 1938 году[22].

Я помню ее всю в белизне — голых плеч, какого-то ватерпуфа, пудры — перед зеркалом в ее уборной, в театре — пока пели звонки под потолком и красная лампочка, мигая, звала ее идти на сцену.

Они меня любили, Мейерхольды.

Я бежал от их слишком назойливой любви».

Здесь же еще один лист, но уже машинописный (хранить рукопись опаснее), с наброском о людях, чьи имена ни разу не названы. Этот лист отвечает на вопросы Мейерхольда, заданные им Олеше летом 1931 года.

«Он часто в эпоху своей славы и признания именно со стороны государства наклонялся ко мне и ни с того ни с сего говорил мне шепотом:

Меня расстреляют.

Тревога жила в их доме — помимо них, сама по себе. Когда я жил в этом доме в их отсутствие, я видел, слышал, ощущал эту тревогу. Она стояла в соседней комнате, ложилась вдруг на обои, заставляла меня, когда я возвращался вечером, осматривать все комнаты — нет ли кого там, пробравшегося в дом, пока меня не было, заглядывать под кровати, за двери, в шкафы. Что, казалось, угрожало в те дни этому дому — в дни расцвета и власти хозяина? Ничто не угрожало — наоборот, отовсюду шла слава с букетами, деньгами, восхвалениями, заграничными путешествиями. И все же тревога была такой властной в его пустом доме, что иногда я просто обращался в бегство — ни от чего: от обоев, от портрета хозяйки с большими черными глазами, которые вдруг начинали мне казаться плачущими.

Хозяйку закололи в этом доме. Так что до появления убийц я уже слышал их, почти видел — за несколько лет.

Хозяина расстреляли, расстреляли — как он и предчувствовал это.

Ее убийство окружено тайной. Убийцы проникли с улицы через балкон. Она защищалась. Говорят, что ей выкололи глаза. Она умерла, привезенная скорой помощью в больницу, от утраты крови. Похоронили ее, так сказать, в полицейском порядке, но одевала ее для гроба балерина Гельцер[23].

Перед их гибелью они прощались со мной в моем сновидении. Подошли к какому-то окну с той стороны, с улицы и, остановившись перед темным, но прозрачным для меня окном, поклонились»[24].

ПРИМЕЧАНИЯ

1. Ф. 358. Оп. 1. Ед. хр. 22. Л. 38.
2. *Мейерхольд Вс.* Из выступления в Доме культуры «Пятилетка» 4 ноября 1931 года // Ф. 963. Оп. 1. Ед. хр. 46. Л. 36.
3. Письмо П.А. Маркова Ю.К. Олеше от 26 июня 1931 года // РО ИМЛИ. Автограф. Ф. 161. Оп. 1. Ед. хр. 5. Л. 3.
4. Цит. по: *Соболев Вл.* Гуляя по саду... В рубрике: Писатель за рукописью // Литературная газета. 1933. 29 мая. № 25 (253). С. 4.
5. *Олеша Ю.* Письма, открытки и телеграммы к жене, О.Г. Суок // Ф. 358. Оп. 2. Ед. хр. 626. Л. 21 об.
6. Ф. 358. Оп. 2. Ед. хр. 1100. Л. 1. Надпись датирована 1932 годом.
7. *Олеша Ю.* Книга прощания. С. 47.
8. *Олеша Ю.* Автобиография 1931 г. // Олеша Ю.К. Альбом со стихотворениями // Ф. 358. Оп. 1. Ед. хр. 21. Л. 4.
9. Scheffer P. Theater Meyerhold // Berliner Tageblatt. 1926. 31 December. Цит. по: *Колязин В.* Таиров, Мейерхольд и Германия. Пискатор, Брехт и Россия. М., 1998. С. 108.
10. «<...> художественная форма проломлена и зияет дырьями; из дыры в дыру ввертываются и гуляют сквозняки по всем областям художественного творчества» (*Эфрос А.* Восстание зрителя // Русский современник. 1924. Кн. 1.

С. 276).

11. Шкловский (в июле 1932 г.) писал о том, что «рассыпается мир в руках Мейерхольда» (*Шкловский В.* Конец барокко // Шкловский В. Гамбургский счет. М., 1990. С. 449).
12. *Олеша Ю.* Беседы о драматургии. Беседы С. и О. Машинописная стенограмма. 13 июня 1933 года // Ф. 358. Оп. 2. Ед. хр. 490. Л. 4.
13. *А.Г.* Дискуссии о современной литературе // Русский современник. 1924. Кн. 2. С. 273.
14. См. об этом: *Gudkova V.V.* Апология субъективности: о лирическом герое произведений М.А. Булгакова // Revue des ētudes slaves. Paris, 1993. S. 349—360.
15. *Гинзбург Л.* Человек за письменным столом. Л., 1989. С. 59.
16. *Олеша Ю.* Беседы о драматургии // Ф. 358. Оп. 2. Ед. хр. 490. Л. 10.
17. *Афиногенов А.* Дневники и записные книжки. М., 1960. С. 140.
18. «Мейерхольд лежит в санатории, одинокий, больной раком печени, разочарованный в жизни и людях до предела, он умирает и видит, как распадается его театр, как будто не только он, но и театр его — болен раком», — записывает в дневнике А. Афиногенов в 1935 году (Указ. соч. С. 272).
19. Слова Ю. Смолича, зафиксированные агентурой в кулуарах писательского собрания. Цит. по: Далекое...: к шестидесятилетию дискуссии о формализме в искусстве / Публ. Г. Файмана // Независимая газета. 1996. 26 декабря. С. 5.
20. Письмо Вс. Мейерхольда из Харькова от 10 июля 1931 года // Мейерхольд В.Э. Переписка. С. 319.
21. «Тоже умерший» еврейский писатель Перец Давидович Маркиш (1895—1952) был расстрелян в числе двенадцати руководителей Еврейского антифашистского комитета (ЕАК) 12 августа 1952 года по ложным обвинениям. См. об этом: Еврейский антифашистский комитет у Суслова: Из воспоминаний Е.И. Долицкого / Публ. А. Вайсберга // Звенья: Исторический альманах. М., 1991. С. 535—554.
22. Олеша ошибся: З. Райх была убита в 1939 году.
23. Гельцер Екатерина Васильевна (1876—1962), балерина. Ставила, в частности, танец Суок в спектакле МХАТ по пьесе Олеши «Три толстяка».
24. *Олеша Ю.К.* Дневниковые записи. Автограф. // Ф. 358. Оп. 2. Ед. хр. 512. Л. 4—4 об., 5, 6. Опубликовано (с некоторыми разночтениями): Олеша Ю. Книга прощания. С. 223—225.

Именной указатель

Список сокращений

Агитпроп - Отдел агитации и пропаганды ЦК ВКП (б)
ВАПМ - Всероссийская ассоциация пролетарских музыкантов
ВАПП - Всероссийская ассоциация пролетарских писателей
ВОКС - Всесоюзное общество культурных связей с заграницей
Всерабис, РАБИС - Всероссийский профессиональный союз работников искусств
Всероскомдрам - Всероссийское общество драматургов, композиторов, авторов кино, клуба и эстрады
ВССП - Всероссийский Союз советских писателей
ГАИС - Государственная академия искусствознания

ГАРФ - Государственный архив Российской Федерации
ГАХН - Государственная академия Художественных наук
ГБДТ, БДТ - Государственный Большой Драматический театр
Главискусство - Главное управление по делам художественной литературы и искусства НКП СССР
ГОМЭЦ - Государственное объединение музыкальных, эстрадных и цирковых предприятий
Гослитиздат, госиздат - Государственное литературное издательство
ГосТИМ, ТИМ - Государственный Театр имени Вс.Мейерхольда
ГОЭЛРО - Государственный (план) электрификации России
ГРК, Главрепертком - Главный комитет по контролю за зрелищами и репертуаром Наркомпроса РСФСР
ГУБОНО - губернский Отдел народного образования
ГЦТМ - Государственный центральный театральный музей
ГЭКТЕМАС - Государственные экспериментальные театральные мастерские
Д. - дело (арх.)
Ед. хр. - единица хранения (арх.)
ИМЛИ - Институт мировой литературы им. А.М. Горького АН СССР
ИРЛИ - Институт русской литературы (Пушкинский дом)
К. - картон (арх.)
Л. - лист (арх).
ЛАПП - Ленинградская ассоциация пролетарских писателей
МАПП - Московская ассоциация пролетарских писателей
МГБ - Министерство государственной безопасности
Межрабпомфильм - (Отделение) Международной рабочей помощи - негосударственная организация, финансирующая производство советских фильмов, экспортируемых за рубеж
МХТ, МХАТ - Московский Художественный академический театр
Налитпостовец - приверженец крайне левых взглядов на роль искусства, выразителем которых был журнал «На литературном посту»
Наркоминдел - Народный комиссариат иностранных дел СССР
Наркомпрос, НКП, НКПр - Народный комиссариат просвещения
ОГИЗ - Объединенное государственное издательство
ОГПУ, ГПУ - Объединенное государственное политическое управление при СНК СССР
ОПОЯЗ - Общество (по) изучению поэтического языка
Полпредство - полномочное представительство
Промпартия - «Промышленная партия»
РАПП - российская ассоциация пролетарских писателей
РГАЛИ - Российский государственный архив литературы и искусства
РГБ - Российская Государственная библиотека
РОВС - Русский общевоинский союз
СНК, Совнарком - Совет народных комиссаров
Совбюр - советский бюрократ
СТО - Совет Труда и Обороны СССР
Торгпредство - торговое представительство
Турксиб - Туркестано-Сибирская железная длорога
Ф. - фонд (арх.)
ФОСП - Федерация объединений советских писателей
ХПС, Худполитсовет - художественно-политический совет
ЦИК - Центральный исполнительный комитет Советов депутатов СССР
ЦУГЦ - Центральное управление государственными цирками

Виолетта Гудкова
ЮРИЙ ОЛЕША
И
ВСЕВОЛОД МЕЙЕРХОЛЬД
в работе над спектаклем
«Список благодеяний».

Редактор
В. Айрапетян
Художник тома
О. Смирнов
Корректоры
Л. Морозова, Э. Корчагина
Компьютерная верстка
О. Смирнов

Налоговая льгота — общероссийский
классификатор продукции ОК-005-93, том 2;
953000 — книги, брошюры

ООО «Новое литературное обозрение»
Адрес редакции:
129626, Москва, И-626, а/я 55
Тел.: (095) 976-47-88
факс: 977-08-28
e-mail: nlo.ltd@g23.relcom.ru
Интернет: http://www.nlo.magazine.ru

ЛР № 061083 от 6 мая 1997 г.

Формат 60x90/16. Бумага офсетная № 1
Усл. печ. л. 38,0. Тираж 2000 экз. Заказ № 339

Отпечатано с готовых диапозитивов
в РГУП «Чебоксарская типография № 1»
428019, г. Чебоксары, пр. И. Яковлева, 15

Новое литературное обозрение

Теория и история литературы, критика и библиография
Периодичность: 6 раз в год

Первый российский независимый филологический журнал, выходящий с конца 1992 года. «НЛО» ставит своей задачей максимально полное и объективное освещение современного состояния русской литературы и культуры, пересмотр устарелых категорий и клише отечественного литературоведения, осмысление проблем русской литературы в широком мировом культурном контексте.

В «НЛО» читатель может познакомиться с материалами по следующей проблематике:

— статьи по современным проблемам теории литературы, охватывающие большой спектр постмодернистских дискурсов; междисциплинарные исследования; важнейшие классические работы западных и отечественных теоретиков литературы;

— историко-литературные труды, посвященные различным аспектам литературной истории России, а также связям России и Запада; введение в научный обиход большого корпуса архивных документов (художественных текстов, эпистолярия, мемуаров и т.д.);

— статьи, рецензии, интервью, эссе по проблемам советской и постсоветской литературной жизни, ретроспективной библиографии.

«НЛО» уделяет большое внимание информационным жанрам: обзорам и тематическим библиографиям книжно-журнальных новинок, презентации новых трудов по теории и истории литературы.

Подписка по России:

«Сегодня-пресс»
(в объединенном каталоге «Почта России»):
подписной индекс 39356

«Роспечать»:
подписной индекс 47147 (на полугодие)
48947 (на весь год)

Неприкосновенный запас

Дебаты о политике и культуре

Периодичность: 6 раз в год.

«НЗ» — журнал о культуре политики и политике культуры, своего рода интеллектуальный дайджест, форум разнообразных идей и мнений.

Среди вопросов и тем, обсуждаемых на страницах журнала:

— идеология и власть;
— институции гуманитарной мысли;
— интеллигенция и другие сословия;
— культовые фигуры, властители дум;
— новые исторические мифологемы;
— метрополия и диаспора, парадоксы национального сознания за границей;
— циркуляция сходных идеологем в «правой» и «левой» прессе;
— религиозные и этнические проблемы;
— проблемы образования;
— столица — провинция и др.

Подписка по России:

«Сегодня-пресс»

(в объединенном каталоге «Почта России»):

подписной индекс 42756

«Роспечать»:

подписной индекс 45683

Modes